СВИДЕТЕЛЬ ЭПОХИ

МАРК ЗАХАРОВ

МОСКВА
2016

МАРК ЗАХАРОВ

ЛЕНКОМ

МОЙ ДОМ

ЛИЦЕДЕЙСТВО БЕЗ ФАРИСЕЙСТВА

МОЕ РЕЖИССЕРСКОЕ РЕЗЮМЕ

МОСКВА
2016

УДК 792.075(470)
ББК 85.334(2)6-8
З-38

Дизайн переплета: *Александр Щукин*

В оформлении переплета использована фотография
из архива театра «Московский театр «Ленком».

В книге использованы фотографии из архива
театра «Московский театр «Ленком»,
фотографа *Александра Стернина*,
а также кадры из фильмов Киноконцерна «Мосфильм».

Кадры из фильмов:

«Тот самый Мюнхгаузен», реж. М. Захаров
© Киноконцерн «Мосфильм», 1979 год;

«Обыкновенное чудо», реж. М. Захаров
© Киноконцерн «Мосфильм», 1978 год;

«Формула любви», реж. М. Захаров
© Киноконцерн «Мосфильм», 1984 год;

«Убить дракона», реж. М. Захаров
© Киноконцерн «Мосфильм», 1988 год».

Захаров, Марк Анатольевич.

З-38   Ленком — мой дом. Лицедейство без фарисейства. Мое режиссерское резюме / Марк Захаров. — Москва : Издательство «Э», 2016. — 512 с. : ил. — (Свидетель эпохи).

ISBN 978-5-699-84211-7

Марк Захаров, бессменный руководитель театра Ленком с 1973 года, выступает в этой книге в непривычной для прославленного режиссера роли — роли зрителя. Искушенного, умного и слегка ироничного — особенно по отношению к... самому Марку Захарову.

Эта книга о том, как Захаров «случайно» стал режиссером. И о тех людях, которые его режиссером сделали, и о тех, кого актерами делал уже он. О том, что происходит в свете рампы и за кулисами. О том, как Захаров творил Ленком, а Ленком — Захарова. О том, как Ленком выплеснулся за пределы театральной сцены — на экраны кино и телевизоров, на улицы города, страны, всего мира...

Занавес поднимается. Добро пожаловать в мир Марка Захарова. В мир лицедейства без фарисейства.

УДК 792.075(470)
ББК 85.334(2)6-8

ISBN 978-5-699-84211-7

Ленком

Марку Захарову

Откуда приходит искусство?
Я тайну постичь не могу.
Возможно, волшебное чувство
От Бога нисходит к нему.

А если это волшебник,
Что скромно за сценой стоит?
Листаю его ежедневник,
Который издать предстоит.

Поверю в «библейские сказки»
Иванушки-дурачка –
И будущего подсказки
Услышу издалека…

Такое безумное действо
Со сцены глядит на тебя,
Что кажется — нет фарисейства,
А есть только Жизнь и Судьба.

Валерий Краснопольский,
2015

От автора

О чем я думал в 1986 году

Обрести контакт с современным зрителем трудно. Еще труднее обрести контакт с современным читателем. Зритель, он хоть уселся перед сценой и сделал минут на пять внимательное лицо. С каким лицом взглянет читатель на мои сочинения — предугадать трудно. В момент выхода этой книги ситуация в подлунном мире, мне думается, не упростится, скорее усугубится, и мои нехитрые мысли могут наверняка затеряться в гигантском потоке информации, что угрожающе насыщает ныне околоземное пространство. Единственный способ быть услышанным — подать во Вселенной свой собственный голос. Не подражать чужому. Сделать это трудно по многим причинам, и прежде всего потому, что надо хорошо знать — какой он, твой голос. И вообще — кто ты и что ты?

Очень непростой вопрос. Чем проще вопрос, тем сложнее на него ответить. Режиссеру надо отвечать по делу. И начинать надо со спектаклей, которые он ставит. Режиссер — профессия амбициозная. Режиссеру мерещится порой, что он знает о жизни что-то такое, чего не знают другие. Разумеется, режиссерское самомнение может помочь в обретении профессии, но оно должно непременно смениться периодом вдумчивого и неторопливого анализа — кто ты и что ты? Чего ты добился сам, а что с тобою просто случилось.

Мне кажется, что я готов к такому трезвому самоанализу. Очень надеюсь, что некоторые аспекты моих сценических и кинематографических сочинений будут небесполезны для тех, кто интересуется театром. Путь в режиссерскую профессию неотделим от жизненного пути человека, посвятившего свою жизнь сочинительству. Рассуждая о театре, я не могу уклониться от некоторых событий автобиографического характера. Впрочем, мои режиссерские заметки хороши тем, что их можно читать с середины, можно с конца, а еще лучше — вообще отложить до лучших времен. «Лучшие времена» у нас почему-то всегда в прошлом или далеком будущем. Пытаюсь шутить, но на самом деле серьезен как никогда.

«...Когда душили его жену, он стоял рядом и все время повторял: "Потерпи. Может быть, обойдется"» (Е. Шварц. «Обыкновенное чудо»).

Это — запоздалый эпиграф вместо предисловия. Обидные для меня слова. Нечто похожее я говорил себе и другим. Слишком часто жил со всепоглощающим девизом «Авось». Похоже, не я один. Вместе со страной. Теперь мы вместе с ней жаждем объективного исторического самопознания. Чем и пытаюсь заниматься вместе с доверчивым и мудрым читателем.

Какие спектакли я ставлю?

«Учебник по режиссуре»

По-моему, очень хорошие. Иногда не очень хорошие, иногда просто хорошие. Иногда средние, посредственные и даже удовлетворительные. Иногда я даже ставлю спектакли, о которых можно сказать: «Так себе». Ниже этого определения, мне думается, я все-таки не опускаюсь...

«Мне думается» — мое любимое словосочетание. Оно кажется мне забавным. Человек, который всерьез и многозначительно говорит о себе: «Мне думается», по-моему, вызывает у окружающих ироническое к себе отношение. Отчасти это входит в мои намерения. Мне нравится выглядеть несерьезным человеком, хотя на вид я достаточно угрюмая личность. Каким бы делом я ни занимался, мне хочется усилить некоторую комедийность, свойственную нашей действительности. (Фраза чудом уцелела в 1986 году.)

Мое первое серьезное признание: любой ценой мне хочется вызвать у людей иронию по отношению к себе и предмету нашего разговора. Так легче и веселее жить. Так удобнее рассуждать о высоких материях и низменных проблемах.

Возможно, здесь сказывается моя природная склонность к лицедейству (я начинал свой путь как актер), и еще — влияние очень веселого русского писателя Аркадия Аверченко. Благодаря ему где-то в самом начале 60-х годов я взялся за перо и стал от отчаяния — в связи с низкой заработной платой и отсутствием каких-либо приятных перспектив — писать юмористические рассказы. Некоторые из рассказов я публиковал в периодической печати, другие вещал дурным голосом в радиопередачах «С добрым утром», о чем теперь в значительной степени сожалею. Но это не вся правда. Кроме написания посредственных полуэстрадных опусов с сомнительными шутками и пошловатыми сентенциями я выработал полезную для своей профессии неприязнь к низкопробной эстраде, которая меня и сегодня частенько подкарауливает, но запах которой ощущаю кожей. Речь сейчас не о моей эстрадной неуравновешенности, от которой потом терзаюсь, речь об известном умении составлять на бумаге забавные словосочетания.

Несмотря на наличие некоторого числа поклонников моего писательского таланта, талант как таковой я с негодованием отрицаю, но на литературном навыке настаиваю.

Склонность к литературным занятиям очень пригодилась мне позднее, когда, обретя свою основную жизненную профессию режиссера, я сумел выстроить на бумаге сценарную основу своих будущих театральных и кинематографических работ. Так появились пьесы, а потом спектакли, сыгравшие в моей жизни весьма важную роль, — «Разгром» по роману А. Фадеева, «Темп-1929» по ранним произведениям Н. Погодина, «Проснись и пой!» по мотивам М. Дьярфаша, «Автоград-XXI», «В списках не значился» по роману Б. Васильева и др. Умение конструировать литературную первооснову режиссерского сочинения сослужило мне добрую службу и при работе над телевизионными фильмами вроде «Обыкновенного чуда», и при сочинении современных музыкальных спектаклей вроде «Юноны и Авось».

Впрочем, литературный навык — это в моем представлении не только одна сюжетная конструкция, это еще и обостренный слух, столь необходимый режиссеру, это знание лексических ответвлений от дежурного хрестоматийного слога, это острое чувство стиля и особое вдохновение, когда перо, ведомое подсознательным импульсом, само по себе выделывает на бумаге совершенно непредвиденные экзерсисы, а ведомый тобою актерский организм вдруг подсказывает тебе неожиданно ловкое комедийное слово, фразу и даже целый диалог, чаще всего с отсутствием привычной логики, но веселыми признаками сумасшедшей жизни, которая нас повергает из ужаса в хохот и обратно.

Разумеется, эта фраза в издании 1988 года отсутствовала. Вместо нее я амбициозно заявлял: «Режиссеру необходимы дерзкие выходы за рамки известной ему технологии. Режиссура сегодня есть синтез человеческих, нормальных, узнаваемых и аномальных проявлений. Мизансценические навыки сами по себе мало что стоят».

Сегодня я бы высказался решительнее.

Современная режиссура, впрочем, как и все остальные виды искусства, делится на режиссуру дотелевизионную и последующую, рожденную в период новой информационной цивилизации.

Авторский театр, — вот пожалуй, то, чем я сегодня занимаюсь.

Характерная особенность эпохи информационного взрыва — необычайная сложность в удержании зрительского внимания. Мы оказались среди таких плотных информационных потоков, что многие из нас стали ощущать их материальную тяжесть, разрушительную атаку на человеческую психику и вообще экологическую небезопасность. Последнее обстоятельство зримо подтверждается не только детскими припадками эпилепсии, зафиксированными в Японии, но и резким ростом немотивированной преступности.

Всемирная телевизионная индустрия насытила нас таким количеством художественной и псевдохудожественной информации, что в сочетании с остальными СМИ мы превратились в людей, которых удивить чем-либо вообще крайне затруднительно.

Эти и некоторые другие особенности нового бытия сильно ударили по театру. В особенности, когда он начинал подражать кинематографу. Изменилось отношение ко времени. Оно стало дороже. Мы перестали смеяться над формулой: «Время — деньги». Всерьез и надолго подключить зрительское внимание к происходящему на сцене, более того, добиться самого главного в театре — сопереживания — оказалось теперь делом чрезвычайной сложности. Сегодняшний зритель, изнуренный неконтролируемой плотностью информационных потоков, зачастую просто не хочет подключаться к спектаклю, срабатывает элементарная биологическая защита. В лучшем случае зритель готов некоторое время вежливо созерцать театральное действо и горячо поаплодировать в финале, особенно если дорого заплатил за билеты. Кстати, зритель, оплативший дорогие билеты, подсознательно не хочет чувствовать себя одураченным и подчас упорно уходит от дискомфортного состояния в непроизвольную имитацию якобы полученного удовольствия. Вообще, психология зрительского поведения — вещь увлекательная и малоизученная.

Американские исследования кинозрителя установили, например, критическую седьмую минуту. Как фильм ни монтируй, но в районе седьмой минуты наступает спад зрительского энтузиазма и наползают сами собой разного рода сомнения вплоть до «уж не зря ли теряю время?». После седьмой минуты обнаружены еще некоторые опасные зоны, о которых должен знать кинорежиссер.

В нашем театре никто подобных и других научных исследований, связанных с психикой зрителя, не проводил, но тем не менее серьезной режиссурой все-таки накоплены некие важные закономерности, которые преждевременно возводить в ранг законов, каковых, кстати, в театре, в строгом смысле слова, вообще не существует. Однако есть полезные наблюдения — и о них стоит задуматься.

Или сделать вид, что погрузился в пучину сложных полифонических раздумий. Это еще одна из необходимых черт режиссерской профессии: казаться чуть умнее и загадочнее, чем ты есть на самом деле. Может быть, это даже необходимо, потому что как бы ни были хороши взаимоотношения с актерами, определенный изначальный антагонизм существует. В глубине души и режиссер, и актерская труппа всегда мучаются некоторыми взаимными сомнениями. Демонстрация интеллектуального режиссерского превосходства, даже если оно отсутствует, — возможно, своеобразный катализатор репетиционного процесса.

Возвращаясь к современной информационной перенасыщенности окружающего нас пространства, хочу сказать, что не знаю, как точно определиться в отношении седьмой минуты, но такая первая опасная в зрительском внимании зона несомненно существует, и я ее, как правило, достаточно надежно определяю. Сначала на первом репетиционном прогоне, а потом при первом соприкосновении с живым зрительным залом. Ей предшествует обязательный «кредит доверия». Если уже зритель не пожалел времени и денег, уселся в зрительном зале, какое-то время он будет взирать на сцену с вниманием и уважением. Правда, не очень долго. Но у режиссера есть в запасе три-четыре минуты, чтобы, что называется, зацепить его любопытство и привязать зрительское внимание к происходящему на *сцене*. В зоне, определяемой мной как «кредит доверия», может происходить любая ерунда, не всегда внятная, понятная, но забрасывающая некоторые семена хотя бы обыкновенного любопытства. По окончании «кредита доверия» должна состояться важная режиссерская акция, призванная перевести психику зрителя из любопытства в интерес. Зритель должен заинтересоваться сценическим процессом, с тем чтобы постепенно вступить в полосу сопереживания, за которой желательна зона любви к героям сценического действия. Любовь должна теоретически закончиться катарсисом — потрясением и очищением.

Рассуждать о катарсисе не возьмусь. Хочется выглядеть скромным, хотя были спектакли, где, мне кажется, витал его призрак. Но какая-то предфинальная режиссерская кульминация в хорошо поставленном спектакле должна быть обязательно. «Предфинальная» — потому что В.Э. Мейерхольд говорил, во-первых, что все аплодисменты надо сосредоточить к финалу, но само окончание спектакля после заключительной режиссерской акции должно нести в себе мудрый покой и умиротворение. Законов, повторяю, в нашем деле нет, может быть бесконечное количество исключений, в том числе продиктованных жанровым многообразием, но в целом пожелание В.Э. Мейерхольда кажется мне на девяносто процентов справедливым.

Замечательный японский режиссер Тадаси Судзуки, с которым я общался во время наших гастролей в Японии, еще раз поделился своим тревожным постулатом: нынешняя заполонившая мир виртуальная реальность, обилие и рост электронной информации оставляют возможность соприкосновения с живой, осязаемой энергией человека только в двух видах его деятельности — в спорте и театре.

* * *

Несмотря на то, что, как и каждый уважающий себя режиссер, я рассуждаю достаточно безапелляционно, иногда даже с некоторой завуалированной наглостью, — все-таки в приступе «дурной правды» прошу читателей не считать, что обронзовел настолько, что рекомендую мною написанное воспринимать как учебник по режиссуре. Скорее я импровизирую на темы того конкретного сценического опыта, который помог мне сделать московский Ленком на некоторое время заметным явлением в российской театральной жизни. Конечно, это не мой личный, но изощренный в своем многообразии коллективный труд. В нем участвовали и продолжают свое участие самостоятельные разработчики, талантливые созидатели, обретшие творческую самодостаточность. Лучше — самоценность.

Разумеется, некоторым актерам я помог — одним больше, другим меньше. На всех сил не хватило, но старался, по крайней мере, не мешать. Совсем недавно осознал истину, простую до неловкой банальности: не будет в моей жизни вторых Инны Чуриковой, Леонида Броневого, Олега Янковского, Александра Абдулова, Николая Караченцова, Александра Збруева, Армена Джигарханяна, Юрия Колычева, Александры Захаровой и многих-многих других очень любимых мною артистов, уже зрелых мастеров, совсем молодых восходящих звезд и тех, кто осознал и укрепился в своем статусе «не звезды», того актерского цементирующего фундамента, без которого немыслим русский репертуарный театр. Наконец, мне бы хотелось поблагодарить судьбу, что довелось заниматься совместным сценическим поиском с такими явлениями российского искусства, каковыми являлись Евгений Павлович Леонов, Татьяна Ивановна Пельтцер, Андрей Александрович Миронов.

Не будет в моей жизни и другого режиссера-сценографа, уникального художника Олега Шейнциса — человека высоких творческих озарений. (О нем я подробно написал в своей первой книге «Контакты на разных уровнях».)

Здесь, возможно, самое время вспомнить о директоре Ленкома Марке Борисовиче Варшавере, человеке, с которым мы побывали в бедах и радостях, съели не один пуд соли и в котором я ощущаю надежного друга, для которого главное в жизни Ленкома — здоровье коллектива, прочная эстетическая и экономическая основа нашего существования. Не последнюю роль, кстати, играет для него и мое творческое самочувствие, что я хорошо ощущаю и за что безмерно благодарен. Так уж подло устроен театр — от самочувствия одного-единственного человека подчас зависит результативность работы огромного коллектива.

В последние годы я слышу в свой адрес (особенно с глазу на глаз) много явно завышенных восторгов. Пока у меня хватает ума реально их оценить, а также ощутить свои слабости, сомнительные режиссерские акции, кстати, и человеческие. Вместе с тем появилось и подобие объективной оценки того, что я умею. Начну с того общепланетарного открытия, которое сделано задолго до моих писаний: основная ценность театра — актерский организм, обладающий мощной энергетикой и гипнотической заразительностью, развивший свои нервные, психические ресурсы до высоких степеней, неподвластных строго научному измерению.

Когда находятся молодые люди, подающие сценические надежды, с интересом взирающие на российские театральные школы, а также отдельных мастеров, желающие
приблизиться к тайнам актерского и режиссерского мастерства, а также открыть великой театральной державе,
которой мы все принадлежим, новые горизонты, мне всегда хочется дать им хотя бы несколько прагматичных, чисто
житейских советов. Не удержусь и на этот раз.

Советы абитуриентам

Если вам захочется поступить в Академию театрального
искусства (ГИТИС) или в какое-либо другое театральное
учебное заведение, чтобы выучиться на артиста, режиссера, театрального журналиста или менеджера, — немедленно откажитесь от этой идеи. Раз и навсегда выбросите эту
опасную мысль из головы. Если выбросить не удастся —
тогда поступайте.

Конечно, вы получите не совсем нормальное образование. Если вас не отчислят на первых курсах, что почти
неизбежно, — вы станете обладателем диплома, имеющего
чисто символическую ценность, ибо выучиться на поэта,
драматурга, композитора и вообще на сочинителя — невозможно. Им можно лишь стать с помощью собственных
и педагогических усилий при наличии определенных человеческих качеств, физических данных и профессиональных способностей.

Не скрою — дело рискованное и опасное. Пять-семь
процентов от общей массы начинающих артистов не сумеют отрегулировать свои отношения с алкоголем. Спиться
в нашей стране, при нашей профессии проще простого.
Традиции, генетика, профессиональные перегрузки и вихри соблазнов так и подталкивают расслабиться сначала на
некоторое время, а потом на всю жизнь. Чтобы не стать
алкоголиком, надо проявить незаурядное упрямство. Не
всем дано.

Еще десять-двенадцать процентов сойдут с дистанции из-за неумения подчинить свою жизнь строгой самодисциплине, особой профессионализации мышления, всевозможным ограничениям, специальному режиму труда и отдыха. Я уже не говорю об обязательном дополнительном самообразовании, без чего молодой мозг быстро вянет, склоняется к хамству, агрессивному невежеству с последующим дебилизмом.

Молодой интеллект студента должен впитать все основополагающие идеи и нюансы истории мирового искусства, располагая ничтожной стипендией. Он должен научиться организованно вписываться в недостаточно организованный процесс творческого поиска, работать по много часов, изучая одновременно окружающий мир и ресурсы собственного организма. Он должен поверить в их безграничность. Он должен научиться до конца дней наблюдать, коллекционировать сознательно и бессознательно разнообразные режимы человеческого поведения, свойственные людям, не имеющим отношения к театру. Людям, что по-другому говорят, ходят, жестикулируют, иначе берут дыхание в произносимой фразе, чем это делают среднестатистические артисты, по-другому используют тембральные возможности человеческого голоса, не обязательно стремясь во что бы то ни стало понравиться зрителям и насладиться звуками собственных голосовых связок. Артист высокого класса должен, помимо экстатического лицедейства, научиться производить двойственное впечатление на зрителя, который очень долго обязан не понимать — дилетант перед ним или гений. В конце концов, он должен приблизиться к категориям сверхчувствительного восприятия, научиться гипнотическому контролю над настроением зрительного зала.

Забегая вперед, скажу, что, по моим наблюдениям, приличным профессиональным артистом (не режиссером!) можно стать после двух лет интенсивной работы с хорошими (желательно талантливыми) педагогами, при наличии уникальной работоспособности, ума, неизуродованной наследственности, врожденной или благоприобретенной культуры (очень редко это случается) и обязательно близких людей незаурядного калибра, способных создать вокруг него питательную среду. Впрочем, найти чисто человеческие источники, которые, помимо родителей, напитают тебя не дурью, но благотворными идеями в широком спектре профессиональных и человеческих качеств, — задача, быть может, центральная, определяющая при рождении истинного Артиста.

Особую роль я отвожу возлюбленному или возлюбленной. От этой личности в одинаковой мере зависит и творческий рост, и профессиональная (человеческая) деградация.

Заявление, конечно, достаточно безапелляционное и, вероятно, насквозь субъективное, но личные многолетние наблюдения не позволяют мне скрыть это убеждение. Особенно велика подобного рода зависимость, по-моему, у мужчин. (Если жена (возлюбленная) еще и старше тебя — считай, тебе очень повезло.) Но конечно, как человек, иногда проявляющий осторожность, скажу: точно не знаю. Впрочем, не только этого, но всего другого, о чем пишу.

Слишком долго рассуждать о серьезных, высоких материях скучно и даже опасно. Творческой личности необходимо тренировать себя на контрастах. Необходимо укреплять не только мускулатуру, но дотянуться до тех биологических механизмов, что выбрасывают в кровь адреналин, регулируют работу сердечно-сосудистой системы и мозговых нейронов. Система йогов для нас сложна и не слишком органична; элементарный, а за ним углубленный аутотренинг — то самое, что необходимо дерзающему дарованию. Тем более что после начала космических полетов российские ученые пусть с большим опозданием, но все же признали его строго научную ценность.

Все вышенаписанное есть типичное лирическое отступление. Теперь по делу — о желании молодого дарования приобщиться к современному актерскому или режиссерскому искусству.

Если талантливый абитуриент при поступлении в театральное училище или Академию одолеет экзамен по доминирующей дисциплине — мастерству, он обязан произвести выгодное впечатление и на других экзаменаторов. Это крайне важно. В какой-то степени это тест на проверку его воли, целеустремленности, даже профессиональной пригодности.

При поступлении в ГИТИС в 1951 году я, не скрою, пользовался шпаргалками. В средней школе у меня был учитель по математике, который ценил хорошо сконструированную шпаргалку, рассматривая ее как своеобразный конспект и, более того, удачно реализованный тест, оценивающий цепкость ума и склонность к аналитическому мышлению. В некоторых зарубежных школах учащиеся не знают наизусть таблицу умножения — им разрешено открыто пользоваться калькуляторами.

Я полагаю, что сегодня можно прийти на экзамен с маленьким портретом К.С. Станиславского, со словарями и многочисленными справочниками. Если этому воспротивится ваш экзаменатор — удивитесь, но не огорчайтесь. Существует множество надежных способов произвести на экзаменатора выгодное впечатление при неглубоких познаниях.

Перед тем как что-то сказать, постарайтесь очень тонко и осторожно продемонстрировать нездоровье и следы тяжелого материального положения. Хорошо во время экзамена будто бы незаметно принять лекарство. Если на заданный вопрос вы имеете хотя бы приблизительный ответ, не торопитесь подавать голос. Поднимите к потолку задумчивый взор, слегка сощурьтесь и изобразите, будто выбираете из множества полученных вами знаний подходящий вариант ответа, доступный экзаменатору. Дайте ему почувствовать, с легкой опечаленной улыбкой, все богатство и полифонию вашего неординарного мышления. Главное — создать ощущение, что говорю, увы, далеко не все, что знаю.

Академия театрального искусства, в которой я имел честь вести мастерство, надеется на талантливых абитуриентов. Больше того, страна замерла в тревожном ожидании. Измученному народу не терпится познать новых сценических кумиров и киногероев. Ему мерещится, что весь мир сегодня смотрит на Россию и ждет: погубит она земную цивилизацию или дружески ободрит дальнейший мировой прогресс.

Фантасмагорический театр

Весь вышеобозначенный поток сознания призван отвлечь
читателя от главного вопроса: какие спектакли я ставлю
на сцене? Мне кажется («думается»), что иногда я ставлю
правдивые спектакли. Но только до известного предела.
Моя правда — это желание не отрываться от психологической и социальной основы нашего многотрудного бытия. Это желание пропускать через собственный мозг и
сердечную мышцу наши общие боли и радости — живые
токи, что циркулируют в недрах нашего общественного сознания. Благие намерения, естественно, не всегда обретают реальность. Я стремлюсь ставить спектакли разные, не
похожие друг на друга по своим жанровым и эстетическим
признакам. Каждый раз стараюсь уйти как можно дальше
от своей предыдущей работы. Так просил Мейерхольд, и я
делаю все, чтобы не забывать его настоятельную просьбу.

Закрыв глаза, я могу вообразить нечто совершенно не-
вообразимое, но, увы, не могу представить на сцене строго объективного, жизненно достоверного процесса, рас-
считанного на весь спектакль от начала до конца. У меня
тотчас возникает невероятная скука и непреодолимое желание деформировать этот процесс в свободный и обязательный поиск новой среды обитания. Вахтангов называл
подобное искушение «фантастическим реализмом».

При всей пестроте и несхожести моих работ есть все
же нечто общее, что их, по-моему, объединяет. Это «нечто»
я обозначаю для себя как «поэтический допуск», как «игру
воображения», фантасмагорию, как «театральную фантазию на тему». Скорее всего, это — авторский театр.

И еще: подозреваю, что московский театр «Ленком», который я возглавляю, есть театр фантасмагорического, отчасти поэтического мировосприятия.

Второе серьезное признание: для меня стихия театра и
стихия поэзии давно воссоединились в единое и неразрыв-
ное целое. Об этом хочется порассуждать чуть подробнее
и поразнообразнее, путем смелых проекций с разных сторон, разными способами, с разными намерениями и раз-

ными настроениями. Слово «разный» относится к числу любимых, поэтому я им порой злоупотребляю, ибо втайне надеюсь, что оно в конечном счете подарит мне истину. Если и не истину в конечной инстанции, то, во всяком случае, запах истины, что немало.

Что до самой театральной истины, то она в конце XX столетия ведет себя легкомысленно, вечно ускользает от заинтересованных лиц, играет с ними в прятки, а при нахождении отказывается занимать постоянную точку на оси координат. Если б она раздваивалась, было бы полбеды, но сегодня истина троится, становится множественной, а иной раз и вовсе дематериализуется вопреки и назло закону о всеобщем сохранении энергии. Однако ученые-физики в свое время справились с потрясением, вызванным распадом материи на хаос элементарных частиц. Может быть, и нам удастся совладать с обилием тенденций в современном сценическом пространстве. Прекрасно, что в нашей лицедейской профессии появляется все больше понятий, которые не укладываются в точные нормативы, не уточняются системой дежурных определений.

Режиссерам (не исключая автора) часто мерещится, что они вместе с остальным человечеством уже познали все основные тайны бытия, выучили наизусть человеческую душу, и теперь остается дело за малым — накапливать количественные данные, учитывать и уточнять. Иными словами, переучет в человеческом мышлении еще возможен, но вот революционный сдвиг — никогда. Тем не менее он назревает. По мнению компетентных лиц, прежде всего — в биологии. Следовательно, в психике. А коснется дело психики — затрещат и наши представления о мироздании. Изменится восприятие самых коварных категорий — пространства и времени.

Со временем в театре всегда было плохо, но вот и пространство уже заколебалось со всей очевидностью. И это сказалось на форме. Театральная форма в последние дни как-то вздыбилась и разнуздалась. Как следствие — посыпались бестактные вопросы. Не скрываются ли под «сценической магией» дополнительные энергетические возможности, заложенные в человеке? Можно ли ощутить поток нервной, а также психической энергии? (И где граница, их разделяющая?) Если да, то можно ли ими управлять, изменяя направление и силу? Ритм характеризует только скорость и силу сценического процесса или в нем хранятся дополнительные рычаги воздействия на подсознание зрителей? Можно ли измерять тишину в зрительном зале и возможно ли одну тишину заменять другой, прямо противоположного свойства?

Не исключено, что вопросы эти отдают околонаучным «шаманством», но без них очень сложно понять природу фантасмагорического театра и некоторые его механизмы. Убежден, что имею к ним некоторое отношение. Но иметь отношение к чему-то еще не значит понимать самую суть его. А мне бы хотелось понять только суть, потому что, поняв ее, не нужно понимать ничего другого — все остальное приложится.

Когда человек произносит со сцены важную мысль, смысл фразы не зависит от звука. (Было бы слышно.) Можно подытожить идею пьесы высоким голосом, можно низким. Можно тенором, можно баритоном. Контакт остается прежним. Содержание не изменится. Говорю уверенно, но при этом сомневаюсь.

Маленькое отступление. Когда нежная мать писклявым голосом причитает над младенцем, специально коверкая и не выговаривая некоторые буквы, оказывается, она совершает прямо-таки определяющий акт для жизни подрастающего человека. Эти ее глупости жизненно необходимы ему для правильного пищеварения и полноценного духовного развития. Это установила наука, а не театроведение, и, стало быть, этому можно верить. Без материнских тембральных фантазий не срабатывают какие-то важнейшие для жизни человека биологические функции. Без материнских тембральных фантазий ребенок может вырасти неполноценным гражданином, даже негодяем или пассивным болезненным существом. Ребенок, который не получает в достаточной мере этих жизненно необходимых хихикающих материнских звуков, простужается от малейшего сквозняка. Это подмечено уже не только наукой, а материнской практикой. Вот какую действенную задачу (говоря нашим языком) осуществляет улыбчивое завывание матери. С виду смешное кривляние, а по существу — важнейший целебный удар по многим клеткам и органам.

А если сменить тембр и характер звуков? Думаю, что иная звуковая вибрация не возымеет полезного результата. Помните опыт с растениями? Тоже живые клетки. Под одну музыку начинают бурно и активно развиваться, а на другую никак не реагируют. Если бы голосовые связки Владимира Высоцкого вибрировали в иной частотной характеристике, пожалуй, и даже наверняка, изменились бы его рифмы, поменялись бы интонации, а стало быть, и темы его песен. Поэт стал бы другим. Но других поэтов много, среди них нетрудно и затеряться, что с успехом делают многие другие. Скорее всего, Высоцкий не стал бы поэтом Высоцким, вибрируй его связки в ином регистре. Скажу больше: я наблюдал его еще в период ранних песенных опусов, они исполнялись в другом тембральном режиме и не имели существенной ценности.

Повышение или понижение звука на сцене есть действие, говоря режиссерским языком, и весьма активное, со своей сверхзадачей. Поэт, читающий свои стихи, в какой-то степени, может быть большей, чем принято думать, тоже певец. Полезно его послушать, чтобы понять, какую музыку он сочинил. Вполне возможно, что сам он свои стихи читает плохо. Это бывает. Композитор не обязан сам исполнять свою симфонию. Но даже если поэт читает плохо — он читает правильно. Во время такого чтения можно изловчиться и ухватить некоторые формообразующие начала его поэтического мышления. И конечно же, не в одних звуках дело. Поэт сознательно или бессознательно привлекает различные дополнительные средства воздействия на нашу психику. Иногда очень тонким, едва различимым образом. Как режиссер. Как умный опытный актер.

Поэтическая стихия — это стихия атаки, ее воздействие на наш организм измеряется несметным количеством величин как биологического, так, например, и полиграфического свойства. (Тоска поэта по театральной декорации?) Я заметил, поэты очень щепетильны в вопросе визуального расположения печатных знаков. Буквенный знак, равно как и более сложная геометрическая структура, может в определенных условиях стать источником энергии. Для людей с повышенным, сверхчувственным восприятием, а также для некоторых нездоровых людей такой энергопоток может приобрести не просто тревожный, но оглушительный характер, и история, к сожалению, знает случаи нападения неуравновешенных лиц на шедевры изобразительного искусства. Строго говоря, рассматривать эти нападения как абсолютно немотивированные нельзя. Здоровые люди тоже — в разной мере — испытывают подобные непростые эмоции, и не всегда они положительные. Кроме чисто идейного осмысления и чисто эстетического чувства, мы можем испытать от контакта с геометрической средой еще «нечто», какую-то глубинную реакцию организма, разобраться в которой нелегко. Но чтобы понять природу поэтического театра, чтобы накапливать новые, современные средства театральной выразительности, такие попытки предпринимать надо.

Конечно, это вопрос спорный, проблематичный, поэтому сейчас под источником энергии я разумею не геометрический ритм, не начертанные линии, не цвет, а человеческий организм, который заряжается нервной энергией от соприкосновения, например, с расположением стихотворной строки. Попробуйте выровнять стихотворную лестницу Маяковского!

А как быть с теми поэтами, которые пишут прозой? В великой русской литературе очень трудно отличить поэтический ум от прозаического. Возможно, что сам по себе русский язык с его богатейшими падежными нюансами и феноменальными словообразованиями имеет свое прямое влияние на механизм поэтического мышления, на формирование национального характера, и наоборот. Еще Чехов заметил, что мы о своем хозяйстве печемся меньше, чем о мироздании в целом. Все в мире для нас источник переживаний, все повод для высоких дум и мечтаний. У нас даже «Мертвые души» — поэма.

* * *

Как-то на занятиях по режиссуре в ГИТИСе я спросил у студентов, которым преподаю эту загадочную профессию: можно ли по расположению текста на странице и протяженности фраз распознать физиономию автора? Студенты сказали: можно. И я с ними согласился. Если автор талантлив, все следы, оставленные им в этом мире, можно рассматривать как ноты, которые могут зазвучать. А зазвучавшая нота требует пространства. А требование пространства — изначальная веха в строительстве театра.

Так почему же, к примеру, у Достоевского такой длинный абзац? Зачем ему такая многоступенчатая и сложная словесная вязь? Мне кажется, что фраза у Достоевского очень часто не является прямым описанием события или предмета. Она сама по себе скорее процесс, чем фиксация. Похоже, она приобретает характер яростного, но скрытого, временами неврастенического движения по сложному маршруту с постепенным приближением к болевым точкам страждущей души, с постепенным ощупыванием всевозможных промежуточных ступеней познания, Достоевский как бы не уверен в обязательном и точном попадании в сердцевину проблемы, он мудр, но деликатен, он слишком хорошо ощущает бесконечность мироздания, безмерную сложность человеческой души. Он не спешит с окончательным суждением. Мне кажется, что в словесной ткани Достоевского иногда присутствует какой-то вспомогательный поток энергии, не связанный впрямую со смыслом. Автор не только постепенно раскрывает читателю смысл происходящего, но еще и проводит мучительную операцию с собственным естеством, он словно разогревает в нем тайные сферы, и вскоре, после многократного движения по спирали, этот поэтический накал обретает силу экстаза, философской глубины и, наконец, прозрения.

Сам Достоевский о философской стороне творчества говорил так: «Философия есть тоже поэзия, только высший градус ее».

Объемный абзац Достоевского, витиеватое и нервное расположение печатных знаков для нас не просто передатчики информации. Мы угадываем здесь музыку. А всякая музыка в конце концов зовет на сценические подмостки. Только вот какими красками, звуками, движениями воспроизвести этот мощный гул?

Готовясь однажды к инсценировке «Игрока», задолго до ее реализации в спектакле «Варвар и еретик», я долго бился (к сожалению, тогда безрезультатно) над проектом пластического и звукового эквивалента той самой горячей и страстной стихии многоступенчатого Поиска. Не знаю, как точно назвать это «нечто», что составляет в истинном творении не просто суть, не смысловое значение, а нечто большее — категорию, уходящую на порядок выше. Куда-то ввысь. Может быть, в космические сферы. Ведь оттуда вместе с солнечным светом пришла жизнь. И пришел театр.

Я убежден, что театр не есть изобретение человека, как кинематограф. Театр — изобретение природы. «Весь мир — театр», — сказал нам наш самый авторитетный коллега, правда, с некоторым оттенком иронии. Я же серьезен как никогда. По-моему, театральная природа просматривается во Вселенной не только в древних человеческих игрищах и ритуалах, но и в павлиньем хвосте. Я не верю, что природа не сумела бы обойтись без этого шикарного расточительного хвоста. Для чисто утилитарного назначения можно (выгоднее, экономичнее) сделать вещь попроще. И павлины отлично бы размножались в более скромных условиях (есть на то примеры) — а вот подавай им эту причудливую музыку, да еще с целым рядом пластических выкрутасов! Зачем? Затем, вероятно, что эстетические эксперименты вообще свойственны живому организму, затем, что жизнь уже на ранней стадии представляет собой смелый выход за границы утилитарного назначения. Если бы люди жили по одному только здравому рассудку, по смыслу, по делу, по полезному и выгодному разумению, эволюция на нашей планете наверняка бы прекратилась. Без поэтического импульса мир сильно бы упростился и выровнялся. Я думаю, движение вперед хорошо уже само по себе. Иногда надо просто шагать за горизонт. А зачем? Если здесь хорошо. Все равно надо! Во имя Поиска! Зачем надо раскачиваться поэту и завывать не своим голосом?

Чтобы обрести новый голос, чтобы уйти в неизведанное, прекрасное прежде всего за счет своей неизведанности. Почему так необходимо, так интересно внимать необъяснимым подробностям творческого акта, особенно когда логика его остается не до конца разгаданной?

Но именно тогда и возникает самая загадочная на свете «сценическая магия», и мы летим как завороженные на этот огонь. Может быть, он очищает нашу кровь? Может, готовит человеческое сознание к новым прозрениям? Может быть, даже улучшает нашу генетику?

* * *

Я думаю, что подлинный театр — это всегда поэзия. Конечно, мир безграничен. Возможно, на сцене могут существовать и другие, абсолютно прозаические и приземленные построения, но для меня они всегда лишь блоки, составные элементы, которые могут превратиться в здание современного спектакля лишь в поэтическом монтажном слиянии, при непременном создании внутреннего ритмического каркаса.

Театр в моем представлении — всегда поэтическая фантазия, при самых смелых прозаических допусках и скрупулезных бытовых деталях. Но эти детали в моих намерениях всегда акции высокого поэтического тонуса. Это не означает обязательных романтических или пафосных интонаций, но вместе с тем спектакль для меня всегда сочинение. Я очень боюсь позиции, которую занимают наши средние (средние по качеству) кинематографисты. «Смотрите, — как бы говорят они, — вот оно, как в жизни!» А к жизни показанное не имеет никакого отношения, что не раз отмечали даже самые снисходительные рецензенты. Такого рода режиссура предлагает нам чаще всего хорошо известный набор знаков, дежурных и прилизанных обозначений, не имеющих никакого отношения к реальным людям с их нынешними интонациями, лексическими оборотами, неповторимыми подробностями в поведении, с их бедами и радостями, что встречаются сплошь и рядом в нашей многотрудной жизни.

Я считаю, что лучше не скрывать того, что показанное нами со сцены — произвольно воссозданный поток воспоминаний или исследования со значительными субъективными допусками. Субъективное на сцене неплохо, если неплох сам субъект.

Каждый человек, в том числе режиссер, имеет право спеть свою собственную песню о том, что он видел, и о том, что не видел, но только предполагает. И даже не то, что предполагает, а то, что можно назвать материализацией его подсознательного влечения. Лицезреть и ощущать кожей такого рода песню, рожденную талантливым (лучше — суперталантливым) сочинителем, — редкое счастье. Потому что такой человек имеет право петь, иногда не слишком задумываясь, о чем его песня.

Больше всего в театре мне дорога та сценическая песня, что подводит нас к качественно иному восприятию и собственной жизни, и бурных общественных процессов в нашем неспокойном мире.

Увы, пока мы не одолели классического Аристофана и Корнеля, возвышенного Расина и Шиллера, но все же надо отдать должное российскому театру — за последние два десятилетия он подарил зрителям дерзкие и разнообразные прорывы в новые поэтические пространства.

Московский театр «Ленком» также отдал немало сил открытию и утверждению собственных поэтических фантазий. Огромную роль в этом деле сыграла для меня многолетняя работа над музыкальными сочинениями для драматического театра: «Темп-1929», «Разгром», «Тиль», «Хория», «В списках не значился», «Звезда и смерть Хоакина Мурьеты», «Юнона и Авось», «Безумный день, или Женитьба Фигаро», «Королевские игры». Сюда же следует, очевидно, отнести и мои работы в телевизионном кинематографе — «Обыкновенное чудо», «Тот самый Мюнхгаузен», «Формула любви» и др.

Разумеется, громкая современная музыка в театре — вещь удивительная, но еще более удивительна та музыка в театре, которую не слышно. Когда одна тишина сменяется другой, прямо противоположного свойства, когда ритм из простого сценического понятия вытягивается в загадочную химеру. Ритм на современной сцене есть нечто большее, чем чередование звуковых и пластических импульсов. Ритм — еще одна бездонная, безграничная система воздействия на поведение человека. Йоги говорят о ритме Вселенной. Мы их хотя и уважаем, но такого не говорим. Однако то, что каждая наша клетка находится в постоянной ритмической пульсации, теперь знаем точно. Стало быть, в наших руках мощнейшее оружие, не уступающее тем изобретениям человека, с которыми следует обращаться с величайшей осторожностью. В чередовании ритмических построений есть почти все необходимое, чтобы потребовать себе точку опоры и перевернуть мир.

Кроме этого намерения, у меня есть и более скромное желание подвергнуть практическому анализу всевозможные и разные средства современной сценической выразительности, без которых немыслимы поиски нового поэтического пространства в театре.

Такая работа требует ювелирной точности, она требует терпения и хорошего здоровья, ибо часто мы создаем слишком хрупкие конструкции, их надо удерживать, укреплять и проверять в жестоком режиме сценической эксплуатации. Но, поставив однажды тихий поэтический спектакль без всякого музыкального сопровождения («Вор» Мысливского), Театр имени Ленинского комсомола с увлечением вел кропотливую работу над «тихими» сочинениями, где мы пытались освоить некоторые иные способы поэтического созидания. (Здесь самое время упомянуть о спектаклях, которые особенно любимы и дороги. «Три девушки в голубом» Людмилы Петрушевской и «Чайка» А.П. Чехова.)

Режиссерская методология должна постепенно (а иногда и резко) меняться, так же как и актерские навыки, сценографические идеи. Станиславский просил переучиваться каждые пять лет. Будем внимательны к его просьбам.

История русского театра — бездонный кладезь для современного поиска. Мне кажется иногда, что я хорошо знаю спектакли Мейерхольда, Вахтангова, Таирова. О них прекрасно рассказали современники, они подробно описаны, сфотографированы и даже зарисованы. Но меня преследует образ одного неизвестного мне театрального явления...

Великий мхатовский спектакль «Дни Турбиных»! Из обильной литературы, посвященной этому явлению, я так и не сумел извлечь для себя определения магической первоосновы этого театрального феномена, той интересующей меня тайны сценического акта, что приводила к потрясению зрительские души. Я слышал достаточно разговоров об «атмосфере» спектакля, но наш расхожий термин с некоторых пор перестал удовлетворять меня. Вероятно, поэтому я и избрал для заглавия одной из своих книг слово «контакт», заранее оговорив с помощью последующих трех слов («на разных уровнях») всю неоднородность этого понятия. Я сейчас стучусь в самые потаенные двери Театра, куда мечтаю если и не ворваться, то уж во всяком случае — заглянуть.

В отношении «Дней Турбиных» у меня сложилось твердое убеждение, что это и есть мой любимый спектакль. И то, что я его не видел, только укрепляет меня в моей любви. Истинная любовь возникает у человека лишь в том случае, если он не умеет объяснять, за что любит. Невозможно рассказать о музыке Рахманинова, описать балеты Фокина, объяснить цветовую гамму Борисова-Мусатова, композицию Кандинского. Подозреваю, что «Дни Турбиных» — одна из вершин поэтического театра именно в силу того, что об этом магическом спектакле рассказать очень трудно, почти невозможно.

Сценический прием как выражение театральной идеи имеет свои градации. Сначала это всем понятное сооружение. (Понятно, как сколочено.) Потом хотя и понятно, но настолько ловко и добротно, что самому уже не сделать. (У хорошего человека это вызывает белую зависть.) А потом наступает такое, очень редко, когда непонятно, как оно и сделано. Тут только руками развести. Может быть, это и есть истинный критерий поэтической стихии?

Думаю, что все это относится не столько к технологии, но и к идейно-смысловой стороне нашего дела. Идея большого спектакля не должна укладываться в простую формулу. Сокровенный смысл великого творения не должен сразу же даваться в руки. Пусть о нем пишут театроведы, пусть накапливают основательный научный материал. (Про что «Принцесса Турандот» Вахтангова?..)

А что хотел сказать Велимир Хлебников своим стихотворением «Кузнечик»?

> Крылышкуя золотописьмом
> Тончайших жил,
> Кузнечик в кузов пуза уложил
> Прибрежных много трав и зер.
> Пинь, пинь, пинь! Тарарахнул зинзивер
> О лебедиво.
> О, озари!

Лично я здесь вижу гениально размытую границу между смыслом и откровенно музыкальным вторжением в недра человеческого подсознания. Я не знаю, кто такой «зинзивер» и что такое «лебедиво», но самое прекрасное, что я этого и знать не хочу.

Развитие искусства — не простая восходящая прямая, скорее, комбинация аритмичных зигзагов.

Один зигзаг я бы хотел совершить прямо сейчас. Мне вдруг захотелось вернуться назад и спросить себя самого: почему я стал режиссером?

Почему я стал режиссером

Режиссером я стал случайно. Так мне кажется. В нашем деле ни за что ручаться не следует. На каждый театральный закон есть свое исключение. Не поручусь и за это утверждение. Причинно-следственные связи в нашем мире — вещь в высшей степени загадочная, наводящая тоску и отчасти скорбь. (Какая разница в этой фразе между тоской и скорбью — об этом сейчас думать не хочется, но «скорбь» звучит красивее и торжественнее. А это, вероятно, моя слабость. Я иногда склонен к некоторой излишней торжественности. Я с этим борюсь. Однако давно заметил: борьба идет с переменным успехом.)

Когда думаешь о первых отрезках своего пути (хочу обойтись без слова «этап», оно слишком торжественно),

ужасаешься обилию случайностей, в том числе предшествовавших твоему появлению на свет. Однажды (сравнительно недавно) отец рассказал мне, как в неполные шест-
надцать лет ему страстно захотелось участвовать в великих
сражениях, охвативших нашу многострадальную планету
на заре XX столетия. Все его братья и отец (мой дед) погибли на фронтах империалистической бойни «за Веру, Царя
и Отечество». Когда же в Воронеже появились призывы к
вступлению в ряды Добровольческой армии, отец, не задумываясь по малолетству, принял чрезвычайно легкомы-
сленное решение усилить ее собственным присутствием.
Он ринулся к сапожнику и заказал себе сапоги. (Воевать
в Добровольческой армии без сапог считалось неприличным.) Сапожник попросил зайти через три дня, но к исходу
назначенного срока неожиданно напился и сшил сапоги на
два размера меньше. Вместо того чтобы радоваться, отец
горько плакал, сапожник извинялся и обещал через два
дня исправить положение. Однако, к счастью для меня,
моей жены, моей дочери, моих друзей и всех поклонников
моих спектаклей, обещание свое не выполнил и безнадежно запил. За это время военно-революционная ситуация в
стране резко изменилась к лучшему, и в Воронеж вступила
Конармия под командованием Семена Михайловича Буден-
ного, куда можно было вступать в какой угодно обуви, в
том числе и босиком. Отец не преминул воспользоваться
счастливой возможностью.

    После этого он успешно участвовал в героическом от-
ражении третьего похода Антанты и в дырявых ботинках
громил хорошо оснащенную армию Пилсудского, был ранен, болел тифом, не подозревая при этом, что главная радость его ждет впереди. В 1931 году он встретил мою мать,
которая согласилась родить ему сына осенью 1933 года.

    Несмотря на столь счастливый финал, рассказ моего
отца мне сильно не понравился. Не только по идейно-по-
литическим соображениям, — меня главным образом ужа-
снула выдающаяся роль сапожника в обстоятельствах,
предшествовавших моему появлению на свет. Сшей он
сапоги в трезвом состоянии, как положено, — отец наверняка бы бесславно погиб или потерял свою родину, никог-

да не встретив мою мать, и я, в свою очередь, никогда бы не родился. Факт сам по себе печальный, хотя печальнее другое: вряд ли бы это обстоятельство было бы хоть кем-нибудь замечено. И вряд ли хоть кто-то огорчился бы по этому поводу. До меня люди сменили несколько общественно-экономических формаций и прекрасно обходились без моей помощи. Хуже того, с моим появлением в 30-х годах на мир обрушились большие неприятности глобального порядка. Они вряд ли прекратятся и после моего ухода, естественного или преждевременного. Так зачем, спрашивается, я родился? Как ни смешно об этом думать — думать об этом необходимо. Так устроен человек. Этот вопрос должен время от времени вставать во всей своей неопределенной значимости. И нужно искать на него ответ. И не надо противиться этому естественному человеческому намерению, каким бы печальным занятием это ни казалось. (Полагаю, что это всего лишь случайная, нехарактерная для меня пессимистическая нота.) Как это ни грустно, но я чаще всего радуюсь почти всему, что происходит в этом мире, и в особенности я обрадовался своему рождению в осенний месяц октябрь в несчастливое число тринадцать.

Я сразу же вкусил необыкновенную радость бытия в огромной коммунальной квартире, населенной очень добрыми людьми, которые постоянно ссорились и были вместе с тем бесконечно заботливы и внимательны друг к другу. Здесь, на Красной Пресне, я увидел над Москвой первый дирижабль и с восторгом услышал по дребезжащему репродуктору веселые рассказы писателя Зощенко в исполнении артиста Хенкина и еще необыкновенные детские радиопередачи с волшебным голосом Бабановой.

Я отлично запомнил, как вместе с ребятней, переполнявшей довоенные московские дворы, я воспринял сообщение, переданное по радио в полдень 22 июня 1941 года. Я пережил почти потрясение, когда увидел это, испытанное мною тогда детское праздничное возбуждение в блистательном фильме Калатозова «Летят журавли» — фильме, который открыл новую эпоху в советском кино.

Мне было очень интересно и потом, когда пронзительно завыли первые сирены воздушной тревоги и на московские крыши полетели фашистские зажигалки. Я совершенно не боялся грохота зениток и даже, отправляясь в эвакуацию в страшном октябре 1941 года, с восторгом погружался на пароход в Речном порту затемненной Москвы в общей суматохе, похожей на панику. Мне было очень весело до тех пор, пока на удаляющемся причале не завыли собаки, оставленные хозяевами. Две овчарки бегали вдоль причала и жалобно выли, подняв морды, глядя на уплывающих людей, — вот здесь я впервые ощутил, что в мою жизнь пришла беда. С тех пор многие беды я не раз постигал с большим и досадным опозданием. Может быть, это свойственно отчасти всему нашему поколению — истинный смысл многих событий открывался нам много позже, и я вместе с другими сетовал и удивлялся своей непроницательности, ограниченности, а то и просто глупости. Каждому поколению свойственно переоценивать свою роль и свое значение, свои мнимые добродетели и реальные заслуги...

Я очень люблю свое довоенное детство и его голодное, но веселое до безумия послевоенное продолжение, с коньками, накрученными на валенки, голубями и высокой преступностью в перенаселенных московских дворах. Я с удовольствием вспоминаю смешные подробности навсегда ушедшего быта, но далек от какой-либо идеализации того сурового времени.

Все это понять мудрено, как и многое другое, что случилось со мной, прежде чем я обрел свое место в жизни и любимую профессию.

Вместо того чтобы хорошо учиться, я учился посредственно. Разве что в десятом классе взялся за ум и окончил школу без троек.

Я очень увлекался театром в детстве, был ошеломлен довоенной «Синей птицей» во МХАТе, позднее знал наизусть многие спектакли в волшебном театре Сергея Образцова, с третьего класса исправно бегал в драмкружок, но, окончив школу, поступать в театральный вуз побоялся. Я находился под сильным влиянием своей матери, бывшей актрисы, актерская судьба которой не сложилась. Мать рассказала мне об ужасах этой профессии и велела стать инженером.

Я не мог ее ослушаться и подал документы в Московский инженерно-строительный институт имени Куйбышева. Однако, как любили писать хорошие писатели в старинных романах, Провидение категорически воспротивилось такому моему намерению, и поэтому я (и только поэтому) недобрал необходимого количества баллов на престижный факультет института, после чего приемная комиссия предложила мне зачислиться на другой — непрестижный: «Водоснабжение и канализация». Я очень огорчился. И тогда мать неожиданно передумала, увидев вещий сон (я помню его содержание), рассказала о необыкновенных радостях актерской профессии и велела отнести документы в театральный вуз.

Я выбрал Школу-студию МХАТа и прочел на предварительной консультации доценту Г.В. Кристи громким, но неокрепшим голосом мое любимое произведение — «Вересковый мед» Бернса в переводе Маршака. В конце произведения, в том месте, когда шотландцы сбросили бедного карлика в пучину вод, у меня даже, помнится, выступили слезы. Доцент Кристи долго раздумывал над этим обстоятельством, а потом решительно посоветовал воздержаться от дальнейшего чтения и подумать о другой профессии. Помню, как долго уговаривал я его отсеять меня хотя бы после первого экзаменационного тура, мне было страшно неудобно признаться друзьям, что я, человек, всю жизнь увлекавшийся театром, не допущен даже до экзаменов. Но Г.В. Кристи справедливо рассудил, что загромождать экзамены неперспективными абитуриентами со стихами о сумасшедших, хотя и мужественных карликах не стоит, и я отправился жаловаться матери на судьбу. Мать велела не падать духом и выучить наизусть «Песню о купце Калашникове» М.Ю. Лермонтова, которую мы стали разучивать вдвоем, почти по нотам, с ее, материнского голоса. Очевидно, мать поставила чтение довольно грамотно, она также научила меня (по-нашему — натаскала) пристойно читать прозаический отрывок из Гоголя, после чего я пошел в ГИТИС, где ко мне отнеслись приветливее, чем на консультации у Г.В. Кристи.

К моему глубокому удивлению, я сперва был допущен к экзаменам, а потом даже зачислен, летом 1951 года, на первый курс актерского факультета. Возможно, это произошло потому, что требования к поступающим в ГИТИС были тогда несколько занижены по сравнению со Школой-студией МХАТа. Возможно также, педагогам в ГИТИСе в то время недоставало того, что я называю теперь «производственным мышлением», то есть педагоги не обращали серьезного внимания на внешние данные поступавших, их сценическое обаяние, их социальную заразительность, рост, музыкальность и прочее, зачисляя в актеры иной раз народ мелковатый, невзрачный, с невразумительными внешними и внутренними данными. Возможно (все это запоздалые гипотезы), что тогдашние педагоги ГИТИСа, напротив, обладали прозорливым и нетривиальным мышлением, а также практическим пониманием того, что всяческие отклонения и аномалии в театральном искусстве не менее важны и интересны, чем общепризнанная и благополучная норма. Возможен, однако, и третий вариант. Я был зачислен на первый курс актерского факультета, которым руководили мхатовские мастера — И.М. Раевский, Г.Г. Конский, П.В. Лесли. Что касается Григория Григорьевича Конского, очень самобытного и остроумного педагога, то он *являлся бывшим* однокурсником моей матери по студии Ю.А. Завадского. Не исключено, что моя мать, питая самые добрые чувства к этому замечательному человеку и пользуясь некоторой взаимной симпатией, просила за меня. Допускаю, что в таком случае Григорий Григорьевич Конский мог отнестись ко мне не совсем объективно. Поскольку моя мать и мой учитель давно ушли из жизни, спросить теперь не у кого. Думаю, однако, что, несмотря на известные ошибки, недоработки и просчеты, допущенные мною в последующей театральной деятельности, — о чем справедливо писала пресса и что нашло свое отражение в некоторых постановляющих документах, — в целом мое зачисление на актерский факультет ГИТИСа летом 1951 года следует считать все же справедливым и целесообразным.

В 1951 году в ГИТИСе очень хорошие и умные педагоги учили нас, по-моему, не очень хорошо, но наши препо-
даватели актерского мастерства делали все, чтобы превратить нас в приличных людей. Светлую память оставили
многие, и прежде всего Григорий Григорьевич Конский,
о котором мне хочется сказать много благодарных слов;
однако потряс, перевернул во мне все вверх дном другой
педагог, преподававший нам актерское мастерство всего
один семестр на втором курсе, — Андрей Михайлович Лобанов, художественный руководитель лучшего московского театра той поры — Театра имени Ермоловой.

* * *

Когда сравнительно недавно формировался облик воспоминаний об этом необыкновенном человеке и режиссере, я, сколько ни пытался, не сумел вспомнить ничего
вразумительного. Не сумею, наверное, сформулировать и
сейчас, кем был для меня Андрей Михайлович Лобанов, —
слишком короткой и ошеломляющей была моя встреча с
ним. Я помню только, что пребывал в состоянии своеобразного шока; репетиции с Лобановым слились в какую-
то сплошную труднообъяснимую полосу изумлений. Я пережил первый, очень важный для актерской жизни успех,
лишивший меня некоторого комплекса неполноценности,
который я все-таки испытывал, не признаваясь себе в том.

Я играл на экзамене второго курса графа Любина в
«Провинциалке» Тургенева, и почти каждое мое движение
и слово воспринималось с хохотом и аплодисментами. Конечно, передо мной сидел добрый студенческий народ в
тесноватой аудитории ГИТИСа, но все равно для меня это
был прыжок в новое жизненное пространство. Лобанов на
всю жизнь подарил мне уверенность в себе, на его репетициях я впервые и как бы изнутри, всеми клетками мозга,
внутренним слухом, кожей ощутил, что такое театр и что
такое наша древняя лицедейская профессия. Этот рывок,
переход в новое состояние был настолько разительным,
что случившееся со мной можно сравнить лишь с прекрас-

ным кинематографическим приемом, когда черно-белое изображение на наших глазах внезапно обретает цвет.

Общение с Лобановым превратилось в какой-то немыслимый сплошной праздник, щедрый дар судьбы. Лобанов вскрывал нам тайные, незаметные для нормального глаза, подспудные механизмы человеческих взаимоотношений, иногда на уровне интуитивных движений души. Он как бы препарировал сознательный и, главное, — бессознательный пласт людских намерений, страшно дерзко и остроумно забираясь в тайники нашего мышления, выявляя рождение сценического действия на каком-то нечеловеческом молекулярном уровне.

В течение четырех месяцев Лобанов создал на нашем курсе никогда прежде и никогда после не встречавшуюся атмосферу глубинного режиссерского исследования, терпкую питательную среду для наших молодых мозгов, зону всеобщей и повышенной творческой интенсивности. Я тогда не отдавал себе в этом отчета — может быть, просто не умел вообще серьезно размышлять и анализировать, — но это был мой единственный и недолгий режиссерский университет.

Не формулируя книжным языком никаких четких правил и законов, Лобанов тем не менее научил меня прослеживать зигзаги человеческого существования, и не рациональным скальпелем строго дозированного научного расчета, а широким вдохновением, иногда и чаще всего гомерически веселым размахом истинного Художника и Творца. Возможно, там был элемент некоторого осознанного или неосознанного гипноза, то, о чем я так много размышляю теперь; возможно, там была какая-то тайна, которую сложно теперь разложить на простые величины, театральная магия, какой-то постепенный, почти мистический разогрев большого творческого организма.

Андрей Михайлович входил в аудиторию в состоянии некоторой прострации, сонные глаза его ничего не выражали. Первые минуты он словно бы отсутствовал, был где-то далеко от нас. Иногда в эти минуты он задавал нам наивные, казавшиеся смешными вопросы, типа: «А кто у нас декан?..» или «Когда же у вас будет сессия?». Может быть, это были последствия огромной нервной усталости или следы незатянувшихся ран от бесчисленных ударов со стороны далеких и близких людей. Как выяснилось позже, это было время жестоких и необоснованных атак на его режиссуру, его творческий стиль и метод, тех атак, что привели этого большого художника к столь раннему и трагическому уходу из жизни.

После непродолжительной расслабленности, какой-то загадочной, даже интригующей размагниченности начиналось медленное, но волевое восхождение к режиссерскому пробуждению, вдохновению и, наконец, — к экстазу. Экстаз, разумеется, не характеризовался у Андрея Михайловича взъерошиванием волос, экзальтированными жестами, горячительными возгласами и прочими атрибутами режиссерского «вдохновения». Лобанов был в высшей степени человеком скромным, старомодно учтивым, хорошо воспитанным, чуждым какой-либо рисовки и игры в мэтра. Он занимался делом и одним только делом, постепенно заполняя нашу тесную аудиторию своим подавляющим нас волевым излучением. (Я бы сказал теперь — «биополем».) Любой самый пассивный или сонный студент, неуспевающий или голодный, помимо воли преображался, становился внимательным и жадным партнером. Лобанов размышлял и фантазировал, одновременно просто и причудливо, набрасывая все новые и новые краски, щедрые подробности и приспособления, нюансы возможных действий на сценической площадке.

Помимо того, что мы постигали динамику скрытой человеческой борьбы и противостояния, мы еще и узнавали много нового о жизни вообще, о людях, которые казались нам прежде простыми, но теперь, под режиссерским рентгеном нашего Учителя, они приобретали бесконечную сложность, глубину и ту самую ненавистную прежде, предаваемую анафеме «противоречивость», которая и составляет, видимо, таинство человеческой души. Лобанов как-то исподволь, незаметно собирал и стимулировал нашу фантазию, постепенно веселел, молодел, все более преображаясь, радуясь вместе с нами открытию все новых оттенков и закономерностей в поведении сценических персонажей, прорываясь в конце концов к высоким человеческим и режиссерским прозрениям.

Что такое режиссерское прозрение?

Думаю, что это очень простое, бесконечно правдивое человеческое деяние (поступок, слово, мысль), мизансцена, изумляющая нас своей экстравагантностью и вместе с тем правдой, логикой, простотой.

Андрей Михайлович Лобанов, как справедливо заметили многие его истинные ученики и исследователи творчества, являл собой предтечу новой советской режиссуры. Новая режиссура собирала в послевоенные годы силы для борьбы с болезненными наростами в нашем театральном деле, готовилась к восстановлению утраченного режиссерского могущества, к утверждению новых дерзких способов сценического мышления.

Теперь я понимаю, как важно в начале своего творческого пути оказаться в зоне притяжения сильной личности, непременно с самостоятельным художественным характером и авторитетом. Таких людей сравнительно немного в жизни, и встречи такие сравнительно редки, но счастлив тот, кто все-таки побывал рядышком. Я побывал.

* * *

Не исключено, что книгу мою будут читать молодые люди, поэтому мне бы очень хотелось научить их правильно жить, работать и при этом еще правильно себя вести. Со всеми здороваться, не грубить старшим, посещать все без исключения лекции и даже вовремя сдавать зачеты. Такая у меня благородная и ответственная задача. Чтобы молодые люди прониклись ко мне доверием, я бы хотел сказать, что раньше (в период моей молодости) все без исключения было лучше, чем теперь. (Написав эту ироническую фразу, я ужаснулся: а вдруг это действительно так? Наш век любит преподносить сюрпризы. Не обернулась бы моя ирония черным юмором!) Но действительно, погода была лучше, снегу зимой было больше, и молодежь тоже... Например, мы со значительно большим энтузиазмом играли прежде маленькие роли в различных московских театрах и с радостным старанием участвовали в массовых сценах. Начиная со второго курса мы приобщались к возвышенным и низменным сторонам закулисной жизни в театрах имени Маяковского и имени Ермоловой. Особое изумление вызывал у нас тот факт, что за это еще и деньги платили. Имей я такую возможность — я бы с удовольствием сам приплачивал театральной дирекции за право выхода на подмостки прославленного столичного театра.

Самое большое творческое наслаждение испытывал я, участвуя в массовых сценах спектакля Н. Охлопкова по Г. Фасту «Дорога свободы» в Театре имени Маяковского, где изображал подневольного негра. Я тщательно и подолгу гримировался, стараясь создать реалистический образ замученного негра, с усердием мазал коричневой морилкой шею, руки и даже грудь. Искал трагическую негритянскую внешность. Очень мешал нос, но я выходил на сцену не один, и некоторая странность моего облика терялась в большой толпе моих товарищей — негров, которые постоянно и настойчиво толпились во всех важнейших сценах спектакля. Когда моя мать специально пришла в театр, чтобы взглянуть, как я смотрюсь в этой роли, пришлось даже попросить товарищей слегка раздвинуться, так много нас толпилось, и все толпились с удовольствием и отдачей. Многие актеры театра подолгу и с интересом косились в нашу сторону, а когда косились на меня, то некоторые даже теряли серьез. Замечательно игравшая в этом спектакле Вера Марковна Орлова, я думаю, никогда бы не поверила, что так может выглядеть ее будущий главный режиссер.

Сам по себе спектакль нам страшно нравился, особенно когда под громкую музыку вращался сценический круг и на нем горел крест, подожженный куклуксклановцами. Этим местом многие любовались, а я особенно. Куклуксклановцы очень украшали спектакль. В те далекие времена наша режиссура с огромным и нескрываемым удовольствием, иногда даже с упоением показывала нам разного рода крайности буржуазного загнивания. Особый подъем испытывали также некоторые кинематографисты, демонстрируя нам самую последнюю степень буржуазной деградации — ночной Бродвей, ненавистную всем честным людям светящуюся рекламу, когда разноцветные буквы не только ритмично вспыхивали, но и прыгали с места на место под оглушительную джазовую мелодию. Последнее, по мнению режиссеров, всегда усиливало разоблачительный пафос, придавало всему делу особую ярость и негодование.

В то далекое время на разоблачение страшных признаков западной цивилизации — жевательных резинок, безалкогольных напитков типа кока-колы, ритмических танцев, джазовых оркестров, зауженных мужских брюк и ботинок на микропоре — тратились большие усилия и средства, уходило много типографской бумаги и авторского гонорара.

Очень тонко и остроумно, с прекрасной иронией и грустью воссоздали на сцене эти завихрения нашей истории драматург Виктор Славкин и режиссер Анатолий Васильев. Эти талантливые люди сочинили памятный всем любителям театрального искусства спектакль «Взрослая дочь молодого человека», сочинили его изящно и вдохновенно в период феноменального творческого взлета, что пережил однажды летом многострадальный коллектив Московского драматического театра имени К.С. Станиславского.

Спектакль давно исчез из московского репертуара, исчез необоснованно и поспешно, оставив в памяти москвичей ощущение благой и возвышенной театральной легенды.

Возможно, это одно из самых гнусных преступлений в сфере театрального «руководства» со стороны бывшего Отдела культуры МГК КПСС. Разумеется, такого рода «смелая антисоветская мысль» могла появиться только во втором издании моих контактов, в том числе контактов с этой страшной цензурной мясорубкой.

Забегая вперед, скажу, что в жизни я не раз испытывал ее сильнейшее шоковое воздействие. Конечно, всегда были люди, которые не боялись этого партийного пресса, оставались абсолютно свободными людьми. За мной, однако, был театр, его судьба, и сам я, очевидно, не принадлежал к тем смельчакам, которые ввосьмером могли выйти на Красную площадь в 1968 году, чтобы протестовать против вторжения в Чехословакию.

Мой протест в 1968 году имел достаточно скромный и даже комедийный характер. Когда по приказу свыше на многих советских предприятиях состоялись митинги, коллектив Московского театра сатиры был также собран в зрительном зале, где директор с грустными глазами в конце небольшого вступительного слова спросил: «Кто за то, чтобы ввести наши танки в Чехословакию?» Именно в этот момент меня посетила «гражданская смелость», и я на цыпочках, сопровождаемый изумленными взглядами артистов, осторожно покинул зал, где «решалась» судьба братской Чехословакии.

Мой отказ от голосования, очевидно, был квалифицирован как приступ нездоровья, или просто в тот момент кто-то не захотел из этого раздувать лишнюю историю.

Но вызов несколько лет спустя на заседание бюро МГК КПСС в связи с «пропагандой рок-музыки» и «ошибками в репертуарной политике комсомольского театра» стоил уже иных нервных затрат и пакостного ощущения вползающей в душу безнадеги.

Спектакль «Юнона и Авось», современная опера в двух частях А. Вознесенского и А. Рыбникова, принятая Главным управлением Исполкома Моссовета поначалу благосклонно (что почти необъяснимо), вскоре стал вызывать все возрастающее раздражение в партийных и правительственных инстанциях. В какой-то момент нам с Андреем Вознесенским показалось, что мы, что называется, «проскочили», и мы даже отправились в Богоявленский собор ставить свечки Казанской Богоматери, сценический лик которой является в облаках, нависающих над декорациями О.А. Шейнциса.

Действительно, в 1981 году православные церковные песнопения на московской сцене, упование к Всевышнему, торжественный подъем огромного царского Андреевского флага и финальная «Аллилуйя», исполняемая всеми участниками спектакля, — все это совершенно не соответствовало строгим идеологическим установкам партийной цензуры. Почему все-таки спектакль комиссия главка приняла с первого раза? Объяснить не возьмусь. Возможно, спектакль, его истинно патриотический настрой, замечательная

музыка Алексея Рыбникова — все это просто по-человечески понравилось членам строгой комиссии. Но мало ли что
им, может быть, и нравилось, но они все равно это ломали?
Какой-то элемент чуда все равно присутствовал, поэтому
А. Вознесенский был прав, предложив мне немедленно отправиться в храм.

Нам в конце концов разрешили играть спектакль один
раз в месяц, но ситуацию вокруг «Юноны и Авось» резко
подпортил германский журнал «Штерн», который через
некоторое время разразился рецензией на наше сочинение. Не знаю, что за цель он преследовал, но свою замет-
ку журнал напечатал в центре первой страницы. Это был
большой «подарок» со стороны немецких друзей. Цитирую
почти дословно: «Звуки горячего рока доносятся до стен
Кремля. Московский театр расположен в центре русской
столицы. В связи с тем, что религия в Советском Союзе почти полностью уничтожена, единственное религиозное питание для молодежи осуществляет ныне Московский театр
имени Ленинского комсомола». И еще что-то в этом роде.

Немецкая заметка, конечно, не осталась без внимания,
и цензурный аппарат, перегруппировав силы, вскоре пере-
шел в наступление.

Когда мы с директором и парторгом получили приглашение явиться по указанию Отдела культуры МГК КПСС
на заседание бюро этой всемогущей организации, мой
прекрасный и умный друг, директор театра Рафик Гарегинович Экимян, откровенно затосковал, хотя я продолжал
бодриться. Правда, недолго.

Кое-какие поводы к неуверенному оптимизму вроде бы были. Во-первых, на деятелей культуры в то время
уже обрушилось достаточное количество репрессий, что
имели известный зарубежный резонанс. Во-вторых, были
люди с самого верха, которые нам тайно симпатизировали.
Накануне заседания бюро МГК КПСС нас трогательным
образом посетил с коротким секретным визитом один из
помощников В.В. Гришина. Он очень быстро и замечательно объяснил мне, как надо вести себя на заседании бюро.
Оказывается, надо обязательно немного попятиться, признать некоторые ошибки, но потом стоять как скала. Упе-

реться и ни в коем случае не признавать за собой каких-либо серьезных просчетов, нельзя также публично клясться в любви к партии и ее высшему руководству — сотрут в порошок. Очень благодарен этому человеку за трогательную человеческую заботу и посвящение в интересные для режиссера драматургические партийные традиции.

На следующий день мы с Р.Г. Экимяном и парторгом Б.Н. Никифоровым толпились в предбаннике — комнате, смежной с кабинетом члена Политбюро ЦК КПСС В.В. Гришина — вместе с другими озабоченными физиономиями, ожидающими поочередного вызова в кабинет. Поначалу я, помнится, был настроен достаточно бодро и уверенно перебирал в уме заготовленные аргументы своей защиты. Однако через некоторое время, заглянув мельком в комнату, где заседало бюро, и увидев мрачные лица верховного московского партруководства, я вдруг почувствовал, что настроение мое стало киснуть. От физиономий повеяло таким мрачным ожесточением, таким смердящим духом, что я стал потихоньку сомневаться в возможности выйти отсюда живым.

Именно этот момент в моем настроении и был зафиксирован умным и немногословным Р.Г. Экимяном. Вообще, он никогда ничему особенно не огорчался, как, впрочем, и не впадал в безудержную радость. Обладая гигантским театральным опытом, он всегда предостерегал меня от крайностей в режиссерском настроении, потому что меня постоянно швыряло из необъяснимого восторга в депрессию. Кроме того, Р.Г. Экимян еще обладал бесценным качеством — фильтровал негативную информацию и доводил до моего сведения только те неприятности, которые невозможно и не нужно было скрывать. Но уж если я вдруг впадал в восторг по поводу хвалебной рецензии или хорошо сколоченной декорации, он, помнится, смотрел на меня, как лев на резвящегося котенка, с некоторой снисходительной симпатией и даже отеческим сожалением. Основная его забота всегда состояла в том, чтобы я не сказал чего-нибудь лишнего актерам, особенно на общих собраниях. Хоть и вяло, но он всегда укорял меня за неосторожные социально-политические формулировки, всячески подчеркивая, какая тесная связь установлена у коллектива с соответствующими органами. Однажды он даже участвовал вместе со мной в наглядном, чисто воспитательном опыте.

Я очень не любил висящую у нас в фойе картину «Выступление В.И. Ленина на III съезде комсомола» и каждый раз вздрагивал, когда проходил мимо. Экимян тоже не питал симпатий к этому живописному шедевру, написанному, кстати, целой артелью социалистических реалистов. Однажды во время летнего ремонта в театре он с хитрым глазом предложил мне избавиться от шедевра — временно убрать его в служебное помещение. Пока картину выносили из фойе, Экимян печально наблюдал за моей нескрываемой радостью. Примерно через час в его кабинете зазвонил телефон и последовал короткий приказ: «Повесьте картину на место!» «Объясните, что у нас ремонт», — неуверенно посоветовал я многоопытному директору, но тот только печально улыбнулся. Впрочем, потом молча поднял перед моим носом указательный палец, чтобы я еще раз осознал, какое внимание оказывается мне в некоторых инстанциях.

Я никогда не слышал из уст Рафика Гарегиновича Экимяна никакой громко произнесенной крамолы, она читалась в его скорбном взоре и некоторых ободряющих междометиях, которые он позволял себе вместе с одобрительными кивками в мой адрес.

Однако в момент, когда моя уверенность перед кабинетом В.В. Гришина стала предательски выскальзывать из организма, Р.Г. Экимян, как опытнейший психотерапевт, четко зафиксировал медленно наползающий психический надлом в режиссерском теле. Он молча подозвал меня к щелочке, которую лично образовал дверью в кабинет московского владыки, и, указав в сторону сидящего (наполовину спрятавшегося за специальным секретером) члена Политбюро, тихо спросил: «Знаете, кто это?.. Государственный преступник! А эта... — Он указал пальцем на чудовищного вида даму с расплывшимся лицом. — Это...»

Я не люблю нецензурных выражений, появляющихся в печати, поэтому кем являлась дама, которую он, оказывается, знал не один год, а также какие деяния числились за другими близсидящими субъектами высшего партийного руководства Москвы, я вынужден передать многоточием.

Тихий монолог Рафика Гарегиновича был недолгим, но всеобъемлющим. Задача монолога — укорить смелого художника за посетившую его трусость — достигла своей цели, и я переступил порог бюро горкома с твердым убеждением, что бояться этого судилища постыдно.

Кстати, посетившие меня покой и уверенность в какой-то степени сыграли свою роль. В ответ на обвинения в злонамеренном следовании традициям современного загнивающего Запада я спокойно развил нехитрую мысль, что передовые технологии во всем мире похожи друг на друга. Наш сверхзвуковой авиалайнер похож на ихний «Конкорд», а отечественная бас-гитара не может выполнять функции фагота. Следуя полученным накануне инструкциям, я, конечно, слегка попятился и сказал, что в театре не все получается так, как хочется. Как хочется, получается только у МГК КПСС, подумал я смело, но вслух этого не сказал, зато в дальнейшем стоял перед членами бюро как скала. Нет, даже как утес, поэтому дело закончилось не расстрелом, а практически орденом. Формулировка «Строго указать» после подобного рода вызовов на бюро всегда рассматривалась как награда.

Я вышел настолько обрадованный, что позволил себе фривольность. Подойдя к сидящему за телефоном специалисту по культуре, сказал: «Позвольте позвонить вдове!» Жена действительно сидела дома у телефона и вполне обоснованно волновалась.

Вон из Москвы

В 1955 году я завершил свое актерское образование; научился играть на сцене по тем временам вполне пристойно, но по-настоящему здорово овладел, по-моему, лишь искусством сценического боя на шпагах, кинжалах, кулаках и считал несомненной ловкостью и умением падать с лестницы лицом вниз, а также на бок, навзничь, кувырком, неожиданно и с разбегу. Эту мою творческую особенность высоко оценил один цирковой режиссер, который пригласил меня по окончании актерского факультета в объединение «Цирк на сцене». Однако мне все-таки хотелось работать в каком-нибудь преуспевающем столичном театре. (Возможно, без серьезных на то оснований.)

На нашем курсе учились способные люди — Люся Овчинникова, Юрий Горобец, Владимир Васильев, Феликс Мокеев, Лера Бескова и еще некоторые другие, которые по окончании института пошли служить в хорошие столичные театры. Меня туда почему-то не пригласили. Я ходил по театрам, стучался и робко спрашивал: «Не нужны ли лишние артисты?» Поскольку в каждом театре артисты были в основном лишними, я так и не сумел никому понравиться.

До сих пор я не могу спокойно воспринимать тех, кто приходит ко мне в театр с единственной целью — понравиться. Возможно (для меня несомненно), в нашей прекрасной профессии есть и удручающе теневые стороны. Несколько упрощая проблему, хочу сказать, что, нанимаясь в театр, артисту или артистке приходится «продавать» не столько свои внутренние интеллектуальные ресурсы, ум, профессиональные навыки и прочее — заинтересовать режиссера и художественный совет приходится, отчасти и скорее, своим телом, возможно, организмом, но все-таки и телом, и даже отдельными его частями. Тут есть что-то граничащее с унижением человеческого достоинства. Такого ощущения может не быть на дипломном спектакле в театральном училище, но при показе в помещении театра оно может неожиданно возникнуть. Я каждый раз вздрагиваю, когда молодая женщина говорит мне в небольшой репетиционной комнате: «Разрешите, я теперь станцую?» — «Не надо», — говорю я, не умея даже объяснить, почему не надо. «А хотите, теперь спою?» Я говорю: «Зачем же? Если нет концертмейстера!» Она говорит: «Я — так, без концертмейстера». И, не дожидаясь согласия, что есть силы поет, приближаясь ко мне и поблескивая глазами, как довоенная кинозвезда.

Я тоже пытался в свое время придать своим глазам обаятельное поблескивание и лукавую игривость. После одного такого, самого настойчивого, поблескивания очень слабое и неопределенное желание в отношении меня возникло было у Юрия Александровича Завадского, который даже пригласил меня к себе в кабинет, сообщив в приятной беседе, что хотел бы меня зачислить к себе в театр вместе с одной способной девочкой — выпускницей Школы-студии МХАТа Галей Волчек. Однако чем внимательнее вглядывался в меня этот замечательный мастер советской режиссуры, тем желание его обогатить мною труппу Театра имени Моссовета становилось все более неопределенным и вскоре окончательно угасло. «К моему великому счастью» — так и хочется написать мне. Сейчас с высоты прожитых лет, с интересом рассматривая все перекрестки и развилки дорог, встречавшиеся на моем пути, понимаю, что, изменись некоторые траектории моего движения, — и жизнь моя, возможно, пошла бы по какому-то менее интересному пути, а то и вовсе залетела бы в тупик. Вот попади я тогда в Театр Моссовета вместе с девочкой Галей Волчек — и у нее и у меня творческая жизнь могла бы не заладиться. Скорее всего, моя режиссерская деятельность вообще бы не состоялась. В связи с этим остается горячо поблагодарить обаятельного человека Юрия Александровича Завадского и выразить нехитрую мысль, своего рода напутствие молодым выпускникам: «Не только огорчайтесь, когда вас не берут в театр, но и обязательно радуйтесь».

* * *

Осенью 1955 года я подписал распределение в Пермский областной драматический театр, получил подъемные и выехал по месту службы. Я тогда еще не понимал, что значит «потерять» Москву, относился к своему отъезду бесстрашно, старался радоваться своему первому самостоятельному броску в неизвестность и заскучал, пожалуй, только выбравшись с потертым чемоданом на унылой железнодорожной станции, что расположилась на дальней окраине большого и не слишком красивого города.

Я получил зарплату, поразившую меня своим великолепием, — аж 690 рублей (после хрущевской реформы — аж 69). В уютном здании Пермского облдрамтеатра меня ласково встретили, ободрили и поручили играть разных смешных людей. Я старался подражать хорошим московским артистам, в особенности Вицину, в то время блистательно работавшему в Театре имени Ермоловой, за что меня стали хвалить на собраниях и в местной печати. Я никогда не вел прежде самостоятельной жизни, мало что умел и понимал, но довольно быстро стал набирать иной для себя жизненный темп. Произошла внутренняя перестройка и общая активизация моего организма, чего не случилось бы, конечно, останься я в Москве. С точки зрения будущей профессии, три года, проведенные в Перми, были крайне необходимым стимулирующим фактором. Как будто кто-то специально посадил меня в центрифугу и стал тренировать в режиме все возрастающих перегрузок.

Я стал заниматься всем сразу: писать детские стихи для местного издательства, рисовать и печатать карикатуры для молодежной и областной газет, сотрудничать на радио, организовывать в театре капустники и выпуски юмористической стенной газеты. Мне кажется, что эта бешеная активизация происходила помимо воли, словно во мне работал неподвластный моему разумению механизм. Очевидно, я собирался с силами для какой-то другой жизни и мое подсознание (ангел-хранитель?), убедившись, что я не слишком умен, взяло на себя заботу о моем будущем. Несмотря на некоторую иронию, я подозреваю, что так оно и было на самом деле. Не хочется затрагивать тему Провидения, получится слишком торжественно. Во всяком случае, на бумаге. Но в голове это подозрение прочно обосновалось.

Последним, очень важным тренировочным прыжком перед новым жизненным периодом стало мое появление в студенческой среде Пермского государственного университета. Случай привел (лучше сказать — «вывел») в то самое место, где произошло решающее для меня событие — я почувствовал запах режиссерской профессии.

Ведущий актер Пермского театра В.А. Чекмарев, руководивший университетским театральным коллективом, пригласил меня помогать ему в этом нелегком деле. Коллектив был очень большим, и работы хватало на двоих. Пользуясь какими-то московскими воспоминаниями и неожиданно нахлынувшими режиссерскими фантазиями, я поставил погодинских «Аристократов». Поставил достаточно забавно, потому что был глуп и не представлял себе, чем был Беломоро-Балтийский канал на самом деле. А потом, во время репетиций «Оптимистической трагедии», меня посетило какое-то новое ощущение покоя и веры. Я поверил, что могу навязать большому количеству людей свою волю. Слово «навязать» — не самое удачное, но режиссерский талант, как я теперь понимаю, может проявиться по-настоящему лишь в человеке с ярко выраженными качествами лидера. У меня таких качеств от природы не было. Я никогда не считал себя сильным человеком, не знал за собой никаких бойцовских качеств, в ГИТИСе никогда и ни в чем не лидировал, свыкся с мыслью, что заслуженно нахожусь где-то во втором эшелоне. В пермском самодеятельном драмколлективе я почувствовал в себе, помимо режиссерских склонностей, неожиданные резервы нервного, волевого характера. Я почувствовал, что ребятам со мной работать интересно и я продолжительное время могу держать внимание большого коллектива.

Вот это очень важная черта в нашей профессии — плотно держать внимание. Только недавно мне перестали наконец сниться страшные «профессиональные» сны. В каждой профессии существуют свои профессиональные ночные кошмары. У нас это выглядит так: ты начинаешь репетировать с большим количеством людей, и это количество тебя не слушает, наглым образом занимается какими-то своими, посторонними делами и постепенно разбредается. Ты остаешься один на один со своими жалкими режиссерскими концепциями, никому не нужный, людям неинтересный, неуважаемый и бесславный. Такой сон, конечно, является точным отражением тех тревог, что посещают режиссера наяву. Меня подобные тревоги посещали довольно долгое время, особенно в период первых моих репетиций в Московском театре сатиры.

А в 1957 году в студенческой среде я вдруг почувствовал себя хорошо, почувствовал, что могу руководить постановочным процессом, отдавать какие-то команды и мои команды выполняются. Процесс тут был, конечно, двусторонний. Я многое получил от своих друзей-студентов как в Пермском университете, так и, особенно, в Студенческом театре Московского университета, но это предмет особого разговора.

Я должен был, обязан был стать режиссером. В этом сказывается отчасти моя противоречивость. Где-то на первых страницах я легкомысленно сообщил, что режиссером стал случайно. Ну, во-первых, книга пишется не в один присест. Весьма возможно, когда я напишу последнюю страницу, во мне многое изменится, я стану и другим человеком, и другим режиссером. Интересно выяснить только — хуже или лучше? Этого, к сожалению, человеку, в особенности режиссеру, знать не дано. С годами число людей, говорящих ему комплименты, катастрофически возрастает. Режиссерская профессия такая же опасная вещь, как и актерская. Уловить собственную деградацию почти невозможно. Я сколько ни пытаюсь — не получается. Но, может быть, еще не начал деградировать? Впрочем, совершать такие пространные и немотивированные лирические отступления в конкретном рассказе о первых режиссерских пробах — уже дурной признак.

Режиссером я все-таки стал не случайно. Просто никогда не мечтал о режиссерской профессии, но когда случайно, как мне кажется, соприкоснулся с ней, понял и ощутил себя человеком, имеющим к этой профессии некоторую генетическую и психологическую предрасположенность. В последующие годы это ощущение окрепло.

В конце 1958 года мы с женой приняли авантюрное решение — вернуться в Москву. Точнее — принимала решение она. Я же колебался, поскольку не имел в Москве никаких точных гарантий по линии работы, но жена, настроенная крайне решительно, посоветовала связаться по телефону с Андреем Александровичем Гончаровым. Московский драматический театр на Спартаковской улице только что обрел в его лице главного режиссера, который и прокричал мне в телефонную трубку: «Приезжайте!»

Когда мы встретились в Москве на Спартаковской улице, у меня возникло подозрение, что Андрей Александрович, погрузившись в мучительные воспоминания, так до конца и не припомнил, зачем я, собственно, ему понадобился. Но хорошее дело им было уже сделано: я снова получил московскую прописку, и совсем не обязательно было мне работать на Спартаковской улице, важно было вернуться. Если бы не этот крик в телефонную трубку: «Приезжайте!» — кто знает, что случилось бы со мной потом.

Обогатив моим присутствием московскую театральную жизнь, А.А. Гончаров в дальнейшем несколько раз возникал передо мной, каждый раз весьма кстати, осуществляя непосредственное руководство моим режиссерским становлением и всячески регулируя мои дальнейшие творческие пути. В 1969 году, после того как мои спектакли были признаны глубоко и безнадежно ошибочными, Андрей Александрович предложил мне поставить на сцене возглавляемого им Московского театра имени Маяковского «Разгром» А. Фадеева. Это был смелый поступок Гончарова в критический момент в моей режиссерской судьбе. Я считался зримым воплощением всех худших сторон заблуждающегося и вредного художника сцены. Инициатива Гончарова, его помощь и поддержка очень многое значили для меня тогда. Но на этом Андрей Александрович не успокоился. Последний раз, в 1983 году, он снова появился неожиданно и распорядился на сей раз по линии педагогической деятельности — велел идти в ГИТИС, к нему на курс, преподавать режиссуру.

Это его указание, кстати, обернулось для Андрея Александровича большой головной болью. (Как и в отношении А.В. Эфроса.) Несмотря на мое главрежество, я продолжал находиться во властных министерских сферах под большим подозрением, и добиться разрешения на мою работу в тогдашней Российской Академии театрального искусства (ГИТИС) оказалось делом очень непростым. Однако А.А. Гончаров этого дела не убоялся и своего добился.

Возвратившись из города Перми в Москву, я сперва почувствовал себя очень неуютно, но мне пришел на помощь мой друг и сокурсник Владимир Васильев, артист Московского театра имени Ермоловой. Он упросил своего отца, известного режиссера Петра Павловича Васильева, руководившего в то время Московским театром имени Гоголя, взять меня к себе, чтобы я не мучился. Петр Павлович без особого удовольствия, но все же выполнил настоятельную просьбу своего сына, и я начал изображать восставший народ в спектакле «Угрюм-река» по роману Шишкова. Я был в огромной бороде и тулупе и выходил на восстание плечом к плечу с другим сибирским мужичком, будущим директором Московского театра сатиры Левинским Александром Петровичем. Мы вдвоем были центром революционной ситуации и создавали ощущение крайнего народного недовольства. Так продолжалось до тех пор, пока моя жена, актриса Нина Лапшинова, устроившись на работу в Московский театр миниатюр под руководством писателя Владимира Полякова, не упросила своего худрука взять меня к нему, чтобы я не мучился в Театре имени Гоголя. Из Московского театра миниатюр я уже попросился сам, самостоятельно, в 1964 году.

К тому времени я пережил определенный режиссерский успех в Студенческом театре Московского государственного университета и почувствовал, что не могу больше существовать в качестве актера. Я окончательно поверил в себя, свою новую профессию и сделал это под серьезным воздействием студенческой среды, артистов-любителей, «воинствующих дилетантов», которые превратили к концу 50-х годов Дом культуры гуманитарных факультетов МГУ на улице Герцена (ныне улице Большой Никитской) в мощный очаг новых театральных и драматургических идей.

Это особая тема. Но сперва несколько слов о писателе Владимире Полякове, в театр к которому я угодил в 1960 году.

У Полякова я просуществовал как эстрадный актер четыре года. Одно время мне казалось даже, что это несерьезный, случайный период, некое промежуточное звено, ничего не определяющее в моем режиссерском становлении, — теперь понимаю, что это был достаточно важный этап в моей жизни.

«Домашний» театр Владимира Полякова

Каждый исторический период можно, вероятно, при желании рассматривать как переходный. Начало 60-х годов как нельзя точнее подходит под такое универсальное определение: «переходное время».

Несмотря на то что в Москве уже работала густая сеть телевизоров с маленькими экранами и водяной линзой, — это была еще по всем своим параметрам «дотелевизионная» эпоха. Она отличалась совершенно иным раскладом зрительских интересов и пристрастий: непременные сборные театрализованные концерты и обозрения, непременный остряк конферансье, весь вечер рассказывающий то позитивные фельетоны о наших достижениях, то уморительные анекдоты, каким-то образом якобы подводящие зрителя к восприятию следующего номера программы.

Бурный расцвет современного космического телевидения, всесокрушающие информационные потоки новой цивилизации, свободный выезд за рубеж и многое другое, о чем я уже писал, перекроило психологию массового зрителя.

Но время, о котором идет речь, было иным, царствовала иная эстрадная генерация — могущественная, маститая, избалованная феерическим успехом у послевоенного зрителя: Леонид Утесов, Рашид Бейбутов, Клавдия Шульженко, Гаркави, Муравский, Миров и Новицкий, Миронова и Менакер и еще многие другие. В том числе даже такие странные, как Илья Набатов, который действительно с большим успехом (я сам это наблюдал) пел куплеты, «разоблачая» деятельность китайского буржуазного лидера Чан Кайши. Он же подвергал справедливому осмеянию жену китайского лидера, называя ее Чанкайшишкой, и, что называется, не оставлял камня на камне от заокеанских «поджигателей войны».

В большом почете были уже упомянутые сборные эстрадные концерты, а также некоторые театрализованные концертные представления вроде знаменитого «Вот идет пароход» в московском саду «Эрмитаж».

Особым успехом пользовались программы Ленинградского театра миниатюр под руководством Аркадия Исааковича Райкина (впрочем, как и многие годы потом).

Самый простой, обыкновенный зритель у нас долгое время не предполагал, что эстрадные артисты говорят чаще всего то, что написано для них другими людьми. И вот вдруг наступил такой момент, когда люди это узнали. Оказалось, что в тот период все самые остроумные тексты Аркадия Райкина были написаны Владимиром Поляковым.

В конце 50-х годов на киноэкраны страны вышел и демонстрировался с огромнейшим успехом знаменитый фильм Э. Рязанова «Карнавальная ночь», автором сценария был В. Поляков (совместно с Б. Ласкиным). После «Карнавальной ночи» Поляков приобрел на некоторое время громкую славу ведущего сатирика страны, главного шутника и острослова. Вскоре он расстался с Ленинградским театром А. Райкина и вознамерился открыть в Москве новый театр миниатюр под собственным руководством. Момент был подходящим во всех отношениях. Кроме огромного авторитета в эстрадном мире, Поляков обладал и определенной финансовой независимостью, что при его широте и щедрости давало возможность нанимать для женской части труппы дорогих парикмахеров в день премьеры и покупать часть дефицитных постановочных материалов на собственные деньги.

Поляков умел хорошо зарабатывать, а когда ему не хватало денег, очень искусно умел их занимать. Еще до войны он пользовался большим кредитом в строгой бухгалтерии Ленинградского отделения Охраны авторских прав. Собираясь просить денег в долг, он надевал настоящие лапти, специальную опояску и шел с посохом пешком в бухгалтерию, где его встречали с ликованием. Иногда, по рассказам очевидцев, он мог прискакать туда на лошади. Поляков любил лошадей, во время войны некоторое время служил кавалеристом, потом возглавил эстрадный фронтовой театр «Веселый десант».

В период сложной жилищной ситуации Поляков не просто подал заявление о предоставлении ему жилплощади, к заявлению он приложил специальный толстый альбом —

сделанную им подборку из жизни зверей и насекомых, где на многочисленных примерах показал, что даже стрекозы и жучки в наше время имеют свои собственные пристанища; свои дома имеет и всякая другая живность, а лишь он, писатель Поляков, — бездомный.

* * *

Организовать новый театр — задача повышенной сложности, но энергия Полякова, его изобретательность не знали преград. Он не только такой театр в Москве организовал, но еще и получил для него вскоре небольшое помещение в саду «Эрмитаж». В 1961 году это было очень и очень непросто.

Однако в основу организации нового театрального предприятия сразу же закралась некая опасная эклектика, некоторый художественный «разнобой»: новое театральное предприятие было эстрадным по своему существу и духу, а формировалось оно в основном из молодых выпускников театральных вузов Москвы, воспитанных в отличных от эстрады традициях.

Компания артистов у Полякова собралась достаточно незаурядная и с норовом. Большинство рассматривали свое пребывание в «домашнем» театре как временное и держались по отношению к Полякову достаточно независимо. Всяческие эстрадные штампы, расхожие приемы и шутки подвергались здесь дружному и решительному осмеянию, с Поляковым часто и смело спорили, высказывали в адрес его творчества резкие суждения. Однако никакой альтернативы в самом театре не было: молодые люди, в числе которых вскоре оказался и я, сколько ни пытались — не смогли противопоставить эстраде Полякова ничего взамен. Интересно, что известные московские режиссеры, приглашаемые в разное время Поляковым, также не сумели свернуть театр с наезженной эстрадной колеи, как-то облагородить его эстетику. В театре осуществляли постановки Е. Шатрин, В. Канцель, А. Гончаров, Ю. Любимов и многие другие. Но никакого влияния их режиссура на театр не оказала. Это театральное заведение оставалось довольно продолжительное время некой аномалией, каким-то роковым исключением из общих правил.

В первые же месяцы существования Московский новый театр миниатюр, как он тогда назывался, приобрел довольно странную специфику. Театр не воспитал своего зрителя, не нашел и не мог найти художественного и эстетического идеала; разговоры о возможном следовании балиевской «Летучей мыши» так и остались разговорами, но театр приобрел вместе с тем характер своеобразной питательной среды для формирования актерских и отчасти режиссерских индивидуальностей. Формирование это имело главным образом комедийный крен, но не только — бродили по организму театра и токи живого поиска театральной истины. Молодые актеры Полякова пытались существовать в режиме повышенной конфликтности, в обстановке всепоглощающей дискуссионности.

Особую роль в создании этой, по-своему уникальной системы закулисного существования сыграл, вероятно, самый непримиримый и саркастически настроенный человек в труппе, эрудит в области кино, живописи, литературы — артист Александр Кузнецов, позднее ушедший на преподавательскую работу. Обладая достаточно скромными актерскими способностями, тем не менее, он, человек незаурядной воли и воображения, создал вокруг себя поле своеобразного творческого экстаза. Иногда с уговорами, иногда с веселыми окриками он дергал за ниточки артистов своего закулисного театра, побуждая их к созданию бесконечных пародийных зарисовок и творческим откровениям. Юмор он ценил не всякий, предпочтение отдавалось сочинениям абсурдистского характера, особо благожелательно рассматривались также разного рода проявления черного юмора. Этот «убийственный» юмор действовал безотказно, сражая наповал всех своих закулисных зрителей, которые часто действительно падали на пол в истерическом хохоте. Однако всякий посторонний человек, как правило, оставался в полном и молчаливом изумлении, что еще больше радовало как самих исполнителей, так и своих попадавших на пол зрителей.

В то время, когда на сцене театра разыгрывались весьма тривиальные эстрадные сценки, монологи, позитивные фельетоны и прочее, за кулисами создавались многоходовые коллективные импровизации. Это было не просто закулисное зубоскальство или дешевое актерское смехачество, это был действительно театр, где регулярно разыгрывались «спектакли» по каким-то своим законам, возможно, уходящим своими корнями в итальянскую комедию масок. Заразительность таких представлений достигала подчас столь высокого градуса, что побуждала к сотворчеству всех без исключения работников постановочной части. Лидерство здесь сразу же захватил главный машинист сцены Сергей Павлович Сычев. Сергей Павлович являл собой образец истинно народного острослова, скорректировавшего, однако, свои шутки в связи с достижениями зарубежных абсурдистов. Он никогда не улыбался, лицо его было неподвижно, в этом смысле он широко использовал опыт Бастера Китона. С этим лицом он мог невозмутимо явиться в зрительный зал, где после сдачи спектакля, решая его судьбу, торжественно заседала комиссия двух министерств и главка. Он мог неожиданно прекратить громкий стук на сцене, от которого вздрагивали и морщились члены комиссии, высунуться из-за занавеса с большим молотком и произнести:

— Потише, пожалуйста, товарищи. Мешаете.

Лексические шутки Сергея Павловича, хотя и замешенные на отдельных непечатных выражениях, обладали тем не менее своеобразной акварельной задушевностью. Он очень любил развлекать нас предложениями, направленными на улучшение нашего репертуара.

— Оля! — задумчиво предлагал Сергей Павлович нашей ведущей актрисе. — Не читай сегодня своего монолога.

— Как это я могу его не читать? — удивлялась Оля.

— Так, — размышлял Палыч, — тебя объявят, а ты на сцену не выходи.

— А что будут делать зрители?

— Обрадуются. Посидят на своих местах, отдохнут.

Созданию столь специфической атмосферы в театре, конечно, очень способствовал сам Владимир Соломонович Поляков, или Полякуша, как ласково называли его артисты.

Владимир Соломонович соединял в себе черты совершенно несоединимые. Он представлял сплошной клубок невообразимых противоречий. От пошловатых шуток и примитивных образчиков эстрадно-концертного искусства Поляков поднимался подчас до сатирических высот, дарил зрителям образцы редкостного и тонкого юмора. Временами он поразительным образом угадывал психологию ошалелого чиновника, и тогда у него рождались неожиданные и гомерически смешные вещи. При этом он был весь как бы разбалансирован, его постоянно, что называется, мотало, швыряло из крайности в крайность. Он не мог и не хотел сосредоточиться на чем-то одном. От неимоверного гнева он без всяких промежуточных ступеней переходил на шутку. Он настолько ценил юмор, что в любой, даже самой драматической ситуации, если подворачивалась возможность произнести хорошую остроту, немедленно такую возможность реализовывал. В результате, начав какое-нибудь общее собрание с самой драматической ноты, высказав коллективу весь свой гнев и всю свою боль, мог буквально через секунду улыбаться, довольный, видя, как дружно хохочет общее собрание.

Во имя создания комедийной ситуации Поляков готов был на все. Однажды наш помреж Марина Николаевна не успела выскочить за кулисы перед открытием занавеса и поспешно спряталась в декорациях, нырнув под скатерть большого стола. Поляков из-за кулис сперва ей искренне посочувствовал, а потом через некоторое время неожиданно пополз к ней — незаметно для публики, но на глазах у играющих актеров, — пополз к ней под стол — выяснить, как она себя чувствует и что собирается делать дальше, потому что спектакль только начался.

Особую «радость» он вызывал у нас, когда на первых порах пытался сам заниматься режиссурой. Как опытный автор он, конечно, многое понимал в деле создания комедийной ситуации, но его «режиссерские уроки» все равно носили по-своему уникальный характер.

— Ничего не понимаете в юморе! — повторял он свою любимую фразу.

— Регина, — тактично, хотя и задумчиво говорил он актрисе, — ну, скажите нам хоть какую-нибудь интонацию.

В ответ на специально усложненные вопросы о «сверхзадаче», «сквозной линии», «зонах молчания» и «предлагаемых обстоятельствах» он обычно отвечал просто:

— Играть будете в усах.

Если это почему-либо не нравилось актеру, он предлагал — как запасной вариант — играть в очках. Если и это вызывало возражение, следовало разъяснение:

— Ничего не понимаете в юморе!

В какой-то момент он как будто спохватывался, понимая, что театр действительно приобретает недопустимо «домашний» облик, что дисциплина в привычном человеческом понимании отсутствует почти полностью, — и тогда начинал сочинять свои знаменитые приказы по театру.

С этой целью вооружившись специальным блокнотом, наподобие чековой книжки, он придирчиво и внимательно осматривал всех и каждого, ежеминутно заглядывая в зрительный зал и оттуда на сцену, после чего начинал быстро-быстро мелким почерком писать длиннейший приказ на листке блокнота. В конце приказа уже бисерным почерком обозначался обязательный выговор с занесением в личное дело, ставилась размашистая подпись, число, листок выдирался из блокнота и тотчас вешался на гвоздик. После этого автор приказа с независимым видом отбегал в сторону и как бы прогуливался в отдалении своей прыгающей походкой, незаметно наблюдая за тем эффектом, который должен возыметь на коллектив повешенный листочек.

Надо сказать, что приказы Полякова настолько радовали людей, что Зиновий Высоковский бережно собирал их для домашней коллекции, так же как и некоторые другие деловые записки Владимира Соломоновича и его режиссерские распоряжения.

Помню, я однажды опрометчиво изменил какую-то мизансцену в одной нашей миниатюре — и тотчас на гвоздике появился документ, начинавшийся словами:

«За последнее время в нашем театре наметились случаи бандитизма. Некоторые люди думают, что им в театре все позволено, так вот, эти люди глубоко заблуждаются...»

Далее шло подробнейшее описание моего проступка, и завершался приказ грозным выговором с занесением в личное дело. Что такое «личное дело», где оно находится и как это все туда заносить, никто, конечно, не знал, сам Поляков этим не интересовался, быстро об этом забывал, но за реакцией коллектива всегда любил наблюдать.

Коллектив — надо отдать ему должное — не заставлял себя долго ждать. Заслышав о новом приказе, артисты дружно устремлялись к листочку на гвоздике и включались в закулисную игру — громко, на разные лады зачитывали написанное, придавая своим голосам самые невероятные оттенки и интонации. Кто-то только возмущался, как бы находясь на стороне руководства, кто-то, напротив, ужасался за дальнейшую судьбу товарища и за «личное дело», в которое будет занесен выговор. Остальные избирали промежуточные грани в оценке случившегося, иногда по нескольку раз меняя свою позицию по мере громкого чтения.

Коллектив театра вообще умел мгновенно, не сговариваясь, разрабатывать общую линию поведения, точнее, варианты его, создавая при этом интереснейшие образцы коллективного творчества. Однажды это хорошо почувствовал, хотя и не сразу оценил, один заезжий лектор. При рассказе о вздорном выступлении какого-то американского сенатора он вдруг заметил, как у некоторых артистов ехидно сузились глаза по отношению к словам сенатора и по рядам пошел взволнованный шепот. Некоторые женщины стали встревоженно покачивать головой, мужчины прищелкивать языком, решительно набирать воздух носом, словно собираясь с силами для отпора. Лектору почудилось, что своим личным обаянием и эрудицией он, что называется, увлек аудиторию. Лектор, на свою беду, воодушевился — а этого только и ждали. Коллектив тревожно загудел, и каждое слово лектора встречалось уже — как в знаменитом «Бронепоезде 14–69» в сцене на колокольне — громким и негодующим говором. Люди вскакивали с мест и наперебой высказывали в адрес сенатора самые нелестные отзывы.

При таких актерских развлечениях не допускался ни малейший наигрыш, игра выдавалась психологически мотивированная и углубленная, ценились бледность на лице, настоящие слезы, непроизвольные междометия и возгласы.

Большую лепту в пародийное мышление коллектива внесли работавший в театре со дня основания артист Евгений Жуков и пришедший чуть позднее Зиновий Высоковский. Его коронным номером было чтение басни о том, как советский рубль встретился с американским долларом. Это было типичным актерским развлечением, на котором формировалась актерская индивидуальность Высоковского. Он собирал все основные «нутряные» и «пафосные» актерские штампы, приводил себя в состояние особой отдачи, особого серьеза. Так, при слове «рубль» он, искренне волнуясь (юмор здесь зиждился на искренности), слегка запрокидывал голову, словно ощущал себя вышедшим на косогор. На этой высоте, «обдуваемый со всех сторон ветрами», он любовался собой и не скрывал этой все возрастающей любви к самому себе. Когда же дело касалось доллара, Высоковский до такой степени проникался к нему отвращением, какой-то задушевной ненавистью, что, с трудом уняв дрожь в руках, вдруг понижал голос, и на глазах его выступали настоящие слезы, которые медленно катились по щекам. Некоторое время он стоял со спазмом в горле и не мог ничего сказать — так глубоко печалила его отрицательная сущность доллара. «Плакать» он умел подолгу, любил находить для этого самый неожиданный повод. Если слез было много, товарищи одобрительно кивали и дружно аплодировали.

Театр Полякова жил напряженным закулисным созиданием. Что касается сценических свершений, то они не претерпевали сколь-либо заметных изменений. Впрочем, иногда Владимира Соломоновича охватывали реформаторские устремления.

Однажды после поездки в Чехословакию он, помню, собрал всех нас и живо поделился своими мечтами о новых комедийных приемах, о режиссерской смелости, о поиске свежих драматургических решений.

Владимир Соломонович обстоятельно поведал нам о сильном впечатлении, которое получил на одном веселом студенческом представлении в Праге. Самый большой успех имел номер, по существу не имеющий текста. Конферансье торжественно объявлял исполнителей, и они появлялись, важные и задумчивые, во фраках, с большой пилой. На сцену выносили козлы с толстым бревном, и под восторженный хохот зала исполнители с невозмутимыми лицами начинали это бревно пилить. По мере того как они пилили — хохот в зрительном зале все возрастал, и, когда полено оказывалось распиленным, — следовала громовая овация. «Исполнители» долго кланялись, и, поскольку овация и хохот не смолкали, им «на бис» выносили второе бревно — и они снова принимались за дело. Здесь в зрительном зале начиналась истерика, и занавес закрывался.

Нам всем очень понравился рассказ Владимира Соломоновича, но, когда он тут же объявил, что на завтрашнем спектакле мы проделаем то же самое, все почему-то присмирели и охотников выступать с пилкой дров не нашлось. Это очень раздосадовало нашего художественного руководителя, который, не жалея едких выражений, долго укорял нас в консерватизме, творческой ограниченности и трусости. Дело кончилось тем, что со скандалом в приказном порядке были назначены исполнители и слегка озадаченный Сергей Павлович Сычев приступил к сколачиванию козел.

Наши товарищи вышли на сцену во фраках, но с крайне постными физиономиями. Артисты встали в кулисах. Коллективу был вообще не чужд некоторый садизм.

— Ничего не понимают в юморе, — объяснил мне Поляков, в веселом предвкушении потирая ладони.

К появлению двух артистов во фраках, но с пилой наш зритель отнесся спокойно. Вынесли козлы с бревнами, наши товарищи стали пилить — и в зале воцарилась напряженная тишина.

У Полякова слегка вытянулся нос. У товарищей на сцене глаза стали гневно поблескивать. По мере того как они пилили, в зале становилось все тише, зато за кулисами началась коллективная истерика, люди кусали пальцы, чтобы не хохотать в голос.

Бревно было толстым, что входило в режиссерские намерения нашего худрука, и покрасневшие от злости товарищи пилили его долго. Наконец две распиленные половинки упали на пол. Драматургия номера предполагала в этом месте вынос второго бревна «на бис», что и проделал с невозмутимым видом Сергей Павлович, уложив при гробовом молчании зала второе бревно на козлы. Товарищи во фраках начали, согласно замыслу, пилить и это бревно. За кулисами наступило «братание», какое-то несусветное веселье, которое не пощадило и Полякова. Он тоже захотел, уже над собой, не скрывая этого.

Он вообще умел и любил смеяться над всем на свете и очень просил нас не относиться к себе слишком серьезно. При всей своей веселой несуразности он, конечно, же преподал нам ценные уроки комедийного мышления и — пожалуй, почти не встречающиеся в театральной практике — уроки комедийного актерского мастерства.

Владимир Соломонович на протяжении многих лет старался делать что-то хорошее для каждого из нас. Каждому из нас он в свое время в чем-то помог. Всегда чувствовал, когда наступает трудный момент в чужой жизни. Его не надо было ни искать, ни просить — он возникал сам именно тогда, когда кому-то был необходим.

Был он человеком хотя и вспыльчивым, но на редкость беззлобным и незлопамятным; тех, кто его обижал, быстро прощал. Когда ему говорили, что он пишет плохо и банально, Поляков сначала яростно спорил, но потом, устав спорить, неожиданно соглашался. В такие минуты его всегда было жалко, потому что он действительно начинал в это верить и по-настоящему огорчался.

— Ничего не понимаете в юморе! — выкрикивал он все тише, все тише, а потом и вовсе замолкал.

Наш артист Рудольф Рудин очень смешно пародировал именно эту его странную особенность — неожиданно соглашаться, что написанное им не отвечает возросшим требованиям современного театрального искусства.

Всех нас он по-своему любил, хотя особую симпатию питал, кроме Зиновия Высоковского, еще к артисту Льву Лемке. Со мной отношения были уважительные, хорошие, но особой привязанности между нами не было.

Я очень благодарен Владимиру Соломоновичу за многое, что сделал он для меня и моей семьи, и за то, прежде всего, что доверял мне иногда режиссерскую работу в своем театре. Кое-что по мелочам мне удалось, но целиком поставленный мною спектакль «Неужели вы не замечали?» в конце концов не вышел за рамки некоторых общих попыток и поползновений. Спектакль затерялся в довольно сумбурном репертуаре театра. Но не это главное.

Театр Полякова пробудил у меня интерес к литературному поиску. Одна из написанных мною миниатюр игралась довольно долго. Это для меня значило очень многое. Сам факт вселял надежду и веру в собственные силы. Поляков подарил мне особое, трепетное отношение к смешному, привил вкус к нелегким поискам современной комедийной технологии. Еще он открыл мне замечательного писателя Аркадия Аверченко, познакомил с творчеством Тэффи, Бухова, Хармса и вообще ликвидировал некоторые пробелы в моем образовании.

Существовать рядом с Поляковым было интересно, но серьезно работать с ним было сложно. Характер у него все-таки был достаточно вспыльчивый и вздорный. Меня, естественно, угнетал не его характер — больше всего огорчало то, что он не считал меня режиссером, хотя я уже кое-что сделал в Студенческом театре МГУ. Он давал мне иногда возможность заниматься режиссурой — верно, — но не больше. Признать, что я становлюсь профессиональным режиссером, он отказывался. Для него режиссеры В. Тутышкин и Е. Весник были во сто крат ближе и дороже, что вызывало во мне естественную обиду, негодование и еще какие-то, тоже, возможно, вздорные, чувства. Некоторые мои репетиционные замечания по спектаклю, поставленному мною и уже идущему в театре, вызвали у Полякова однажды бурный протест, произошла короткая, но достаточно резкая размолвка, и я принял решение, которое давно назревало, — ушел из театра, целиком сосредоточившись на работе в студенческой самодеятельности.

С Поляковым мы помирились довольно быстро, но видеться стали, естественно, реже. Очевидно, мой уход был в какой-то степени закономерным. Через некоторое время стал медленно рассыпаться первоначальный актерский состав. Что-то поменялось в жизни, в самом театре, и что-то случилось с Поляковым. Он стал постепенно утрачивать свое могущество репертуарного сатирика. Начался самый трагический период в его судьбе — он вдруг перестал быть хозяином положения. Сложные жизненные ситуации, в том числе ситуация личная, подчинили его, согнули, заставили принять позу, прежде ему несвойственную.

Начался печальный и медленный уход из жизни. Его сочинения уже не появлялись в кино и на сценических подмостках, иногда печатались лишь слабые рассказы в газетах, да и сам Театр миниатюр медленно уходил из-под его контроля.

В самые последние дни его жизни некоторые артисты из «старой гвардии» изредка навещали его, уже немощного и тяжелобольного, в частности, моя жена, которая вместе с другими рассказывала ему о веселых приказах и наших закулисных пародиях, о том, как он ползал под стол к помощнику режиссера и выступал на собраниях. Он смеялся до слез, говорил много смешного, превозмогая все усиливающуюся боль.

Он заготовил очень веселое распоряжение о порядке проведения собственных похорон, очень надеялся на участие в них ряда ведущих театральных деятелей, с которыми был прежде связан крепкими творческими узами, но, к сожалению, многие ораторы, в которых он был уверен, на прощание с ним в связи с его смертью в Дом литераторов не явились.

Ничего не понимали в юморе.

Воинствующие дилетанты

В 1958 году в Доме культуры гуманитарных факультетов Московского государственного университета в самодеятельном драматическом коллективе, именуемом Студенческим театром МГУ, малоизвестный артист Московского ТЮЗа Ролан Антонович Быков поставил спектакль «Такая любовь». Это был не просто удачный спектакль любителей драматического искусства, обучающихся в Московском государственном университете, — это была веха в культурной жизни столицы.

Дом культуры на бывшей улице Герцена совершенно неожиданно для многих непосвященных вдруг стал местом, где рождались новые театральные идеи начала 60-х годов. Помимо Студенческого театра, в этом помещении начал функционировать еще один студенческий самодеятельный коллектив — эстрадная студия «Наш дом». Кстати, в ее недрах и родился знаменитый КВН, где ковались кадры для будущей телевизионной революции. Такой сдвоенный удар усилиями «воинствующих дилетантов» создал особую творческую ситуацию в маленьком клубе, которая стала предметом пристального интереса всех истинных знатоков театрального искусства и многочисленных зрителей.

Трудно сейчас проанализировать все составные элементы этого полного исканий явления. Играли роль многие обстоятельства и стечения обстоятельств — и уникальные особенности того времени, и отдельные человеческие характеры, и творческие способности многих незаурядных людей, каким-то образом оказавшихся под одной крышей. Свою роль сыграла и некоторая растерянность работников районного Дома народного творчества и парткома МГУ, которые считались руководителями студенческого клуба. Наконец, своя роль — и далеко не последняя — в истории студенческого искусства тех лет досталась очень трогательному и умному человеку, непосредственно стоявшему во главе вышеуказанного заведения, — Савелию Михайловичу Дворину.

Эта светлая фигура олицетворяла собой лучшую часть старомосковской театральной администрации. Какая-то породистость и порядочность составляли основу его деятельной натуры. Вместе с тем я ни разу не видел директора, который бы так боялся того, что делалось под его руководством. Иногда он просто умирал от страха, становился белым как полотно, но, превозмогая ужас, тем не менее делал свое благое дело. Делал мужественно, целенаправленно, и мало кто знал, какой ценой давалась ему та отвага, с которой работал Дом культуры гуманитарных факультетов.

Студенческая среда вообще таит в себе некоторую угрозу человеческому покою. История учит нас, что от студентов можно ждать многого. Природный максимализм, свойственный молодости, помноженный на человеческую одаренность, может привести к неожиданным последствиям. В ДК МГУ возникало много прекрасных неожиданностей, и последствия их, по-моему, не исчерпаны по сию пору. Во всяком случае, некоторые спектакли, поставленные мною в театрах сатиры и Ленинского комсомола, несли в себе иногда едва заметный, но все же ощутимый дух студенческих театральных исканий тех лет.

ДК МГУ на улице Герцена подарил нашему профессиональному искусству много режиссерских, актерских и драматургических имен: Р. Быков, И. Саввина, М. Розовский, И. Рутберг, В. Зобин, С. Фарада, Г. Полонский, В. Славкин, Л. Петрушевская, А. Кремер... Может выстроиться большой и красивый список лиц, обязанных своим происхождением этому феномену 60-х годов. Я не пишу летопись студенческого искусства, и потому мой список символический и неполный.

Однако почему все-таки эти «воинствующие дилетанты» создали такой мощный и устойчивый очаг театральной культуры? Откуда взялось это странное ускорение?

Некоторые причины я уже пытался сформулировать. Но к числу наиболее интересных стоит отнести проявляющееся порой преимущество дилетанта над профессионалом. При нашем в целом презрительном отношении к любителю стоит подчеркнуть, что любитель, достигший высокого интеллектуального уровня, обладающий человеческой незаурядностью, может продемонстрировать такие качества, до которых не дотянется иной преуспевающий профессионал. Г.А. Товстоногов, рассуждая о Треплеве — герое чеховской «Чайки», убедительно доказал, что «нигилисты», подобные Треплеву, ниспровергатели общепризнанных норм в искусстве, необходимы обществу даже в том случае, если они сами мало что умеют и уступают в профессионализме Тригориным.

Треплевых скопилось в те годы на улице Герцена предостаточно, они часто весьма и весьма невнятно играли на сцене, городили что-то неумелое и несуразное в режиссуре и драматургии, но вместе с тем постепенно создавали благодатную почву для интенсивного творческого созидания, для неординарного мышления, для поиска новой театральной истины. Дилетанты с улицы Герцена лучше иных профессионалов чувствовали время и его скрытый затаенный пульс, они лучше других понимали, во имя чего трудятся, что хотят сделать и что делать не хотят ни под каким видом.

Я читал, что в некоторых зарубежных фирмах иногда при проектировании новых моделей подключают к делу мозги дилетантов. Почему это дает подчас явный результат? Думаю, прежде всего потому, что дилетанты — люди свободные, не отягощенные специальными знаниями, они ничем не рискуют, в них бродит некая безответственная отвага. Она и выводит их к озарениям, минуя рационально осмысленный поиск. Если они к тому же молоды, то сама по себе молодость может стать существенным фактором в процессе рождения новой «сумасшедшей идеи». Биологические часы в организме человека, их законы еще недостаточно изучены нами. Если мы своими неокрепшими, нежными мозгами можем безо всяких на то усилий овладеть сразу несколькими языками в раннем детстве, может быть, и прочие способности человека имеют строго определенную последовательность во времени? Я считаю, что свои лучшие стихи поэт пишет в молодости и бунтует тоже человек охотнее до сорока лет. После сорока в психике начинают функционировать какие-то другие механизмы. Я не хочу сказать, что после сорока человек деградирует, наоборот, часто в нем открываются совершенно новые возможности («второе и третье дыхание»), меняются, укрепляются какие-то звенья в сознании, но бунтарский пафос все же перестает стучать в жилах.

Возрастной состав дилетантов на улице Герцена был таков, что бунтарский пафос неистово бился в их отважных и безрассудных сердцах. Бился со все возрастающей силой.

* * *

Я угодил в Студенческий театр МГУ не сразу. После возвращения из города Перми мой контакт со студенческой самодеятельностью начался в драмкружке Московского станкоинструментального института. Там я поставил спектакль, который задумал еще в Перми, — «Чертову мельницу» Яны Дрды и Исидора Штока. Из спектакля получился веселый студенческий праздник. К тексту пьесы были дописаны достаточно остроумные радиокомментарии и игровые интермедии. Звучала джазовая музыка, исполнительница роли Главной Соблазнительницы крутила бедрами спортивный обруч хула-хуп, казавшийся тогда явлением на редкость экстравагантным. Очень хорош был режиссер Вадим Зобин в роли Вельзевула. Кроме В. Зобина, любительский театр Станкина располагал достаточно колоритными и способными людьми, которые в дальнейшем способствовали нашему коллективному переходу на улицу Герцена.

Премьера «Чертовой мельницы» в клубе Станкоинструментального института «отравила» сознание некоторым самодеятельным артистам. Произошло то, что часто происходит в студенческой самодеятельности: молодые люди фактически порывают с основной работой или учебой, однако и не профессионализируются окончательно — на некоторое время «зависают» в каком-то своеобразном «невесомом» состоянии, уже не в силах оторваться от театра, но и не имея достаточно сил и возможностей для перехода в новую специальность. Это великие мученики, подвижники, энтузиасты, фанатики, вызывающие во мне и сочувствие, и зависть.

Подобная компания лиц и установила контакт со Студенческим театром МГУ, который после ухода Ролана Быкова переживал определенный кризис. Инициативная команда договорилась о переходе в Студенческий театр большой группы самодеятельных артистов из клуба Станкина вместе со своим самодеятельным режиссером.

Студенческий театр тогда возглавлял замечательный советский кинорежиссер Сергей Иосифович Юткевич, с которым у меня на долгие годы завязалась творческая дружба. Вместе с С.И. Юткевичем мы поставили «Карьеру Артуро Уи» Бертольта Брехта — спектакль долго шел на сцене театра, с успехом выезжал за рубеж. Но до брехтовской постановки в моей режиссерской судьбе произошло одно весьма существенное и принципиальное событие —

дебют на сцене Студенческого театра со спектаклем по пьесе Евгения Шварца «Дракон».

Трудно сейчас судить, насколько хорош был тот спектакль, поставленный в 1962 году, но он запомнился московским зрителям. На одну из многочисленных генеральных репетиций потянулись авторитетные деятели театра, среди них Олег Ефремов, Валентин Плучек, Назым Хикмет, Афанасий Салынский. Они создали определенное давление, и спектакль был принят строгой цензурной комиссией. Он просуществовал несколько месяцев до знаменитой выставки «абстракционистов» в московском Манеже и, разумеется, после провозглашения Хрущевым термина «пидарасы» был немедленно запрещен.

«Дракон» был своего рода итогом моих первых режиссерских опытов. Имя мое получило хотя и очень ограниченную, но все-таки известность в профессиональных кругах, завязалось знакомство с В.Н. Плучеком, сыгравшим в дальнейшем большую роль в моей жизни. Начался интереснейший и необыкновенно полезный для меня период совместной работы с С.И. Юткевичем над «Карьерой Артуро Уи».

Сергей Иосифович Юткевич после Андрея Михайловича Лобанова стал вторым человеком, оказавшим на меня серьезное личное воздействие. Эйзенштейновский «монтаж аттракционов» из малопонятного абстрактного понятия вдруг превратился для меня в практическое руководство к действию. С.И. Юткевич необычайно расширил мое представление об эстетической стороне режиссерского дела. Он обладал феноменальным эстетическим «обонянием» и чувством стиля.

Вспоминаю один его режиссерский урок. Однажды Сергей Иосифович, к моему великому ужасу и недоумению всего коллектива, привел на репетицию человека не просто старого, скорее немощного, который очень хотел играть в Студенческом театре. Мой учитель попытался объяснить мне, что у нас может получиться уникальное сочетание студенческого состава с дряхлым, почти умирающим стариком. Помню, какой протест вызвало во мне его намерение. Я тогда не поверил С.И. Юткевичу и оценил этот действительно мощный сценический аттракцион лишь по прошествии лет. Может быть, и не сам по себе хорош был этот аттракцион, главное здесь — принцип режиссерского мышления, который продемонстрировал нам Сергей Иосифович.

На репетициях С.И. Юткевича я вообще впервые познал новое для себя чудодейственное ощущение от сценического приема. Я почувствовал радость от того, как уходит, дематериализуется литературный, сюжетно-смысловой характер сценической акции и взамен его выступает на первый план эстетически сбалансированное режиссерское построение. Если оно талантливо и органично, оно привносит в спектакль не просто формообразующее начало — оно обретает на наших глазах новый глубинный смысл, становится сердцевиной, основой основ. Режиссерский аттракцион вытесняет поверхностную «литературу», хотя сам в конце концов становится такой же «литературой», но уже на ином, высшем витке своего театрального бытия. На сцене рождается иная художественная ткань, менее осязаемая с точки зрения здравого смысла, но излучающая необходимую порцию таинственного внутреннего света. Истинное искусство обязательно включает в свой расчет человеческое подсознание. Формообразующая работа режиссера — это прежде всего работа со зрительским подсознанием. Контакт с ним есть, по существу, гипноз, хотя и в непривычном для нас понимании. Современный спектакль, по моему ощущению, не существует вне двустороннего гипнотического контакта.

Гипноз начинается с какой-то формообразующей точки, с какого-то эстетического сигнала. От этого первого импульса развивается сложная цепная реакция. И в этой гипнотической точке есть уже все остальное и последующее; в ней, как в капле воды, отражается Вселенная.

Эстетика для меня не стилевой декоративный знак, сегодня эстетика в моем представлении — это сгусток энергии. Думать так и формулировать проблему подобным образом я начал сравнительно недавно, но начало такого ощущения восходит к первым дням нашей совместной работы с С.И. Юткевичем.

Энергетический мост

Коснувшись театральной эстетики, я, сам того не желая, вторгся в пределы того вопроса (или той группы вопросов), о котором мне хотелось бы порассуждать чуть позже, когда хронологическая последовательность моих писаний закономерно приблизится к нынешним режиссерским раздумьям. Но соблюдать размеренный порядок и расчет — вещь опасная, можно прослыть излишне расчетливым и рациональным сочинителем. Меня и так некоторые недоброжелатели с кривой усмешкой относят к последователям «головного» направления в театральной режиссуре. Такое мое принудительное «отнесение» я с негодованием отвергаю; все мои принципиальные, наиболее приличные сценические и кинематографические сочинения рождались и рождаются на основе сугубо внутренних интуитивных побуждений. Рациональный, математический расчет хорош на завершающем этапе творческого свершения. Истинно «сумасшедшую» театральную идею, равно как и удачную мизансцену, с помощью логарифмической линейки не построишь. Стало быть, раз уж неожиданно вторгся в эти необъятные и тревожные области, то, не дожидаясь подходящего хронологического или композиционного момента, я и углублюсь в замысловатую вязь нынешних режиссерских исканий; может быть, углублюсь лишь слегка, некоторым образом скользя по ее поверхности, чтобы всегда представлялась возможность незаметно выскользнуть оттуда, сделав вид, что и не слишком хотел туда забираться.

Оговорка необходимая. Сфера эта туманная, с большим налетом опасных субъективных ощущений и даже галлюцинаций. Галлюцинация в искусстве, впрочем, не всегда есть аномалия медицинского привкуса, часто она есть проявление творческого поиска или даже серьезного режиссерского достижения (достаточно вспомнить в этой связи заслуги И. Бергмана и Ф. Феллини). Можно, конечно, сделать вид, что я совершенно свободен от воздействия этих зарубежных художников, но лучше такого вида не делать и постараться прослыть сочинителем честным и объективным.

* * *

Гипноз — одна из великих загадок, имеющая прямое отношение к нашему искусству. В нашей научной и научно-популярной литературе порой дело представляется так, будто с этим явлением все ясно и понятно. Тайны тут никакой нет, и для удобства разговора о сложных процессах в психике человека вводится, как в математике, некая условная величина — гипноз. И вопросов не должно возникать. Еще академик Павлов рассуждал об этом феномене в очень спокойных тонах. Но подозрений все-таки возникает много. Особенно в наше время, когда мы стали все чаще задумываться над труднообъяснимыми явлениями нашей психики, особенно в сфере сверхчувственного восприятия.

Может быть, и скорее всего, гипноз имеет множество ступеней и градаций, многочисленные ответвления. Мне кажется, что под словом «гипноз» прячется сегодня не одно, а множество явлений. Даже приблизительно и грубо объяснить действие некоторых из них сегодняшняя наука не в состоянии.

И тем не менее у нас есть определенные основания предполагать, что между сознанием человека и некоторыми объектами, расположенными вне его, могут возникать временные, иногда очень недолго существующие «энергетические мосты».

Человек может просто увидеть, распознать другого человека с помощью органов зрения или осязания, а может помимо известных органов чувств установить с посторонним живым объектом сильный или слабый энергетический контакт. Похоже, что энергетический поток, идущий от сильного актера, можно обратить и к неодушевленному предмету. В какой-то момент под влиянием целого ряда факторов, не контролируемых нынешними приборами, между двумя людьми может образоваться какая-то реально существующая коммуникация. По невидимому «кабелю» может пройти сильный информационный ток. И хотя многие аспекты подобного процесса плохо изучены и потому таинственны, в принципе организация такого временного «моста» для обмена энергиями между живыми организмами — вещь вполне реальная, и почти все умные люди в той или иной степени допускали такую возможность. Степень же моего допуска весьма обширна.

В моем представлении общение актера со зрителем подразумевает наличие двух возможностей:

1. Общение «на слух», «на глаз». Смотрю и слушаю.

2. Общение с помощью двустороннего энергетического контакта. Здесь возникают не только общие эмоции, общее «взаимодействие» — здесь возникают обязательные элементы гипноза.

Весь вопрос — в каком качестве и количестве? Хотя существуют и другие вопросы, по своей значимости предшествующие только что поставленному.

Важный вопрос: не болезненная ли это фантазия автора? Гипноз с успехом применяется, скажем, в наркологических кабинетах, при сеансах аутотренинга, но стоит ли тянуть его в театр? И рассуждения о «невидимом кабеле» — не похожи ли они на наукообразную ерунду? Я и не отрицаю: похожи. Тем более подобный «мост» или «кабель», повторяю, не фиксируется существующими ныне приборами. Но мало ли какие явления в организме человека, в его подкорке не фиксируются приборами?

Соблазн «абсолютной истины» в наше время — реальная сила и даже угроза нашему «умственному беспокойству». Мы так устроены, нам хочется все наши сегодняшние сведения о мире рассматривать как конечные величины, как вершину познания или в крайнем случае как «почти вершину». И посему остаются актуальными слова принца Датского: «И в небе и в земле сокрыто больше, чем мнится вашей мудрости, Горацио».

С некоторых пор для меня убедительным образом звучит фраза: «Я это знаю». Неважно, если, зная «это», я не имею возможности доказать «это» и рассказать, почему я «это» знаю.

Человек может «поймать» информацию не через канал рационального восприятия, а через другие каналы, которые, как и энергетические мосты, могут возникать между его сознанием и иными объектами вовне. Поэтому, если человек твердо говорит: «Я это знаю», я стараюсь ему верить.

Конечно, это мой самый уязвимый тезис. Действительно, какой-нибудь сумасшедший скажет: «Я знаю». Можно ли верить сумасшедшему? Мой большой недостаток, моя большая ошибка заключается в том, что я думаю, что сумасшедшему можно верить. Теперь буду осторожно отступать: душевнобольному человеку можно иногда верить. Иной раз. С некоторыми оговорками. Не то чтобы полностью верить на слово, но и ни в коем случае не отбрасывать целиком подаренную им информацию.

На чем зиждется мое заблуждение? Отношение народа к «блаженным» лицам, как мы знаем, весьма уважительно и характеризуется, кроме всего прочего, скажем так, вниманием. Я думаю, что это не есть проявление невежества, скорее, наоборот, свидетельство некоторой несвойственной современным городским жителям наблюдательности. Иными словами, проявление народного ума. Народ не только прогнозировал засушливое или дождливое лето, он не только соразмерял факты нашего естественного спутника с наличием лекарственных свойств в разного рода корешках и пестиках — народ еще с недоступной нам прозорливостью следил за работой человеческого организма.

Проводя такие тончайшие наблюдения с незапамятных времен, наши предки заметили, что душевнобольные люди не полностью разрушали свои связи с внешним миром, вместо некоторых утраченных связей в блаженном человеке создавались или усиливались какие-то иные ресурсы. Мы знаем, как у слепого человека интенсивно развивается слух, как организм умеет компенсировать некоторые свои потери мощным, почти неправдоподобным развитием других органов и функций. Не исключено, что, утратив навыки «бытового сознания», душевнобольной приобретает, открывает в себе навыки, отличные от прежних.

О чем может идти речь? О почти независимой от нашего волевого намерения работе подсознания. Оно, как мы знаем, способно на поразительные свершения. Наше подсознание явно «собирает» только ему одному доступные сведения и «прикидывает» наше будущее, выявляя те связи во внешнем мире, которые мы своим трезвым рассудком выявить не можем. И неожиданные догадки приходят к нам часто не в результате рационального анализа. Об этом люди часто пишут и вспоминают.

С одной стороны, я как бы ломлюсь в открытые ворота. Понимаю. Об этом думали и продолжают думать многие — не один я. Однако для удобства наших совместных раздумий «ворота» все-таки лучше представить закрытыми.

Подсознание зрителя закрыто. Зритель бережет свои бесценные мозговые клетки — в наш век информационного взрыва, помноженного на телевизионную революцию, каждый здравомыслящий человек, соприкасаясь с новой дополнительной информацией, выстраивает на ее пути сильнейшие заслоны и фильтры, охраняя собственный разум и здоровье. Зритель может пойти в театр с удовольствием, ему так может показаться, но «ворота» в его подсознание, в его душу и сердце будут плотно закрыты, и наши словесные заклинания и настоятельные призывы только плотнее закроют их. Я не предлагаю «насильственно вламываться, ломать замки и сносить двери с петель» — я предлагаю только поискать разнообразные способы прихода к зрителю, когда он сам вольно или невольно «отомкнет засов», иногда, впрочем, можно и слегка «плечиком подтолкнуть прикрытые створки», не отрицаю, даже любопытно иногда «помериться силами с хозяином».

Очень часто зрители, похоже, с интересом взирают на сцену, послушно и вежливо аплодируют, но никакого серьезного энергообмена не производят, никакого глубинного эмоционального контакта не ощущают. Если им задать вопрос о сопереживании, они могут даже из вежливости ответить утвердительно и даже поверить в такое сопереживание, не подозревая о собственном заблуждении. В самообман впадают не только зрители, но и актеры (думаю, и режиссеры), которым нередко кажется, что они достигли со зрительным залом истинного взаимопонимания.

У нас на одном спектакле очень милая и трогательная старушка в первом ряду горько заплакала. Мы только начали — она уже в слезах. Мы все очень обрадовались, а я еще подумал: «Все-таки у меня режиссура в начале всегда хорошая». А старушка поднялась — и к выходу. Оказалось, слишком громкое для нее начало, уши не выдержали и заболели.

С ее подсознанием, мне думается, мы контакт в тот раз так и не установили, я думаю, уже и не установим. Старушку мы потеряли навсегда. Но она и не стала скрывать от нас этого обстоятельства. А огромное количество вежливых зрителей скрывают. А некоторые зрители вообще пока не испытали истинного театрального счастья — не сумели познать этот контакт. Не повезло. Да он и не частый гость в театре. Возможно, его возникновение относится лишь к вершинам нашего сценического вдохновения.

Но то, что такой контакт существует, — мы это знаем. (Мы «это» знаем.) Он существует и существовал всегда, в самых лучших и самых интересных театральных свершениях, хотя механизм его хрупок и исчезает этот волшебный энергообмен так же неожиданно, как иногда является нам. Подчас мы воспринимаем его как случайное открытие, как наитие. Но явление это само по себе отнюдь не случайное — это одна из основ нашего искусства, вечно ускользающая от нас и приходящая вновь, как вдохновение.

* * *

Раз уж я забрался в столь загадочные сферы театрального естества, я продолжу еще немного о некоторых эффектах гипнотического воздействия. Я подозреваю, что искусство может быть своеобразным «наркотиком», хотя прошу не воспринимать мои слова прямолинейно, не подразумевать под ними сразу же ужасы клинического и криминального характера. Давайте рассуждать очень осторожно, не претендуя на обязательную научную очевидность. Даже если утверждение мое насквозь ошибочно, оно может сослужить нам полезную службу. Конечный результат в искусстве нашем, как и в нашей жизни, — эфемерен. Он — скорее мираж, в глубине души мы даже и не надеемся ощутить его плоть, мы опасаемся достичь его, хотя и делаем вид, что к этому стремимся. Нам важнее все же процесс. Нам важнее движение. Путь. Поиск.

Безусловно, рассуждая о тонких материях, в прямом, буквальном смысле этого слова, помимо своей воли неизбежно идешь на некоторое упрощение и огрубление проблемы. Такова наша печальная судьба. Наша терминология, какой бы изощренной она ни казалась, не в силах передать необходимых нюансов. Нюансов, которые подчас и составляют суть искусства. Попробуйте рассказать о голосе любимой женщины, о тех божественных тембральных характеристиках, которые заполнили ваш внутренний слух, вашу память, которые вы не сможете спутать ни с какими другими звуками Вселенной! Попробуйте передать на словах отличительную черту человеческого голоса! Не получится.

Еще в начале книги я почти коснулся связи некоторых «наркотических» эффектов с механизмами театрального действа.

Ничего не хочу сказать плохого о древнегреческих Дионисиях — в конце концов, историю нашей цивилизации при всем желании, которое мы иногда проявляем, не сделаешь лучше, чем она есть. Но факт остается фактом: искусство театра возникло в каком-то экстатическом порыве, рождение его было сопряжено со своеобразным «помутнением» сознания. До сих пор это помутнение в отдельных своих аспектах продолжает так или иначе существовать даже в самых серьезных и трезвых театральных замыслах. Даже когда мы о нем не догадываемся. Хуже, когда не догадываются зрители. В таком случае они обычно уходят от нас в антракте. Навсегда.

В природе театра есть своеобразное буйство, в нем живут атомы древних вакхических безумств, которым предавались наши предки. Можно жаловаться на дурную наследственность, но генетика упряма, полную независимость от нее мы не обретем и потому попытаемся понять некоторые первоосновы нашего вдохновения, утопленные в позднейших напластованиях, скрытые под фундаментальными сооружениями иногда лишь мнимой идейно-художественной значимости.

Определенные точки соприкосновения глубинного театрального эффекта и состояния, когда рассудок словно «выключен», видны даже невооруженным глазом. Можно назвать это магией театра. Можно назвать прекрасной спецификой и даже театральным волшебством. Ясно, что само по себе содержание происходящего на сцене не может привлечь нас после второго, третьего, шестого посещения. Мы же знаем отдельных «отравленных» театром зрителей, которые, скажем, хаживали на мхатовские «Дни Турбиных» по семнадцати раз. Таких примеров можно привести сколько угодно.

Завораживающая магия присутствует в музыке, ибо она и есть самое «бессмысленное» искусство. В отдельных видах музыкального сочинительства наркотический эффект присутствует в особо зримых, грубых и сильнодействующих дозах; в каких-то видах музыкального творчества — едва заметен. Но заметен. Присутствует. Звуками африканских тамтамов можно ввести в буйную истерику всю первобытную деревню, а потом, в изнеможении, уложить ее штабелями на землю. Умеют такое проделывать некоторые африканские «режиссеры-постановщики». Но можно почти то же самое проделать и с сегодняшним молодежным зрителем под сводами громадного концертно-спортивного сооружения. Децибелы будут играть тут свою роль, но не они одни. Еще и ритмические построения, и эмоциональные оттенки. И не надо думать, что к подобному воздействию расположена только лишь наша, сотканная из сплошных недостатков молодежь. Наши деды и прадеды тоже имели сильнодействующее «зелье» — цыганские напевы.

К цыганским ритмам сложилось в общем довольно устойчивое отношение: ценим, по-своему уважаем, но знаем, что эта мощная атака на нашу подкорку не обязательно относится к проявлениям высокого искусства. А как быть с камерным скрипичным концертом? Принято говорить о чисто эстетическом, возвышенном эффекте. А мне как раз и кажется, что эстетика становится действенной, а следовательно, в моем представлении, выходит за нулевую отметку, когда обретает она, эстетика, характер энергетического потока.

Как только возникает устойчивый ряд энергетических коммуникаций между сценой и зрительным залом, начинается акт театрального искусства. Ни секундой раньше. Этот поток энергии, преобразующийся в энергообмен, должен вызывать, и довольно скоро, может быть, с первой секунды, устойчивое чувство «удовольствия». Его не нужно и невозможно объяснить чисто литературными, идейно-смысловыми достоинствами, оно сродни «буйному» и «неотвратимому» дионистическому вдохновению. Иногда такой эффект называется у нас «атмосферой», иногда мы придумываем для него другие расплывчатые термины и снова входим в зону эфемерную, лишь отчасти осязаемую, да и то не всеми.

Если читатель согласился со мной, что музыке присуще подобное «завораживающее начало», стоит пойти дальше и признать, что оно присуще и любому другому искусству.

Зачем об этом думать? Чтобы отдать себе трезвый отчет в том, что искусству один информационный строй, одна «литература» — недостаточны. Существует в нашей практике, увы, крайне вредный соблазн — подменить истинную театральность одной только иллюстративно-информационной вывеской. Впрочем, то же самое относится и к живописи, и к кино...

Возможно, самое интересное и загадочное действие описанного выше эффекта можно ощутить в изобразительном искусстве. Здесь мы уйдем еще глубже, в самые далекие и подспудные зоны нашего подсознания, в те далекие зоны, что устанавливают гипнотический контакт, скажем, с опускающимся на землю снегом. Кстати, очень важен ритм, при котором возникает акт гипноза. Годится по-настоящему не любой снег, но только снег, опускающийся хлопьями в безветренную погоду. Удовольствие, которое мы испытываем, как все в этом мире, тоже имеет свою вершину и последнюю меру любого качества — смерть.

Гипноз в своем пределе может парализовать нашу волю и отдать нас в объятия смерти. Живая человеческая воля может не устоять перед слишком мощным энергетическим объектом и изменить разуму. В одном нашем театре так погиб человек, не сумев выйти из-под медленно опускающегося железного противопожарного занавеса. Он заметил его движение задолго до рокового мгновения и с точки зрения здравого смысла несколько раз мог спокойно отойти в сторону, но здравый смысл не сработал. Он вообще не всегда срабатывает. В этом тайна человеческого организма, в этом и его ограниченность, и безмерное могущество.

Я думаю, что заразительность сценического акта возрастает по мере усиления гипнотического начала. Но возрастание это не должно быть тем не менее безмерным, безграничным — любое безмерное движение, любой не ограниченный «благородной нормой» процесс приведет нас к смерти в той или иной степени, в том или ином смысле. Смерть, увы, располагается, как и в человеческой жизни, по обе стороны живого театра.

Очень часто наши сценические поползновения не выходят за нулевую отметку, несмотря на внешнюю динамику, темпераментные выкрики ведущих артистов и стремительные мизансценические перемещения неистово реагирующей массы. Та энергия, тот энергетический мост, о котором я так настойчиво толкую, никак не связан с динамикой самых искрометных, самых якобы неистовых мизансцен. Он, этот поток волшебной живительной энергии, может покинуть нас, когда мы привычно «разгоняем» спектакль до неистовых скоростей, и, напротив, посетить нас, когда на сцене все замирает и «народ безмолвствует».

Как угадать исходные величины, как преобразовать первоначальную паузу, с которой начинается любой спектакль, в действенный, энергетически насыщенный импульс? Я начинал спектакль с разбивания стекла, подзвученного системой электронного усиления («Жестокие игры»). Я пробовал начинать с медленного, молчаливого мизансценического перемещения большой группы сосредоточенно раздумывающих артистов. (Так начинался когда-то спектакль «Революционный этюд».)

Не хочу ничего плохого сказать о начале спектакля «Жестокие игры»: разбивать стекло дело хорошее, приятное и не такое уж дорогое. Все-таки происходит что-то настоящее, не бутафорское, не обозначение сценическое, а конкретное живое дело. Но характер энергии при этом все же не самого высокого класса. Энергия в основном чисто звуковая, вибрация воздушной среды — не больше. Она может попасть в подсознание, собрать зрительское внимание, мобилизовать все органы чувств, но может такая звуковая волна и проскочить мимо и даже рассмешить. Уж как повезет, как сложится. Смотря какой настрой сорганизуется в зале в секунды, которые предшествуют этому эпатирующему удару.

А вот с выходом большого количества молчаливых актеров — пример посложнее и, пожалуй, поинтереснее. Грубо говоря, возможны два варианта — оба варианта я наблюдал воочию и пытался их потом анализировать.

Первый случай: многозначительный претенциозный торжественно-театральный «выход». Никакого изменения во внутренней температуре зрительного зала. Ну разве что установление вежливой тишины. Вышли молчаливые важные люди. Почему они молчат? Потому, что, очевидно, сказать им пока нечего. Ничего не придумали. И не придумают, хотя делают вид, что якобы размышляют, выходя. Тишина в зале не есть еще энергетический контакт. Стрелочка неизобретенного прибора — на нуле. Просто вышли, и все.

Второй случай: мизансцена та же. Тот же неторопливый молчаливый выход. И та же тишина. Да вот и не та! Вздрогнула стрелочка все того же неизобретенного прибора и прыгнула, поползла к уже иным отметкам. Зрители испытали нечто большее, чем просто концентрацию общего внимания, зрители почувствовали, ощутили сильную «энергетическую волну». Пока загадочную, с неизвестной информационной основой. А может быть, кто-то из самых тонко организованных зрителей познал и определенную дозу информации. У людей с подвижной нервной системой такое случается.

В первом случае произошло то, что происходит порой на сто двадцать четвертом спектакле: честно выполняем мизансцену. Что касается нашей внутренней актерской жизни — никаких чудес в организме не производим. Но с другой стороны, производим мы какую-то внутреннюю нервную работу или не производим — мизансцена не меняется. Как раньше ходили, так и сейчас идем.

Оказывается, это не одно и то же: «Как раньше ходили, так и сейчас идем». Пробовали мы делать то, что так или иначе делают все хорошие артисты в мире, — специально готовиться, «собирать» свой нервный потенциал, загружать себя перед выходом невидимой, но вполне ощутимой внутренней энергией. Брали простой, незамысловатый тезис и концентрировали на нем все свое внимание, все мозговые ресурсы. И когда эта внутренняя «концентрация» удавалась сразу многим актерам, зрительный зал заполнялся нашим мощным коллективным «биополем». В актерском организме происходила генерация энергии. Как? Каким образом? В каких дозах?.. Вот это и есть самое интересное — невидимая, но ощутимая работа актерского организма.

А обмануть зрителя можно?

Многое в нашей профессии вроде бы построено на обмане. Прибор, о котором я мечтаю, еще не изобретен. Нервную температуру зрительного зала никакими объективными способами познать не дано. Энергетический контакт с залом можно искусно смоделировать: притвориться, что я в контакте со зрителем, и все. Можно притвориться? Можно. Притворство в театре? Этим никого не удивишь. Притворяться можно сколько угодно... но обмануть зрителя тем не менее нельзя. Я думаю: невозможно.

Мне рассказали недавно о существовании в прошлом одной изощренной азиатской казни. Вокруг обреченного человека садились кружочком люди с сильной нервной системой, с очень развитой волей и... молча взирали на свою жертву. Через некоторое время жертва начинала испытывать беспокойство, тревогу, волнение, испуг, ужас и так далее... до самой смерти. Смерть наступала в полной тишине. Никто не совершал никаких резких движений, человек уничтожался с помощью мощного коллективного разрушительного потока биологической энергии.

Это фантастическое явление, по моему разумению, на выдумку не похоже. Думаю, что оно лишь одно из подтверждений того, что может при желании совершить «группа единомышленников». Механизм подобного акта, если исключить его разрушительную цель, имеет прямое отношение к современному театру. Познание этого механизма и составляет суть современного актерского, а стало быть, режиссерского поиска. Все мои нынешние театральные раздумья сосредоточены вокруг этой темы, вокруг безграничных возможностей человеческого организма, вокруг поисков устойчивой методологии — системы необходимых тренировочных упражнений и поиска закономерностей при установлении в зрительном зале театра плотного гипнотического контакта.

Как я дружил с В.Н. Плучеком

В 1962 году на обсуждении спектакля «Дракон» несколько слов в мою защиту сказал главный режиссер Московского театра сатиры Валентин Николаевич Плучек. Я плохо теперь помню спектакль, но хорошо — как горячо и страстно говорил об этом студенческом сочинении Плучек.

Спустя некоторое время Валентин Николаевич лицезрел меня на сцене Московского театра миниатюр в произведении, которое называлось «Веселый склероз». На мне был надет женский чепчик, и я с серьезным видом говорил смешные фразы, написанные очень своеобразной писательницей Музой Павловой. Миниатюра «Веселый склероз» игралась на сплошном хохоте, она была поставлена мною, и в тот вечер, когда В.Н. Плучек посетил наш театр, я заменял заболевшего актера. Это произошло в середине 1964 года, после чего я еще некоторое время работал в Студенческом театре, а в первых числах 1965 года был зачислен в штат Московского театра сатиры.

Плучек пригласил меня в труппу с правом попутно заниматься режиссурой. Мне, не слишком удачливому артисту Театра миниатюр, было лестно получить такое приглашение, и, несмотря на это, я совершил на редкость удачный и в высшей степени важный для моей последующей жизни поступок — отказался работать артистом. Я попросил дать мне возможность заниматься любой черновой режиссерской работой, но гримироваться рядом с артистами Театра сатиры я испугался. Не всегда испуг в нашей жизни кладет пятно на репутацию. В данном случае я поступил в высшей степени предусмотрительно.

Приход молодого, никому не известного режиссера в прославленную столичную труппу — само по себе явление драматически острое, сопряженное с опасными и неотвратимыми конфликтами. А если это еще совсем не режиссер, а всего-навсего никому не известный полуэстрадный актер с режиссерскими претензиями — дело почти обреченное. Я это сразу понял и попробовал ослабить тот возможный удар, который должна была рано или поздно произвести по мне сложившаяся, закаленная и уверенная в себе труппа. Удара, естественно, я полностью не избежал, но в значительной степени его ослабил. Решение это было мудрым. Его подсказал мне мой внутренний голос. Это была его самая удачливая акция. В дальнейшем он не раз меня подводил — подсказывал разную ерунду, — но в тот исторический для меня момент внутренний голос сработал точно.

Разумеется, я не хочу сказать ничего плохого в адрес коллектива Театра сатиры (после успеха «Доходного места» — спектакля, поставленного мною в 1967 году, я ощутил со стороны моих коллег самые добрые чувства, товарищескую поддержку, внимание), но начало репетиций с ведущими артистами, конечно, было сопряжено с известным напряжением.

Валентин Николаевич стал тем человеком, который окончательно вывел меня на режиссерскую орбиту, подставил щедрое плечо, посыпал его канифолью, сказал «Ап!» и толкнул меня в новое и прекрасное дело, потом еще крикнул вдогонку «Держать!» и действительно помог удержать в руках эту крайне зыбкую и во многом загадочную профессию.

Валентин Николаевич просветил меня по ряду актуальных вопросов театрального строительства, дал несколько блестящих уроков режиссуры как таковой, а также режиссерской тактики, стратегии, коснулся вопросов теории, научил некоторым режиссерским хитростям, показал, как надо осуществлять художественное руководство и как только делать вид, что его осуществляешь. Ведь все время его (руководство) осуществлять невозможно. Это блестяще доказал Л.Н. Толстой на примере Кутузова.

* * *

Когда ситуация с современным репертуаром приближалась к критической отметке — а такое в жизни главного режиссера случается периодически, — Валентин Николаевич демонстрировал поразительную мобильность. Чем сложнее становилась жизнь, тем большее вдохновение он испытывал. И так каждый раз. Выслушав от театрального начальства все претензии в свой адрес, он мог незаметно перевести взгляд на меня, и этот взгляд означал: «Внимание, атакую!» Мой педагог совершал короткий «разбег» и наносил свой первый удар по комиссии министерства или главка.

— Левый марш! — неожиданно выкрикивал он, сначала зажмурившись, а потом широко открытым взглядом гордо панорамируя по насторожившимся лицам. Его глаза постепенно возгорались лихорадочным блеском, движения приобретали упругость, и через мгновение уже казалось, что это никакой не Валентин Плучек, а по меньшей мере сам Эрнст Буш. — Левый марш! Левый! — то ли пояснял он, то ли имитировал барабанную увертюру.

Плучек дарил людям блистательную импровизацию на тему будущего, якобы зарождающегося спектакля, пригодного сразу ко всем юбилейным датам. Задачи перед Мастером стояли непростые: выиграть время, снять репертуарное напряжение. Обе задачи решались с присущим ему блеском. Несмотря на сравнительно частое употребление этого названия, «Левый марш» в то время производил каждый раз впечатление, близкое к нокдауну. Суровые и требовательные лица не просто расплывались, а напрочь и надолго утрачивали критический запал.

Мне тоже очень хотелось придумать для себя такой же «Левый марш!», я старался подражать Мастеру, но долгое время вызывал только снисходительную жалость вместо того вихря эмоций, что поднимал почти в любой ситуации мой учитель.

* * *

Я проработал в Московском театре сатиры восемь лет, и все эти годы были для меня заполнены крайне разнообразным общением с Валентином Николаевичем. Мы даже ходили в гости друг к другу, занимались взаимными розыгрышами, а однажды после ужина в ресторане «София» взяли и уехали неизвестно зачем в Ленинград, просто так, чтобы проверить себя, можем ли мы решиться на бессмысленный поступок или уже не можем. Смогли.

В течение восьми лет меня покоряла его разносторонняя одаренность, я находился и, вероятно, нахожусь до сих пор под очень сильным его влиянием, осознанно и неосознанно подражаю ему и часто мысленно советуюсь. В Плучеке ежесекундно ощущался прирожденный лидер, блестящий режиссер, эрудит, но, кроме того, и немного игрок, человек веселого, даже авантюрного нрава.

Однажды в так называемую эпоху застоя мы шли с Валентином Николаевичем по улице Горького, телевидение еще не показывало крупным планом ведущих режиссеров страны, никто его, естественно, не узнавал, и он держался весело и свободно. Чаще всего при подобных прогулках, которые я очень любил, он с упоением рассказывал мне о своей довоенной студии, о своем учителе Вс. Э. Мейерхольде, рассказывал необыкновенно и остроумно. Проходя мимо магазина «Эфир», мы стали свидетелями вялого уличного инцидента, который постепенно ужесточался и обрастал зрителями. Какой-то странный человек с авоськой тихим, обиженным голосом пытался что-то объяснить шоферу такси, не давая ему захлопнуть дверцу. На заднем сиденье уже устроились пассажиры, недоумевающе переглядываясь и посмеиваясь над чудаком, который с каждой секундой все больше и больше гневил водителя. Чудак тихим голосом, но упрямо утверждал, что пассажиры проникли в такси незаконно, а очередь его, и поэтому ехать в машине должен он. Мы с Плучеком непроизвольно замедлили шаг. Шофер взял очень резкую ноту, собравшиеся зрители уже начали отпускать насмешливые реплики в адрес чудака, как вдруг Плучек спросил:

— Марк, можешь изменить ситуацию?

— Как?

— Вот так, чтобы пассажиры вылезли, а чудак с авоськой занял бы их место в машине.

Я подумал, послушал крики шофера, возгласы зрителей, говорю:

— Невозможно.

Плучек говорит:

— Не прав. Конечно, дело непростое, но в принципе драматургию этого инцидента изменить возможно.

Я говорю:

— Не верю.

Он говорит:

— Смотри.

Я смотрю. Мастер совершает короткий разбег — и, к моему изумлению, бросается прямо в пекло. Участники инцидента тотчас испытывают некоторое замешательство, потому что Мастер начинает сразу же говорить много страстных слов — сначала в адрес водителя, потом всем собравшимся.

Отмечу сразу: Мастер очень ловко сыграл на жуликоватом облике двух посмеивающихся пассажиров с большими черными усами. Нагловатый смех этих людей он использовал в качестве первого тезиса, активно повлиявшего на новую драматургию инцидента. Этим тезисом Мастер ликвидировал агрессивную позицию любопытствующих зрителей. Народ как-то не так чтобы совсем притих, но все-таки озадачился, а Мастер страстным образом, как бы не помня себя, указал на скромную авоську в руках у чудака. Это был сильный, хотя и завуалированный социальный мотив, потому что скромная авоська по контрасту с преуспевающим видом двух наглых пассажиров внесла элемент некоторого коллективного раздумья. У шофера позиция вообще заметно ослабла, и он вскоре «вырубился» из конфликта, заняв нейтральную позицию: дескать, мне все равно, кого везти, пусть решают пассажиры, это их дело, а не мое. Мастер, сделав новый заход, постарался представить шофера как своего давнего единомышленника — он выдвинул тезис о рабочем человеке, скромном и простом, который честно отстоял очередь на такси, а теперь не может этой очередью воспользоваться, потому что есть у нас еще, к сожалению, люди, которые пренебрегают не только элементарной вежливостью, но и чувствуют себя порой безнаказанно. «Это мы сами виноваты, что они так себя ведут», — сказал он и открыл заднюю дверцу, чтобы подробнее проанализировать идейно-социальную основу двух пассажиров, вина за которых целиком ложилась на всех нас.

Я ожидал сильной ответной атаки и даже усомнился в возможной победе Мастера. Я принял во внимание вероятную вспыльчивость пассажиров, развалившихся на заднем сиденье, их природный темперамент, момент явного публичного унижения — но я ошибся. Вероятно, большой криминальный опыт, накопленный жуликоватыми субъектами, а также хорошо развитая интуиция помогли им верно просчитать ситуацию. Они оценили изменившееся настроение толпы, предательский переход шофера на нейтральную позицию. У них был момент некоторого мрачного промедления, как в иностранном остросюжетном кинопроизведении, когда персонаж, жующий жвачку, решает про себя: «Стрелять или не стрелять?» Субъекты, вылезшие из такси, затратили несколько томительных для меня мгновений на дополнительную оценку Мастера и его возможностей. Но Мастера это не смутило, он не стал их скрывать — продолжал неистовствовать, явно поднимая людей на какое-то большое и серьезное дело. И хотя люди у нас подчас медленно принимают решения, субъекты догадались, что решение может быть принято. Не проронив ни единого слова, они подозрительно быстро удалились от автомашины, как удаляются проигравшие мафиози и другие отрицательные персонажи зарубежного киноискусства. После их ухода Мастера посетил социальный оптимизм, он даже обнял чудака с авоськой и помог собравшимся радостно оценить то, что наконец случилось. Он сказал, что так будет теперь со всеми... кто у нас станет садиться без очереди в такси.

Когда машина отъехала, народ даже не сразу разошелся, а некоторое время еще и безмолвствовал. Во время этой паузы к Мастеру приблизился один задумчивый человек и сказал приветливо, но достаточно громко:

— Все-таки вам, товарищ Плучек, не надо было при этом так волноваться!

Тут все догадались, что перед ними Плучек, и стали с облегчением расходиться, а сам Валентин Николаевич страшно смутился, надвинул на глаза кепку и быстро увлек меня в подвернувшийся переулок. Мы уходили с поля боя «огородами», потому что факт опознания личности Мастера очень смутил, потом рассмешил и даже озадачил.

Это был тот редкий, но крайне необходимый вид профессиональной деятельности художественного руководителя, который не преподается в театральных учебных заведениях. Такой дисциплины в учебных планах пока что нет, но она необходима. Одному изменить настроение многих людей, уже настроенных противоположным образом, — задача крайне увлекательная. Режиссеру необходимо владеть подобной заразительностью, развивать в себе контактность, волю, спортивный азарт в сочетании с умением хорошо и грамотно говорить, увлекать людей за собой, а также демонстрировать некоторое веселое превосходство над артистической массой. Лидеру это необходимо.

Все это Плучек умел делать здорово и аппетитно. Он обладал замечательным чувством юмора и умением иронизировать над самим собой.

* * *

Валентин Николаевич прекрасно знал, чем живут актеры, чувствовал все перепады актерских настроений, всегда одерживал верх в любых спорах и всегда по-разному — то агрессивным темпераментным напором, то спокойно, с помощью одной только эрудиции, иногда методом лирического отступления, иногда (и очень часто) веселой встречной контратакой — дерзкой, неожиданной, смешной.

Он рассказал мне многое об артистах, чего я сам, артист, не очень понимал. Объяснил, что психика у них не очень устойчивая: могут ни с того ни с сего искусать. Если сморщить нос и приблизиться к пасти, может сработать рефлекс — и тот, кого ты всю жизнь гладил, а он при этом мирно мурлыкал, перекусит тебе сонную артерию. Будет потом мучиться, но перекусит, не утерпит. Ссориться с артистами нельзя, глупо, они как дети, их надо любить и все время ставить для них хорошие спектакли, потому что плохих они не прощают. Может сработать тот же рефлекс. Иногда Мастер напоминал мне опытного дрессировщика, который вроде бы спокойно входил в клетку, но на самом деле был подобран и напряжен. Держал в кармане парное мясо, а другой рукой незаметно сжимал хлыст. «Хищники» ему улыбались, виляли хвостами, но как только к кому-то из них он поворачивался спиной — тотчас издавали (иногда непроизвольно) тихий рык, а некоторые, самые хищные, даже тайком облизывались.

Наблюдая за Мастером в период его вдохновенных репетиций, веселых импровизаций, а также в периоды не столь эффективные, я постепенно осознавал, сколь трудна и напряженна миссия человека, возглавляющего театр. Я часто видел, как актеры мгновенно меняют свои восторженные улыбки на недовольные и подозрительные ухмылки. Взаимоотношения главного режиссера и труппы сотканы из несметного числа скрытых и явных конфликтов. То, что судьба артиста (во всяком случае, так ему часто кажется) целиком и полностью зависит якобы от неуравновешенного и вздорного человека (таким представляется артисту почти каждый главный режиссер), не может не вызывать в артисте скрытого или явного негодования. Действительно, очень многое (недопустимо многое) зависит в театре от состояния здоровья его художественного лидера, от особенностей его характера, от работы его мозга, от тайных механизмов его подсознания, что ведают вдохновением, и т. д. Рядом могут быть отличные мозги, но они, объединившись, «общим умом» спектакля не поставят, большинством голосов новой театральной идеи не придумают, даже мизансцены приличной не сделают.

Главный режиссер, теперь чаще — художественный руководитель, постоянно живет под пристальным наблюдением, каждый его шаг, каждое движение обсуждается долго и всесторонне, вокруг его реальных и несуществующих идей, поступков, намерений бушует бурное море театральных и околотеатральных суждений, зачастую вздорных, глупых и даже клеветнических. Он и его близкие часто получают оскорбительные анонимные письма, в его квартире часто раздаются хулиганские телефонные звонки. В какие-то загадочные моменты в жизни почти каждого театрального организма мелкие, едва заметные людские недовольства — обычный дежурный фон раздражения вдруг взрывается и выходит из всех и всяческих берегов. Так иногда неожиданно, ввиду появления пятен на солнце, вдруг размножается мошкара. Почему? Неизвестно. Бывают какие-то загадочные циклы на нашей планете, да и у каждого отдельного человека бывают пассивные и активные дни. Трудно точно проанализировать все исходные этого процесса, но в какой-то момент руководитель театра вдруг подвергается дружным и чувствительным ударам со стороны всех, кому он попадается на глаза или на язык. На него как бы объявляется отстрел. Иногда, правда, дело ограничивается только покупкой лицензий, а сам отстрел переносится на следующий квартал или даже год, иногда в театре слышится только легкая пристрелка, иногда предупредительные выстрелы в воздух, а иногда дело, увы, идет на решительное уничтожение.

Один такой страшный момент в жизни Плучека я наблюдал. Но он выстоял, красиво, гордо. Никаких мелких движений, никакой суеты — держался, как и подобает Мастеру, продемонстрировал, что по натуре своей — победитель, и это оценили все, в том числе и лица, закупившие лицензии. Оценили и запомнили. Разрушительная энергия, бродившая по театру, помнится, вышла через какие-то другие клапаны. В театре иногда такая энергия образуется как шаровая молния, ее надо обязательно куда-то пристроить, чтобы она где-то «шарахнула» в безопасном месте (или подорвала кого-нибудь другого, кого не жалко).

Плучек был соткан не из одного только сахара. Я на него злился много и часто. Иногда по делу, а иногда — потому что сам тоже не сахар. Он искренне обрадовался успеху моего «Доходного места». Я сдавал ему черновой прогон спектакля в выгородке, и он сказал в присутствии труппы много добрых слов в мой адрес, сказал, что в Москве появился еще один серьезный режиссер. Потом он деятельно боролся с недоброжелателями этого спектакля, с его активными противниками, борьба кончилась нашим поражением, но Хемингуэй в свое время объяснил нам, что бывает победа в поражении, и я этим утешаюсь по сию пору. После сдачи спектакля Главному управлению культуры Плучек коротко подвел итоги проделанной работы и сказал:

— Марк, ты прорвался. Иди за шампанским.

Потом он мне замечательно объяснил причину моего успеха примерно через месяц.

— Да, — сказал он, — прорвался, потому что невежда. Ни черта не читал. Островского не знаешь, ничего в его театре не смыслишь, знания вообще у тебя поверхностные, темный ты человек!..

Я сначала очень обиделся, но лет через несколько понял, что какая-то доля истины в злом монологе у Мастера присутствовала. Я пришел в профессиональное искусство из Студенческого театра, и известная доза отчаянного нигилизма во мне сидела. Бесспорно, если бы я отдал, скажем, лет десять изучению А.Н. Островского, сличал бы его тексты с черновыми вариантами и писал бы монографии о его пьесах, — никакого бы «Доходного места» в Театре сатиры я не поставил.

А в тот далекий момент мой Островский театру очень пригодился. Плучек сделал ряд блестящих, смелых спектаклей, и акции театра резко поднялись. «Доходное место» хорошо вписалось в эту волну подъема. Театр сатиры, не отягощенный еще «Кабачком 13 стульев», переживал период эстетического и интеллектуального взлета.

* * *

Среди спектаклей, поставленных В.Н. Плучеком, есть такие, что продолжают жить в моей памяти и, я подозреваю, продолжают каким-то образом развиваться во времени и пространстве.

Гоголь когда-то заметил, что мертвые не уходят, мертвые остаются с нами и продолжают вмешиваться в наши дела. Спектакль В.Н. Плучека «Дамоклов меч» по пьесе Н. Хикмета давно умер, остались посредственные невнятные фотографии и некоторые хвалебные, но не слишком глубокие строки об этом сценическом явлении конца 50-х годов. А у меня в каких-то дальних закоулках памяти продолжает тихо свистеть едва слышная и странная музыка, сочиненная Родионом Щедриным, высвечиваются прекрасные геометрические объемы декораций со знаменитым рисунком Пикассо. И еще медленно колышутся страшные маски-кошмары.

Спектакль во всех своих компонентах был авангардным. Смешно, что в моем теперешнем ощущении он не утратил своего авангардизма, хотя я, конечно, понимаю, что многие его построения выглядели бы сегодня наивно, однако подлинное явление искусства продолжает свою сложную жизнь не только во времени прошедшем, но и во времени настоящем и, что самое интересное, вне самого времени, где-то высоко над ним. Я не согласен с тем, что каждое произведение искусства следует рассматривать лишь в неразрывной связи с обстоятельствами той эпохи, когда оно рождалось. Я не хочу ревизовать никаких основополагающих представлений, но допустить наличие каких-то исключений просто необходимо, иначе будет скучно жить, и потом, мозг человека, как выяснилось, обладает запасом необыкновенных возможностей, совершенно вроде бы необязательных для скромной и рациональной потребности. Иными словами, ума в человеке больше, чем ему необходимо. (У некоторых, правда, меньше, чем нужно, но это тема отдельного разговора.)

Искусство, по-моему, довольно часто совершает эти героические «бессмысленные» акции, столь необходимые человеческому гению. Я, например, догадался, что древнеегипетская пирамида вовсе не место захоронения и не памятник могуществу фараона, пирамида египетская — прорыв человеческого мышления в космические сферы, памятник человеческой смелости как таковой. И, как ни странно, знаменательный спектакль тоже — прорыв. Больше всего меня в этом смысле интересует «Принцесса Турандот» Вахтангова. Я сталкивался с весьма наивными, даже забавными идейно-смысловыми обоснованиями этого явления в нашей театральной культуре. Почему возник этот спектакль? Для чего поставлен? На первый вопрос еще можно кое-как ответить, кое-что исследовать и распознать некоторые процессы, которые подготовили рождение шедевра. На второй вопрос — если спектакль является событием в искусстве — ответить единой формулой, всерьез и однозначно нельзя.

Я не хочу сказать, что спектакль «Дамоклов меч» в постановке В.Н. Плучека — основополагающая веха в мировом театральном искусстве. Но для меня лично, для моего внутреннего мира — это серьезное мгновение. Для нашего театрального строительства — действенное, резкое, темпераментное обновление сценического языка. Тут сразу в дискуссию вступает хор долгожителей, которые повторяют обычно зло и упрямо: «Это уже было, было, было. Это мы все видели, видели». Спорить с ними сложно и даже бессмысленно, но хочется, хочется, хочется!..

Только кажется, что можно что-то повторить. Повторить на сцене ничего нельзя. (И в жизни — тоже.) Спектакль — для простоты рассуждений будем понимать под этим словом не ремесленную поделку, ненужную зрителю, а высокий акт театрального искусства, — такой спектакль повторить через энное количество лет нельзя. Слишком многое изменится в жизни и в психологии зрителя, слишком многие эстетические сигналы будут восприниматься совершенно иначе, чем воспринимались людьми в момент их изобретения. Достижения театра и кинематографа в стиле ретро — убедительное тому доказательство. Можно манипулировать с некоторыми забавными эстетическими обозначениями прошлых лет, но обязательно используя весь изощренный арсенал нынешних средств театрального и кинематографического воздействия. Пойдите в кинотеатр, посмотрите фильм производства 1950 года — не пойдете! Конечно, по телевизору какую-нибудь любимую с детства комедию можно посмотреть, и даже с радостью, — но это уже иное дело, иной (довольно сложный) принцип восприятия и вообще другой случай. А сделать сегодня спектакль, как делал великий Мейерхольд, — невозможно, потому что это никому не нужно.

Когда о знаменитых спектаклях Плучека «Баня» и «Клоп» некоторые недоброжелатели говорили, что это они уже видели, потому что все это было у Мейерхольда, я всегда спорил особенно остервенело, потому что сам не видел ни одного спектакля Мейерхольда, и это мне придавало силы.

В.Н. Плучек вместе с С.И. Юткевичем и Н.В. Петровым произвели серьезнейшую акцию в нашем театральном строительстве: в 1954 году на сцене Театра сатиры появилась «Баня» Владимира Маяковского. Это было достаточно «инородное тело» в театральной жизни Москвы. «Метеорит», залетевший из космоса, с неизвестным строением вещества. После генеральной репетиции, но рассказам очевидцев, на театр опустилось тревожное ощущение грядущего провала, многие умные люди не понимали, как к этому спектаклю относиться. (Кстати, один из частных симптомов при рождении шедевра.)

Когда я видел «Баню», как раз заканчивая ГИТИС, не скажу, что пришел от нее в восторг, я скорее задумался, точнее, озадачился (думал я тогда совсем плохо). Озадачился и как-то растерялся. А худрук моего курса Иосиф Моисеевич Раевский, который ненавидел все формалистические изыски во всем мировом искусстве, сказал мне, что это замечательный спектакль, и я отправился прорываться на него во второй раз.

Со второго раза серьезное искусство воспринимается лучше. Это хорошо знали те члены цензурных комиссий, что ходили принимать наши новые спектакли.

— Вот видите, уже стало лучше, — говорили они на второй, повторной сдаче, даже если мы не производили в спектакле никаких существенных изменений. Почему так? Привыкали. Постепенно оценивали элементы нового театрального языка, новые интонации, ритмы, новые режиссерские и сценографические идеи. Раздражение сменялось вниманием, внимание — сопереживанием.

Но спектакль действительно раз от разу может становиться лучше, если он сорганизован на добротной драматургической основе при скрупулезной и вместе с тем свободной режиссерской разработке. Свободной в смысле оставленного пространства для последующих актерских импровизаций, для будущего движения.

Будучи верным учеником Мейерхольда, В.Н. Плучек разработал некоторые его теоретические заповеди. Разработал азартно, весело, с пониманием всех изменившихся настроений и вкусов.

Сценическое открытие нельзя повторить через несколько лет, потому что зритель не будет относиться к нему как к открытию. А многие спектакли Плучека поражали и поражают своей новизной. На моих глазах происходила плодотворная работа с Александром Трифоновичем Твардовским. Валентин Николаевич набрасывал иногда очень интересные (сумасшедшие) планы будущих режиссерских сочинений, на осуществление которых, вероятно, недоставало сил, времени, средств, сковывала жанровая специфика театра, может быть, накапливалось некоторое утомление от постоянного риска. Может быть, не хватало и надежных сотрудников.

Думаю, что идея современного музыкального спектакля на драматической сцене во многом принадлежит Плучеку. Разумеется, не вообще, а на конкретном историческом отрезке. Он потратил много сил на музыкальное оснащение своего театра, на поиски современных сценических музыкальных построений, хотя подозреваю, что сил было истрачено все-таки недостаточно и, возможно, ошибкой была ставка на большой, очень традиционный и средний по качеству театральный оркестр. Но я впервые услышал, как могут существовать вместе с музыкой драматические актеры, и ощутил заразительность этого единения.

В «Женском монастыре» — спектакле, построенном, к сожалению, на эстрадной драматургии, — Театр сатиры вплотную приблизился к какому-то новому театральному существованию, к какому-то иному сценическому мировоззрению. Анатолий Кремер — главный дирижер и музыкальный руководитель театра — почти перевел организационную и творческую работу с молодыми актерами на серьезные профессиональные рельсы, но последнего, решительного шага сделать все-таки не сумел. Не смог? Не захотел? Не договорился с Плучеком?.. Не знаю. Может быть, сам Мастер не имел на этот счет серьезных намерений, поскольку музыка в Театре сатиры хотя и зазвучала громко, но как-то с оглядкой на достижения 30-х годов. А стояли 50-е, потом постучались 60-е, и в английском городе Ливерпуле ненавистные прежде и теперь почитаемые «Битлз» уже подарили миру новую волну музыкальных ощущений.

И все-таки Театр сатиры, ведомый Мастером, с большой долей озорства намекнул театральному миру, чем может быть сегодня музыкальный спектакль на сцене драматического театра и как его жаждут зрители. Мне скажут: это сделал не Плучек, а Таиров. Вспомните оперетту Ш. Лекока «Жирофле-Жирофля» на сцене Московского камерного театра. Не хочу сейчас вспоминать Таирова, хочу рассказать про Плучека! Для меня музыка со сцены драматического театра зазвучала по-настоящему лишь по его команде. «А что же, по-вашему, было раньше?» — спросит меня долгожитель. «Раньше, — скажу я, — было не то. Не так. Хуже. (Кстати, я действительно так думаю.) В искусстве все повторяется, но каждый раз по-разному!»

«Мертвые остаются с нами и вмешиваются в наши дела». Еще раз захотелось поклониться Николаю Васильевичу Гоголю и поблагодарить его за то, что остался с нами, так до конца и не разгаданный. А Всеволод Эмильевич Мейерхольд? Он вообще не уходил от нас, даже когда мы сделали вид, что не помним такого. Он постоянно является нам и ныне то в одном, то в другом театре. Потому что его много. Его на всех хватит. И не раз замечал — он участвует в некоторых наших репетициях, биомеханических и сценографических поисках, иногда подбадривает, а иногда недовольно морщится и только курит. И конечно, А. Таиров, Е. Вахтангов, М. Чехов — все они тоже с нами. О Константине Сергеевиче Станиславском я даже боюсь говорить — так много о нем сказано. И потом, ведь я хоть и путано, с лирическими отступлениями, но все-таки рассказываю о В.Н. Плучеке. Поэтому я сейчас и попробую их как-то увязать друг с другом, во всяком случае, в моем, очень субъективном ощущении. И потом, все равно о К.С. Станиславском мне когда-нибудь что-нибудь сказать надо. Сейчас, по-моему, представился как раз подходящий случай. И потом, стало признаком хорошего тона нет-нет да и ввернуть что-нибудь про систему. Никто в этом случае никогда с режиссером не спорит, что принято, все соглашаются, ведь понять, что он имеет в виду, как правило, сложно.

* * *

Моим старательным учителям я долго верил на слово, что Станиславский велик, а потом вдруг поверил в это. Поверил истинно, как-то изнутри. Когда была издана четырехтомная летопись жизни и творчества К.С. Станиславского, я прочел о том предложении, которое Станиславский получил в одном загородном имении. Ему предложено было сыграть сцену из «Чайки» на настоящей скамейке, в настоящем саду, он очень обрадовался, решил прорепетировать сцену в новой обстановке и вдруг неожиданно, начав репетировать, остановился. Я не помню точной цитаты, а смысл такой: «Если рядом со мной настоящая, живая листва, я должен играть как-то по-другому, не так, как на сцене».

Эти слова произвели на меня такое впечатление, что теперь, когда я иногда вижу густую зеленую листву, я (условный рефлекс) вспоминаю о Станиславском. Он — единственный на свете человек, который, не будучи биохимиком, увязал две сложнейшие органические системы в таком причудливо изощренном причинно-следственном ряду и в таком поразительном эстетическом ракурсе! А если пойти дальше? Вернее, в обратную сторону? Умертвить листья, изменить их цвет, покрыть их тонким слоем стойкого красителя. Значит, входящий в плотное взаимодействие с ними артист должен (обязан!) что-то скорректировать в своем внутреннем и внешнем актерском существовании? Если, постепенно развивая этот предполагаемый эксперимент, технически перестраивать экстерьерное пространство в интерьер — скажем, отделить дальние деревья прозрачной полиэтиленовой пленкой, — должен в какой-то момент измениться и режим работы голосовых связок, и многое другое.

Очевидно: современный актер должен постоянно, сознательно — или лучше бессознательно — корректировать, соотносить состояние своего организма с тремя основополагающими театральными объектами: материальной средой, партнерами и зрителями. Актер обязан чутко реагировать на изменения всех трех объектов. Должно ли это каждый раз ощущаться зримо, по законам примитивной оценки? Думаю, что нет. Но какое-то внутреннее энергетическое перестроение должно в организме актера происходить непрестанно, иначе он может войти в полосу фальши, наигрыша, штампа. Актерский штамп — это, очевидно, воспоминание об удачном взаимодействии со всеми тремя вышеупомянутыми объектами, законсервированное воспоминание о постигшем успехе. (Впрочем, успех может быть и чужим.)

Думать так и формулировать эту проблему подобным образом я начал сравнительно недавно, но возникли эти ощущения у меня в театре Плучека. Эту первозданную эстетическую проблему нашего театрального бытия я познал под большим воздействием его поисков и раздумий. Он не всегда находил то, что искал, понимал это, жестоко оценивал сделанное им, несмотря на дежурный хор почитателей. (Плучек в своей жизни много мучился и сомневался, делая при этом довольное и смеющееся лицо.)

Правда у нас не одна. Правда жизни в нашем сложном искусстве разлетается на тысячи осколков, вариантов и вариаций. Причем стекляшки иногда выглядят как алмазы. В дьявольски многоликую проблему сценической правды входит множество понятий и категорий, таких, например, как чувство стиля. Не знаю, можно ли этому научить? Если это в принципе возможно, то, наверное, этому может научить Плучек. Во всяком случае, он расскажет об этом лучше других.

Однажды на репетиции один из его актеров, обычно играющий эпизодические роли, пустился ни с того ни с сего в такую «густую» импровизацию, стал так отчаянно заикаться, таращить глаза и шепелявить, что все товарищи по труппе со слезами на глазах от душившего их смеха стали медленно сползать с кресел. Действительно, это было неумное, но гомерически выразительное зрелище. Сам Мастер бился в истерике и от хохота начал даже зеленеть.

— Неужели так же будет на премьере? — спросил я, с трудом пробившись через его хохот.

— Что ты! — утирая платочком слезы, объяснил Мастер. — Никто даже не улыбнется. В этом все дело.

Мастер точно знал, что на премьере обстановка станет другой. Играть надо будет по-другому, совсем не так, как на этой уморительной репетиции. Насмешивший всех актер сделать этого все равно не сумеет — хоть объясняй ему это, хоть не объясняй.

Вообще, как мне иногда казалось, Мастер понимал больше, чем делал. Может быть, это относится ко многим интеллигентам нашего времени. Но мне хочется хоть в чем-то придраться к Мастеру, потому что он очень любил придираться ко мне. Правда, иногда после вспышек гнева он, как Иван Грозный, отбрасывал в сторону острый посох и сам делал перевязку.

Не знаю, какое окончательное место займет режиссура В.Н. Плучека в нашей театральной истории, — в истории моей жизни он сыграл (именно сыграл) выдающуюся роль, поэтому никакого объективного отношения к нему у меня не выстраивается. Некоторые его малоудачные спектакли мне все равно нравятся. И даже слабости его, эстрадные вкусовые погрешности мне тоже близки и понятны, потому что я сам, бывший клоун, стремлюсь иногда веселить людей и не всегда нахожусь под влиянием Бернарда Шоу. Пронзительные, часто необоснованные крики Мастера, которые до сих пор стоят в моих ушах, — все равно для меня музыка. Провожая меня в Театр Ленинского комсомола, он сделал над собой некоторое усилие, и мы расстались очень хорошо, со взаимными трогательными речами. Делить нам действительно было нечего. Татьяну Ивановну Пельтцер мы поделили позже.

Мастер напоследок дал мне ряд очень ценных указаний, как дольше продержаться на посту главного режиссера. Не все можно рассказать, но кое-чем все-таки стоит поделиться с будущими худруками.

Мастер категорически не советует нам брать в театр своих жен. У него жуткие опасения на этот счет, и к ним стоит прислушаться. В отношении женского состава труппы, из которого будут постоянно выделяться привлекательные и талантливые «единомышленницы», у Мастера тоже оказалось много недобрых предчувствий. Мастер, помнится, настоятельно просил осуществлять с женским составом исключительно творческие контакты, встречаться, по возможности, только на репетициях и спектаклях. Особую бдительность просил проявлять в гастрольных поездках, когда в некоторых театрах наступает общее ощущение конца света и отмены границ. Не только государственных, но и всех прочих. Он остановился еще на ряде негативных сторон театрального бытия, но мне сейчас не хочется, как говорила прежде наша опытная редактура, «смаковать одни только недостатки». Мне хочется спеть что-нибудь хорошее для Мастера, но у меня, так же как у него, нет ни слуха, ни голоса. Наверное, поэтому мы оба и занялись музыкальными спектаклями.

Спасибо, Валентин Николаевич.

О «Доходном месте»

Со спектаклем «Доходное место» в Московском театре сатиры в моей жизни связано одно из самых ярких воспоминаний. Поставив его, я получил признание в профессиональной среде и, более того, стал до некоторой степени известен. Спектакль очень быстро превратился в московскую сенсацию, зритель штурмовал театр, критика, затаившись, ждала партийного разрешения на рецензирование (так, впрочем, и не дождалась). Артисты Сатиры и других театров откровенно зауважали. Спектакль прочно и закономерно вписался в витавшие в обществе настроения. Так называемые шестидесятники, еще полные сил и надежд, яростно штурмовали топорные и хрестоматийные бастионы социалистического реализма, находившиеся под бдительной охраной мощного цензурного аппарата. Но порядка в стране и тогда не было, некоторые звенья партийной идеологии давали трещины, конечно, функционеры потом спохватывались, латали «пробоины», однако новые социально-политические, а также литературные и общекультурные идеи на некоторое время прорывались на общесоюзное обозрение. Спектакль до своего громкого и скандального запрещения прошел около сорока раз, что, конечно, являлось государственным упущением при всей его политической сдержанности и, я бы сказал, талантливой деликатности. (Это я не о себе, а об артистах.)

Интересно, что его запрещению предшествовала «подковерная борьба», развернувшаяся между двумя влиятельными властными дамами: секретарем МГК КПСС А.П. Шапошниковой и тогдашним министром культуры, бывшим членом Политбюро ЦК КПСС Е.А. Фурцевой. Из классической литературы, а также из повседневной жизни известно, что если дамы, находясь в определенном (агрессивном) возрасте, занимаются примерно одним и тем же делом, их взаимная неприязнь может при определенных условиях перерасти в смертельную схватку.

Незадолго до появления «Доходного места» Е.А. Фурцева, которую знавшие ее люди относили к личностям вполне нормальным, по-своему неглупым, не чуждым определенной смелости и широты, демонстративно и своевременно помогла театру «Современник» с его спектаклем «Большевики» М. Шатрова, который многим ее коллегам казался произведением исключительной вредности. Питая добрые и уважительные чувства к О.Н. Ефремову, она, короче говоря, взяла на себя ответственность за выпуск спектакля. Естественно, А.П. Шапошникова не преминула воспользоваться этим обстоятельством и развернула наступление по всему идеологическому фронту, всячески подчеркивая глубокую порочность министерской позиции. В свою очередь Е.А. Фурцева решила ответить ударом на удар и найти идеологические ошибки московского партийного секретаря. Оказывается, разрешение на «Доходное место» можно было при желании отнести к идейным просчетам МГК КПСС.

Разумеется, драматургию «подковерной борьбы» вокруг спектакля я узнал много лет спустя от лиц, прямо причастных к разыгравшемуся дамскому сражению. Е.А. Фурцева неожиданным налетом посетила спектакль и уже к антракту засекла чудовищную идеологическую порочность произведения. В антракте она уже разговаривала с дирекцией на повышенных тонах, всячески демонстрируя свое глубокое партийное возмущение.

Помимо дамской подоплеки, были, конечно, и еще аспекты общественного характера. Хрущевская оттепель дышала на ладан, друзей-поляков угораздило поставить у себя «Дзяды» Мицкевича, что расценивалось идеологами социалистического лагеря в целом как призыв к построению социализма с человеческим лицом, что считалось оскорбительным прежде всего для социализма, за которым такое никогда не водилось. А.В. Эфрос поставил в Театре на Малой Бронной «Три сестры» А.П. Чехова, чем, по мнению сильно состарившихся, хотя и великих мхатовцев, нанес оскорбление не только лично А.П. Чехову, но бросил зловещую тень на всю отечественную литературу, многочисленные психушки уже готовились к массовому приему диссидентов, поэтому Е.А. Фурцева была настроена крайне воинственно.

Помимо официального снятия «Доходного места» из текущего репертуара, в отношении меня были даны соответствующие указания в СМИ и категорический запрет на какие-либо контакты с зарубежной прессой.

А начиналось все хорошо.

Хорошее начало[1]

В один из душных летних вечеров 1967 года зрители, пришедшие в Московский театр сатиры, были крайне разочарованы: театр произвел замену спектакля. Вместо обозначенного на билетах названия дирекция театра предложила зрителям «сюрприз» — премьеру комедии А.Н. Островского «Доходное место».

— Безобразие! — справедливо возмущались зрители. — Мы этого смотреть не хотим!

— И не хотите! — соглашались театральные билетеры. — Дирекция имеет право на замену. Проходите в зал или сдавайте билеты в кассу!

Пьесу А.Н. Островского никому смотреть не хотелось, зрителя у нас обмануть трудно, поэтому он и толпился в

---

[1]   Эта глава была написана задолго до того, как ушли из жизни Анатолий Дмитриевич Папанов и Андрей Александрович Миронов, и я решил, что самым справедливым будет ничего не менять в ней.

вестибюле, частично сдавая билеты, частично раздумывая над создавшейся ситуацией.

Оставались считаные минуты до начала, может быть, лучшего моего спектакля, а по фойе разгуливали всего лишь несколько озадаченных и сумрачных людей. Прозвенел третий звонок, а премьера «Доходного места» не начиналась. Она началась, как мне кажется, с торжественного выхода в кассовый вестибюль главного администратора театра — покойного ныне и любимого мною Александра Ефимовича Хаскина.

Александр Ефимович Хаскин был человеком отчаянных и щедрых проявлений, в нем клокотала какая-то безудержная доброта, замешенная, однако, пополам с тоской и некоторой тревогой. Иногда ему хотелось уйти из театра, образно говоря, в заволжские степи, и хотя в степи он не уходил, все же исчезал иногда, так что найти его потом могли только близкие доверенные лица. Возможно, в тот жаркий летний вечер сам драматург божьей милостью, Александр Николаевич Островский пробудил в нем что-то паратовское, что-то заволжское, раздольное, в нем забродила шальная натура игрока (было в нем и такое). Во всяком случае, история Театра сатиры зафиксировала момент, когда он размашистым ударом обеих рук открыл широко настежь дополнительные стеклянные двери в кассовый вестибюль и обратился со словами к изумившемуся зрителю. Он сказал ему горькие слова. (Первое слово, то есть само обращение к толпившемуся зрителю, напечатать никак невозможно, все последующие привожу полностью.)

— ...Вы... еще не видели такого спектакля! Идите все! Я приглашаю всех! Тем, кому не понравится этот спектакль, мы возвратим обратно деньги. По окончании спектакля жду вас в этом окошечке.

И он ткнул пальцем в сторону надписи «Дежурный администратор». Зритель после секундного раздумья молча повалил в зал.

Я спросил потом:

— Неужели никто не потребовал назад деньги?

— Ни один человек! — проникновенно сказал мне Александр Ефимович. — Двое подлецов, правда, крутились неподалеку, они даже заглядывали в окошечко, но сказать, что спектакль слабый по своим идейно-художественным достоинствам, не решились. Совесть им этого не позволила.

Не все последующие зрители были такими совестливыми, но спектакль сразу же приобрел характер театрального события, опровергая бытовавшее прежде мнение, что Островский давно устарел, что сегодня он скучен и на основе его драматургии нельзя сделать современный проблемный спектакль. Было до слез жаль расставаться с ним.

— Не жалей! — года два спустя после его исчезновения сказал мне наш театральный вождь Олег Николаевич Ефремов. — Этот спектакль все равно будет жить долго. И с каждым годом о нем будут вспоминать все лучше и лучше. Запомни мои слова.

Я запомнил. Олег Ефремов оказался прав. Сейчас «Доходное место» — уже во многом театральная легенда, до сих пор вызывающая чаще всего добрые чувства. Спектакль действительно запомнился очень многим людям, он вобрал в себя приметы того бурного времени, что породило его, что создало особую, приподнятую атмосферу в зале Московского театра сатиры.

«Доходное место» зафиксировало в форме достаточно причудливого и своеобразного сценического сочинения то, что уже хорошо ощущалось почти всеми зрителями — необходимость нового молодого героя, необходимость веры в его обязательную духовную стойкость, в возможность преодолевать все и всяческие соблазны, все и всяческие препоны, и такие — самые страшные и неотвратимые — каким подчас является в этом мире место, приносящее человеку доход. Доход зримый, устойчивый. Необходимый, кстати, всем людям. И потому желанный.

Скажу прямо: я, как и все читатели этих строк, не могу и не хочу остаться без дохода. И вот когда передо мной встает проклятый вопрос: что это за доход? Откуда? По какому праву? Уверен ли я в его законности? По какому каналу он ко мне поступает? — здесь начинаются муки. Я не всегда уверен, надо ли мне мучиться этой проблемой, если другие уже давно ею не мучаются. Как жить? В расчете на социальный стереотип или собственные понятия о чести? Как «все живут» или как «один я» должен жить? Насколько будут убедительны мои нравственные выкладки для моих дорогих и близких, жизнь которых зависит пока целиком и полностью от моего дохода? Имею ли я право во имя собственного чистоплюйства жертвовать заодно и их жизнями? Разрешить это суждено не всякому смертному, а Жадов у Островского — человек смертный, отягощенный слабостями и несовершенствами, как большинство из нас, — и тем прекраснее его героический бунт, нравственная, великая для его души победа.

Думаю, что никаким серьезным опережением в плане общего настроения зрителей этот спектакль не располагал. Настроение было как раз угадано. С первых же минут между сценой и зрительным залом устанавливался на редкость плотный, энергетически насыщенный контакт. Но в плане новой театральной эстетики, своеобразного публицистического запала, возможно, некоторое опережение было. Спектакль не только радовал, но и удивлял, озадачивал и, естественно, раздражал.

В русском театре недостаточно одного только ума, недостаточно одного только смеха, недостаточно одних только слез. Русский театр мечтал обо всем сразу. Задуматься и посмеяться, задуматься и поплакать хотели в театре наши предки — хотим и мы того же. Не выстраивая никакого рационально продуманного режиссерского каркаса, я тем не менее скорее подсознательно, чем по разумению, понимал, что история маленького русского человека, скромного молодого интеллигента Жадова, должна спроецироваться на космический фон российской истории, мы должны беззлобно посмеяться над ним, должны и поплакать над бедолагой. И тогда, может быть, случится чудо: идея спектакля, точнее, комплекс идей, не сформулированных декларативным образом, тем не менее воссоздастся, материализуется в нашем сознании когда-нибудь после, по окончании спектакля, потом, не скоро. Поиск и движение Жадова, его проблемы и соблазны обретут характер устойчивого круговорота в нашем размышлении о его судьбе, и мы неотвратимо начнем соотносить его нравственное дерзание с нашим собственным.

Русскому театру одной человеческой истории всегда было мало, его зритель жаждал выхода к широкому общественно-политическому фону, где человеческая плоть всегда бунтовала, обращая свои помыслы к идеям правдоискательства, к мучительным поискам Добра, к обретению высоких идеалов, выходящих за пределы утилитарных мечтаний.

А.Н. Островский, по первому поверхностному ощущению скучный, этнографически отяжеленный и старомодный драматург, запечатлел в своих дивных сценических писаниях нашу мятущуюся душу, наши проклятые комплексы, трудности духовного становления и нашего земного устроительства. Он сочинил не отдельные сочинения — он сочинил театр. Этот театр не является таким близким для нас, каким стал театр Чехова, но это тем не менее величественный и многотрудный обзор нашей жизни, своеобразная предыстория современности, без постижения которой невозможно понять в полной мере нашу нынешнюю силу и слабость, наши досадные падения и отчаянные взлеты.

Спектакли по пьесам А.Н. Островского насытили отечественную театральную культуру токами небывалой силы и жизнестойкости, и по мере успеха из года в год, из десятилетия в десятилетие росло наше преклонение, наш восторг перед великим национальным драматургом, и он бережно воссоздавался в бесконечных копиях, пока мы не выучили его наизусть, пока он не превратился в бесценный музейный экспонат, в нашу театральную гордость и славу.

Музейный экспонат лучше всего хранить под стеклянным колпаком с идеально ровной температурой и не спускать с него бдительных глаз. Однако, чтобы сохранить жизнь, стеклянного колпака мало. Для жизни необходимы особые деликатные условия.

Драматургическое сочинение несет в себе все признаки литературного сочинения (его надо часто и бережно переиздавать, перечитывать, думать о нем и наслаждаться им), но в драматургическом сочинении, в отличие от литературного, есть еще один дополнительный и самый главный признак, в котором заключена величайшая непредсказуемость и свобода. Это признак новой, никогда прежде не существовавшей жизни. Будущий и возможный сценический акт не может быть записан с помощью печатных знаков. Иногда кажется, что он записан, очень многие люди в этом искренне убеждены, им кажется, что драматург сочинил все на бумаге. Но это не так. Драматург сочинил всего лишь импульсы, к которым надо подобрать соответствующее горючее в качественном и количественном отношении, потом произвести уже по собственному режиссерскому расчету или наитию серию взрывов, которые в конце концов и породят новую, никогда прежде не существовавшую жизнь. Драматургия — это Alma mater, не несущая никакой ответственности за все производные величины, за возможное многообразие отпочковавшихся от нее ростков. «Обыкновенная» драматургия отличается тем, что ее импульсы умирают со временем, а импульсы, зашифрованные в ткани великого драматургического творения, живут вечно.

Мы все заметили, что великого драматурга А.Н. Островского в 60-х годах стали ставить значительно реже, количество спектаклей — особенно удачных спектаклей — по его пьесам снизилось. Объясняется ли это тем, что Островский утратил со временем качества великого драматурга, или способ музейного хранения, который был применен к живым созданиям Островского, лишил их прежней жизни?

То, что думаю я по поводу интерпретации классической пьесы, по-моему, не стоит далее уточнять. Про меня все понятно. Что касается другой точки зрения, там тоже многое ясно. Переубедить людей, думающих по-другому, невозможно, ибо это кардинальный вопрос нашей театральной практики, здесь проходит водораздел — как вкусовой, так и театрально-мировоззренческий.

Джульетта Уильяма Шекспира может быть в нашем представлении (как, впрочем, и в представлении англичан) всякой: белобрысый, курносой, девчонкой с угловатыми манерами и смуглой задумчивой красавицей. И возлюбленный ее, Ромео, может быть как любой наш девятиклассник: заикой, хулиганом, степенным молодым философом. И наши фантазии на темы шекспировской Вероны могут быть беспредельны, а вот Лариса Островского должна быть одна и та же, она в принципе неизменна, как борода у Тита Титыча.

Подозреваю, что охранительные рефлексы тоже имеют свой опасный предел как по отношению к нашим любимым детям, так и к детишкам нашей отечественной драматургии. Пределов в жизни и искусстве предостаточно, их границы зачастую условны, спорны, и не все они поддаются научному анализу. Но некоторые поддаются.

Ученые-лингвисты, например, нашли математически точный процент изменений в словарном запасе каждого языка за единицу времени. Эта в целом постоянная величина дает возможность довольно точно определить, сколько слов уходит из нашей жизни, скажем, за сто лет и сколько на их место приходит слов вновь образованных. Вот почему, к сожалению, «Слово о полку Игореве» не может быть полностью прочитано современным читателем. Вот почему в «Памятниках литературы Древней Руси» с левой стороны каждого разворота расположены подлинные тексты «Повести временных лет», «Слова о полку Игореве» и других шедевров, а справа — их перевод на современный русский язык. Перевод красив, сочен, он ничего не упрощает и не оскопляет и вместе с тем не имеет тех уникальных по своей фонетической музыке древнерусских предложений и отдельных слов, что являлись украшением нашей словесности. Можно горько сожалеть по этому поводу и потом смириться, можно смириться сразу, без сожаления. У кого как получится. Я смирился не сразу, но когда смирился, подумал, что вопрос перевода выходит за рамки непосредственно литературы, языка.

Я не хочу сравнивать А.Н. Островского с русскими писателями, творившими в XII столетии. По сравнению с ними А.Н. Островский почти наш современник. Но все-таки «почти». Это «почти» уже набежало с годами, его можно ощутить весомо и зримо. Конечно, многое из этого «почти» нам еще дорого, много ушедших из разговорной речи слов мы еще понимаем и получаем порой радость от их звучания, но это уже зыбкая, рискованная радость, кому-то она еще приходится по сердцу, а кто-то из-за нее теряет информационную нить и, что самое важное, эмоциональную взаимосвязь со сценическим актом.

Приступив к работе над текстом «Доходного места», я на свой страх и риск (посвятив в свои сомнения разве что одного Андрея Миронова) очень осторожно стал опускать некоторые слова и отдельные предложения. Надо сказать, многие знатоки Островского этого просто не заметили, другие — заметили, но не обиделись. Я действительно был очень осторожен. Больше всего, помню, мне мешала частица «с» («Чего изволите-с?», «Виноват-с!»). Она связана с каким-то стойким театральным рефлексом крайне отрицательного свойства. Естественно, это очень субъективно. (Но не очень. Я делал спектакль не для себя одного и полагался не только на собственные ощущения.) Я убрал в нескольких случаях (не во всех!) ненавистную мне частицу, убрал ряд прилагательных и деепричастных оборотов, правда, взамен сокращений я ввел текстовые повторы в некоторых важнейших, по моему мнению, сценах. Это обстоятельство вызвало определенный шок, но об этом позже. Словом, по прошествии многих лет со дня премьеры я признаюсь (по совести, по собственной воле и без всякого принуждения), что текст А.Н. Островского не прозвучал в моей постановке на все сто процентов. Что-то в спектакле по сравнению с пьесой изменилось. Совсем немного. Совсем чуть-чуть. Но гомеопатические дозы не значит дозы обязательно незаметные. Наше восприятие современного сценического акта во многом зависит от тончайших нюансов. Повлиять на наше настроение в театре может предельно малая величина и даже один-единственный атом.

Мне рассказывали, что один большой западноевропейский драматург, когда узнавал, что артисты, играя его пьесу, не изменили в ней ни одного слова, очень огорчался. «Неужели, — говорил он, — я для них уже умер?»

Я убежден, что А.Н. Островский — великий драматург, и, когда с годами набежит еще большая, чем ныне, лексическая разница между тем, как говорят его персонажи и как — пришедшие в театр зрители, должны найтись сведущие люди, могущие сделать тактичную и талантливую адаптацию для зрителей 2200 года, сделать ее во имя благой цели — обеспечить бессмертному драматургу его бессмертие.

В слове «адаптация» я не вижу ничего дурного. Во многих зарубежных театрах существуют люди, состоящие в штате и именуемые «драматургами». Это не драматурги в нашем понимании. Это люди, занимающиеся тактичной и талантливой адаптацией, за что им платят приличные деньги. Они литературные редакторы и драматургические посредники. Не каждый зарубежный опыт нам полезен, но изучать его применительно к нашей профессии мы все равно обязаны.

Есть еще обстоятельства, которые меня примиряют с более свободным обращением режиссера с драматургическим первоисточником. Веление времени — размытые границы между смежными жанрами, тенденция к взаимопроникновению и взаимопрорастанию искусств. Сценарий большого кинематографа по своим достоинствам приближается к большой драматургии, но и драматургия все чаще рассматривается как своеобразный сценарий.

Когда после войны у нас были изданы пьесы Б. Брехта, они вызвали у многих людей глубокое разочарование. У меня, в частности. Мы, воспитанные на литературе Достоевского и Толстого, драматургии Чехова и Островского, не могли сразу полюбить этот тенденциозный, почти плакатный пунктир каких-то примитивных действий и слов, особенно раздражала зарифмованная проза — «зонг». Позднее выяснилось, что перед нами не литература в чистом виде, но очень своеобразная театрально-сценарная ткань, которая оживает только на сцене при смелом обращении с ней со стороны актеров и режиссера. Я окончательно поверил в это на спектакле Роберта Стуруа

«Кавказский меловой круг». Когда в послевоенные годы я заставлял себя одолеть эту литературу, чтобы считаться образованным человеком, я, при всей своей изощренной фантазии, не мог допустить, что когда-нибудь эти слова лягут в основу такого феерического спектакля. Теперь я понимаю, что не слова легли, а система зашифрованных ситуаций, живых и нужных людям.

Театр оказал и оказывает гигантское воздействие на кинематограф. Но я думаю и об обратном воздействии кинематографа на театр. В том числе применительно к нашей технологии. Меня потянуло в последние годы в некоторых случаях делать режиссерский сценарий будущего спектакля. Как в кинематографе. Режиссерский сценарий есть прежде всего большая свобода в обращении с пьесой. Так, в свое время я записал (сочинил) первый акт «Оптимистической трагедии» и только с помощью этого документа убедил ведущих артистов театра, что у нас может получиться совсем неплохой спектакль.

Сегодня даже удачные фразы литературного сценария иногда подвергаются на съемке некоторой закономерной коррекции. Если решено снимать эпизод под дождем, рано утром или поздно вечером, каждое из этих условий будет решительно, сложно и неоднозначно влиять на построение фразы. Но не только на съемке. Я подозреваю, что на сценической репетиции и на спектакле тоже можно, а иногда необходимо что-то поменять. И это не будет обязательно «грязью» и «отсебятиной». Умный, высокоодаренный и образованный актер не испортит пьесу отсебятиной.

Когда режиссер берет в работу западную классическую пьесу, он очень часто начинает сличать различные ее переводы, начинает искать литературные варианты отдельных сцен и реплик. Работая над «Доходным местом», мы не располагали вариантами, но мне кажется, какой-то аналогичный шаг в этом направлении мною был сделан.

Искусство наше становится тонким, временами тончайшим; думаю, это организм актера, его фактура, высота голоса, тембр, его биологический ритм требуют некоторых, притом весьма определенных и тонких, изменений в тексте пьесы. Это чисто теоретическое предположение. При постановке «Доходного места» я, возможно, почувствовал это подсознательно — именно то, что записал сейчас.

* * *

Самые серьезные и важные события в жизни начинаются подчас каким-то затрапезным, неторжественным образом. Спектакль, который во многом определил мою последующую жизнь, начинал создаваться как-то незаметно, не было никакого красивого старта.

Я пытался вести режиссерскую работу над одной весьма посредственной пьесой, шли довольно вялые репетиции, и я запомнил их только потому, что там репетировал Андрей Миронов. Мы присматривались друг к другу, и особого взаимопонимания между нами не чувствовалось. Помню, он меня страшно донимал на репетициях вопросами: «Зачем я это делаю?», «Зачем я подошел к окну?», «Почему мне надо сесть?», «Какое действие у меня при слове «Здравствуйте?», «Почему я сказал «До свидания?»... Теперь я объяснил бы ему в двух словах. Почему? Почему?.. Сослался бы на биоритмы, фазы луны, фрейдистские комплексы, интуицию, уменьшение адреналина в крови... Нашелся бы что сказать! Уже не мальчик. Тогда же Миронов не раз меня озадачивал, и я даже терялся на некоторое время. Он находился под сильным влиянием «Современника» лучшей его поры и стремился четко анализировать роль с помощью действенного анализа, определения сквозного действия, задачи и сверхзадачи. Иногда меня это злило, но в конце концов я оценил его дотошность. Я стал готовиться к репетициям тщательнее, теперь уже точно формулируя цель того или иного сценического поступка, причину произнесения того или иного текста в каждом конкретном случае, в каждый конкретный миг. Работа, в общем, несложная. Она может быть очень простой. Даже ремесленной. Однако тут Миронов в целом был прав: квалификация режиссера зависит во многом от того, как он формулирует причину и цель сценического деяния. На каждую удачную реплику может приходиться до десятка справедливых режиссерских обоснований, так сказать, правильных и бесспорных. Но за нормальными режиссерскими обоснованиями в нашей профессии следуют не совсем нормальные, непривычные, страшно неожиданные, такие, что может услышать и понять только режиссер повышенной одаренности, за повышенной одаренностью следует сверхповышенная... и так далее до самого Станиславского или Федерико Феллини.

Определение сценической задачи рассыпается на миллиард вариантов, если помимо определения «Зачем я это делаю?» мы еще смело присовокупим сюда «Как я это делаю?». Теперь-то я хорошо знаю, что помимо явной задачи у сценического персонажа бывает задача, скрытая за семью печатями, в том числе и такая, в наличии которой он сам никогда не признается. Он может и не знать о ней. И еще, он может не иметь задачи, он может только ее искать, и возможные варианты этого поиска могут обозначаться единицей с семью нулями. Миронов подтолкнул меня к этой увлекательной работе. Ее увлекательность состоит в том, что фактически у нее нет предела, она, по существу, бесконечна.

Бесконечная работа — что может быть прекраснее? Я стал упорно, почти со спортивной страстью думать: «Зачем бабушка в магазине рассказывает какую-то чушь несусветную людям, с которыми она никогда прежде не виделась и не увидится? Чего это я этой личности всегда улыбаюсь? (Какие у меня цели?) А мимо этой физиономии как-то норовлю проскочить? Как быть с человеком, когда он занимается явно бессмысленным делом? Зачем оно ему? Почему человек иногда кривляется, даже сам с собой?..» Работа действительно бесконечная, ибо очень скоро подобные вопросы выходят из-под контроля нормальной, удобоваримой логики и погружаются в темные бездны человеческого подсознания. «Темные» я написал не для того, чтобы обидеть человечество, а чтобы фраза выглядела красивее. Вот зачем я это сделал?.. Буду думать. Эта моя «въедливость» сформировалась во мне во многом под влиянием мироновской «въедливости». Надо отдать ему должное. Я ему стал вскоре объяснять каждое слово, каждое движение мизинца, и он отстал от меня с вопросами, утомился, успокоился, поверил, что все-таки что-то такое я тоже знаю.

Андрей Миронов не хлебнул ни голода, ни холода, что вызывало у некоторых актеров по отношению к нему некоторый скепсис. Детство его было достаточно комфортабельным, юность тоже. Где он набрался отрицательных эмоций — не знаю. Но набрался. Без обязательного голода и обязательного холода. У нас ведь есть ощущения, что большим художником, как и писателем, становится только тот, у кого было несчастливое детство. Иными словами, для искусства по-настоящему ценен лишь тот, кто многое пережил. Это бесспорно. Без больших переживаний нет серьезного художника. Но что понимать под переживаниями? Тяжкие физические и нравственные лишения? Не только. Человек слишком непросто организован. Одной самой правильной меркой его не познаешь. Истинное человеческое страдание, мятежный духовный поиск могут проходить в условиях приличного трехразового питания. Александр Сергеевич Пушкин, по нашим представлениям, жил и творил в полном достатке. Но не хлебом же единым!.. Может быть, и нескромно после Пушкина сразу переходить к Миронову, но что делать, с ним связано мое первое и самое яркое актерское потрясение, этот человек явился отчасти соавтором «Доходного места». Теперь-то я знаю точно: истинная режиссура — не серия экстравагантных мизансцен и даже не быстрые музыкальные отбивки после каждого эпизода. Истинная режиссура — загадочная и потому прекрасная музыка, издаваемая человеческим организмом, когда его голосовые связки молчат. Вот так после сложных теоретических завихрений и режиссерских изысков приходишь в конце концов к старому, давно известному постулату: «Режиссер должен умереть в актере».

Прежде чем я «умер» в Андрее Миронове, я увидел его в массовке, он только что пришел в Театр сатиры, за год до моего появления, стоял на сцене среди многих молодых артистов, внешне никак не старался специально выделяться, тем не менее выделялся сильно. Такое определение, как «правильное и четкое выполнение задачи» — я с негодованием опускаю, «обаяние», «сценическая заразительность» — этим я тоже пренебрегаю, хотя все это было. Сразу о главном: об актерском излучении. Волевой, собранный, имеющий богатое нутро артист создает неслышный, но мощный энергетический посыл, об этом я говорил уже достаточно. Скажу только, что Миронов вобрал в себя весь комедийный посыл, подаренный ему знаменитыми родителями и знаменитыми веселыми друзьями знаменитых родителей, но свой актерский фундамент он сумел построить сам, из другого материала.

Ему помогла дружба с Игорем Квашой, через него он жадно впитывал в себя мировоззрение мятежного «Современника», но ни одно конкретное объяснение, очевидно, не станет главным, не определит всего явления в целом. Явлением я могу назвать Миронова, потому что в «Доходном месте» он стал выразителем не собственной актерской индивидуальности, он представлял большой социальный пласт, и это была не имитация права, это было законное представительство. В какой-то момент Миронов стал «полпредом» молодого московского зрителя. Все, что я накопил в студенческой среде, все, что я понимал и знал о жизни, я бережно присовокупил к тому, что знал об этом он. Получилась почти «критическая масса», уровень театральной отметки. Хотя дело и кончилось «взрывом», но все-таки «взрыв» был нами осуществлен в «мирных» целях, что сейчас признается подавляющим большинством театральных критиков.

* * *

Повторяю: начало моего режиссерского взлета выглядело неэффектно.

Валентин Николаевич Плучек, заглянув однажды невзначай на мои вялые репетиции вышеупомянутой современной пьесы, как-то задумался, зажмурил глаза, загрустил и даже стал меня жалеть. Кто репетирует плохие пьесы, того всегда жалко. И Валентин Николаевич, погладив меня по голове, после раздумья сказал жалостливо:

— Может быть, тебе не стоит ее дальше репетировать...

Я только пожал плечами, подумал: не заплакать ли? А он уже распорядился, чтобы Марта Яковлевна Линецкая, завлит Театра сатиры, подобрала для меня какую-нибудь несложную пьесу, лучше всего классическую, чтобы она была хорошая и чтобы уже не думать об ее улучшении. Спасибо ему за это. И Марте Яковлевне спасибо, она подобрала. Через неделю я ее встретил в коридоре, и она протянула мне две пьесы, и обе А.Н. Островского: «Горячее сердце» и «Доходное место». Вид у нее был виноватый, знала как опытный завлит, что не большой это подарок в наше время, и не скрывала этого. Помню, читал сначала «Горячее сердце» почти сквозь слезы, до того не хотелось ставить, а на «Доходном месте» что-то шевельнулось, ударило изнутри: поставить можно. Точнее — удержать внимание зрителей, приковать их интерес со всеми последующими градациями, о которых уже писал.

Потом были бессонные ночи, когда медленно заряжался я энергией или вдохновением. Может быть, и тем и другим. Действительно, это случалось со мной обычно ночью, ближе к утру. У каждого свои странности. Опускалось из темноты какое-то приятное просветление: вспомнил я о А.М. Лобанове, моем недолгом учителе, который поставил очень интересный спектакль «На всякого мудреца довольно простоты», и тоже в Театре сатиры. К сожалению, я его не видел — работал на периферии, — но рассказов веселых слышал много. И о том, как упрямо не ходил на этот спектакль зритель, тоже рассказывали мне часто. «Может быть, Островский начал по-новому приближаться к нашему времени, — подумал я однажды. — Может быть, наступает какой-то новый цикл в наших взаимоотношениях? Ведь большое искусство подвержено космическому дыханию, оно совершает какие-то неслышные движения, располагается во времени и пространстве то так, то эдак. Может быть, теперь как раз и приближается желанная пора противостояния?»

* * *

Я получил для работы самых главных в театре, известных актеров. Миронов поначалу был назначен на роль Белогубова — мерзкого человека, антипода Жадова. Мне объяснили, что Миронову недостает положительного обаяния, но зато он обладает хорошим отрицательным. Я долго думал, потом понял, что не соглашусь с этим, и стал постепенно, исподволь готовить переход Миронова на роль Жадова.

Тем не менее насчет сценического обаяния не так все просто. Действительно, в первые два года своего пребывания в театре Миронов как бы не годился для центральной положительной роли. Чего-то в нем для этого не хватало. В.Н. Плучек не побоялся сразу ввести его на роль Присыпкина в «Клопе». Сразу после покойного В. Лепко. Миронов вполне прилично справился с этим нелегким делом. Острый гротеск, «мурло мещанина», комедийная хватка — все было на месте. Но сыграть пусть не самого мужественного, но все-таки выразителя передовых общественных настроений в среде русской разночинной интеллигенции, главного героя пьесы — какая-то натяжка здесь ощущалась, и во внешности чего-то не хватало. Репетируя ту самую пьесу, на которой он меня мучил бесконечными вопросами «Зачем?», я стал замечать, что в нем происходит как бы постепенное усиление его человеческой и актерской позиции, он обретает какую-то творческую свободу, дополнительную, внутреннюю, его глаза становятся и спокойнее, и смелее одновременно. (Кстати, это важное для актера сочетание.) В дальнейшем этот процесс привел к тому, что Миронов получил роли Чацкого, Фигаро и многие другие роли мирового репертуара, стал народным артистом, но в период работы над «Доходным местом» назначение его на роль Жадова считалось проблематичным. В первоначальном распределении эту роль получил Александр Пороховщиков, блистательно сыгравший потом Белогубова.

Пороховщиков — очень своеобразный актер со своими специфическими профессиональными странностями. В период нашей совместной работы он обладал огромной внутренней заразительностью, мог выглядеть то очень большим, зрелым и сильным актером, то становился профессионально беззащитным, неумелым, начинающим, у которого мало что получалось. Чаще всего такие явления свидетельствуют об очень большой творческой незаурядности, возможно, о каких-то отклонениях от нормы. Подобные отклонения могут, конечно, оказаться малоинтересными для искусства, но могут — что надо всегда терпеливо исследовать — оказаться прорывом в новую актерскую эстетику. Вообще, если человек в какие-то моменты не может продемонстрировать свою профессиональную оснащенность, не умеет или не хочет прикрыться среднестатистическими приемами мастерства или, точнее, ремесла, — это еще ни о чем не говорит. Скольких художников в свое время упрекали за то, что они не умеют рисовать как положено, а когда они все-таки пробовали рисовать «как положено», они становились бездарными дилетантами. Я имею в виду тех художников, которые хотели рисовать не так, как рисуют все, а так, как рисуют все, они просто не могли рисовать, потому что не умели. Зато, когда они все-таки прорывались к своему зрителю, выходили на свою стезю, здесь происходили важные открытия. Между прочим, в Театре имени Ленинского комсомола долгое время работал Иннокентий Смоктуновский — работал из рук вон плохо. С.В. Гиацинтова, главный режиссер театра, просила выпускать его на сцену только в тех случаях, когда надо молчать: говорить так, как требовалось тогда в театре, он не мог, оттого и казался бездарным. Я не хочу никаких прямых аналогий, но догадываюсь, что актерская судьба у А. Пороховщикова складывалась трудно, зигзагами, именно в силу того, что не во всех режимах общепринятого сценического существования он мог существовать.

Роль Белогубова была выстроена в соответствии с самыми сильными и выразительными особенностями его актерского организма. Временами Миронов выглядел ребенком по сравнению с той темной силой, которую нес в себе этот загадочный молодой чиновник. Он аккумулировал на себе пристальное внимание зала. В его остановившихся

глазах сидела какая-то тайна. Ее невольно пытались разгадать зрители и не спускали с него глаз: «Кто он? Тля ни-
чтожная или переодетый государь император?» Он был и
тем и другим.

* * *

В дальнейшей работе у меня появился сильный сотрудник — художник Валерий Левенталь. Он получил от меня
в некотором роде невнятную формулу сценографической
основы будущего спектакля: «лабиринт». Жадов должен
быть в постоянном и изнурительном движении через бесчисленные двери, помещения, сумрачные, холодные и рас-
каленные докрасна пространства. Он должен находиться в
круговороте лихорадочного поиска.

Левенталь элегантно расположил на сценическом кругу
многочисленные стены с бесчисленными дверями. И главные предметы нашего бытия — стулья и столы. Другой мебели было сравнительно немного. Еще — светильники-бра
со свечами и один большой загадочный объект, висящий
над сценой. Этот объект напоминал увеличенный до огромных размеров театральный макет. Какое-то иное, уже
не принадлежащее нашему времени пространство, заклю-
ченное в толстую прямоугольную раму, было пустым, лишь
одинокий стол в центре и, кажется, один-единственный
стул. Там же находились макеты людей. Дама, вышедшая
из музея мадам Тюссо, помнится, сидела; рядом вытяну-
лись три неподвижные фигуры в костюмах XIX столетия.

Объект располагал каждого здравомыслящего театрове-
да к созданию большого количества чисто «литературных»
версий по поводу того, что бы это значило. Безусловно,
странная, загадочная коробка приглашала к размышлени-
ям. Объект обладал сильной сценографической энергией, «собирал» пространство и создавал устойчивую зону с
ярко выраженным магическим началом.

Какие-то смутные ощущения по поводу «жизни и смерти», безусловно, возникали почти у каждого человека,
смотрящего на застывшее пространство с давно умерши-
ми людьми. Если бы Левенталь сказал мне, например, что

он это сделал под впечатлением только что увиденного им древнеегипетского сфинкса, я бы не очень удивился. Чисто театральный «памятник-загадка» и древнеегипетское изваяние земной Тайны — может быть, какая-то незримая нить на самом деле соединяла два таких несоизмеримых объекта? Впрочем, я не исключаю издержек больного режиссерского воображения. Режиссер, как я уже говорил, должен иногда демонстрировать некоторые отклонения от нормы, иначе он будет слишком понятен артистам, что опасно.

Театр сатиры получил тогда новое помещение на площади Маяковского, и его сцена имела два вращающихся круга — один внутри другого. Таким образом, между окружностями возникало еще кольцо, могущее самостоятельно вращаться в любую сторону.

Работающие круги и образовавшееся между ними кольцо создавали ряд интересных и необычайных по тому времени эффектов, которые я решил использовать и использовал, возможно с некоторым перебором. Во всяком случае, я знаю, что бесконечные вращения планшета сцены многих раздражали, но ничего не поделаешь, меня очень увлекла идея движения Жадова — движения нервного, лихорадочного, иногда целенаправленного, иногда по замкнутому кругу; Миронов пластически делал это блестяще.

Левенталь выстроил этот дьявольский лабиринт очень четко. В нем так же, как и в верхнем, загадочном объекте, присутствовала своеобразная сценическая магия, и декорация зеленовато-мутных тонов тоже располагала к чисто литературным идеям: был здесь и «лабиринт», и «колесо жизни», и «белка в колесе», и многое другое. Большое количество столов, за которыми почти постоянно трудились чиновники, возможно, вызывало какие-то далекие ассоциации с «Процессом» Кафки. Определенную устойчивость придавала декорации выступающая вперед, до самой рампы, небольшая площадка.

Сюда часто выходили действующие лица. Здесь многие персонажи произносили свои самые главные монологи. Здесь осуществлялся как бы крупный кинематографический план. Лица персонажей были обращены фронтально в сторону зрителя. Площадку эту стали потом называть «площадкой совести». Основной источник беспокойства шел именно отсюда, здесь актеры награждались аплодисментами, здесь возникала особо трепетная тишина. Она, эта площадка размером два на полтора метра, и вызвала позднее главную полемическую бурю. В моих режиссерских работах до «Доходного места» и после, вплоть до сегодняшнего дня, я довольно часто использовал и использую этот древний мизансценический прием — «не в профиль, а лицом к зрителю», но никогда прежде, никогда потом прямое обращение к эмоциям зрителя не встречало такого восторга, изумления, сопереживания, раздражения и протеста. Говорят, подобное неоднозначное отношение зрительного зала к сценическому акту всегда очень радовало Вс.Э. Мейерхольда, но я, по-моему, так и не успел окончательно обрадоваться, хотя артисты сразу же оценили эту реакцию зала, эти неистовые и продолжительные аплодисменты.

В одну из бессонных ночей, когда меня посещали полезные производственные идеи, мне пригрезилось постепенное разрушение сценического пространства. Вдруг захотелось, чтобы материальный мир, окружавший прежде Жадова, стал к финалу распадаться, рушиться, исчезать, чтобы Жадов остался в конце своего пути один на один с тем духовным багажом, который был приобретен им в обмен на все остальное. Разрушение устойчивой прежде среды — неплохая театральная идея. Я понимаю, все на свете уже было, и допускаю, что кто-то уже так или иначе использовал подобный прием, но я никогда не видел этого и не слышал об исчезновении всей декорации на глазах у зрителя. Идея мне показалась плодотворной, я стал уговаривать Левенталя осуществить такой постепенный демонтаж. Он некоторое время сопротивлялся, — наверное, было жалко декорацию, — потом все-таки согласился.

Здесь было много проблем. Мы договорились, что акт разрушения и дематериализации должен происходить без явного участия работников монтировочного цеха, зритель не должен заметить начала этого процесса, он должен «спохватиться» только в конце, когда уже ничего не останется, кроме висящих в воздухе неподвижных манекенов в своей мертвой загадочной коробке. Я сразу понял, что в этом случае верхний объект обретет новую, дополнительную выразительность. Так оно и случилось. Внизу остался живой Жадов — человек, прошедший дорогой Поиска и Страдания, человек, которому удалось сохранить и укрепить свою душу во имя Будущего. Он уйдет в грядущие лета медленно, уйдет на наших глазах под грустную мелодию, которая сопровождала его весь спектакль.

Музыку к спектаклю написал Анатолий Кремер — мой давний друг и сподвижник по Студенческому театру. Он первым перебрался в профессиональное искусство и, по-моему, энергично способствовал моему приглашению в Театр сатиры из малопрестижных недр самодеятельности. Он писал музыку к моим студенческим работам и теперь очень точно, как умеет один он (истинно театральный композитор!), сочинил главное — лейтмотив спектакля. Это был наивный мотивчик, похожий на все мотивы провинциального предместья. В нем слышались отзвуки старинного русского романса пополам с заунывной шарманкой. Анатолий Кремер очень умело и тонко сделал свое дело.

Я приступил к репетициям с мощной группой ведущих артистов театра: Аристарха Владимировича Вышневского, дядюшку Жадова, репетировал Георгий Павлович Менглет; его жену Анну Павловну — Вера Кузьминична Васильева; Акима Акимовича Юсова — Анатолий Дмитриевич Папанов; Фелисату Герасимовну Кукушкину — Татьяна Ивановна Пельтцер, на две молодые женские роли, Полину и Юлиньку, были назначены Наталия Защипина и Татьяна Егорова. Довольно скоро Миронов и Пороховщиков поменялись ролями, и состав обрел, как мне показалось, определенную надежность и стабильность.

Актерский состав был вне всяких сомнений — основные сомнения вызывал теперь режиссер. Я не сразу это почувствовал, но постепенно в нашей работе возникло определенное напряжение. Репетировать в летнее время с режиссером из студенческой самодеятельности не показалось артистам самым лучшим вариантом в их творческой судьбе. Некоторый скепсис, насмешливые и усталые глаза я ощутил довольно скоро, но в целом состав старался держаться корректно, за исключением моей будущей любви — Татьяны Ивановны Пельтцер. Она еще не знала тогда, что ей суждена большая радость и дальняя дорога вместе со мной в Театр имени Ленинского комсомола, поэтому однажды она слушала меня, слушала, да и говорит:

— И чего это вы в режиссуру-то подались? Как только человек ничего не умеет делать — так сразу в режиссуру! Чего ради? Писали бы лучше свои рассказы!..

Я, помню, долго думал, как быть: отнестись к сказанному как к шутке или затеять кровавую дискуссию? Остановился все-таки на первом.

Постепенно, однако, атмосфера на репетициях улучшалась. Хотя, как только встали из-за застольного периода, я попросил в одном эпизоде Татьяну Ивановну бросить с размаху об пол сразу две сковородки, что в полной мере Татьяне Ивановне сделать не удалось — одна из сковородок подлым образом угодила ей в ногу; Татьяна Ивановна схватилась за нее и очень громко рассказала всем, что она думает о «современной» режиссуре. Рассказ был преисполнен большой разоблачительной силы. В рассказе присутствовал не только анализ всех негативных сторон этого явления, но и выразительные сленговые выражения, особенно в первой своей части, когда сковородка только что угодила по ноге.

Репетировала Татьяна Ивановна и потом играла Кукушкину замечательно. Странно, что эта признанная и горячо любимая зрителем актриса, всю жизнь игравшая среди комедийных артистов, обладала таким стойким чувством правды, таким упорным стремлением вгрызаться в психологические глубины образа. Среди комиков часто непомерно высоко ценится смешной трюк, Татьяна Ивановна же, тонко ощущая природу смешного, ко всем внешним комедийным приемам относилась равнодушно. Меня поражала ее истинная, высокая по всем системам измерения, кристально чистая закваска. Татьяна Ивановна не умела врать на сцене, она могла сделать что-то хуже или лучше, могла сделать что-то неправильно, неточно, даже блекло, но никогда — фальшиво. И еще одно, может быть, не относящееся впрямую к образу Кукушкиной: Татьяна Ивановна — хранительница лучших традиций актерского цеха, при всем своем несладком характере ощущала момент истины в нашем древнем лицедейском ремесле (иногда слово «ремесло» тоже может звучать возвышенно). К ней всегда тянулась молодежь. Они, эти наивные, не умудренные опытом люди, интуитивно понимали, кто может передать так необходимую им, первозданную и чистую основу их великой профессии.

Некоторое напряжение в нашей репетиционной работе постепенно стало ослабевать, я ощутил, что добиваюсь определенного доверия со стороны актеров. Георгий Павлович Менглет, по-моему, первым почувствовал, что я — не случайный человек на театре, что я могу предложить актеру достаточно тонкие и свежие идеи, и он, всецело поверив мне, постарался эти идеи осуществить. Он стал первым из корифеев театра, кто дал мне понять, что верит мне. И он был первым, кто подарил мне прекрасные репетиционные мгновения. Это было серьезное и бесконечно важное для меня событие — его, Георгия Павловича, поддержка.

Сложнее дело обстояло с Анатолием Дмитриевичем Папановым. Я имел счастье долгое время наблюдать за работой Анатолия Дмитриевича в самый результативный период его творчества — репетиционный.

Репетируя с А.Д. Папановым Юсова и позднее работая над пьесой А. Арканова и Г. Горина «Банкет», я был свидетелем его поразительных репетиционных опытов. Анатолий Дмитриевич, я убежден, был одарен сверх меры, одарен патологически. В его актерском сознании, во всей его психофизической структуре в некоторые моменты вдохновенного раскрепощения и интуитивного поиска происходили необъяснимые пока явления. Он, я убежден, обладал «мистическим» даром перевоплощения — это видели немногие, но я был тому свидетелем. Похоже, что это какие-то запредельные актерские опыты над собственным организмом. (Потом я вычитал, что среди якутских и североамериканских шаманов есть особи, изменяющие свое человеческое естество.) В репетиционном зале Театра сатиры я наблюдал, как у Папанова меняется цвет глаз, как черты его лица приобретают явные признаки постороннего человека. С этим знакомы медики, я знаю. После таких репетиций я ощущал себя больным человеком, мне нужен был отдых. Папанов тоже впадал в своеобразную сомнамбулическую прострацию. Я был свидетелем какого-то загадочного биологического процесса, когда мышцы на лице его видоизменяли свою форму, и это была не актерская мимика, но процесс какого-то глубинного, психического свойства. Возможно, Папанов превращался в гипнотизера, не уступающего восточным феноменам, что заставляют нас видеть несуществующие пальмы и прыгающих по ним райских птиц. Я увидел крайний предел актерского лицедейства. Как человек, умеющий концентрировать волю и по своему желанию направлять ее на любой объект внешнего мира, Папанов создавал гомерически смешные моменты, которые незаметно переходили в зоны шокового состояния. Биологическая нервная энергия иногда приобретала у Анатолия Дмитриевича такие уровни, что опрокидывала, подавляла нормальную психику его партнеров и создавала труднообъяснимые эффекты — люди «вырубались» из системы привычных оценок и рефлексов.

После этого периода с Папановым наступала обычно странная метаморфоза. Казалось, что многие из накопленных им в репетиционном зале феноменальных находок останутся с ним для сценической работы, но фантастические прежде процессы на сцене заметно упрощались, как-то бледнели, теряя прежнюю биологическую сверхъестественность. Как ни странно, Папанова, по-моему, мучил некоторый необъяснимый комплекс неполноценности. Он начинал напряженно искать, за что ему на сцене спрятаться. Анатолий Дмитриевич Папанов хлебнул много отрицательных эмоций, прежде чем стал признанным мастером советского театра и кино. Он был долгие годы безнадежно средним и безвестным артистом, когда вокруг блистали знаменитые комики Театра сатиры. Они наклеивали себе длинные носы, оттопыривали уши, придумывали смешные костюмы и характерности, и Папанов, мне кажется, выработал несколько устойчивых рефлексов: чтобы быть интересным зрителю, надо внешне во что бы то ни стало видоизменять себя. Самое продуктивное — перевоплотить себя так, чтобы тебя не узнавали родные, — тогда они и будут тебя по-настоящему уважать. Я, конечно, огрубляю и упрощаю проблему, я уверен, никто так не думал, и Анатолий Дмитриевич тоже. Но иногда мы делаем в жизни то, в чем не отдаем себе до конца отчета. Анатолий Дмитриевич, став известным и любимым актером, в чем-то остался словно бы начинающим, неуверенным в себе молодым артистом послевоенной эпохи. Когда мы показывали В.Н. Плучеку черновой прогон «Доходного места» в выгородке — еще не было костюмов, и А.Д. Папанов действовал на площадке в каких-то домашних поношенных джинсах — я почему-то запомнил этот его репетиционный облик, — он потрясал всех нас сначала своей подавляющей правдой, потом Папанов вдруг поднимался, рос и вообще уходил в какие-то необъяснимые лицедейские выси. Он, как отражение в зеркальном многограннике, обретал множество чиновничьих лиц; он был многоглавым драконом, оставаясь тем не менее единым зловонным организмом, умирающим и злобно атакующим Жадова. Он, не отдавая, может быть, себе отчета, играл умирание Юсова как социального явления. У него выцветали и становились белесыми глаза, распадалась речь, свертывался мозг.

Мы знаем: возможности человеческого организма безграничны. Мы знаем сегодня, на что способен человек. Мы знаем, что есть в его житейском арсенале вещи, кажущиеся нам необъяснимыми и сверхъестественными. Анатолий Дмитриевич Папанов наверняка соприкасался с очень редкими биологическими механизмами, соприкасался спонтанно и до некоторой степени неосознанно, ибо, если бы он четко понимал, какими рычагами воздействия владеет, вряд ли бы тратил столько времени на поиски смешного и старомодного парика, вряд ли бы так тщательно подбирал в парикмахерском цехе ресницы для наклеивания и искал бы рычащие голосовые модуляции. Отдавая себе отчет в наличии редчайшего дара, он бы тратил время на какую-то внутреннюю отработку своих феноменальных возможностей. Но, увы, на спектаклях этого не происходило. То есть он конечно же собирал, концентрировал свою внутрен-

нюю энергию, поражал зрителя, но того, что демонстрировал нам в репетиционном зале, зрители никогда не видели.
Говорят, что Л.М. Леонидов во МХАТе тоже поражал всех
на репетициях, а спектакли проводил подчас неуверенно.
Словом, есть и такие загадки в нашей и без того загадочной
профессии. Я не раз пытался осторожно делиться с Анатолием Дмитриевичем своими воззрениями на этот счет, он
слушал внимательно, иногда даже кивал, но дальше этого
дело не шло.

Тем не менее работа его в спектакле была замечательной. Вообще, мне кажется, что все играли отлично. Спектакль существовал недолго и, по-моему, не успел разва-
литься. Актеры, включая исполнителей эпизодических
ролей, действовали энергично, заразительно, талантливо.

Зловещая, заунывная карусель действия вращалась
не сама по себе, а исключительно в восприятии главного
героя — Василия Николаевича Жадова. Все построение
спектакля очень скоро сообщало зрителям эту субъектив-
ную жадовскую точку зрения, эту определяющую позицию
моноспектакля. Можно было предположить, что стены и
двери не крутились вообще — они «вращались» в голове у
Жадова.

Чтобы понять постановочный фундамент, на котором
была выстроена сценическая жизнь Жадова, надо сказать
о том, что, по-моему, спектакль нес в себе некоторые едва
заметные приметы не существующего пока у нас спекта-
кля-эссе. Впрочем, не исключено, что я невольно проеци-
рую в прошлое свои нынешние раздумья и поиски. Мне
неинтересно сегодня, например, смотреть сорок восемь
серий «Войны и мира» Л.Н. Толстого. Я не хочу столь скру-
пулезного и *объективного* рассказа, я читал «Войну и
мир» и, если захочется, еще раз ее перечитаю; смотреть на
живые картинки в грамотном, традиционном исполнении я
как-то не расположен. Но мне был бы бесконечно интересен, скажем, телевизионный фильм, где лучшие режиссеры
нашей эпохи взаимодействовали бы с великим творением
Толстого. Мне было бы любопытно видеть художественную материализацию того, что думает, о чем грезит боль-

шой Мастер, когда его мозг, его интуиция соприкасаются с идеями «Войны и мира».

Что касается вообще субъективности наших сценических фантазий — она закономерна. В нашей жизни мы мало что можем правильно оценить с первого раза. Поезжайте в очень хороший город на один день, в плохую погоду, в самую скверную гостиницу, с зубной болью и аварией на водопроводной станции. Этот хороший город останется для вас на всю жизнь кошмаром.

* * * *

Маленькое отступление по поводу взяток.

Не скрою, что в 1967 году слово «взятка» воспринималось мною как своего рода этнографическое понятие, вышедшее из нашего разговорного обихода. Вообще, при беглом (поверхностном) знакомстве с некоторыми понятиями, часто встречающимися в пьесах А.Н. Островского, «взятка» вместе с другими старомодными выражениями воздействовали на мое сознание поначалу как своеобразный психологический тормоз. Сознательно или бессознательно это слово мы относили к давно ушедшему времени. Может быть, и не столь древнему. Слово «взятка» имело широкое хождение в 20–30-х годах. Отчасти оно мелькало еще в военные и послевоенные годы, но сегодня, давая или принимая взятку, мы называем это деяние по-другому. Появилось много синонимов от «посреднических услуг» до оплаты за «лоббирование». Пишу это потому, что это не есть мое субъективное восприятие, скорее это объективная данность.

Однажды (несколько лет назад), заговорив о «Доходном месте» вообще и в частности о желании или нежелании Жадова брать взятки, я, помню, встретил у моих студентов некоторый скепсис в отношении к этому «ветхозаветному» занятию. Студентам моей режиссерской мастерской показалось, что страдать всерьез по поводу получения или дачи взятки — что-то очень от нас далекое и старомодное. Очевидно, молодые люди относились к взятке, как и я, начиная репетиции «Доходного места», вне ее экономического эквивалента. Ну, дадут тебе немного «на лапу» или ты отмахнешься от подачки — чего тут страдать? Чего с ума-то сходить? Как можно делать взятку центром драматической интриги? Не значит ли это — скатиться к фонвизинскому «Бригадиру» или нравоучительным пьесам XVIII века, например к сочинениями Екатерины II?

Поскольку я в 1967 году испытал похожие ощущения, мне, как я помню, пришлось приложить немалые усилия, чтобы соскрести со словечка «взятка» поверхностное чисто рефлекторное восприятие у моих учеников и перевести дело в плоскость «кровавого» конфликта. Пришлось даже кое-что пояснять, как бы на собственном примере.

«Согласны ли вы, что я имею некоторую режиссерскую гордость, определенные убеждения и, скажем так, художническое достоинство?» — спросил я у студентов. Молодые люди охотно согласились.

Далее я с деловыми подробностями предложил исследовать придуманную мной ситуацию, но отнестись к ней как к реальной. Допустим, мне предлагают поставить «суперсекс-шоу» с самыми изощренными порнографическими игрищами на территории лучшего городского казино и, естественно, согласиться на тиражирование роскошной афиши с огромными буквами: «Автор идеи и режиссер-постановщик Марк Захаров». Мне предлагают прекрасный гонорар в 50 000 или даже в 100 000 долларов, который я, естественно, вежливо отвергаю, как и саму постановку.

Гонорар, конечно, щекочет нервы, но мой естественный отказ не становится драмой и вообще поводом для трагического исследования моих переживаний или, не дай бог, страданий.

Получив отказ, продюсер утраивает сумму гонорара — отказаться будет как бы чуть сложнее, но дело своей сути не меняет.

Мне предлагают миллион долларов — я снова упрямо отказываюсь.

Тогда мне предлагают три миллиона долларов с гарантией официального правительственного разрешения на размещение суммы в стабильном иностранном банке и получения пожизненной ренты для меня и моих наследников.

Хочу я того или нет — я начинаю не просто думать, а мучительно размышлять. Имею ли я право чистоплюйствовать, когда, скажем, мои близкие или дальние родственники нуждаются в серьезном лечении, улучшении жилищных условий, если они всю жизнь живут в коммунальной квартире, ну и так далее, можно фантазировать до бесконечности про себя и близких. Это ведь только красивые пустые слова: «Здоровье за деньги не купишь». Нет, как раз сегодня, при мощной, дорогостоящей медицинской аппаратуре, при чудовищных ценах на медикаменты, большая сумма денег может существенно продлить жизнь человека. И потом, я же смогу помочь тем своим товарищам по театру, которые остро нуждаются в помощи, они и их дети, которые не в силах выйти на нормальный или заслуженно повышенный уровень жизни? Почему не могут? Потому что я, видите ли, застеснялся этой, как у нас говорят, «халтуры». Я такой надменно-гордый, бескомпромиссно-щепетильный нарцисс.

Ну хорошо, может быть, я не самый подходящий объект для такого рода психологического исследования. Возьмем совсем молодого, начинающего режиссера в возрасте Жадова. Пусть он решит предложенную мной дилемму вместе с молодой красавицей женой, которой он не в состоянии купить новые туфли и накормить ребенка необходимым количеством свежих фруктов.

Короче говоря, после моих «демагогических» исследований сегодняшней ситуации с получением дополнительных денег помимо символической зарплаты идейно-смысловой или духовно-нравственный стержень пьесы А.Н. Островского приобрел у моих студентов вполне драматический (если не трагический) накал.

Похожую работу мы проделали в свое время с Андреем Мироновым, размышляя вместе и сообща выстраивая «предлагаемые обстоятельства» для мучительного пути главного героя «Доходного места».

* * *

Последний декорационный объект на центральном круге откатывался в полумраке в глубь сцены и исчезал за кулисами. Сценическое пространство становилось огромным и безжизненно пустым. Внизу появлялись три фигуры: Анна Павловна, Юсов и чуть позднее Вышневский. Вся достаточно пространная история компрометации Анны Павловны сводилась у нас к очень короткому эпизоду. Появлялся Вышневский, происходил его разрыв с женой, и мы узнавали о грозящих Вышневскому преследованиях в связи с открывшимися в его ведомстве злоупотреблениями. Мизансцена была предельно статичной, три стоящие в глубине сцены фигуры забавным образом рифмовались с тремя безжизненными, подвешенными наверху манекенами.

Вбегал Жадов с Полиной и начинал торопливо, почти косноязычно извиняться перед дядюшкой. Он искал подходящие слова, злился на себя, терял уверенность, даже заикался, чувствовал, что выглядит смешным и нескладным.

Анна Павловна с изумлением смотрела на человека, которым она прежде гордилась. Жадов чувствовал этот ее взгляд, и потому сцена превращалась в пытку.

«Дядюшка, я, быть может, оскорбил вас. Извините меня... увлечение молодости, незнание жизни, — лепетал Жадов, от волнения откашливаясь и не поднимая глаз. — ...Я испытал, что значит жить без поддержки... без протекции... Я живу очень бедно. Позвольте мне опять служить под вашим начальством... дядюшка, обеспечьте меня!..»

Здесь он совсем затихал, собирался с последними силами, от нервного зажима ребром подошвы ковырял пол, краснел и говорил как-то неловко и оттого неестественно громко:

«Дайте мне место... где бы... я мог... приобресть что-нибудь».

И кажется, реплику Полины «Подоходнее» мы тоже отдавали Жадову.

И наступала дурная, неловкая, неприятная пауза.

Миронов действительно краснел. Наше зрительское подключение к нему в этот момент было редкостным и мощным. Мы все вспоминали так или иначе минуты своей слабости и те мгновения в жизни, о которых жалеешь потом до конца дней.

Менглет не спеша снимал очки и в какой-то мере переставал быть Вышневским. Менглет одновременно и ликовал по поводу своей победы, и, как ни странно, грустил.

«Вот они, герои-то, — внешне очень спокойно и тихо говорил он, задумчиво оглядывая пространство зрительного зала. Менглет подходил к самой рампе, и хотелось под его взглядом опустить глаза. — Молодой человек, который кричал на всех перекрестках про взяточников, говорил о каком-то новом поколении, идет к нам же просить доходного места, чтобы брать взятки! Хорошо новое поколение!..»

У Островского эти слова окружены нервным, злорадным хохотом Вышневского — в нашем спектакле они звучали очень серьезно.

Вышневский продолжал и говорил о своем презрении к Жадову.

Жадов соглашался с ним. И где-то здесь начинался очень медленный процесс его внутреннего очищения. Это восстановление личности начиналось неслышно в потерянном и раздавленном человеке, разрасталось и крепло, к нему приходила сила, и разум снова обретал свою прежнюю остроту, веру и новый, выстраданный покой.

«Дядюшка, я не говорил, что наше поколение честней других, — очень тихо и еще неуверенно начинал Жадов. — Всегда были и будут честные люди... всегда были и будут слабые люди. Вот вам доказательство — я сам».

Потом температура менялась, происходили медленные мизансценические изменения, Жадов набирал, поднимался, рос:

«Я говорил только, что в наше время (здесь у Островского прекрасная ремарка: «Начинает тихо и постепенно одушевляться»; эту ремарку Миронов выполнял вдохновенно, создавая какое-то особое внутреннее свечение) общество мало-помалу бросает прежнее равнодушие... слышатся энергичные возгласы против общественного зла... я говорил, что у нас пробуждается сознание своих недостатков; а в сознании есть надежда на лучшее будущее...»

Продолжали звучать прекрасные слова великого драматурга, и нам хотелось верить, что он обращался не всегда только к своим современникам, что он поднимался над временем и дарил нам частицу своего ума. Эти слова были пронизаны высоким очистительным Страданием и принадлежали всем нам в равной степени, уже ушедшим и еще живущим. Поэтому сказанное хотелось понять и оценить бережно, не торопясь. Поэтому эти слова звучали снова, во второй раз, когда на сцене уже не оставалось больше никого, кроме Жадова, он стоял один и смотрел на тех, ради кого живут на свете многие поколения актеров и ради кого пишутся все пьесы мира. Он смотрел на зрителей и дарил нам нового, живого Островского, который был всегда вместе с нами, который наверняка думал и молился за нас.

«Я не гений, — очень просто и тихо говорил Миронов, — я обыкновенный, слабый человек. У меня мало воли, как почти у всех нас. Нужда, обстоятельства... могут загнать меня, как загоняют почтовую лошадь. Но довольно одного урока... чтобы воскресить меня... Я могу поколебаться, но преступления не сделаю; я могу споткнуться, но не упасть».

Больше в спектакле не звучало ни одного слова. Эти слова были последними. Очень тихо возникала музыкальная тема Жадова, как будто кто-то вдалеке насвистывал ее, стараясь, чтобы грустная мелодия прозвучала бы чуть веселей.

Здесь Миронов как-то неожиданно и даже нескладно улыбался, по-дилетантски. Улыбался очень здорово, потому что нам хотелось плакать! Я очень гордился этой странной улыбкой, уже на последней репетиции, ничего не объясняя, я сказал ему:

— Здесь улыбнись, Андрюша.

И он улыбнулся.

Зачем? Может быть, чтобы снять излишний пафос, чтобы не подумали, что это нравоучение, и еще чтобы извиниться за то, что долго говорил, а время позднее.

Он поворачивался к нам спиной и медленно уходил от нас в глубину огромного пространства. Это было давно, поэтому за ним закрывался занавес.

Годы странствий

Не в том смысле, что я часто перемещался в пространстве, — после «Доходного места» я достаточно долго топтался на месте. Эту фразу можно истолковать в самом широком смысле — для этого она и написана. Я топтался на месте, ходил по кругу, как Жадов, подпрыгивал (невысоко), пытался все, что попадется под руку, тут же представить себе в виде только что поставленного мною «Доходного места», в связи с чем В.Н. Плучек преподнес мне однажды широко известную в народе мудрость. «Одним козырем, — сказал он, подозрительно сощурясь, — хочешь два раза банк снять?»

Что бы ни говорил мне Валентин Николаевич, какая-то доля истины в его словах всегда присутствовала. Это меня больше всего и злило. Действительно, у режиссера после серьезного успеха может наступить болезненное нежелание дальнейшей режиссерской деятельности. «А вдруг родится не шедевр?» Это чисто профессиональное заболевание. Иногда оно может протекать в очень ослабленной, едва заметной форме, иногда — в такой, что надо госпитализировать. Я с ума не сошел, но далеко не сразу выбрался за пределы уже познанной мною театральной эстетики и только спустя некоторое время всерьез и осмысленно пустился в режиссерские странствия.

Как только я в них пустился, я тут же встретился с Григорием Гориным, о котором еще не раз упомяну и даже попытаюсь осмыслить его как явление. Правда, сначала мне Горин попался не в натуральном виде, а вместе с Аркадием Аркановым, тоже явлением в нашей жизни. Называлась эта встреча: «А. Арканов и Г. Горин. «Банкет», сатирическая комедия в двух частях».

Встреча со всеми лицами, причастными к истории с «Банкетом», научила меня многому. А всякое познание есть радость. Не менее радостной для меня была встреча непосредственно с молодыми веселыми драматургами. Драматурги были молодые, я тоже был не старый, мы вместе пытались постичь, что есть современная комедия и что есть современный юмор. Комедийное мышление А. Арканова и Г. Горина опережало, как мне теперь кажется, общепризнанную норму по части сценического юмора тех лет. Во всяком случае, в заключительный период работы над спектаклем были придуманы очень интересные «застольные интермедии», которые явились остроумным поиском в жанре современной «абсурдистской» комедии. Эта достаточно своеобразная пьеса обладала добротным комедийным и социальным зарядом, бурно набирала энергию в процессе работы, но хорошего, надежного ракетоносителя, который вывел бы ее на орбиту, она не получила. Моя режиссура получилась незащищенной, временами невнятной и даже плоской. Пьеса, по существу, не родилась, хотя была неплохо написана, в особенности в первой половине. Пьесу мне искренне жаль, а о своем спектакле очень-то не жалею. Но это мне теперь хорошо рассуждать, а в 1968 году два поставленных мной спектакля были в приказном порядке сняты с репертуара, я стоял у разбитого корыта. В такой мизансцене меня и застал Андрей Александрович Гончаров, вынырнув из пенящейся театральной стихии, как золотая рыбка.

Я уже говорил, что А.А. Гончаров то и дело возникал передо мной, и каждый раз не случайно, а с серьезными для меня последствиями. Первое такое последствие от встречи с А.А. Гончаровым произошло еще в 1952 году, когда я почему-то (уже не помню почему) оказался в ГИТИСе на его репетиции оперетты «Трембита». Ни больше ни меньше.

В репетиционном зале ежесекундно раздавался какой-то нечеловеческий, оглушительный крик режиссера, и весь присутствующий курс актеров музыкальной комедии отвечал ему дружным громовым хохотом. Режиссер метался по залу, как мечутся спортсмены-гандболисты, выбирая мгновение для завершающего удара, сотрясались стены, дребезжали в окнах стекла, актеры на сцене приплясывали от удовольствия, то и дело получая отменные режиссерские оплеухи. Их раздавал страшно веселый, слегка озверевший от тяжелейшей работы, неистовствующий человек, с которого пот катился градом. Мне показалось, что такой человек сам по себе репетицию закончить не сумеет. Никого к себе не подпустит. Уговорить не даст. Надо ждать, пока упадет.

Это была какая-то еще невиданная мной театральная работа, тяжелейшая и опасная — как я потом уразумел. Работа требовала необыкновенной податливости от актера и обязательно веселого, почти спортивного азарта. Если в творческий экстаз впадал лишь один компонент репетиционного процесса — режиссер, а исполнители за ним только наблюдали, — репетиция приобретала странный, неполноценный и даже угрожающий характер. Энергия режиссера в этом случае могла не только раздражать, но и обижать. Как если бы я сел играть с вами в шахматы, а вы со мной в карате.

Мне посчастливилось в 1952 году наблюдать удивительно продуктивную, праздничную репетицию. На гончаровские репетиции сбегался тогда весь ГИТИС, и Андрей Александрович время от времени дарил студентам искрометные зрелища вроде знаменитого студенческого спектакля «Разоблачение Бланка Поснета». Соприкосновение, пусть случайное и очень поверхностное, с режиссерским процессом в исполнении А.А. Гончарова стало для меня не просто воспоминанием, оно стало для меня чем-то большим, подтолкнув к поиску собственного рабочего стиля.

В 1959 году в малопрестижном Московском театре на Спартаковской улице появился спектакль «Вид с моста». Так же как и «Дамоклов меч» в постановке В.Н. Плучека, это режиссерское сочинение на долгие годы запало в мою память. Запало не просто так, а врезалось туда, как бомба замедленного действия.

Это был «экстатический театр» (производное от слова «экстаз») — фантастическое поле стрессовых ситуаций, новой сценографии и дерзких, атакующих мизансцен.

Гончаров, как мне теперь представляется, дерзко расширил фронт тогдашнего театрального наступления, и люди, присвоившие себе в то время монопольное право именоваться реалистами, были потрясены этим неожиданным «выстрелом» со Спартаковской улицы. Все взоры были прикованы в тот момент к «Современнику», который неистово сокрушал холодное и напыщенное «среднестатистическое» театральное искусство. Главные новости приходили из этого молодого театра, и вдруг дерзостный рывок спартаковцев, прорыв в новую театральную эстетику!

Неожиданная для многих экспертов атака помогла перебраться лично мне в режиссуру, а театру со Спартаковской улицы — на Бронную.

Конечно, до и помимо Гончарова многие режиссеры умели ставить зрелищные темпераментные полотна с массовыми народными манифестациями, воплями отчаяния и громкого ликования, но у Гончарова театральный пожар начинался всегда не на сценическом планшете, а в недрах человеческого сознания, где-то там, в отдаленных лабиринтах человеческой психики. Музыка у Гончарова рождалась не в оркестровой яме, а в позвоночнике у артиста. Она звучала там, даже когда на сцене господствовала полнейшая тишина. Я всегда ощущал эту нервную гончаровскую вибрацию даже при абсолютной статике.

Гончаров утвердил на нашей сцене стихию Атаки. Независимо от эпохи и стилистической первоосновы драматургического материала, в его спектаклях всегда что-то воспламеняется, взрывается, ниспровергается в бездну и взмывает ввысь в заоблачные дали, вопреки законам гравитации и аэродинамики. В нем сидит какое-то веселое безрассудство, без которого, вероятно, не может существовать живой русский театр. Это желание пробить лбом стену проявляется уже на первых репетициях, и оно мне не просто нравится — я поклоняюсь этому древнему человеческому намерению. Гончаров всю жизнь оставался и остается верным первозданному творческому неистовству.

Пропахший всеми запахами человеческого горя, 1941 год вооружил добровольца Гончарова саблей, посадил на коня, и он поскакал останавливать танковые армады самого грозного врага нашего Отечества. Он заглянул смерти в лицо, был тяжело ранен, но характера своего не перестроил. Я наблюдал его в гневе, но никогда не видел сумрачным или унылым.

Когда в 1968 году Андрей Александрович Гончаров застал меня над обломками моих спектаклей, это его, по-моему, очень развеселило, и он предложил мне название, как нельзя более отвечавшее текущему моменту в моей биографии, — «Разгром».

Книга Александра Фадеева не касалась тем театральных, но учила людей мужеству, всех людей без исключения, в том числе и режиссеров. Андрей Александрович позвал меня ставить в его театре этот спектакль, может быть, и не думая всерьез о воспитательном эффекте, но воспитательный эффект имел место по отношению ко многим людям, втянутым в смелое предприятие. Уцелев и обретя после «Разгрома» неторопливую уверенность в великолепии и мощи нашей профессии, я уже не был похож на того человека, что дергался и комплексовал по поводу каждой служебной неприятности. С 1970 года, когда на сцене Московского театра имени Вл. Маяковского появился фадеевский «Разгром» в моей постановке, — с этого года меня уже ничем нельзя было напугать. Не так чтобы уж совсем ничего не боялся, но уже не вздрагивал при каждом критическом «выстреле» в свой адрес.

* * *

Я начал работу с тщательного изучения романа. Изучение было безрадостным в том смысле, что я не обнаружил в нем никакой драматургической структуры. Первая помощь пришла от драматурга Иосифа Леонидовича Прута в виде старой инсценировки, сделанной им еще в довоенные годы. Я посчитал возможным использовать некоторые находки И.Л. Прута, и вскоре мы договорились о совместной работе над новой сценической версией. Однако я довольно долго пребывал в нерешительности, пока не почувствовал (не услыхал) какую-то подспудную музыку, спрятанную, как мне показалось, глубоко в теле фадеевской прозы. Как правило, мне сперва надо ощутить эту самую музыку будущего спектакля, его эстетическую формулу, какой-то стилистический признак. На первой рабочей стадии он, этот самый признак, может быть достаточно формальным, но форма — я уже не раз так или иначе повторял, — форма, формообразующее начало в театре не есть оболочка, но способ движения и созидания.

Мое театральное сочинение на тему фадеевского «Разгрома» начало выстраиваться достаточно бурно с того момента, когда я обратил пристальное внимание на некоторые имена фадеевских героев: Метелица, Морозка, Суховей-Ковтун... Мне почудилось здесь что-то былинное, показалось, что молодой Фадеев намеренно вносил в свою прозу некую глубоко поэтическую словесную вязь. Мечик, Кубрак — имена со звонкой, даже агрессивной фонетикой. По-моему, это преднамеренный уход от быта, поиск иных, музыкальных закономерностей и звучаний. Даже Левинсон — одна фамилия без имени — тоже по-своему музыкальна и выразительно контрастирует с некоторыми другими именами.

Горькому ведь тоже нужен был зачем-то герой Данко, а не, скажем, Петр Петрович — смелый человек, хорошо ориентирующийся на местности и могущий вывести коллектив в безопасное место.

Какая-то далекая аналогия с горьковским Данко у меня сразу же возникла. Не сразу, но возникла. Я не мог, не умел и не хотел рассказывать со сцены о подробностях партизанского движения в Приморье, мне захотелось увидеть в романе притчу о *восстании*... Словом, будущий спектакль должен был, по моему твердому намерению, воссоздать в поэтическо-обобщенной музыкальной форме движение людей из опасной исторической зоны, прорыв, выход из кризисной ситуации. Разумеется, я в то время всерьез не задумывался, чем была для истории Российского государства братоубийственная Гражданская война. Я просто воспринимал ее со школьной скамьи как некую историческую данность, как посланную свыше закономерность нашей истории.

Возможно, именно поэтому я услышал в фадеевском «Разгроме» ту музыку, которая действительно взволновала меня и которую я, образно говоря, сам мог сочинить потом на сцене.

Что касается музыки как таковой, ее для спектакля сочинил очень хороший композитор Алексей Николаев, сочинил настолько удачно, что она послужила ему в дальнейшем основой для оперы того же названия.

Сочинение спектакля вообще носило во многом музыкальный характер, и действие строилось (монтировалось) во многом по законам музыкальной драматургии.

Само предприятие было заметно усилено приходом Армена Джигарханяна на роль Левинсона, а также удачной работой художника В. Левенталя. Он создал какой-то фантастический, тревожный лес — грозную, враждебную людям природную среду. Это угловатое колючее пространство необходимо было преодолеть в едином целенаправленном движении, преодолеть, чтобы в конце концов раздвинулись на горизонте горы и уцелевшим храбрецам открылся путь в Тудо-Вакскую долину — путь к новой жизни и новому созиданию.

Длинные металлические пики с острыми наконечниками были розданы почти всем исполнителям. Пики казацкого вида с маленькими красными флажками выглядели как настоящее грозное оружие. Кроме того, они могли эффектно вонзаться в слегка наклонный деревянный помост, создавать различные комбинации из трепещущих вертикалей — своеобразный простор для зрительской фантазии и почти мгновенной кинематографической смены эпизодов.

С Арменом Джигарханяном у меня сразу же установился трепетный творческий контакт. Я начинал репетировать с другим исполнителем, Джигарханян пришел в театр примерно месяца через полтора и при настойчивом содействии Андрея Александровича Гончарова сразу же приступил к работе над образом Левинсона.

Армен отнесся к моим постановочным странностям очень внимательно и принял их безоговорочно, чего нельзя было сказать поначалу о некоторых других артистах. Спектакль, где по сцене снуют бесконечные массовки, где все время кто-то куда-то ползет или, в крайнем случае, перебегает, — такой спектакль — уже некоторый повод для напряженности во взаимоотношениях между актерами и постановщиком. Вообще создавать рядовую партизанскую массу — не самое увлекательное занятие для актера, которому перевалило, скажем, за тридцать. Для того чтобы большой коллектив артистов хорошо играл массовые сцены, необходимы особые условия.

Условия эти рождаются на сценических подмостках не часто. Зависят они от многих обстоятельств, главное из которых — духовное единение коллектива, особая человеческая и профессиональная совместимость. Подобные взаимоотношения в театре чаще всего устанавливаются в периоды студийного творческого подъема, но иногда и в моменты рождения яркого, самобытного спектакля, когда возникают общая увлеченность и вера в будущий успех.

В какой-то момент тяжелого репетиционного процесса наш будущий спектакль вдруг стал обнадеживать не только меня одного. Наряду с исполнителями главных ролей артисты, скромно помогавшие спектаклю, стали действовать в нем как-то увлеченнее и выразительнее. Правда, я произвел еще и резкий, чисто тактический маневр: публично попросил не участвовать в нашей работе одну актрису, которую уж очень тяготило присутствие в массовке. На лице ее постоянно витало выражение недовольства и усталости. Режиссеру надо знать все способы борьбы за собственный спектакль, в том числе и такие жестокие и рискованные.

Когда я вместе с композитором завершил запись музыки и она зазвучала на последних репетициях, я почувствовал, как на сцену снизошло долгожданное коллективное вдохновение, словно в выстроенную и достаточно запутанную систему каналов хлынула вдруг живительная влага.

В спектакле были заняты прекрасные актеры: С. Мизери, Е. Лазарев, А. Охлупин, С. Немоляева, Е. Карельских, но особый успех выпал на долю Джигарханяна. Репетируя с ним роль Левинсона, я снова — как это было уже прежде с А. Мироновым — почувствовал, что не ставлю актеру мизансцены, не сочиняю за него чужую жизнь, не «стилизую» его под свой замысел, а выхожу на самый высокий и прекрасный уровень творческих взаимоотношений — созидаю вместе с ним, изнутри, на равных, в гармоничном и увлекательном соавторстве.

Мы много размышляли с Арменом Борисовичем, кто и в силу каких именно качеств становится лидером. Помню, как я начал с нехитрых школьных воспоминаний. Почему ученики начальных классов так быстро распознают, при ком из педагогов нужно вести себя на уроках пристойно, а при ком можно делать все, что придет в голову. Все педагоги располагают одинаковыми возможностями и правами — ученики уясняют это быстро; и вот один педагог так контролирует аудиторию, что у него сидят не шелохнутся, а другой только уговаривает вести себя хорошо. На большее он и не способен.

Исходя из такого рода наблюдений и постепенно расширяя круг наших совместных поисков, мы вознамерились определить применительно к «Разгрому», что есть волевой потенциал личности, что есть ее нервная заразительность, как и по каким каналам направляется она окружающим лицам. Как формируется в коллективе такое явление, например, как «неформальный лидер», кто и в силу каких качеств приобретает в коллективе право командовать другими. Тут, конечно, множество специфических нюансов, градаций и степеней, и вообще природа этих явлений крайне сложна, хотя основу, по-моему, составляет все же изначальный потенциал личности. «Хитрости», «приемы», «методы», «стиль» играют, безусловно, известную роль в умении руководить людьми, но не самую определяющую.

Мой друг, военный конструктор, рассказывал мне, как он вместе с другими ответственными работниками и военными командирами попал однажды в тяжелейшую аварийную ситуацию на подводной лодке. Сработала какая-то — не могу знать точно какая — защитная система, и весь отсек, где находился мой друг в окружении ответственных лиц, был мгновенно изолирован от подводного корабля. Дело шло к ликвидации отсека в интересах спасения всего подводного корабля в целом. (Такое, увы, предусмотрено на военных судах.) Создалась редкая по нервному напряжению, трагическая обстановка, в которой неожиданно быстро выделился человек довольно невзрачного вида, непримечательный и незаметный прежде. Он был невысокого воинского звания и не блистал никакими физическими и интеллектуальными достоинствами. Однако этот человек забрал все бразды правления, принял из рук старшего командира рацию и стал спокойно «работать», установив деловой контакт с пунктом управления. Все с замиранием сердца следили за его постепенными успехами, обстановка, близкая к панической, стабилизировалась. Невзрачная и незаметная доселе личность действовала очень толково и спокойно. Дело кончилось воссоединением изолированного отсека с кораблем и благополучным всплытием.

С точки зрения нашего искусства было бы крайне интересно зафиксировать скрытой камерой все самые мельчайшие действия этого «неформального лидера», всю систему его контактов, все «сигналы», посланные им окружающим людям; было бы крайне интересно для нашего искусства проследить их рождение и способ «транспортировки».

Командир должен быть умен, но не обязательно быть ему самым умным среди других, он должен быть сильным, но не обязательно быть ему сильнее всех. Истинный командир должен что-то внушить своим подчиненным. Не уговорить их, не переспорить, не напугать, а именно *внушить*.

Джигарханян понимал это не умозрительно, а изнутри, изначально, так как сам являлся человеком с сильным волевым потенциалом. Он был прекрасен как исполнитель и как лидер спектакля. Особой кондиции достиг он, однако, не на премьерных представлениях, а на сдаче спектакля. Серия утомительных репетиций наложила на его великолепную актерскую работу печать некоторой усталости. И это было очень кстати. На сдаче спектакля Джигарханян не имел достаточных сил, чтобы каждую минуту демонстрировать свой талант, возможности своей внутренней и внешней техники. Он экономил силы, обращал внимание не на все мелочи в происходящих событиях. Точнее, он вынужден был фиксировать некоторые действия и поступки окружающих незаметным образом, неподвижно, «кожей», «селезенкой». Не было возможности бросать на оценку и обдумывание ситуации весь организм, все нервные и мозговые ресурсы. Не было на это ни сил, ни времени. И это обстоятельство явилось мощным дополнением к выстроенной роли. Это обстоятельство вывело работу Джигарханяна на качественно иной уровень. Роль пополнилась очень выразительными и правдивыми элементами человеческого поведения, свойственного, как правило, не актерам на сцене, а нормальным людям, которые попадают в сложные жизненные ситуации.

Актер обычно всегда и все делает с удовольствием. Не в том смысле, что не халтурит. (Мы знаем, актер часто играет спустя рукава, не затрачивая себя и украдкой поглядывая на часы.) Я говорю о другом: актер хочет получить от пребывания в любой сценической ситуации удовольствие, быть всегда умным, значительным, глубоким. Очень хочет нравиться зрителям. Однако просто взять и сыграть ум, значительность или глубину невозможно. Подобные категории складываются из множества нюансов в поведении человека, часть которых лишь только угадывается на сцене, и это создает главную прелесть и загадку нашей профессии. Усталый Джигарханян не имел возможности взаимодействовать с каждым действующим лицом, но именно так и ведут себя люди, призванные общаться с большим количеством лиц, люди, ежедневно пропускающие через свои нервные центры бесчисленное количество информации, в том числе самого негативного характера.

Справедливости ради следует заметить, что после прекрасно сыгранной сдачи у Армена Борисовича появились несколько дней для отдыха перед премьерой. За эти несколько дней он, очевидно, выслушал большое количество признаний в любви, ему рассказали, как он хорошо играет в спектакле, и отдохнувший Джигарханян решил сыграть еще лучше. Дело усугубили земляки, прибывшие на премьеру специальным самолетом. Не хочу особенно иронизировать, ибо хорошо понимаю, что обуздать и полностью подчинить себе хотя бы на ограниченное время собственную нервную систему (а иногда и психику) — наисложнейшая задача. Словом, на премьере произошел «откат», некоторая непроизвольная сдача позиций, что в значительной степени обогатило меня как режиссера. Я задумался всерьез о механизмах актерского существования, об элементах психологического и даже психотерапевтического порядка в современном театральном акте.

Мы попытались вместе вернуть некоторые позиции. Многое Армену Борисовичу удалось. Подозреваю, что не все до конца, тем не менее спектакль «Разгром» начал свою достаточно долгую и сравнительно счастливую жизнь. Была в его судьбе и «зона особого напряжения», и даже сама судьба его в какой-то момент висела на волоске, впрочем, как и моя собственная, потому что снова в моей жизни появилась «добрая фея» — секретарь МГК

КПСС А.П. Шапошникова. Ее партийно-идеологическая бдительность подсказала ей, что не случайно командиром отряда стал человек по фамилии Левинсон. И не случайно борцы за народное счастье подверглись ужасающему разгрому. При более тщательном изучении спектакля вместе с аппаратом отдела культуры Шапошникова определила глубочайшую идейную и художественную порочность спектакля, поставленного вредоносным и диссидентствующим режиссером.

Не будучи штатным режиссером Театра имени Маяковского, все драматургические перипетии вокруг спектакля и моего имени я узнал позднее от Р.Г. Экимяна, который в ту пору работал там директором. Было много интересного, о чем я тогда и не подозревал. Оказывается, руководство МГК КПСС приняло решение запретить спектакль (третий по счету в моем режиссерском списке). Об этом решении узнала вдова А. Фадеева, известная актриса МХАТа А.О. Степанова, которая позвонила по «вертушке» главному идеологу КПСС М.А. Суслову, выразив ему свое беспокойство по поводу запрещения Фадеева. Обо мне, разумеется, речь не шла. М.А. Суслов обещал разобраться и явился на следующий спектакль. Не подозревая, что решается моя судьба, я был настроен весьма легкомысленно, потому что больше всего меня заинтересовало то обстоятельство, что Михаил Андреевич был в галошах.

Галоши в то время нормальные люди уже давно не носили, и на меня напал приступ несвоевременного веселья. Сейчас удивляюсь, как я, дурак, не понимал, что после запрещения третьего подряд спектакля моя режиссерская судьба пошла бы под откос. Почему я тогда не волновался, а начал ужасаться спустя несколько месяцев — ума не приложу.

По окончании спектакля М.А. Суслов поднялся в отведенной ему ложе и зааплодировал. На следующее утро в «Правде» появилась статья о большом идейно-политическом успехе театра и зрелой режиссуре М. Захарова. Далее спектакль игрался долгое время с большим успехом и до появления «Юноны и Авось» и особенно «Мистификации» собрал наибольшее количество положительных рецензий, связанных с моими режиссерскими сочинениями.

Спектакль с успехом выезжал за рубеж. В Румынии Н. Чаушеску, возложив руку на плечо А. Джигарханяну, сказал с нескрываемым волнением: «Да. Тяжело нам, командирам».

Когда ставишь спектакль, который потом нравится одновременно М. Суслову и Н. Чаушеску, испытываешь со временем сложные чувства. Но что делать? «Разгром» был действительно поставлен и сыгран добротно, эмоционально, изобретательно и шел на сцене Театра имени Маяковского с большим успехом.

Написав фразу «с большим успехом», я, будучи человеком совестливым (так мне кажется), через некоторое время усомнился в ее безапелляционности, и мне захотелось кое-что добавить к этому оптимистическому и весьма распространенному ныне словесному обороту. Спектакль, безусловно, имел определенный успех у театрального зрителя. Определенный. Не больше. Люди, так или иначе связанные с театром, достаточно единодушно оценили его, но сказать, что в театре ломали двери, что зритель неистовствовал перед кассовым вестибюлем, я не могу. Сказать, что зрителям очень хотелось смотреть непременно «Разгром» в моей постановке, тоже не решаюсь.

Есть широко известные названия в нашей литературе и драматургии, которые энтузиазма у зрителей и читателей не вызывают. Скорее наоборот, вызывают стойкий рефлекс отрицательного свойства.

Возрадовавшись в 1970 году весьма успешной театрализации фадеевского романа, я поверил, что умею не только режиссировать, но и создавать добротную драматургическую первооснову. Наша пьеса с И.Л. Прутом была отчасти записью режиссерской партитуры, отчасти (и это для меня главное) достаточно умелой и темпераментной стилизацией фадеевской прозы. Этот успех породил важную для меня уверенность в собственных литературных силах и в значительной степени помог сочинить следом за «Разгромом» два веселых музыкальных спектакля — «Проснись и пой!» и «Темп-1929».

К обоим спектаклям музыку написал Геннадий Гладков — личность яркая и самобытная. Кроме многочисленных достоинств отличного мелодиста, изобретательного аранжировщика и т. д. и т. п., Гладков поразил меня редким в композиторской среде комедийным талантом. Он необыкновенным образом чувствует юмор и обладает, по-моему, сверхъестественными стилизаторскими способностями. И еще одно важное качество для постоянного сотрудника и соавтора: во многих наших совместных работах Гладков очень точно, своевременно и очень по-своему подмечает в моей режиссуре наиболее сильные и наиболее слабые ее стороны. Прямых указаний никогда не дает. Никогда особенно не хвалит. Никогда всерьез не спорит, от развернутых анализов уходит, но каждый раз по-своему формулирует существенные и подчас скрытые факторы театрального сочинительства.

«Темп-1929» — сценическая композиция по ранним произведениям Н. Погодина — был поставлен в жанре мюзикла с обильными песнопениями, развернутыми ариями и хорами. Спектакль шел некоторое время на сцене Московского театра сатиры и, вероятно, содействовал очень важному событию в моей жизни — назначению главным режиссером Московского театра имени Ленинского комсомола.

Шарль де Костер и Григорий Горин

Мне они оба бесконечно дороги. Обоих люблю. Честно признаюсь, об одном знаю не много, но сочиненный им великий насмешник, борец и романтик Тиль Уленшпигель протянул в 1974 году руку братской помощи артистам Московского театра имени Ленинского комсомола и новому, только что назначенному главному режиссеру, а второй, о котором знаю больше, тоже выдающийся писатель, сделал то, что не успел сделать первый, — переложил знаменитый роман для сцены.

Конечно, я не совсем прав. До Григория Горина знаменитый роман не раз перелагали для сцены, но, во-первых, Горин это сделал лучше всех его предшественников, во-вторых, сочиненные мною две первые фразы настолько мне понравились, что я решил от них не отказываться.

Горин действительно счастливым образом выдумал дерзкую и остроумную пьесу. Подобное сочинение было необходимо новому, молодому театру. Новому, потому что где-то в 1973 году в Театре Ленинского комсомола произошли значительные изменения в труппе, в руководстве, в репертуаре. Несколько условно поделив историю этого популярного московского театра во времени и пространстве, можно сказать, что с 1973/74 года начался какой-то новый этап ее, и мы, ныне работающие здесь, полагаем себя третьим поколением ленкомовцев.

Я начал работу в «Ленкоме» еще до своего назначения. Вместе с журналистом и поэтом Юрием Визбором мы создали несколько странное, достаточно эклектичное, отчасти сумбурное, но азартное, с элементами неистовства и сценического буйства произведение под названием «Автоград-XXI». Театр после ухода Анатолия Эфроса находился в состоянии затяжного творческого кризиса, что в какой-то степени облегчило мою режиссерскую работу. Актерский коллектив был преисполнен безмерного желания добиться наконец успеха или чего-то похожего на успех. Это обстоятельство сближало людей, и «Автоград-XXI», может быть, не выполнив больших художественных целей, свою внутреннюю задачу полностью реализовал. В театре поднялся общий жизненный тонус, и в зрительном зале стали появляться молодые люди.

«Автоград-XXI», оглушая и веселясь, увлекал зрителя своей энергией, именно энергией. Все остальные его достоинства крайне проблематичны. Тем не менее образовался маленький плацдарм «на том берегу». Туда («на тот берег») надо было срочно вводить «стратегический резерв», которого у меня не было. Однако я четко представлял, каким он должен быть. Очень веселым, во-первых. Празднично-театральным, во-вторых. Мерещился какой-то карнавал с веселыми и умными проекциями в современные заботы и надежды. (То, что, мне казалось, я умел организовывать на сцене еще в период студенческих поисков в клубе на улице Герцена.) Оставалось только найти подходящий повод для желанного праздника, который уже стучался в наши двери. Вот его-то и не было. Повода. Хватался я в глубоком отчаянии за Лопе де Вегу, судорожно листал почему-то Тирсо де Молину, потом по наущению нашего завлита и режиссера Ю. Махаева стал ходить вместе с ним вокруг Шекспира.

«Как вам это понравится?» — наверное, очень хорошая пьеса, не мог же Шекспир написать плохую? Помню, приступили даже к каким-то неуверенным поступкам, к распределению ролей и даже к сочинению сценографии. А вот уверенности, что эту пьесу надо обязательно ставить, не было. Более того, закрадывались подлые мысли, что ничего особенно интересного в этой пьесе нет и про что ее ставить в 1974 году — неизвестно. Я продолжал испрашивать советов у умных знакомых. Умные знакомые пытались помочь, но хороших идей не дарили. Идею подарил режиссер Анатолий Силин. В тот момент он, по моему разумению, оказался моим самым умным знакомым, потому что сказал: «Ставить надо «Тиля Уленшпигеля». И я сразу понял, что это и есть та самая идея, которая дорогого стоит.

Я слышал, что в зарубежном искусстве за счастливые идеи платят большие деньги. Я бы с удовольствием распространил это правило и на наше искусство, но денег в тот момент, как и во все последующие, у меня не было, а бухгалтерия театра не располагала фондами на оплату счастливых мыслей. Анатолий Силин просто подарил нам свою идею.

Действительно, разработать и реализовать идею иногда много легче, чем придумать. Счастливая идея — это почти половина дела. Что это такое?

Прежде всего, это то название, которое необыкновенным образом соответствует постановочному мышлению театра в данный исторический момент. Но не только. Это то название, которое таит в себе возможность выхода за пределы прежних сценических достижений, овладения новыми рубежами в режиссуре, актерском искусстве, сценографии. Наконец, это то, что не знает зритель, но пред-чувствует. Я не хочу сказать, что спектакль «Тиль» в 1974 году был чем-то из ряда вон выходящим, вехой в мировой истории. Нет. Но, по-моему, получилось долгожданное, красочное и весьма заразительное зрелище. Комедийное представление с элементами подлинной драмы и подлинной сатиры.

В отношении других достоинств я, конечно, могу заблуждаться. В отношении подлинности сатирического начала я ошибаться не могу. Наличие сатиры проверить много легче, чем объективно зафиксировать другие достоинства. Если ты испытал до 1987 года серьезные затруднения со своим сценическим сочинением, на котором зритель много и охотно смеется, если на тебя всерьез обиделись и, более того, кто-то посчитал твое произведение вредоносным обобщением, — знай: дело у тебя пахло именно сатирой, а не ее имитацией.

Судьба «Тиля» в первые годы его жизни складывалась непросто. Однако со временем позиции противников спектакля подослабли, зрительский успех был настолько единодушным, что оппоненты из числа цензоров отступились, и Тиль весело зашагал не только по дорогам Фландрии, но и по бесчисленным дорогам нашей страны, Польши, Болгарии, Чехословакии.

Но это было уже после реализации счастливой театральной идеи. Продуктивная работа над нашим новым героем началась с того исторического момента, когда я повел себя необыкновенно беспощадно по отношению к главному претенденту на роль создателя предстоящей сценической версии. В суровой, безапелляционной форме я, срываясь на грубость, высказал ему все свои претензии и подверг нелицеприятному анализу его драматургические достоинства и мнимые заслуги. Речь шла обо мне. Я высказал себе все, что я о себе думаю, и, торжествуя победу над собственными амбициями, помчался к моему другу и единомышленнику Григорию Горину, приготовив по дороге завлекательные речи, которые писатель так и не сумел выслушать до конца. Он просто заправил пишущую машинку чистым листом бумаги и, не дослушав меня, отстучал текст:

«Григорий Горин. «Страсти по Тилю». Шутовская комедия в 2 частях».

«Страсти» потом пришлось по требованию цензуры из названия убрать и бережно перенести в души и сердца главных исполнителей. Никто от этого особенно не пострадал, короткое «Тиль» тоже звучало неплохо.

Не всегда работа над последующими замыслами проходила у нас с Гориным столь же легко, вдохновенно, а главное — стремительно. Был элемент взаимного опьянения и некоторой удали. Едва добрались до конца первого действия, как мне показалось, что можно шить костюмы и строить декорации. И в театре действительно началось строительство простых, но весьма выразительных декорационных объектов под руководством художников Ольги Твардовской и Владимира Макушенко.

Декорации и костюмы стали сразу же получаться, приобретать веселый фламандский колорит, который окончательно окреп и по-хозяйски обосновался на нашей сцене после сочинения композитором Геннадием Гладковым и поэтом Юлием Кимом музыкальной основы шутовского представления и прекрасных песенных заставок.

До сих пор не очень понимаю, как директор театра Рафик Гарегинович Экимян пустился в столь опасное финансирование пьесы, которая оставалась, по существу, ненаписанной. Скорее всего, это случилось потому, что судьба распорядилась по отношению ко мне милостиво и послала мне такого театрального руководителя, который, будучи человеком сугубо творческим, умел и любил рисковать, однако всегда и очень вовремя очерчивая передо мной необходимую нам обоим красную линию, за которой риск становится и глупым, и неоправданным. Но повторяю, с Шарлем де Костером и Григорием Гориным риск казался нам вполне закономерным.

Весной 1974 года мы уехали на ленинградские гастроли, еще не имея продолжения пьесы, но зато имея своего «Антона Павловича» с пишущей машинкой под мышкой, который поселился рядом со мной в гостинице, всячески делая вид, что знает, о чем будет написан второй акт его пьесы и чем вообще кончится дело. Несмотря на то что иногда в глазах у драматурга мелькал испуг, в целом он работал азартно и весело. И второй акт его комедии, как и первый, стал обрастать вскоре изящно выстроенными диалогами, смешными фразами, неожиданными сюжетными поворотами и другими достоинствами, свойственными щедрому перу драматурга Горина.

* * *

Так началось длительное и серьезное сотрудничество, продолжавшееся до самой его кончины. Со временем драматург остепенился и перестал бросаться очертя голову в любое подвернувшееся дело. Позднее, чтобы склонить драматурга к интенсивной работе, надо было предоставить ему время для длительного и достаточно мучительного обдумывания всех составных величин будущего творения. Драматург иногда поразительно и остроумно «просчитывал» пространство предстоящего поиска, мысленно разрабатывая многие сюжетные построения, большинство из которых он тут же объявлял мне тупиковыми. Никчемными. «Вечерними». Все свои мысли он делил на «утренние» и «вечерние». Мысли, пришедшие вечером, категорически отрицаются утром. Это меня злило. Мои аналитические способности в значительной мере уступали горинским, поэтому вечерние идеи мне всегда нравились больше утренних, но утренние — он прав — надежнее: в этом я убедился и тут был вынужден уступать. Радость общения с драматургом затмевала все издержки его методологии: частое ворчание, самоедство, капризы и бесконечные упреки в мой адрес. Драматургу всегда нужен какой-то оппонент, какое-то противодействие его замыслу, и я с удовольствием напускал на себя злобную личину тупой противоборствующей силы, прикидываясь антиподом, ехидно сощурившись и насмехаясь над светлыми мыслями драматурга. Это придавало ему силы.

Любимый драматург прошел путь юмористической поденщины на эстраде, хорошо изучил все крайности и разновидности репризного мышления, выработал со временем почти безупречный вкус (во всяком случае, теоретически) и тонкое понимание современной комедии — жанра, неизвестно, существующего ли вообще. Однако вне зависимости от существования комедии как жанра драматург обладал весьма своеобразным комедийным видением, оно умело проецировалось им на человеческую психику, одновременно затрагивая широкий социальный фон. От его шуток всегда идут круги во все стороны нашей жизни. Выдуманные им характеры задевают нас сначала слегка, чуть-чуть, а потом все глубже и серьезнее.

Драматурги имеют амплуа. Есть жанристы многих разновидностей и сортов, но есть и философы. Последние оперируют реальными историческими и литературными объектами, причудливо сопоставляя и исследуя уже знакомые нам категории. Они намереваются высечь из привычных объектов мироздания новую истину. Не будем им мешать. Философ всегда рассматривает себя в общем потоке исторических взаимосвязей. В этом смысле он не создает новые звезды и планетарные системы — ему хватает уже созданных. Для него Дон Кихот, Гайавата или Петр Степанович Верховенский такие же реальности, как составные величины формулы Эйнштейна, где скорость света может причудливо варьироваться с печалью Странствующего Рыцаря.

Комедийные ситуации, созданные Гориным, чаще всего умны и философичны, обладают своеобразной элегантностью, но это не исключает наличия в них веселого безрассудства. Персонажи Горина — живые, незапрограммированные люди, могущие сморозить гомерически смешную глупость. Умение сочинять смешные глупости — еще одна дорогая для меня черта в его творчестве. И самое важное: многие шутки драматурга и его комедийные диалоги имели широкую амплитуду воздействия. Они одинаково смешны как для начинающего, так и для искушенного зрителя. Это не всеядность драматурга, это просто высокая степень его комедийной заразительности. Вероятно, поэтому наш «Тиль» упрямо увлекал за собой разнородную зрительскую аудиторию.

В первые годы своего существования спектакль пользовался огромной популярностью, ему восторженно аплодировали на всех сценических площадках, но особый успех он имел во время зарубежных гастролей в Польше и Чехословакии в 1977-м и в 1978 годах, где изменчивой театральной судьбой нам был преподнесен редкий сюрприз — спектакль в Кракове.

Я запомнил этот спектакль на всю жизнь. Надо сказать, что ни до, ни после такого зрительского успеха своих спектаклей я не наблюдал, такого контакта по ходу спектакля, который возник в студенческом Кракове, больше никогда не было. За кулисами мы молча переглядывались друг с другом, помнится, ничего сказать не могли, из зала шел шквал энергии и восторга, и мы не находили слов, не умели прокомментировать случившееся. Например, после реплики типа: «Ну и жизнь у нас! Когда же это все кончится?» — в зале наступало братание и долго не смолкающие выкрики восторженно-радикального характера.

Особое время, особая студенческая атмосфера!

В «Тиле» после нескольких лет неуверенного актерского существования вновь почувствовал себя сильным актером В. Ларионов, прекрасно сыграли Е. Фадеева, Ю. Колычев, Н. Скоробогатов, В. Проскурин, М. Лифанова. Интересно заявили о себе Т. Дербенева, А. Шушарин, М. Поляк. Замечательно существовал в роли Ламме безвременно ушедший от нас Д. Гошев. На следующий день после премьеры молодой артист Коля Караченцов проснулся знаменитым, а для Инны Чуриковой, по существу, состоялся театральный дебют, начало новой сценической биографии.

Три непохожих женских образа объединились в сознании Тиля и всего зрительного зала в один-единственный и прекрасный образ Любимой Женщины. С годами наш веселый спектакль несколько утратил свой лидирующий статус, в чем-то потускнел, слегка отяжелел, но существование актрисы Чуриковой осталось прежним, более того, все три ее героини обрели новые, неповторимые черты, совершили какие-то едва заметные движения во времени, воспротивились ему, остались живыми и трепетными существами.

Театральный спектакль, как и любой иной продукт человеческого созидания, плотно связан с породившим его временем, связан явными, очевидными признаками и огромным количеством незримых нитей. Знаменитый спектакль — всегда достойный представитель своего поколения. Театральные постановки и кинофильмы, рожденные в один и тот же исторический период, подобно живым существам, родившимся в один и тот же год календаря, — при всем видимом несоответствии и жанровом несогласии — существа во многом родственные.

Театральное поколение спектаклей, которому принадлежит «Тиль», уже в общем и целом закончило свою жизнь. Сценические приемы, некогда поражавшие зрителя своей новизной и энергией, теперь широко известны и даже банальны, но иногда, очень редко, вступает в силу всесильная театральная аномалия, закон «исключения из правил», и отдельный представитель ушедшего поколения вдруг, задержавшись в подлунном мире, продолжает из последних сил свое судорожное, неровное, упрямое движение наперекор времени, и, случается, зритель, оценив эту жажду жизни, проникается к нему, к этому «пережитку прошлого», законной симпатией.

Контакт с драматургом Гориным подарил мне много новых, крайне полезных ощущений, и некоторые из них обрели позднее характер устоявшихся приемов и навыков. Горин заметно повлиял на меня, в частности, своими жесткими повышенными критериями. В чем-то мы с ним стали походить друг на друга, но в каких-то определяющих сферах театрального и кинематографического сочинительства остались людьми очень разными, и это отличие, очевидно, продолжает оставаться для нас источником дополнительной энергии.

Я почувствовал на себе благотворное влияние любимого драматурга более всего в период совместного погружения в кинематографическую стихию. Контакт с кинематографом, работа на киностудии «Мосфильм», по-моему, весьма любопытная страница в моих режиссерских странствиях, о ней хотелось бы поговорить особо.

Тот самый Мюнхгаузен

Какое упоительное занятие — обманывать людей! С утра и до ночи только тем и заниматься, что сочинять одну небылицу за другой, вызывать хохот у окружающих и самому подвергаться насмешкам!..

Как теперь принято говорить — мысль спорная. Вруны
и обманщики никогда не вызывали у нас симпатии, кроме
разве что одного известного нам случая: фантазии барона
Мюнхгаузена, сочиненные немецким писателем Р.Э. Распе,
вызывают и поныне вместо всеобщего презрения почти всеобщую симпатию. Правда, наш соотечественник, небезыз-
вестный Остап Бендер, также вызывал у нас чувства, весьма
далекие от ненависти. (Посему некоторые отечественные
литературоведы в течение долгих лет испытывали муки, не
зная, к какому ведомству его причислить. Великий Комби-
натор, как и Великий Обманщик, не укладывались в отве-
денные им рамки отрицательных героев. Однако назвать их
учителями жизни также не представлялось возможным.)

Нет правил без исключений! Но именно исключения из
правил и сыграли в истории человечества достаточно за-
метную роль. О них стоит подумать. Исторический опыт
научил нас относиться к исключениям, равно как и к отсту-
плениям, аномалиям и даже обыкновенным сомнениям, с
должным почтением. Давно замечено: нелепая по первому
ощущению, еретическая идея может счастливым образом
подтолкнуть общественный прогресс.

Правда, современное общество так и не научилось вы-
ращивать вишневых деревьев на голове у оленя, держать
медведя за передние лапы до тех пор, пока он не сдохнет,
путешествовать на пушечных ядрах, вытаскивать себя из
болота, дергая за волосы, и т. д. Воздействие барона Мюнхгаузена в техническом отношении не сказалось на науч-
ном прогрессе. Но вот общественный прогресс благодаря
стараниям Распе и другим ему подобным весельчакам приобрел много ценного.

По общему мнению, Рудольф Эрих Распе, 1737 года
рождения, немец, уроженец города Ганновера, создал бес-
смертную книгу. Есть основания полагать, что к образу барона Мюнхгаузена он шел целенаправленно и вдохновенно, как и подобает истинному художнику. Впервые книга
была издана в Англии. (Нет пророка в своем отечестве!)
Это произошло в 1781 году.

Для того чтобы сочинить свое главное произведение,
Рудольф Эрих сперва долго изучал методы добычи бело-

го мрамора и доказал вулканическое происхождение базальта, далее, опубликовав труды на эту тему, он написал трактат о пользе и употреблении резных камней, историю города Гессена, стал магистром, занял вакансию хранителя библиотеки в Кесселе, добавив к этому звание члена Лондонского Королевского общества, Нидерландского общества наук в Гарлеме, почетного члена Марбургского литературного общества, а также звание секретаря Кессельского общества сельского хозяйства и прикладных наук.

Эти и другие серьезные заслуги Рудольфа Эриха Распе его благодарные сограждане постарались забыть как можно скорее. Его стихи, пьесы и статьи по искусству также были преданы дружному забвению, и лишь одна маленькая книжица — «История Мюнхгаузена», написанная Рудольфом Эрихом как бы между делом, в свободное от основной работы время, просто так, шутя, втайне от начальства, для собственного удовольствия, — обрела бессмертие. Согласитесь — досадное обстоятельство! Своего рода ирония судьбы, насмешка над здравым смыслом. Но, увы, Распе не одинок среди других сочинителей, которые не всегда точно оценивали смысл ими содеянного, упрямо выделяя второстепенные заслуги и равнодушно относясь к главному в их жизни. Есть сведения, что отец Льва Николаевича Толстого, граф Николай Ильич, долгое время считал своим предназначением военную карьеру, а не рождение четвертого по счету младенца, Левушки. К сожалению, подобное приключается не с одними только сочинителями. У каждого из нас немало знакомых, которым, увы, не дано объективно разобраться в событиях собственной жизни и определить собственные жизненные проблемы по степени их важности. По-моему, это и есть величайшая несправедливость, уготованная нам судьбой. Впрочем, не исключено, что именно эта несправедливость и является величайшим благом. Не знать дня собственной смерти и не предполагать заранее, какое дело в нашей судьбе наиважнейшее, — вещь в высшей степени прекрасная. Отсюда может следовать лишь уважительное отношение к любому прожитому дню (неизвестно, сколько их осталось), равно как и к любому делу, слову, поступку, за которые берется твой разум, твоя душа, твои руки. Поди узнай заранее, где он — твой звездный час! Судьба Р. Распе, как и судьба его бессмертного героя, — яркое тому подтверждение.

* * *

Давно замечено, что каждое великое свершение в литературе имеет несколько измерений, оно живет во времени и пространстве, оборачиваясь к нам многоцветными гранями своего внутреннего бытия, то усиливая, то уменьшая свое воздействие на мир. И часто мы начинаем ходить вокруг такого свершения сперва кругами, потом все более и более по спирали, попадая в сферу его животворного воздействия.

Корней Иванович Чуковский, угодив в свое время в эту сферу, пересказал для детей историю хвастливого барона, и теперь мы с детства имеем возможность прикоснуться к феноменальной личности, которой, кстати, соответствовал реальный прототип. С детских лет мы смеемся над необузданными фантазиями и чудачествами барона Мюнхгаузена, с удовольствием перелистывая любимую книгу с забавными рисунками. Прекрасно, что «Приключения Мюнхгаузена» переиздаются уже который год с одними и теми же старомодными иллюстрациями французского художника Гюстава Доре, как будто бы нет других хороших художников!

В наш бурный век, когда количество новых объектов в нашем мироздании стремительно возрастает, когда иной раз кажется, что буквально все подлежит реорганизации, когда в поисках лучшей жизни мы ухитряемся изменять все подряд — названия улиц и учреждений; вывески, цены, дорожные знаки, одежду, климат и танцевальные ритмы, — объект, остающийся неизменным в течение многих лет, вызывает чувство радостного удивления. Очевидно, человек упрям, и есть вещи, с которыми он упорно не желает расставаться. Вполне возможно также, что это не простое упрямство, а естественное человеческое стремление, о котором надо знать и к которому следует относиться с почтением. Быть может, кое-что сделанное людьми прежде,

Захаров М.А. – режиссер Студенческого театра МГУ, но уже зачисленный в Московский театр сатиры (1965 г.)

Выпускники ГИТИСа. Марк Захаров внизу справа (1955 г.)

На съемках телеспектакля «Пир во время чумы» (1974 г.)

Съемки на киностудии им. Довженко. А.А. Ширвиндт в главной роли, А.А. Миронов и М.А. Захаров в массовке (1971 г.)

Ленком еще называется Театром Ленинского комсомола, но уже есть Юрий Визбор, первый драматург, подаривший театру новые песни и новую драматургию (1973 г.)

«Тиль» Г.И. Горина по Ш. де Костеру (1974 г.)

Н. Караченцов и И. Чурикова

И. Чурикова

Н. Караченцов

Счастливые мгновения – работа с Е. Леоновым. «Иванов» А.П. Чехова (1975 г.)

«В списках не значился» по инсценировке Ю. Визбора (1975 г.). А. Абдулов, Е. Шанина

Первая современная рок-опера «Звезда и смерть Хоакина Мурье-ты» А. Рыбникова и П. Грушко на основе кантаты П. Неруды (1976 г.)

Л. Матюшина

А. Абдулов в сцене из спектакля

А. Абдулов, Т. Догилева

Н. Караченцов, Ю. Астафьев

Е. Симонова, А. Абдулов и другие

Ю. Соломин, Е. Васильева

О. Янковский, Е. Коренева

И. Чурикова, Л. Ярмольник

Е. Шанина, Н. Караченцов

Е. Шанина, Н. Караченцов   Н. Караченцов

Выдающаяся советская рок-опера композитора А. Рыбникова на стихи поэта А. Вознесенского «Юнона и Авось», постановка танцев В. Васильева, художник О. Шейнцис (Премьера 1981 г.)

На переднем плане А. Абдулов, Е. Шанина, Н. Караченцов

А. Большова, Н. Караченцов

Труппа Ленкома с благодарностью Пьеру Кардену за организацию гастролей (1983 г.)

Пьер Карден, с помощью которого спектакль увидели Париж и Нью-Йорк, поднимает тост во здравие «Юноны и Авось»

Заграничные афиши спектакля «Юнона и Авось» (1983 г.)

Статья французской газеты о премьере советской рок-оперы

А. Михайлов, Н. Мгалоблишвили

А. Абдулов, С. Фарада

Т. Пельтцер, А. Захарова, Л. Броневой

к/ф «Убить дракона» (1988 г.)

О. Янковский

А. Абдулов

В. Раков, А. Захарова

Рабочие моменты съемок

Чем больше смотрел на актрису А. Захарову, тем больше она мне нравилась

задолго до самого важного события на свете — до нашего рождения, — менять не стоит? Пусть что-то в нашей жизни останется таким, каким оно было задумано нашими предками, дабы не разрушилась преемственность человеческой культуры и не распалась та самая связь времен, о которой так сокрушался в свое время принц датский Гамлет. Его опыт, как и опыт других великих литературных персонажей, не должен миновать нашу душу, он призван напитать наш разум, подарить уверенность и душевное равновесие.

Но о каком душевном равновесии можно толковать с бароном Мюнхгаузеном, если он, подлый враль, отрицает все на свете, в том числе и само равновесие? Если ему глубоко плевать на открытия Архимеда и Ньютона? Если он потешается над законами термодинамики и другими святынями? Если он высмеивает гравитационное поле Земли и ведет себя крайне разнузданно по отношению почти ко всем основным научным открытиям? Но странно другое. При всем при том он почему-то не вызывает в нас раздражения, наоборот, мы в конце концов проникаемся любовью к этому обманщику. Почему? Неизвестно! Уместно спросить автора этих строк: зачем же он тогда взялся писать о бароне? Но ведь сам барон брался буквально за все подряд. Разве можно исключить прямое влияние этого феномена?

Мы хорошо изучили общественную значимость сатиры и юмора. Но как быть, когда под рукой не оказывается непосредственного сатирического адресата? Если пафос автора связан с одними только отдельными недостатками в среде немецких помещиков XVIII столетия, увлекающихся охотой, — хвастунишка Иероним никогда не стал бы «бароном Мюнхгаузеном»! (Возникает нескромный вопрос: а против кого, собственно, человек шутит?) Здесь могут померещиться ужасы безыдейности, с которыми у нас на протяжении семидесяти лет всегда был короткий разговор вместо долгого размышления. А что, если идейная направленность «Мюнхгаузена» запрятана глубже самого сюжета? Может быть, в нем есть даже что-то от жюль-верновских прозрений?

Вспомните музыкальный рожок, который, оттаяв после мороза, сам воспроизвел запрятанную в него мелодию. Может быть, веселый обманщик призывает нас смотреть на все явления жизни смелее, шире, выходя за рамки привычных воззрений? Быть может, в нем сидит не только враль, но и терпеливый просветитель? Ироничный фантаст? Поэт? Бунтарь? Педагог и даже наставник?

Чем долее вчитываемся мы в его уморительные приключения, чем долее раздумываем над его литературной судьбой, тем больше убеждаемся, что наш хвастливый барон излучает мощную энергию, поднимающую тонус нашего существования. Эта энергия связана с чувством, не поддающимся точному научному обоснованию, она связана с наиважнейшим человеческим чувством — чувством юмора. Смеясь над необузданными чудачествами нашего героя, читатель приобретает бесценный дар юмористического мышления. Мюнхгаузен умеет смеяться над самим собой и упорно учит нас этому трудному искусству, хотя у нас это не всегда получается. Конечно, его разглагольствования о себе как о правдолюбце имеют далеко идущие проекции и ассоциируются в нашем сознании не только с зарвавшимися охотниками и рыбаками. Комедийный посыл книги Распе поднимается к тем высотам комедийного мировосприятия, когда юмор перестает быть просто развлечением, но превращается в инструмент познания мира.

Чуковский заметил, какое громадное значение для ребенка имеет разоблачение первого обмана — обмана, который он умеет разоблачить и засмеяться. Это важный момент в духовном становлении человека. Взаимосвязи вещей и событий приобретают для него качественно иную окраску: человек делает резкий рывок в своем развитии — он умнеет. Если он будет и далее двигаться в том же направлении, общество получит личность, ставшую на путь самосовершенствования. (Понятие когда-то бранное, но приобретающее ныне все возрастающую ценность.) Человек обязан сам формировать собственное сознание, выстраивать собственный разум и душу. Надеяться только на родителей и педагогов — недопустимое легкомыслие. С годами мы все более склоняемся к мысли, что счастье не есть общественный продукт. Счастье никогда не может быть гарантировано государством. Счастье — предмет собственного человеческого поиска и созидания. И юмор здесь незаменимый помощник. Ирония по отношению к собственным претензиям и запросам может сослужить полезную службу, скорректировать некоторые наши непомерные мечтания и капризы. Умные люди давно заметили: человек не может стать умным, минуя ироническое к себе отношение.

Мы инстинктивно тянемся к юмористическому осмыслению мира и себя, ибо чувство юмора наполняет мир светом добра и оптимизма. В живительных лучах юмора явления пугающие становятся жалкими, отвратительные качества в человеке — просто смешными. Юмор — великое защитное свойство каждого организма в отдельности и всего общества в целом. Когда человек смеется, он уже созидает. Человеческий смех — это дорога к самым серьезным и святым человеческим порывам. Этому научили нас Гоголь и Салтыков-Щедрин, Козьма Прутков, Чехов, Аверченко, Зощенко, Ильф и Петров. Этому учат нас иные здравствующие веселые сочинители, артисты, режиссеры, художники.

Сегодня все мы бесконечно ценим тот подарок, который преподнес нам в позапрошлом столетии немецкий писатель Рудольф Эрих Распе. Не будь этого подарка, Григорий Горин никогда не написал бы пьесы «Самый правдивый», а я никогда не поставил бы фильма по его пьесе — фильма, доставившего многим его почитателям радостные минуты.

У Г. Горина, как у В. Шекспира, было достаточно предшественников, и многие его сюжеты не раз воплощались в «догоринский период» мировой истории. На примере Тиля Уленшпигеля я уже пытался доказать — и, надеюсь, читатели мне поверили, — что по части создания принципиально новых и остроумных сценических интерпретаций Горин сумел обойти многих своих предшественников.

После Распе веселые люди не раз пытались продлить жизнь барона Мюнхгаузена в новых рассказах, пьесах, фильмах. Великий образ, как правило, не может удержаться в одной только книге и непременно вываливается с ее страниц. С этим ничего не поделаешь. Он скатывается с книжной полки и, подобно Рыцарю печального образа, славному Дон-Кихоту Ламанчскому, отправляется в вечное путешествие по свету.

Многие писатели мчались вслед за бароном Мюнхгаузеном, записывая его новые приключения. Не всем везло в столь трудном занятии. Повторяю: нашему современнику драматургу Горину повезло больше других. (Назовем это скромно — везением.) Изящная и мудрая комедия о новых приключениях знаменитого барона была поставлена режиссером Горяевым на сцене Центрального театра Советской армии, а затем совершила триумфальное шествие по многим городам нашей и других стран. В 1979 году в телевизионном объединении киностудии «Мосфильм» Иероним фон Мюнхгаузен с помощью актера Олега Янковского обрел новую, телевизионную жизнь.

Телезрители в своем большинстве сразу же отнеслись к новому Мюнхгаузену с симпатией, правда, тот, настоящий, был постарше, а наш, телевизионный, — помоложе. Но в отношении Мюнхгаузена это закономерно. Со времени первого издания он просто помолодел. Ведь не все люди обязательно старятся. Не для всех пространство и время — абсолютные величины. Наш герой задолго до А. Эйнштейна рассматривал их всего лишь как категории относительные. В этом сказалась его прозорливость. Но мы с удивлением обнаружили в нем и другие достоинства. Григорий Горин доказал, что Мюнхгаузен, этот великий генератор сумасшедших идей, есть творческая личность, работающая в экстремальных условиях. Веселые придумки Мюнхгаузена оказались серьезными сочинениями, а сам хвастливый болтун обернулся подлинным художником. С этого момента начались не только его новые приключения, но и естественные злоключения. Оказалось, что Мюнхгаузен — тонкий и даже ранимый художник. (Хороший писатель не может быть не тонким, а что Мюнхгаузен хорош как писатель, мы уже не сомневались.) Художник вдохновенно создавал свои уморительные фантасмагории, развлекая людей, но люди не всегда платили ему благодарностью.

С художниками так случается. Даже самые скромные жаждут немедленного и единодушного признания. Им, видите ли, сразу же необходим успех, лестные отзывы в печати, аплодисменты, вспышки фоторепортеров, высокие гонорары. Но, увы, чем выше художник поднимается над своей аудиторией, чем смелее он опережает свое время, тем больше проблем возникает у него с гонорарами, аплодисментами и лестными отзывами в прессе.

Иной художник, не добившись вышеперечисленных благ, огорчался до такой степени, что, выкрикнув яростные проклятия в адрес всех и вся, с удовольствием надевал на себя терновый венец великомученика. Иной, отдельный, некоторый, но не самый талантливый. Не истинный. Истинный художник, как правило, себя злобой не иссушает, головы не склоняет, а, схватив себя за голову, вытаскивает ее вместе с туловищем из болота, коль скоро он туда угодил, точно так, как это проделал однажды наш славный барон.

Люди давно заметили, что лучшие художники остаются веселыми людьми и не страшатся поражений. Их путь не усыпан розами именно потому, что они лучшие. Везунчики всегда вызывали в народе подозрение. Всякого рода феерические карьеры очень часто взрывались раньше, чем успевали осветить небосклон. За битого двух небитых дают — учит народная мудрость. Настоящесть человека проявляется в умении остаться человеком, не дрогнуть под бременем земных испытаний. Вот об этом мы и снимали наш телевизионный фильм. И еще о том, что незаурядная личность, каковой является наш герой, не обязана жить по меркам и нормативам осторожного большинства. Личность имеет право на собственный, индивидуальный вклад в процесс познания.

* * *

Подлинный художник обязан принести людям принципиально новую идею. Новая идея в любой сфере человеческой деятельности сопряжена с борьбой. Так было раньше в истории нашей цивилизации. Не хочется огорчать читателей, но думается, что так оно останется и в будущем. И это не так уж плохо. Это закономерно и уже потому хорошо. Природа не знает скверных законов, ее законы целесообразны и потому красивы. Скверные законы создали осторожные и недалекие люди, и борьба большого художника с ними — счастливая борьба. Об этом мы тоже пытались рассказать в нашем фильме. Многие великие выдумщики не променяли бы своей трудной судьбы на безмятежное скольжение по радостям всеобщей популярности. За всех ручаться трудно, но Мюнхгаузен не даст соврать.

Все это проблемы далеко не шуточные, но веселый писатель Горин попытался рассказать о них весело. Это его право. Он решил не выстраивать комедию из одних только глупостей и не собирать в ней одних только идиотов. Намерение смелое, но Мюнхгаузен Р. Распе ободрил Янковского взглядом. «Комедийный персонаж — не обязательно глупец», — добавил он потом на всякий случай. Это правда. Он не обманул.

Сэр Вильям Шекспир открыл нам когда-то мудрого шута — ироничного поэта со смешной физиономией и умными глазами. Глаза у Олега Янковского оказались умными, а внешний облик хотя и не слишком комический, но достаточно забавный. Янковский очень тонко, очень трепетно аккумулировал в себе нашу общую печаль. И восторг сочинителя. И пафос истинного правдолюбца.

Мне этот великий правдолюбец помог окончательно почувствовать сердцем и кожей, что есть стихия кино и какую неоценимую услугу может современный кинематограф оказать театральному режиссеру. В моей жизни возник новый плодотворный контакт.

Контакт с кинематографом

Воздействие кинематографа на нашу профессию огромно. Момент рождения динамического изображения на плоскости равносилен изобретению колеса или открытию Америки. Фантазия художника обрела зримую бесконечность. Пространственную и временную. Ее полет перестал ощущать реальные границы. Единственным ограничением стала категория не материальная, а эстетическая, а также самодисциплина художника, имеющего четкий эстетический замысел. И это воспринял театр. Современная пьеса взорвалась на отдельные слагаемые, они получили право свободно и причудливо монтироваться не только по сюжетным и логическим параметрам, но и по законам симфонического музыкального построения, а также абсурдно и глубоко субъективно, как поэтически выстроенный поток сознания.

Это относится и к новым, современным пьесам, и к спектаклям, основанным на классической драматургии. Театр воспринял монтаж во всей емкости понятия, часто не отдавая себе в том отчета. Насытившись открытиями кинематографа, театральный зритель поверил, что жизнь на сценических подмостках может сочетаться и расчленяться самым неожиданным и фантастическим образом. И это ему понравилось. Современная театральная режиссура под воздействием своей киноподруги научилась ценить каждую секунду драгоценного метража (времени), математически и поэтически исчисляя продолжительность зримых театральных процессов. Просто слова, даже самые высокие и важные, перестали иметь самодостаточную ценность. Важно стало, в каком действенном изобразительном ряду они произносятся. Из современных спектаклей высокого эстетического градуса стали уходить проходные, ничего не значащие, иллюстративные сцены. Вернее, они стали обретать визуальную ценность, как в кино. Оказалось, что нет ничего неважного. Оказалось, что все теперь важно, даже самое неважное. Иными словами, деталь современного театрального произведения должна уподобиться знаменитой кости доисторического динозавра. По одной детали можно воссоздать все остальное. По ценности частного — оценить эстетику целого.

Режиссерскую квалификацию на театре можно теперь распознать в течение нескольких минут с помощью произвольно вырванного фрагмента, как в кинематографе. Кинематограф разрушил на театре многие святые условности и изобрел условности новые, не столь явные, но утонченные, склонные к изыску. Он подарил нам ошарашивающий поток правды, бьющей по глазам и сердцу. Актеры перестали красить губы и лепить носы: грим если

и применяется, то как самостоятельное средство выразительности, а не как имитация правдоподобия. Захотелось
тише и проще говорить, хорошо поставленные актерские
голоса стали раздражать (хотя это не снимает в театре
проблемы высокого лицедейства, шекспировских страстей и игры на котурнах). Наиболее чуткая театральная
режиссура и наиболее чуткие актеры потянулись к экстравагантным, но предельно достоверным подробностям в
поведении человека, стараясь почерпнуть их из арсенала
скрытой камеры.

В кино мы впервые открыли для себя шокирующую нас
истину: при некоторых особых условиях дилетант может
быть выразительнее профессионала. Потом проверили на
сцене — действительно может! На репетициях пьесы Арбузова «Жестокие игры» я стал выкрикивать из зала: «Так
дилетант не поступит! Так дилетант не скажет! Так дилетант не задумается! У дилетанта так голос не зазвучит!
Так может разговаривать только артист!» Интересно (и я
об этом уже писал), что голосовые связки, скажем, у про-
давщицы в гастрономе вибрируют иначе, чем у актрисы,
играющей продавщицу. Полностью воссоздать облик того
же торгового работника — один к одному — может либо
совсем молодая актриса, которая еще не обрела прочных
сценических штампов, не утеряла нитей, связывающих ее
с нетеатральной жизнью, либо редкий по своему таланту
и актерскому слуху зрелый мастер экстра-класса. Но это
отчасти из области мечтаний.

* * *

Я не хочу слишком расшаркиваться перед кинематографом. Театр — самое древнее и самое живучее искусство.
Театр вполне самостоятельно проходит сложные этапы в
своем развитии. Многое созидает, многое отметает, многое
корректирует. И все-таки кое-что забирает у кинематографа, как и кинематограф у театра. Я уже не говорю про
актеров, которых пока умеет по-настоящему воспитать
только театр. Персонажи многих современных драматургов хорошо слышат живую, непричесанную человеческую

речь. Их герои говорят, как говорят люди в магазинах, ресторанах, конторах, общежитиях. Но впервые такая убийственно достоверная речь прозвучала все-таки в кино. Спасибо ему за это.

Я не скрываю, что смотрю на кинематограф с восторгом и неуходящим восхищением. Но не исключаю злых реплик и нелицеприятного анализа. Дилетантизм в самом худшем смысле нигде не получил такого распространения, как в нынешнем кино. Театр, как я уже отмечал, искусство древнее и живучее, и он давно оправился от того нокаутирующего удара, который был нанесен ему кинематографом в период с 30-х по 50-е годы.

Несколько горьких лет театр у нас находился в состоянии «грогги» и смотрел на своего сияющего огнями шикарного собрата заискивающе, снизу вверх. Михаил Ильич Ромм как человек высокоэрудированный, чрезвычайно талантливый и тонко ощущающий окружающие его жизненные процессы это почувствовал, и его слова о гибели театра, за которые его потом часто укоряли, сказаны не сгоряча и не на пустом месте. В момент их произнесения кинематограф явно выигрывал, и всем нам недоставало исторической дистанции для более точных выводов.

Пути развития любого искусства ныне настолько сложны, опираются на такое количество неопознанных величин, зависят от такого несметного количества экономических, социальных, политических факторов, которые тоже не всегда прогнозируются, что любые предсказания здесь крайне ненадежны. У нас много общих ненадежных точек соприкосновения!

* * *

Когда я впервые соприкоснулся со съемочным процессом, в особенности на натуре, мне показалось, что с кинематографом я сильно погорячился. Если у меня в режимной съемке зажигались диги, то массовка всегда почему-то разбредалась, первые сюжеты начинали ужинать, рабочие — обедать, а в камеру обязательно залетала соринка.

Я испытывал ни с чем не сравнимое отчаяние. Мне снились кошмары, и я просыпался среди ночи со сдавленным криком в адрес второго режиссера. Я с нетерпением ожидал окончания этой каторги, и только много позже, заглянув в ласковые глаза монтажера, после первых удачных монтажных склеек двух немонтажных планов, я понял, что по-настоящему с кинематографом человека может разлучить только смерть. А уж когда безжизненное изображение вдруг оживало, обретая атмосферу и нервное излучение, казалось, что братья Люмьер ни при чем и все придумал я один! Конечно, прежде всего я театральный режиссер и в сценических процессах разбираюсь лучше, чем в съемочных. На репетиции в театре я почти всегда знаю, что надо предпринять. Иногда это четко представляю на съемочной площадке и добиваюсь реализации задуманного почти на девяносто процентов. Но иногда, увы, чувствую себя игроком на ипподроме. Может, какая из твоих лошадей и придет первой, но очень может быть, что и не придет, уж как вывезет, как повезет. Неприятное ощущение. Но оно бывает. Не могу точно объяснить, но вместе с опытом кинорежиссуры в меня вошли какие-то бодрые биотоки. Мир стал объемнее, я словно познал неизвестное прежде измерение.

Думаю, что с актером, начавшим сниматься в кино, происходит нечто аналогичное. Я заметил, что истинно большим артистом становится сегодня только тот театральный артист, которого снимают в кино. Я говорю об актере, которому перевалило за тридцать. В этом возрасте и старше снимают, как правило, лишь тех, кто обрел неповторимую человеческую индивидуальность. И если тебя приглашают сниматься на центральные роли после тридцати лет, значит, ты обрел таковую. Могу поздравить.

Появляясь на съемочных площадках и общаясь с новыми партнерами, как правило, хорошими актерами и средними, но умными режиссерами, театральный артист многое впитывает, сознательно и бессознательно аккумулирует чужую творческую энергию. Его кругозор стремительно расширяется, он слышит обрывки интеллектуальных речей и смелых суждений. Все вместе создает дополнительную питательную среду для его роста. С появлением своей физиономии на большом экране Дома кино и экране телевизора к актеру приходит уверенность — что немаловажно для его профессии, улетучиваются разного рода комплексы, он выходит на сцену спокойно, по-хозяйски, и это мгновенно передается зрителю. Зритель начинает верить, что перед ним — лидер, первый артист, украшение спектакля. Сначала это еще как мираж, как имитация значительности, но потом как-то незаметно явление кажущееся становится реальным. Так бывает. Особенно в театре.

Я очень радуюсь, когда артистов «Ленкома» приглашают сниматься в кино. И даже волнуюсь, когда дело касается съемок в телевизионном фильме, значит, нашего актера увидят очень быстро и сразу все.

Если же молодой артист еще почему-то не снимается в кино, а только этого хочет, то я говорю ему, стараясь придать голосу задушевные и даже отеческие интонации, — я говорю: думай про нашу жизнь; если удастся, читай книги, постарайся ощутить наши общие боли, трудности нашего духовного и социального развития, подумай о нашей истории, постарайся обрести конфликтность в своем мышлении, недовольство нормой и даже образцом. Мучайся и злись на себя. Готовь свою душу и разум к высокому Служению Делу. Не уходи от Страдания, оно обернется благом, и глаза твои станут умнеть. И морщины на лбу и вокруг глаз будут складываться чуть иначе, чем складываются сейчас. И тогда постепенно изменится цвет твоих глаз, и улыбка будет другой. Много лучше, чем нынешняя. На лицевых мускулах появятся зримые следы духовных поисков и той внутренней работы, которую ты проведешь в своем сердце. (Это необходимо для крупного плана и наезда со среднего.) И тогда из нефотогеничного артиста ты превратишься в такого же нефотогеничного, но интересного человека, в личность, которая будет выделяться из среднего уровня и интересовать других людей. Тогда тебя начнут приглашать в кино и даже обходиться без покраски волос ярко-рыжим цветом. Ты будешь интересен вместе со своими естественными волосами и даже совсем без волос, как Александр Калягин.

Мысли благие и зловредные

«Нам нужен успех!» — сказал однажды Владимир Иванович Немирович-Данченко. Фраза была произнесена при свидетелях в начале сезона 1908/09 года, и, судя по деятельности ряда нынешних театров, до сих пор не потеряла своей актуальности. Думаю, именно с этой фразы и начались на театре мучительные поиски успеха. Разумеется, если допустить, что Аристофан, Шекспир, Мольер и другие великие до Немировича-Данченко совершенно о нем не думали. Лично я, к сожалению, отношусь к той части прозаически настроенных театральных работников, которые об успехе думают, как думал об этом замечательный актер и режиссер А. Дикий, что каждый раз, начиная новую работу, задавал своим артистам вопрос: «Ну, чем будем удивлять?»

Зачем ходят зрители в театр? Удивляться. Хотя лучше ответить так: удивляться правде. Новой. Ее у нас много. И она всегда разная.

Чем больше думаешь об успехе — тем меньше шансов его добиться. И все-таки память настойчиво возвращает тебя к работам, которые зачислены в разряд успешных. Это и есть самое опасное и предательское свойство нашей памяти. В театре память вообще бездоказательна и склонна к идеализации прошлого. Память хорошо бы исключить из некоторых творческих замыслов. Чаще всего это удается лишь талантливым дилетантам или прирожденным гениям.

Я приближаюсь к самой загадочной проблеме, от которой лучше держаться подальше. Существует ли прогресс в области эстетических ценностей? Усиливается ли со временем воздействие нашего искусства на зрительскую массу? Вряд ли, но в прогресс всегда хочется верить, так же как в будущий успех.

Познать истинный успех — значит своевременно вписаться в отпущенное тебе время. Что это такое? Об этом лучше не думать. Написать и забыть. Тут больше огорчений, чем радостей.

Каждый новый виток своего движения время начинает с обязательного и безжалостного разрушения, с тем чтобы тотчас заняться созиданием. Мне кажется, что мы все чаще задумываемся о своем прошлом, и со все возрастающей непредвзятостью. И связь наша с прошлым усложняется.

Но можно ли доверять нашей памяти? Говорят, память изменяет нам и даже смеется над нами. Театральные впечатления юности остаются самыми сильными, и сравнения с достижениями настоящего времени часто не в пользу последних. Самым досадным разочарованием моей жизни был знаменитый американский фильм «Большой вальс», увиденный мною вторично в 1958 году. Я был бесконечно зол на кинопрокат, столь безжалостно и грубо разрушивший волшебные впечатления моего детства.

Живопись прошлого порой обретает в глазах настоящего все большую значимость, она может прекрасно вписаться в современный быт, а вот старый театральный спектакль вписаться не может. В нашем искусстве добросовестное следование блистательным открытиям прошлого приводит к смерти. Сняв матрицу с шедевра, мы рискуем отпечатать всего лишь пародию, мертворожденную схему, лишенную того неповторимого нервного потенциала, который, увы, не тиражируется. Значит, свершения на театре умирают вместе с окончанием их сценической жизни? Нет. Сценические потрясения остаются живой динамической реальностью, они концентрируют в себе энергию будущего взрыва. Мне кажется порой, что театральные потрясения передаются генетически от одного поколения к другому, что мы живо и полнокровно помним то, чего никогда не видели, осязаем то, чего не касались. Мы же не удивляемся, что о войне лучше, правдивее и вдохновеннее рассказали те книги, фильмы, спектакли, что родились через два-три десятилетия после победной весны сорок пятого — «Двадцать дней без войны» режиссера А. Германа, военные песни Владимира Высоцкого... «День Победы» — самая горькая и самая счастливая песня о войне. Д. Тухманов сочинил ее от лица героев сорок пятого года, однако по своей эстетике это произведение совсем не похоже на песни времен Великой Отечественной войны, как и песня Б. Окуджавы из фильма «Белорусский вокзал». Д. Тухманов может даже вызвать протест у человека, хорошо помнящего и любящего песни и исполнителей тех лет. Ведь поется «День Победы» с учетом ненавистной для многих бас-гитары, с учетом технических открытий, новых вкусов и традиций.

Наши отношения с прошлым много сложнее, чем кажутся. Давно замечено: в искусстве человек свои собственные субъективные ощущения с необыкновенной легкостью переводит в ранг объективных, на это не надо сердиться, просто об этом надо знать.

Сегодня нам необходима особая чуткость применительно к постоянно изменяющимся ситуациям в политике, социальной сфере, в зрительских настроениях. Нам необходимы обостренный слух и быстрая фиксация. Естественно, что медленно и подспудно развивающиеся изменения в психологии современного зрителя, его настроения, познания невозможно свести к какому-то общему знаменателю. И если мы вознамерились остаться живым театром, мы обязаны трезво и непредвзято оценивать впечатления, производимые нами на наших современников, независимо от количества вежливых аплодисментов.

Одна только новая мысль или комплекс таковых — еще не есть явление театрального искусства. Новая мысль должна обрести свою театральную идею. Современный спектакль обязан нести в себе несколько новых сценических идей. В крайнем случае являть их предтечу, возбуждать собой предчувствие и необходимость их возникновения. Без этих, с моей точки зрения, обязательных требований обыкновенный, культурно скроенный спектакль сегодня становится необязательным явлением. Ведь есть телевидение, и даже широкоформатное, цифровое.

Но вот вопрос, немаловажный для истинного художника: не зазорно ли стараться во имя обязательного успеха? И у кого именно мы хотим иметь успех? Когда меня спрашивают знакомые, мнением которых я дорожу, какие спектакли я рекомендую им посмотреть в московском «Ленкоме», я все-таки не называю девять-двенадцать названий, я осторожно останавливаюсь на трех-четырех. Естественно, я имею в виду развитого, передового зрителя, которого бесконечно уважаю и для которого, собственно, и стараюсь работать хорошо. Это важное признание, ибо, как бы не сознаваясь самому себе, допускаю наличие еще и какого-то другого зрителя, для которого можно работать по-другому и которому все равно, что смотреть. Строго рассуждая, это зритель несуществующий, своего рода театральная фикция, абстрактная величина, которую стоит исключить из наших театральных намерений.

К своим способностям я стараюсь относиться с иронией и понимаю, что многие вещи делаю не так, как того хотелось, ошибаюсь, но, как ни странно, хорошо чувствую настроение зала и могу отличать одну тишину от другой. Действует во мне некий локатор, который определяет, что нам уже надоело, что всего лишь затейливая шарада, а что действительно может удержать подсознание (сначала — просто внимание). Снова употреблю не очень приятный термин — «клиповое мышление». Наступает время, когда многие вещи не надо подробно и логически объяснять. Современный зритель, включив телевизор на середине любого фильма, уже знает два-три варианта развития событий и, как правило, не ошибается. Мне всегда хочется поиграть с залом, то есть предложить ему некие динамично развивающиеся живые (абсолютно правдивые) процессы в человеческих отношениях, которые все-таки развиваются по законам, ему не известным. Выйдите на улицу с микрофоном и спросите у прохожих, что они думают о вас, — вы услышите то, что предсказать невозможно, от ненормативной лексики до любопытных замечаний. Комбинация таких непредсказуемых, живых, искренних аттракционов, которые должны биологически вовлекать зрителя в действие, и есть театр.

Если сегодня очень хороший артист, реалистически крякнув и сощурясь, говорит другому хорошему артисту: «Ну, садись, Степан Егорыч, рассказывай», — то большей душевной тоски у зрителя и вообразить себе трудно — ну что такого Степан Егорыч может мне сегодня рассказать, чего я не знаю? Я могу заинтересоваться только живым непрогнозируемым процессом. Для психически завораживающего процесса с гипнотическим началом нужна личность, которая умеет энергетически мощно воздействовать на зал. Зрителя полезно иногда посадить на «голодный информационный паек»: он не должен понимать всего до конца. Пусть останется тайна, тайна психических намерений артиста. Пусть останется тайна того, что он произнесет в каждую последующую секунду. Без этого психологический театр невозможен.

Зритель любит, когда его сегодня обманывают. Иногда неожиданный, непредсказуемый (но живой) поворот в развитии сценических событий или характере он воспринимает с восторгом. В спектакле «Диктатура совести» М. Шатрова мне очень хотелось, чтобы минуты через три после начала зритель откровенно затосковал, поняв, что ему придется созерцать что-то на редкость соцреалистическое в удручающих по старомодности декорациях. Но когда вдруг по-настоящему падала и разбивалась люстра и начинался неожиданный (но логически оправданный) разгром декораций и, кстати, костюмов — у зрителя резко и восторженно менялось настроение. Сегодня публика особенно радуется тому, что ее, оказывается, еще можно чем-то озадачить.

Сцена должна заинтересовать, обмануть, поманить истиной, но многое недоговорить и, конечно, найти точки соприкосновения с тем, что испытывает большинство людей.

Я пробовал выпускать спектакль в театре с помощью линейного графика. График составлялся за год до премьеры спектакля, и в нем четко обозначались все производственные циклы во времени и пространстве. Очень недолго, но на меня после этого смотрели, как на трудолюбивого японца.

Графиком откровенно восхищались, пили за мое здоровье, но всерьез работать начинали, как всегда, за два месяца до выпуска. Особое воодушевление коллектив испытывал в последнюю ночь. Товарищи по работе любовались друг другом, некоторые падали от изнеможения, но уста их шептали: «Вперед, к премьере!» Герои.

Всевышний не подарил нам реки, подобной египетскому Нилу, которая своими плодородными разливами формировала бы у людей чувство космического ритма, закладывала его в генетику и превращала потом в мощный стимул для формирования древнейшей цивилизации.

Один умный философ давно заметил, что фантастически изощренная береговая линия Древней Эллады с ритмическим чередованием горных пиков и долин обязана была породить здесь очаг вселенской культуры. А там, где рождается одушевленный ритм, формируется процессуальное мышление, а потом — естественная склонность к правовому восприятию бытия.

У нас же, как говаривал гоголевский Городничий, хоть три года скачи, так никуда и не доскачешь. Посему древняя русская песня тянется хоть и прекрасным, но заунывным образом на добрые двадцать верст. А современный торжественный концерт, праздничное шоу или ненавистные народу презентации разве могут быть краткими? Никогда! Пока устроители не измотают зрительскую душу — не успокаиваются. Что нам легче дается: краткий спич или двухчасовой доклад? Доклад роднее. Потому что дольше.

Наши гениальные историки и философы давно объяснили нам, под воздействием каких стихий и географических величин формировался великорусский характер. Равнинное существование с непредсказуемым количеством дождливых и солнечных дней очень располагало к мечтам о щуке, которая демонстрировала бы трудовую доблесть: «По щучьему велению, по моему хотению...» Иногда вместо щуки мерещилась золотая рыбка.

Однако утверждать, что наши предки были лежебоками или лентяями, никак невозможно. В короткие погожие дни они развивали такую работоспособность, что на англичан и немцев смотреть было больно, я уж не говорю о голландцах. Славянское неистовство всегда было общепризнанным и уникальным.

Именно сейчас хочется написать что-то на редкость полезное и одновременно вздремнуть, а уж завтра с утра — авось само напишется...

Может быть, настало историческое время, когда собственным характером нужно не только любоваться, гордиться, упиваться его удалью, но подумать хотя бы в принципе о его частичном изменении?

Мы теперь часто вспоминаем о реформаторских заслугах Рузвельта и отца немецкого экономического чуда Эрхарда. Интересно, мог ли Эрхард возглавить возрождение ФРГ из послевоенного пепла, используя идеологию Третьего рейха, размахивая над страной портретами Гитлера и Геббельса? Бесспорно, он опирался на более древние и основательные пласты великой немецкой культуры. В немецкой философии речи Гитлера — всего лишь отрыжка, временный сбой, зловонный, но краткий миг в мощном историческом развитии германской государственности.

Я вовсе не надеюсь, что люди, превратившие труп Ленина в кумира, а сталинский портрет в чудотворную икону, поймут свое глубокое нравственное и историческое заблуждение и примкнут к живительному потоку целебной российской мудрости, осознают нетленность высочайших духовных свершений С. Радонежского, С. Саровского, патриарха Тихона, Н.А. Бердяева, В.С. Соловьева, С.Н. Булгакова, Г.П. Федотова, П.А. Флоренского, И.А. Ильина, А.Ф. Лосева и других русских гениев.

Я всего лишь питаю слабую надежду, что мы наконец сообща почувствуем некоторое несовершенство нашего характера, отдельных традиций и отдадим должное нашим бывшим врагам — немцам, что прошли путь духовного покаяния, превратившись в щедрый и веселый народ, сумевший подняться над смрадными ужимками гитлеровского тоталитаризма.

Величайшим духовным открытием христианства стала возможность изменять свое отношение к прошлому, молить о прощении былых грехов, дабы созидать грядущее. И пусть во имя общих нелегких раздумий о дне сегодняшнем мы трезво оценим большевистскую беду, посетившую наше Отечество, ощутим ее как позыв к изменению некоторых сторон нашего общественного сознания. И, может быть, поверим русскому мыслителю И.А. Ильину, который оставил нам для долгих мучительных раздумий трагические строки: «...Революция была срывом в духовную пропасть, религиозным оскудением, патриотическим и нравственным помрачением русской народной души! Не будь этого оскудения и помрачения, русская многомиллионная армия не разбежалась бы, ее верные и доблестные офицеры не подверглись бы растерзанию... Ленин и его шайка не нашли бы себе того кадра шпионов и палачей, без которых их террор не мог бы осуществиться; народ не допустил бы до избиения своего духовенства и до сноса своих храмов».

Вместе с мыслями зловредными в меня постоянно залетают сугубо патриотические настроения. Потому что, несмотря на обилие смешанных кровей, личность я исключительно славянской ментальности. Во мне и течет примерно шестьдесят-семьдесят процентов славянской крови.

Мне, например, бесконечно жаль, что из России на Запад и в Америку ушло так много генетического материала. Начиная примерно с 1912 года Россия в избытке начала терять талантливых, предприимчивых людей. Утечка мозгов для нас — бич XX столетия. После 1918 года в России произошел исход почти трех миллионов россиян, представляющих собой элиту нации (не считая расстрелянных). Если к этому присовокупить уничтожение к 1933 году класса российских землепашцев — может посетить глубокий исторический пессимизм, подкрепляемый сегодняшними катаклизмами в нашем государстве.

Будучи в зарубежных гастролях, мы не раз встречались с разного рода финансовыми магнатами и просто очень богатыми людьми. Они тянулись к нашему театру, и мы быстро выяснили — кого ни возьмешь, дед каждого миллионера обязательно пришел когда-то из Киева или Минска босиком. Виктор Астафьев мне однажды сказал: «Девки наши в Сибири принарядятся, начес себе сделают — ничего, а парни мельчают, низкорослые все, измученные алкоголем». И залетают иногда подлые мысли о том, что вот есть у нас, например, на Севере малые народы — они не глупее нас, у них своя интереснейшая культура, но вписаться в мировую цивилизацию, отрегулировать свои отношения с алкоголем они никак не могут и обречены на вымирание либо частичную ассимиляцию.

Эти восемьдесят лет оказали деформирующее воздействие не только на развитие науки, но и, боюсь, на качество сознания, элементарно — на работу мозга. Ведь пережитый нами экономический обвал в августе 1998 года — это крах генерации тех людей, которые не сумели стать новыми российскими мыслителями. Работа многих российских мозгов дала заметный сбой. Раньше в Подмосковье наводили уныние «шанхайские» садовые участки, сейчас — краснокирпичные уродливые башни, деформирующие ландшафт. Но ведь бедная русская деревенька с соломенными крышами и белеющей церковью не уродовала землю. Значит, идеология, как раковая опухоль, поразила эстетическое чутье народа?.. О похожих явлениях мне рассказывали в бывшей ГДР.

Печально, но в XX столетии Российское государство совершило три попытки войти в мировое содружество, пытаясь сформировать стабильную экономическую и государственную системы. Перед 1914 годом мы почти выстроили основы конституционной монархии и бурно развивающейся экономики — однако, увы, рухнули в бездну братоубийственной бойни. В 30-х годах большевики пытались выстроить мощное имперское государство, закончившееся брежневской маразматической стагнацией. На рубеже 90-х новые младодемократы сделали отчаянные шаги по переходу страны в новую эпоху — систему демократической рыночной экономики, закончив дело обвалом 17 августа 1998 года... Интересно, хватит ли у России нравственных и интеллектуальных ресурсов, чтобы предпринять еще одну такую попытку в XXI веке?..

Все вышеперечисленное относится к числу подлых мыслей, которые залетают в голову помимо воли ее владельца. Вообще, все свои раздумья я могу поделить строго на две части. Те, что я вызываю целенаправленно, волевым усилием для употребления в театральном деле. И те зловредные мысли, что залетают в голову не спросясь, сами собой. Скрывать их я не считаю правильным, хотя хотел бы в дальнейшем не уплывать далеко от дел сугубо профессиональных. Поэтому о некоторых, до конца не продуманных парадоксах режиссерской профессии.

Например, вместе со студентами режиссерской мастерской РАТИ (ГИТИС) мы выяснили, что может быть очень заразительным зрелище, откровенно плохо сыгранное, на уровне профнепригодности. Оказывается, есть грань, за которой то, что совсем плохо (как в живописи), вдруг обретает черты некой эстетической категории. Театр так же непостижим, безграничен, как и человек, ведь мы до конца не знаем своих ресурсов.

Кроме мыслей, которые я с известным усилием могу сформулировать, в моих усталых мозгах рассыпаны еще осколки мыслей. Вот некоторые из них.

...Самое главное в современной режиссуре: чтобы зрители не расходились в антракте. Если чувствуешь, что спектакль не получился, — ликвидируй антракт. Дело, проверенное не одним мною.

...Испанский режиссер Бунюэль высказался однажды примерно так: если хочешь узнать про себя, какой ты режиссер на самом деле, — сделай фильм без музыки. Конечно, это, слава богу, относится к кинорежиссерам, но и для театральных звучит обидно.

...Когда в спектакле начинает доминировать нормальная логика, придумай мизансцену, где главный герой вдруг ни с того ни с сего подпрыгнет, щелкнет нижней челюстью или учинит другую совершенно необъяснимую выходку. Очень располагает молодых театроведов к глубокому и уважительному о тебе размышлению.

...Когда не знаешь, как смонтировать одну сцену с другой, — запускай между ними громкую музыку или оглушительный рев. Чем громче, тем полезнее. Очень взбадривает и создает ощущение современной остр-ритмической режиссуры.

...Уже на первых репетициях чаще закрывай глаза — усиливает уважение у артистов. Они начинают подозревать тебя в постоянном и на редкость углубленном полифоническом мышлении. Тут главное — не заснуть.

...Очень полезно на репетиции вдруг громко высказать такого рода мысль, которую нормальному человеку понять никак невозможно, по какому поводу она возникла — неизвестно, а спросить, о чем, собственно, речь, — неудобно.

...Особо изощренное искусство: умение рассаживать полезных людей в зрительном зале так, чтобы между полезными обязательно сидели бесполезные. Не давать скучиваться главным редакторам и театроведам. Разбрасывать их по первым десяти рядам партера. Одиннадцатый ряд — акт самоубийственный для режиссера. Не забывается долгие годы.

...Когда тележурналист спрашивает у тебя перед камерой, о чем ты поставил спектакль, — никогда не давай однозначного ответа, расскажи о своем тяжелом детстве, задумайся о Бодлере, Малере, Стреллере и улыбнись, вспоминая встречи с Анджеем Вайдой, проверять сегодня некому. Обязательно помяни спонсоров, даже если их у тебя нет. Искренне поблагодари Третьяковых, Бахрушина, Прохорова и Рябушинского. Пригодится.

...Если вы начали (не от большого ума) писать театральные рецензии, не вздумайте серьезно относиться к тому, что увидели, или, не дай бог, хвалить. Ваши похвалы никому не интересны. Перспективнее другой путь. Скажите, например: «Так и осталось загадкой — сожительствовал ли Гамлет с Фортинбрасом или не успел. А жаль! На фоне общей разноголосицы наиболее достойно смотрелся один только череп Йорика». Запомнитесь многим, особенно режиссеру.

...Заставляй себя радоваться чужому режиссерскому успеху, не разрешай себе зависти и злословия. В противном случае расплата может стать для твоей физиономии слишком тяжелой, а главное — неотвратимой.

*...Если узнаешь из прессы, что постоянно репетиру-
ешь в сауне, ночуешь в казино и каждый четверг меня-
ешь сексуальную ориентацию — не ссорься с прессой.
Лучше поменяй сауну на обычную парную.*

Загадка Олега Янковского

В 1973 году, только что назначенный главным режиссером,
я выехал смотреть одного молодого актера в Саратовский
драматический театр. Меня научил это сделать Евгений
Павлович Леонов. Он сказал, что снимался с умным и хорошим артистом в фильме «Гонщики» и этого артиста стоит
пригласить в театр. Я, помнится, уезжая, написал на бумажке имя этого хорошего артиста, чтобы не забыть. Имя
его мне ничего не говорило. Сейчас это имя знают грудные
дети. Наши школьники могут забыть, кто в 1812 году начал
против нас войну, кто написал «У лукоморья дуб зеленый»,
но кто такой Олег Янковский — знают практически все.

В 1973 году мне понравился этот молодой артист, имя
которого я написал на бумажке. Он мне показался человеком достаточно способным, но я не мог предположить,
что этому актеру суждено в последующие годы совершить
такое стремительное восхождение к высотам театрального
и кинематографического искусства.

Почему это произошло?

Наверное, дать исчерпывающий ответ на подобный
наивный вопрос попросту невозможно, слишком много
факторов замешано в сложнейшем процессе становления
большого современного мастера. Но так иногда хочется
думать над неразрешимыми проблемами, так иногда хочется понять, почему этот саратовский юноша стал украшением нашего искусства!

В первой же совместной работе над спектаклем «Автоград-XXI» и позднее, работая с Янковским над многими
другими спектаклями, в том числе над «Синими конями на
красной траве», где он исполнял роль В.И. Ленина, я ощутил необыкновенную человеческую и актерскую собран-
ность Янковского. Он всегда очень внимательно следил за

режиссером, за собой и своими партнерами, был очень нацелен на предстоящее дело. Это было не просто повышенное внимание — это было нечто большее. Подозреваю, что методом осознанной или неосознанной аутогенной тренировки он приводил себя, свою психику в особое рабочее состояние, когда слух воспринимает только то, что касается дела, когда все посторонние разговоры, вся ненужная информация, весь околотеатральный словесный мусор пролетает мимо ушей, не задевает, не отвлекает, не расстраивает и не радует. Я ощутил внутреннюю, очень волевую позицию человека, который медленно и целенаправленно готовит свой актерский организм к Дерзанию. Что это такое — в точности сказать трудно. Настоящее искусство есть постижение того, чего ты еще не знаешь. Надо подумать, подумать и смело «пойти туда — не знаю куда, принести то — не знаю что».

Но это умеет делать не один Янковский.

Я думаю, все-таки важнее другое. Я заметил, как, погружаясь в ответственную театральную работу, начиная съемки нового фильма и, наоборот, освобождаясь от съемок и от тяжелой творческой нагрузки, — иными словами, всегда и постоянно он искал для себя «питательную среду», обстановку повышенного жизненного тонуса, он искал тех людей, которые знали о жизни больше, чем он, иначе думали и рассуждали, он умел находить для себя таких людей. Аккумулировать в себе новую энергию, постигать новую информацию, читать, думать, спорить, мучиться и негодовать — важнейшие свойства истинно творческой натуры.

Но к этому стремится, это умеет делать не один он. И это не объяснение, почему способный артист за столь короткий срок приобрел всенародную известность.

Работая вместе с Янковским над телевизионными фильмами «Обыкновенное чудо», «Тот самый Мюнхгаузен», «Дом, который построил Свифт», я с удивлением обнаружил, что он думает не только о себе самом, он вовсе не эгоист, он постоянно следит за тем, что происходит в фильме помимо него, он мучается, сомневается и размышляет вместе с режиссером. Очень тактично и умно. Он владеет искусством режиссуры настолько, насколько она необходима сегодня большому актеру. Он постоянно и умело сочиняет, исследует, просчитывает варианты, делает смелые и неожиданные предложения.

Но это умеют делать и другие хорошие артисты, не один он. Это еще ни о чем не говорит.

Просматривая отснятый киноматериал, не вошедший в окончательный монтаж, наблюдая изображения Янковского и потом репетируя с ним в театре капитана Беринга из «Оптимистической трагедии», — роль, в которой совсем немного слов, — я обратил внимание на то, как он умеет молчать. «Глаза — зеркало души», — говорят люди. У него необыкновенно выразительный взгляд. Ему вовсе не обязательно говорить слова, он умеет излучать нервную энергию, «сгорать», не двигаясь с места. Так, как умеет это делать он, пожалуй, никто другой не умеет. Но разве только этим одним можно объяснить загадку его уникальной творческой натуры, загадку его актерского взлета?

Его загадку можно объяснить другим, более глубоким, я бы сказал, научным образом. Самое важное, что Янковский хорошо выглядит, хорошо смотрится. Главное все-таки внешность — а он у нас красив. Особенно когда с бородой. С другой стороны, красивых людей у нас — пруд пруди. «Человек-амфибия» был еще красивее. Советские люди почти все хороши собой, за исключением некоторых главных режиссеров.

Может быть, подумал я наконец, загадка мастера не поддается однозначному объяснению, и пусть она останется для нас отчасти Загадкой.

Татьяна Пельтцер:
истинно российский феномен,
или Почему большие актеры
в какой-то период своей жизни
кажутся бездарными

Моя любовь родилась свыше 110 лет назад. Наше знакомство с Татьяной Пельтцер началось в Театре сатиры, где она проработала 30 лет, а я там ставил спектакль «Доходное место», который был запрещен Фурцевой после нескольких представлений — как «не советский». Там Татьяна Ивановна играла Кукушкину — мать двух дочерей, которая говорила, что «мода пошла последнее время — жить на одну зарплату. Как это можно?» — восклицала она, и это вызывало бурю зрительских аплодисментов.

В «Сатире» у Пельтцер с Плучеком были прохладные отношения, но Татьяна Ивановна и об меня зубы поначалу тоже точила. Когда я в Театре сатиры сделал экспликацию спектакля, воцарилась пауза, я решил, что поразил всех. И вдруг раздался голос Татьяны Ивановны: «Что же это такое — как человек ничего не умеет делать, так в режиссуру лезет?!» Но ее ворчанье было не очень серьезное. Она так подыгрывала. Она тогда еще не знала, что у нас будет любовь и что она последует за мной в Ленком. Окончательно она мне поверила, когда Фаина Георгиевна Раневская, ее подруга, сказала: «Таня, это замечательный спектакль, и ты замечательно играешь».

Эта реплика стала поворотной в наших отношениях, Пельтцер начала меньше ворчать на меня и подарила несколько гениальных фраз. Если я долго возился с какой-нибудь постановкой, она говорила: «Еще ни один спектакль не становился лучше от репетиций, или «Вот вы, Марк Анатольевич, все сидите, подолгу репетируете, а вот у Корша каждую пятницу была премьера». Актерского образования у нее не было, не уверен, было ли вообще какое-нибудь. Она весело, незло ворчала по поводу того, «чему там могут научить в театральном».

Спустя много лет я решился повторить ее шутку сыну Маши Мироновой, девятикласснику Андрею. «Знаешь, как говорила бабушка Пельтцер? — спросил я его. — Учиться, чтобы стать актером, совершенно ни к чему. Бери бумагу, пиши заявление, отнесешь в отдел кадров и будешь артистом». Все посмеялись, а на следующий день позвонила Маша: «Марк Анатольевич, из-за ваших шуточек у нас дома скандал — ребенок не пошел в школу, сказал, что и так будет артистом».

В Татьяне Ивановне была фантастическая особенность — она никогда не фальшивила. Могла что-то неправильно делать, но никогда не кривлялась. И, думаю, все-таки относилась с уважением к режиссерской профессии. Когда она переходила в Ленком, сказала мне: «Я у вас буду играть все, что вы мне скажете. Кроме одного...» И показала пантомимой авангард и современную режиссуру. Но показала блестяще. Если ворчала, то весело. Татьяна Пельтцер укрепила труппу Ленкома веселой и мудрой обстоятельностью. Всю жизнь, имея дело с комедией, с этим крайне опасным жанром, который нередко с годами превращает актера в безжизненную маску, которая штампует набор привычных интонаций, Пельтцер только оттачивала свое мастерство и усиливала тонкое психологическое построение роли. Когда в театр приходит сложившийся актер, зрелый мастер, он непременно приносит накопленный опыт. Для Пельтцер каждая роль — начало. Она, как школьница, внимает учителю и готова сидеть до утра, чтобы выучить урок. И при этом она способна казнить и винить себя, ей неловко перед партнерами, если из-за нее останавливают репетицию, если у нее что-то не получается. Ей абсолютно чуждо «профессорство», она за более чем полувековую жизнь в театре не стала «академиком».

Татьяна Пельтцер сбежала к нам в Ленком в 73 года — отчаянный шаг!.. Она всю жизнь была веселая и отчаянная. И сыграла в моей жизни и в жизни нашего театра особую, прекрасную роль.

Когда я пригласил Леонида Броневого в Ленком, тот поначалу удивился: «Как я буду выглядеть рядом с комсомольцами?» Но, подумав, сказал: «А с другой стороны, у вас же там служит вечная пионерка Татьяна Пельтцер! Рядом с ней я за октябренка сойду».

Пельтцер была как бы полпред своего поколения. Когда мы выезжали на гастроли в Сибирь, за Урал, люди плакали от восторга — эта женщина сыграла тех наших бабушек, которые прошли войну, страшные предвоенные годы, все тяготы послевоенного созидания, но сохранили бодрость, остроумие, веселость. У нее была сумасшедшая популярность. Правда, пришла она поздно. Хотя на сцену Татьяна Ивановна вышла в 10—11 лет. Играла у своего отца — известного актера Ивана Пельтцера. Впервые выступила на сцене в 1914 году в частной антрепризе города Екатеринославля. Успешно сыграла мальчика — Сережу Каренина. Татьяна Ивановна прошла путь многотрудный и тернистый. Играла в агитбригадах, служила в Театре МГСПС, но во вспомогательном составе. Вскоре была признана профнепригодной, то есть такой плохой актрисой, что ее пришлось уволить. Поэтому некоторое время работала машинисткой.

Я заметил, большие актеры в какой-то период своей жизни иногда кажутся бездарными. Думаю, главная причина — их актерский организм сильно отличается от среднестатистического уровня.

Долгое время она была никому не известна как актриса. Лишь почти в 50 лет после вышедшего на экраны фильма-спектакля Б. Равенских «Свадьба с приданым» пришла всесоюзная любовь и бешеная популярность. Потом были «Солдат Иван Бровкин» и галерея других блистательных работ в театре и кинематографе.

С Татьяной Ивановной мы очень дружили. Казалось, друзей у Пельтцер много, и все-таки она была одиноким человеком. Не замужем, без детей, рядом лишь домработница — типичная актерская старость. Время от времени бабушка Пельтцер ездила в Германию навестить Ганса, который когда-то был ее мужем, и сына Ганса от другой жены. Она их очень любила, регулярно писала письма. И они как-то приезжали в Москву. До войны в столице существовал клуб иностранных специалистов, в котором среди прочих состоял и Иосиф Броз Тито. Некоторые товарищи, ходившие в клуб, впоследствии стали руководить народно-демократическими республиками. Там, в клубе, Татьяна Ивановна познакомилась со своим Гансом, вышла за него замуж, уехала жить в Германию и даже слышала выступление Гитлера, который ей очень не понравился, прежде всего как мужчина.

По рассказам Пельтцер, однажды на немецкие автомобильные заводы приехал в командировку русский инженер. Они познакомились, Татьяна Ивановна не устояла перед его шармом. «Это стало известно Гансу, который меня выгнал. И совершенно справедливо», — рассказывала бабушка Пельтцер. Инженер, умыкнувший Татьяну Ивановну из Германии, на ней не женился. А Ганс спустя годы свою бывшую жену простил, и в пожилом уже возрасте между ними возникла добрая и трогательная дружба.

Актерская судьба у Пельтцер тоже складывалась непросто. Куда бы она ни показывалась, везде ее считали бездарной, и она долго работала машинисткой в каком-то театре, зарабатывая скромные деньги. Первое время по возвращении из Германии Пельтцер была под большим подозрением у надзирающих органов. Когда театр выезжал в Сталинабад (нынешний Душанбе), ее туда не пустили: она же могла передать важную информацию врагам на таджикско-афганской границе. Но потом времена изменились, и Татьяна Ивановна стала ездить и в Америку, разыскав там дальних родственников, и к Гансу. Ольге Аросевой, которая хорошо знала Пельтцер, я как бы между прочим задал вопрос:

— А какой актрисой была Татьяна Ивановна в молодости?

— Да она никогда и не была молодой.

Ответ мне понравился. Ольги Александровны не стало, никого нет, кто бы мог рассказать о Пельтцер, кроме меня, со мной ниточка обрывается...

В телефильме «Формула любви», когда встал вопрос, кто же должен сыграть антипода Калиостро, мы со сценаристом надолго задумались. По идее, это должен был быть мужчина — столь же харизматичный, как и сам Нодар Мгалоблишвили. Но сколько ни мучились, подходящая кандидатура не находилась.

И тогда мы с Григорием Гориным неожиданно решили, что это будет... Татьяна Пельтцер, которая сыграла в фильме роль тетушки Федосьи Ивановны. И все встало на свои места. Это только она (как выяснилось, правильно определили мы) сумеет совершенно естественно оставаться веселой и живой в гротескных ситуациях, в экстремальном режиме и противостоять магическим проискам заезжего итальянца. Моей любимой актрисе не надо было ничего объяснять и показывать — она давно знала эту самую «формулу любви». Только вычертила она ее не на бумаге, а в собственном щедром и многострадальном сердце. Она научилась самому хлопотному и непростому делу на земле — любить людей.

Феерический комедийный талант Пельтцер со временем перерос в трагикомический, достаточно вспомнить ее «бенефис» в ленкомовском спектакле по пьесе Л. Петрушевской «Три девушки в голубом».

Татьяна Ивановна была не просто одаренной и мудрой актрисой, но еще сумела выразить какую-то неистовую российскую отвагу, замешенную на доброте и душевном сострадании.

Мы ее звали «наша баушка». Ее все обожали. Любили и немножко побаивались. Она иногда могла врезать прямо со сцены, если ей кто-то мешал, что-то не то говорил, реплики путал.

Не имея собственных детей, Татьяна Ивановна была щедра на помощь. Так она участвовала в судьбе моей дочери Александры, которая в детстве не была пай-девочкой. Саша, бывало, прогуливала школу, ездила с подругой в «Детский мир» и рассматривала там разные притягательные для детей вещи. В старших классах, если обстановка в школе из-за ее нерадивости накалялась, в бой вступала «тяжелая артиллерия». Мать звонила за поддержкой бабушке Пельтцер, которая уже была сверхпопулярной в то время. В Сашиной школе ее появление всегда становилось событием. Татьяна Ивановна обещала, что Александра Захарова обязательно возьмется за ум. И ей который раз верили.

Татьяна Ивановна в бытовой жизни вообще-то была педантичным человеком. И очень старалась продлить себе жизнь. На гастроли брала с собой не только коврик для зарядки, которую делала всегда, но даже плитку, кастрюльки, ложечку серебряную, салфеточки. Готовила себе еду в номере. Но педантичность в быту не соответствовала ее веселости на людях, на сцене. Там она была вихрь.

Татьяна Пельтцер была работящей женщиной. Неплохо зарабатывала. Думаю, что даже если бы и не было у нее материального достатка, на жизнь она бы все равно не жаловалась. Выпить любила, но только в компании, и никаких переборов я не замечал. Очень любила играть в карты, играла с Ольгой Аросевой в преферанс вечерами, а то и ночами... Была начитанной, но не козыряла этим. Все ее книги теперь стоят у меня в кабинете — полное собрание сочинений Ромена Роллана, Луначарского, Островского, Анатоля Франса. Это был ценный подарок.

Она всегда хорошо понимала, где правда, а где наигрыш и штампы. Она могла быть скучной на репетиции, но всегда была правдивой. Ничего не изображала голосом. И мне это было очень ценно. Мало кто знает ее с этой стороны, но Татьяна Пельтцер очень внимательно наблюдала, что происходит в театре, в кинематографе — нашем и зарубежном. Она была продвинутым человеком.

Счастливые зрители встречали ее хохотом, а потом украдкой смахивали слезу. Она обладала феноменальным чувством правды, знала цену высокой комедии, доходила до немыслимого гротеска, но при этом никогда не фальшивила, щедро одаривая людей своим ласковым вдохновением. Наверное, ей удалось воплотить народную мечту о несокрушимой старости, где мудрость дерзко соседствует с юной и озорной жизнестойкостью. Татьяна Ивановна служила для нас живым примером стародавнего подвижничества и святой любви к сценическим подмосткам. Качества, увы, ныне дефицитные. Халтуры не терпела. Любила и тянулась к молодым. Стремилась приобщить новую актерскую генерацию к могучим ценностям российской театральной культуры.

В нашей стране часто большие актеры уходят не очень складно и не очень красиво. У нее было тяжелое заболевание — потеряла память, потом сознание начало меркнуть... Хотя она до последнего держалась и играла с Абдуловым финал «Поминальной молитвы», роль, специально написанная для нее Григорием Гориным. Саша — был человеком открытым, талантливым. Она это ценила, а он расточал ей особые комплименты. К Саше у нее было особое отношение. Они как-то очень весело дружили. Как встанут болтать и хохотать возле расписания — водой не разольешь.

Когда они в «Молитве» выходили на сцену, Саша ее незаметно щипал — тогда она говорила свою реплику. Иногда невпопад, что тоже было смешно. Она появлялась в финале ненадолго, ей было далеко за восемьдесят, но мы безумно радовались, ликовали зрители, и многие действительно не стеснялись слез, понимая, что прощаются со старым русским театром.

Татьяна Ивановна Пельтцер была великой и истинно российской актрисой. Ведь ее мать была еврейкой, а отец — немцем.

Контакты
со среднестатистическим зрителем

Наши отношения со зрительным залом — интереснейшая тема для неторопливого театроведческого изыскания, и вместе с тем эти же отношения — хороший повод для резкого, саркастического памфлета. Это особый, волнующий мир, сотканный из непомерных восхвалений и яростного рева взаимных претензий.

Зритель только прикидывается ангелом, когда входит в театр, он еще и тайным образом недолюбливает нас, если не сказать больше. И недолюбливает он не обязательно конкретных лиц, иногда вообще всех нас сразу, всю актерскую братию. Недаром в народе бытует насмешливая интонация: «Ну, ты артист!» Интонация замешена не на одной только доброте. Очень часто обожание кумира сменяется вспышками почти ненависти. Как в семье, между близкими людьми. С сослуживцами и дальними знакомыми отношения, как правило, ровные, а любимого человека можно ненароком и убить. От любви до ненависти — один шаг. Верно. Но мы тоже хороши! В нас тоже бродит «гремучая смесь», и мы подчас слишком высокомерно рассуждаем о нашем кормильце. За примерами недалеко ходить — да взять хотя бы все только что написанное!.. А ведь зритель стоит того, чтобы ему поклоняться. Петь дифирамбы. Ни один самый умный театровед не может подарить нам такого счастья, какое дарит рядовой зритель; не передовой, тонко организованный ценитель, а самый «темный», начинающий, «первобытный» наш поклонник, от которого вдруг начинает исходить волна неземной благодарности. Спасибо тебе за эту волну, прекрасное творение земной цивилизации! Спасибо, зритель! Если бы ты только знал, как мы тебя все обожаем и как мы тебя иногда, иной раз, очень редко, в отдельных, нехарактерных случаях... тоже не любим.

Если я начну сейчас перечислять все свои претензии к зрителям вообще, а также к их величайшему и любимому грозному орудию — эпистолярному жанру, — я погрязну в обилии ядовитых подробностей, гнев закроет глаза пеленой и придаст мыслям моим излишнюю торопливую нервозность. Потому прежде всего — спокойствие! Мстить надо, как граф Монте-Кристо, не спеша, обстоятельно, с непременной улыбкой. И не надо сводить счеты сразу со всеми дурными зрительскими наклонностями, лучше взять какое-нибудь одно дьявольское его изобретение, например целевой спектакль, и, придав своим рассуждениям крайне объективный характер, попытаться хотя бы слегка дискредитировать эту химеру ХХ столетия.

Тут главное — не торопиться и не отступать от истины.

Целевой спектакль в театре — несомненное благо, неоспоримое достижение, счастье как для промышленного предприятия или учреждения, целиком закупающего билеты в приглянувшийся театр, так и для самого театра, разом продавшего полный комплект билетов за аккордную сумму, как правило, превышающую нормальную суммарную стоимость всех проданных билетов на обыкновенный спектакль.

Любители целевых театральных просмотров располагают сильными аргументами в свою пользу. Согласимся с ними прежде всего в том, что коллективный поход на театральный спектакль — мероприятие, которое хорошо запоминается участниками походов независимо от качества просмотренного спектакля; запоминается как веселое дело, как шумные и праздничные вылазки на природу со своим буфетом, совместные сборы грибов, песенные катания на прогулочных судах, товарищеские ужины, обеды и прочее. Действительно, приятно сразу после работы, не расставаясь, всем учреждением дружно устремиться в театрально-зрелищное заведение и радоваться, что вокруг все свои, ни одного постороннего лица, что не только в фойе, но и в любом другом общественном помещении можно пошутить сразу для всех, помахать из партера на балкон и обратно, обсудить последние служебные новости, поговорить невзначай с руководством и т. д. Приятного тут много, однако некоторые организаторы такого рода вылазок на этом не останавливаются и пытаются накрывать дополнительные столы в служебных помещениях, постепенно превращая просмотр в своеобразный вечер отдыха, гулянье целого ведомства или отдельного коллектива по случаю увиденного на сцене.

Думаю, что, каким бы замечательным ни показался наш спектакль или помещение театра, в котором он играется, — гулять по этому поводу или по какому другому случаю в фойе театра все же не стоит. Несмотря на наличие в театре веселых и развлекательных спектаклей, театр как таковой — заведение очень серьезное, и отождествлять его с клубом, танцплощадкой или рестораном не стоит.

Вместе с тем я хорошо понимаю, что у нас еще недостаточно развита индустрия развлечений и многие люди еще плохо ориентируются в системе коллективного отдыха, людям хочется отдыхать разнообразно, иногда большими компаниями, и не все накопленные традиции в этом направлении хороши. Не секрет, что многие объекты нашего общепита, например, превращены в предприятия совмещенного назначения. Так, большинство ресторанов совмещают в себе, помимо собственно ресторана, и танцплощадку, дискотеку или варьете. Это несет известное неудобство для многих посетителей, которые жаждут прежде всего словесного общения и напрочь лишены такового. Хочется надеяться, что это временное явление, что, вероятно, нам просто недостает пока необходимой культуры в организации и ведении столь непростого хозяйства. Сразу оговорюсь: я, естественно, допускаю, что в ресторане может иногда звучать музыка. Но непременно тихая. Это обязательное условие в работе классного ресторана. Опыт всех зарубежных ресторанов подтверждает это естественное правило. В дискотеке или варьете наоборот: тихая музыка — признак технической неисправности. От подобных несоответствий проистекает, кстати, много недоразумений, обид и жалоб. Совмещение несовместимых объектов — вещь опасная и хлопотливая. Как в искусстве, так и в быту.

Я полагаю, что постепенно эти несуразности исчезнут из нашего обихода и вообще многое изменится, если мы будем иногда стремиться к изменениям. Ушло ведь из нашей жизни такое милое довоенное понятие, как красный уголок! И настанет время, когда, заказавши шницель, посетитель ресторана не пустится в пляс, не будет отмечать каждое съеденное блюдо специальным танцем. Просто, закончив трапезу и сопутствующую ей приятную беседу, посетитель при желании отправится в специальный танцзал, в музыкальный бар, в дискотеку, в варьете. В зависимости от настроения.

Но даже когда организаторы коллективных походов в театр оставляют мечту о танцах в антракте, когда они приводят в театр коллектив дружных сослуживцев с одной только целью — сообща посмотреть спектакль, — все равно на этом спектакле возникают особые проблемы, которые стоит обдумать и обсудить самым тщательным образом.

Я, как и многие мои коллеги, заметил, что спектакль для заранее организованного зрителя из одного какого-либо учреждения или ведомства, а также спектакль, играемый непосредственно после какого-либо заседания, — такой спектакль заметно проигрывает нормальному театральному представлению. С какой бы ответственностью и отдачей ни относились к своему делу актеры, какие бы зажигательные речи ни держал перед ними режиссер (я пробовал не раз), целевой спектакль с первых же минут как-то неожиданно вянет, тускнеет, упрощается, в нем словно что-то не срабатывает.

Современный сложно организованный спектакль (а сегодня таких большинство) становится по-настоящему действенным — и я уже писал об этом — лишь в плотно[м] гипнотическом контакте со зрителем. Я замечал, как лучшие театральные сочинения собирают и забирают разнородную зрительскую массу, как она видоизменяется, как по залу бегут волны эмоционального и идейного единения, как зрители становятся свидетелями чудодейственного творческого акта — в зале рождается новый, не существовавший никогда прежде человеческий коллектив. Коллектив зрителей.

Но, увы, это вдохновение, как правило, не возникает на целевом спектакле. Зрителям словно что-то мешает целиком и полностью подключиться к коллективному сценическому «биополю», нервная ткань театрального действа словно наталкивается на прежние, и весьма устойчивые взаимосвязи дружных или, наоборот, недружных сослуживцев. В воздухе как бы витает слишком много посторонних эмоций и настроений.

Очевидно, в зрителях, пришедших на целевой спектакль, не срабатывает необходимое психологическое переключение. Рабочий человек, например, никогда не сможет по-настоящему отдохнуть в цехе, где он трудится по восемь часов в день, даже если там остановить все станки, поставить шезлонги и разносить прохладительные напитки. Информация, какой бы важной она ни казалась, не может рассматриваться сама по себе вне времени и пространства.

Что же касается театра — увы, театр явление хрупкое, смертное. Запас прочности даже самых лучших спектаклей — вещь не беспредельная. Драматические спектакли легко разрушаются при неумелом перенесении их в неподходящую кубатуру чужого зала, с иной технической оснащенностью, с иным количеством зрительских мест.

Здесь я, возможно, приближаюсь к самому уязвимому пункту в моих рассуждениях. А как быть с гастрольными выездами во дворцы культуры и клубы промышленных предприятий? — спросит меня взыскательный читатель.

Думаю, что театр, не умеющий выезжать без зримых художественных потерь за пределы своего помещения.

есть театр неполноценный. Успешные гастроли театра, причем часто в самых сложных условиях, — признак его художественной и организационной зрелости. Сегодня это целая наука со своими достижениями и нерешенными проблемами. Я убежден, что современный спектакль, тесно связанный с определенной кубатурой зрительного зала и известным количеством зрителей, может и должен при определенных условиях превращаться в подлинный праздник в иных условиях, далеких от условий своего стационара.

Из опыта гастролей я вынес твердое правило: чтобы спектакль прошел без зримых потерь в незнакомой обстановке, необходимы большие эмоциональные затраты, кропотливая организационная работа, если угодно — смелые сценографические, режиссерские, актерские импровизации. При умелой и достаточно длительной репетиционной работе в трудном и неподходящем помещении спектакль может обрести новую заразительность, более того, приобрести дополнительные животворные токи.

Однако творческая и административная мобильность театра не связана впрямую с тем комплексом проблем, что рождает, по моему мнению, так называемый целевой спектакль. Гастроли театра в клубе промышленного предприятия, по моим наблюдениям, разительно отличаются по своему тонусу от целевого спектакля на стационаре. Гастроли — дело живое; изменяя свое положение в пространстве, встречаясь с новым зрителем, театральный коллектив при серьезной, вдохновенной работе (конечно, если есть на то время, условия и силы) приобретает особый наступательный порыв, некое коллективное вдохновение, он решает проблему пространственной и технической переориентации и порой добивается большого успеха. (Хотя, будем откровенны, чаще не добивается, и средний, обычный выездной спектакль сегодня, как правило, второсортная продукция, продукция «второй свежести».)

Очевидно, профессиональная (служебная) однородность зрительного зала — тяжелейший психологический барьер, который чаще всего безболезненно преодолеть не удается. И неважно, кто именно у вас в зале. Соберите в театре одних только знатоков-театроведов, работников деревообрабатывающей промышленности или специалистов-медиков — все равно результат будет примерно одинаковым. В конце спектакля наверняка захочется выйти на сцену и сказать: «Люди, простите нас, если сможете, и, пожалуйста, приходите на этот спектакль еще раз, но только в качестве простых, нормальных, обыкновенных зрителей! Вы увидите другой спектакль!»

Психологическая адаптация к новым условиям творческого акта — дело чрезвычайно тонкое. Здесь много странностей и нюансов, о которых стоит чаще задумываться режиссеру, художнику, архитектору.

Я помню, как несколько лет назад возникло совершенно справедливое с точки зрения здравого смысла намерение перенести экспозицию Третьяковской галереи из старого, тесного помещения в новое, просторное, на берегу Москвы-реки, где много воздуха и света, где одновременно может присутствовать гигантское количество посетителей. И я помню, как через некоторое время «здравый смысл» уступил место иному, более скрупулезному анализу всех составных величин, влияющих на наше восприятие живописных полотен. Стало ясно, что в прежней Третьяковской галерее огромное значение имеют стены, та исторически сформировавшаяся среда, где живут (я настаиваю на этом слове — живут) величайшие творения нашего искусства.

Я позволил себе это сравнение, потому что подозреваю, что в некоторых наших театрах также рождаются сегодня сокровища искусства. Они требуют к себе как бережного отношения, так и знания законов их восприятия.

Человек при всех его общественных и коллективных устремлениях для каких-то новых и важных мыслей, для диалога с собственной совестью, памятью, фантазией должен, обязан уединяться, отвлекаться от привычных производственных рефлексов. Более того, от привычных человеческих лиц, разговоров, мыслей. Художественное чтение вслух в цехе или конторе может иногда доставить удовольствие, но истинная радость общения с литературой — когда ты один на один с книгой. И несмотря на то что зал Московской консерватории достаточно просторен, чтобы принять большой производственный коллектив, лучше все же послушать серьезное музыкальное творение вне привычного окружения, без сослуживцев, в гордом одиночестве или с очень близким и дорогим человеком, который в какой-то степени является вашим продолжением, даже если часто спорит с вами, но зато умеет молчать в одном общем ритме, молча грустить и радоваться.

Мое самое сильное впечатление от театра — «Синяя птица» во МХАТе. Шести лет от роду я вместе с моей заботливой матерью смотрел этот незабываемый спектакль в чудодейственных стенах лучшего театра на свете. Какое счастье, что я не угодил туда потом с шумным классом в экскурсионной суете, и какое счастье, что я не засмотрел выездной вариант «Синей птицы» в нашем Краснопресненском клубе!

«Оптимистическая трагедия»

Деятельность художественного руководителя ввиду невозможности ее осмысленной классификации стоит поделить на деяния стратегического характера и мелкую тактическую суету. Стратегии, по моим наблюдениям, ближе репертуарный вопрос, а тактика чаще упирается в актерские проблемы. Впрочем, иногда и тактические, и стратегические намерения вдруг объединяются в какой-то одной точке. Это, как правило, залог некоторой возможной удачи, хороший признак, добрая примета.

По прошествии нескольких лет моего главрежства окончательно сформировалась группа артистов, соединение которых в одну общую сценическую команду начало казаться мне сильной идеей с точки зрения как тактики, так и стратегии.

Этому единению очень способствовало доверительно-печальное извещение Р.Г. Экимяна, моего верного директора, который, просчитав все бушующие в начальственных сферах вихри, сказал прямодушно, но потупясь: «Марк Анатольевич, принято предварительное решение о вашем снятии. Спасти наше дело может только спектакль, пронизанный исключительной идейностью. Это должно быть нечто, целиком закрывающее проблему вашего увольнения за политические просчеты. И нечто такое имеется. Называется оно «Оптимистической трагедией».

Может быть, я вызову неприязнь у наиболее прогрессивной части нашего общества, но признаюсь: «Оптимистическую трагедию» Вс. Вишневского я все-таки относил и, что самое печальное, продолжаю относить к наиболее заметным и даже по-своему талантливым сочинениям так называемой советской классической драматургии. В основе ее, по-моему, лежит идея, даже могущая быть выгодно продана где-нибудь в Голливуде. На анархически разложившееся военное судно назначается молодая женщина, комиссар — представитель нового политического режима.

Абсолютная биологическая и политическая несовместимость героини и агрессивно настроенной полукриминальной матросской массы делают их взаимодействие достаточно серьезной и парадоксальной драматургической идеей. Разработчики темы могут быть разные, всякие, но сама драматургическая коллизия — стоит денег. Известно, что на Западе счастливая идея может быть (и закономерно) щедро оплачена.

Эта статья расходов, как я уже писал, не предусмотрена в бюджете наших театров, но Р.Г. Экимян, как до него А. Силин с «Тилем», по моим представлениям, достойны щедрой оплаты. В особенности если ситуация в театре совпадает с потребностью в такого рода идеях. В тот момент идея Р.Г. Экимяна об «Оптимистической трагедии» целиком совпадала с необходимостью предпринять еще одну попытку и назло врагам остаться в должности главного режиссера.

И что немаловажно, кроме некоторых пафосных сентенций двух ведущих, в пьесе было очень мало противного, что само по себе редкость для советской пьесы. Там были истинная борьба, кровь, достаточное количество нелицеприятной правды и умеренное количество социалистического пафоса, который можно было закономерным образом притушить.

Пишу об этом так подробно, потому что «Оптимистическая трагедия» в Ленкоме была спектаклем талантливым, запоминающимся, и мы сегодня на репетициях других драматургических творений с удовольствием вспоминаем работу Е. Леонова, А. Абдулова, И. Чуриковой и особенно А. Збруева в небольшой роли пленного офицера. В этом сочинении мы узнали что-то новое о нашей братоубийственной бойне, о некоторых выразительных сценических акциях, в которых участвовало сразу большое количество первоклассных актеров, мы открыли для себя демагогию революционной фразеологии и многое другое. Как ни странно, спектакль 1983 года продолжает свою жизнь в нашей коллективной памяти, и мы иногда припадаем к его открытиям.

Когда я, набравшись всей смелости, отпущенной мне богом, принял решение о начале работы, я, конечно, ожидал, какие кислые физиономии я буду лицезреть у своих единомышленников, и вместе с тем не предполагал, какое сопротивление встречу и со стороны любимых артистов, и со стороны будущих зрителей. Я, конечно, надеялся на успех, но не подозревал, что эта работа с Е. Леоновым, И. Чуриковой, О. Янковским, Н. Караченцовым, А. Збруевым, В. Проскуриным, Н. Скоробогатовым, Ю. Колычевым, В. Корецким, Б. Никифоровым, В. Сергеевым, А. Абдуловым и другими артистами подарит мне ощущение нового этапа в моих постановочных и методологических устремлениях.

Сомнений было предостаточно. Отношение некоторых ведущих актеров и умных знакомых к пьесе, которая в тот момент шла в двух столичных театрах, было более чем сдержанным. Но, как сказал Данте Алигьери: «Иди своей дорогой, и пусть люди говорят что хотят».

«Оптимистическая трагедия» родилась в Камерном театре под огромным режиссерским воздействием А.Я. Таирова. Эта исключительная личность обладала, по отзывам современников, необыкновенной творческой и организационной заразительностью. Внимательно изучая пьесу, я очень давно почувствовал, что ее драматургическое тело пронизано сильнейшей режиссерской энергетикой. Ее ремарка скоро становится не просто дерзкой, — применительно к будущей, нетаировской режиссуре, — она приобретает во многом самодовлеющий эпический характер, начинает подниматься как на дрожжах и в конце концов звучит как музыка, сочиненная композитором Таировым. А музыка за счет своего мощного эмоционального воздействия может очень скоро (в музыкальном спектакле) подняться над текстом. Я не знаю, сколько в таировском спектакле было музыки, но, судя по тому, как записана пьеса, музыки было много, и спектакль Камерного театра был, очевидно, в значительной степени музыкальным.

Хочу доказать, что «Оптимистическая трагедия» не просто пьеса — во многом очень субъективное театральное сооружение, где в драматургическую ткань с согласия и при участии автора очень ловко и талантливо вплетена режиссерская партитура. Это прекрасно само по себе, но других серьезных режиссеров это, как правило, останавливает, ибо тогда пьеса превращается частично в режиссерский сценарий, наподобие режиссерского сценария в кинематографе. Кто же из серьезных и самобытных театральных творцов захочет ставить чужой сценарий?

Много лет подряд идет спектакль «Тиль». Пьеса у Горина лихая, веселая, «самоигральная», но ни один серьезный театр в стране не поставил ее после нас. Почему? Драматургия здесь слишком плотно срослась с режиссурой и даже музыкой, сочиненной к этому спектаклю. Я — не Таиров, явно подражать мне, сделать слепок с моего спектакля — занятие несолидное. Чтобы кто-то на это решился, мне надо как минимум умереть. Лучше это сделать и Горину. В таком случае спектакль прекратит свое психологическое давление.

Найти принципиально новое, яркое сценическое решение для пьесы, рожденной в тесном контакте с сильной режиссурой, соскоблить из печатного варианта хорошую, но чужую режиссуру, сформировать на основе нашумевшего театрального явления, так поразившего современников, иную эстетику — дело в высшей степени непростое.

Пример вроде бы противоречащий мне, опровергающий меня — известный спектакль Г.А. Товстоногова, нашего выдающегося режиссера. Но убежден: это особый случай. «Оптимистическая трагедия» поставлена им в 1955 году, в

ЛЕНКОМ — МОЙ ДОМ

203

период восстановления престижа режиссерской профессии, восстановления всего постановочного и сценографического богатства, накопленного русским, советским театром. Этот спектакль во многом способствовал режиссерской реабилитации А.Я. Таирова, как «Баня» и «Клоп» в Театре сатиры воздавали должное великому соавторству Маяковского и Мейерхольда.

В период своей «допрофессиональной» деятельности я поставил однажды «Оптимистическую трагедию» со студентами Пермского университета. Конечно, это был самодеятельный перепев не виденного мною таировского спектакля, но на большее я тогда и не мог претендовать. В первые годы работы в Театре имени Ленинского комсомола я, повторяю, не раз брался за старую, испещренную пометками пьесу и принимался рисовать на ней новые линии и пунктиры. Привлекательное название для главного режиссера! Очень подходящий случай сбалансировать репертуар безопасным, проверенным способом. Слишком многие люди поступали до меня подобным образом и добились в конце концов того, что зрители стали вздрагивать от одного только названия. Произведение Всеволода Вишневского — синоним праздничного, помпезного представления к какой-нибудь торжественной дате (при обилии таковых мы все-таки ухитрились поставить ее между празднествами и фестивалями).

* * * *

Теперь самое главное: где-то в окрестностях 1983 года мне показалось, что я располагаю относительно новыми намерениями в отношении этой достаточно любопытной пьесы. Я окончательно осознал, что не имею права повторять на нашей сцене прекрасные открытия Камерного театра, варьировать найденную им тональность. Слишком многие театры разыгрывали музыку Таирова, в конце концов зрители выучили ее наизусть, и она им, мягко говоря, надоела. Но в том-то и дело, что талантливая пьеса надоесть не может. Могут надоесть однотипные спектакли, которые сами по себе принимают эталонный облик. Думаю, что по этой причине мы, скажем, не имеем на нашей сцене новой «Бесприданницы» А. Островского. Нет пока принципиально новых режиссерских идей, а старые слишком хорошо всем известны. Впрочем, может быть, сами по себе идеи имеются — нет необходимой мощи, чтобы сокрушить старый канонический облик «Бесприданницы» и превратить ее в классическую пьесу не в одной только теории, но и на практике.

В 1983 году моим новым намерением в отношении «Оптимистической трагедии» стало желание осторожно, с максимальным тактом снять с этой драматургической фрески слой по-своему замечательных, но чисто режиссерских красок, добраться до действительной первозданной драматической основы.

После своеобразной режиссерской «расчистки» я, как мне показалось, обнаружил (для себя) целый комплекс острейших, правдивых, жестоких ситуаций нашей многострадальной истории. Мне показалось, что я прикоснулся к несколько иной драматургии — суровой, непричесанной, немузыкальной, не отшлифованной никакими помпезными фанфарами и декларативными вставками двух бравых ведущих.

Мы продолжаем мучительно раздумывать над нашим прошлым. Даже когда устаем размышлять о нем — работает наше подсознание и готовит нам новые мысли. Под красивой и яркой упаковкой застонало и задергалось в пьесе (лично для меня) что-то очень живое, нужное людям всегда, и сегодня тоже. Оно, это живое начало, подарило множество новых ощущений. В том числе такую простую мысль — жестокую братоубийственную бойню на земле призвана остановить Женщина. Войной любоваться не следует. А что касается Гражданской войны, в ней — сегодня мы это хорошо понимаем — погибли те люди, гибель которых мы сегодня воспринимаем как невосполнимую утрату. Интересно, что Гражданская война в пьесе, по существу, закончилась, поход генерала Каледина отбит, а желание, подлая инерция всегда и во всем действовать по законам войны — остались.

Когда «на корабле возник бунт» — я имею в виду ведущую группу артистов театра, которые отказались работать над этим материалом, так как на нем «живого места нет» и пьеса «исполосована» прежними спектаклями, — я предложил артистам несколько иной способ сотрудничества: исследовать этюдным порядком драматургическую действенность отдельных эпизодов, может ли каждый эпизод в пьесе стать живой, конфликтной ситуацией, которая интересна для сегодняшнего зрителя. (Скажу сразу: мы не нашли такой живой основы для предпоследнего эпизода, «В плену».) Я написал режиссерский сценарий почти так, как пишут его режиссеры кино, правда, впоследствии мы во многом отходили от этого документа, но он сыграл известную роль в подавлении «бунта».

Следует отдать должное многим актерам театра, снимающимся в кино: как только они почувствовали возможность почти кинематографического свободного движения, их активность сразу же возросла. Не все, конечно, мне до конца поверили, что пьеса хорошая. Но когда я впервые читал пьесу Б. Брехта «Кавказский меловой круг», я, помнится, тоже не верил, что это приличная пьеса.

Умный Брехт писал пьесы в расчете на могучую фантазию будущего постановщика и будущих исполнителей. Он не заковывал их в железные этнографические и режиссерские цепи, он оставлял им воздух для контакта с будущими зрителями — в этом, на мой взгляд, проявлялась его истинная театральная мудрость.

Как ни странно, но я почувствовал вместе с актерами этот «воздух», этот драматургический простор и у Вишневского. Во время работы я временно опустил некоторые декларативные добавления, необходимые в 1933 году, потом частично их вернул для очистки совести, частично оставил за пределами нашего спектакля.

Пьеса создавалась летом 1932 года. Сегодня торжественная громкость сама по себе больше не является сильным и свежим сценическим средством. Поэтому прежде всего следовало найти новое начало. Новую тональность для разговора с новым зрителем.

Пьеса начинается с выхода на просцениум двух ведущих и их обращения прямо в зрительный зал. Я взял на себя смелость посчитать этот выход своеобразным пре-

дисловием, даже не прологом, и, думаю, живи Вишневский
вечно — он бы переписывал это вступление каждые тридцать лет. Да, мы соединили двух действующих лиц в одно
и сократили вступительный текст. Первые слова в спектакле — не знаю, что может быть важнее для режиссера! Поверит тебе твой зритель или не поверит? Потеря зрителя в
первые минуты может оказаться роковой. Вероятно, поэтому Ведущий пришел к нам сильно постаревший, пришел
с тех праздничных встреч, полных необъяснимой горечи,
что снимаются на пленку нашим телевидением 9 Мая среди
цветов, дрожащих голосов и улыбчивых слез. Этим людям
мы сегодня по-человечески верим абсолютно, им уже нечего терять и нечего приобретать. И если они даже и говорят нам какую-нибудь дежурную, известную всем фразу,
она в их устах все равно звучит по-своему привлекательно
и трогательно. Такой человек имеет право произнести тор-
жественные слова, без которых не может обойтись «Оптимистическая трагедия».

Но главная проблема, конечно, в Комиссаре и Вожаке.
Именно вокруг этих персонажей нашего спектакля разго-
рались основные споры. Мы были по-своему тверды и по-
считали, что Комиссаром у нас будет все-таки женщина.
Мы сразу решили договориться с нашим зрителем, что не
дадим ему никаких гарантий в победе этой в общем-то сла-
бой на вид и обыкновенной женщины.

Мы мечтали о плотном контакте зрителя с нашим Комиссаром, о сопереживании, о беспокойстве за ее судьбу.
Эта женщина изначально, решили мы, должна напоминать
многих других женщин из числа тех, что приходят сегодня
в наш театр.

«Оптимистическая трагедия» возникла в нашем театре не
на пустом месте. Нам особенно дорог лейтенант Плужни-
ков, героический защитник Брестской крепости из нашего
спектакля «В списках не значился». Мы сопереживаем этому мальчишке в форме младшего лейтенанта Рабоче-Кре-
стьянской Красной армии, потому что он самый обыкновенный парень и может глупо погибнуть каждую минуту, и
действует он вовсе не безошибочно, так же, как действуем
все мы в нашей хотя и мирной, но такой непростой жизни.

Наш Комиссар молит о помощи, надеется, что пришлют еще кого-то в помощь, но надеяться ей приходится только на самое себя. Во многих прежних спектаклях Комиссар олицетворял собой как бы всю Партию в целом. В 1983 году мне показалась такая трактовка и нескромной, и надуманной, и отчасти вульгарной. Даже вредной. (Для искусства, конечно.) Если бы Борис Васильев впрямую отождествлял мощь Советской армии с личностью Плужникова, у него не получилось бы романа, а мы не имели бы живого, романтического спектакля. Конечно, по поведению и образу мыслей младшего лейтенанта Плужникова можно составить себе некоторое представление о Советской армии и боевом духе русского солдата так же, как, оценив всю недолгую жизнь Комиссара, можно заключить, что представляла собой, кстати, достаточно незаурядная часть российской интеллигенции, что пришла в революцию.

Наши оппоненты могут сказать и говорят: «Ладно, Бог с вами, пусть появляется в белом платье и с зонтиком, но хотелось бы, чтобы потом, минут через двадцать-тридцать, она бы обрела истинную комиссарскую мощь». А если через двадцать минут еще не обретет этой комиссарской мощи, если будет мучительно искать каждый раз верный и единственно возможный путь к спасению, искать и пока не находить, что тогда? Перестанет быть комиссаром?

Симоновский генерал Серпилин, например, сумел появиться в нашем искусстве только спустя многие годы после Великой Отечественной войны, когда мы окончательно убедились, как много у нас героев с горящими глазами, героев ловких и удачливых. Тогда мы смирились с появлением и такого непривычного командира. Прошли долгие годы, мы многое узнали и многое переосмыслили. Героизм и сила человеческого духа столь же разнообразны в своих внешних и внутренних проявлениях, как разнообразен венец мироздания — человек.

Несколько слов о Вожаке. Заметили мы, что тираны при большом скоплении людей стараются выглядеть крайне обаятельными, улыбчивыми, добрыми. Внешне они никогда не пугают, наоборот, ласкают и говорят справедливые человеческие слова. Механизм их кровавого и тупого воздействия на людей упрятан глубоко от посторонних глаз, здесь много тайных пружин и невидимых миру рычагов. Обычно рядом с таким главарем орудует команда подручных и выделяется там какой-нибудь ретивый умелец вроде Сиплого. Такого потом самого могут принести в жертву, но пока он об этом не догадывается, то подумывает о себе как о преемнике власти и осуществляет жестокие, устрашающие, непопулярные акции, от которых сам Вожак старается держаться в стороне. Мы не можем и не должны знать всего о главаре анархистов. Властью нельзя делиться со всеми. В самой природе ее должна быть необходимая тайна. Хотя о многом, разумеется, мы можем и должны догадываться, и прежде всего о дьявольской интуиции Вожака. Наши оппоненты хотят точно и определенно знать: почему Вожак в нашем спектакле стал Вожаком? Во-первых, это тема отдельной пьесы, которую мы за Вишневского писать не думали. Во-вторых, хочется спросить оппонентов: «Кто вообще, по вашему мнению, становится лидером во вражеском стане? (Так несколько упрощенно и условно сформулируем этот вопрос.) Самый тупой?» — «Нет, конечно». — «Самый умный?» — «Никогда!» — «Самый хитрый?» — «Нет. Такой может быть советником». — «Самый жестокий, самый страшный человек? Людоед?» — «Ни в коем случае!» А кто? Согласитесь — очень непростой вопрос.

Кое-какими важными качествами, кроме перечисленных, наш Вожак, по моему мнению, все же обладает в достаточной степени. И есть в нем еще некая привлекательная народность. Вышел он из народа. Это немало. Он — свой, понятный, родной. Не какой-нибудь социал-демократ в пенсне! Хотя народность его при внимательном рассмотрении оборачивается псевдонародностью, потому что восставшему народу нужны руководители грамотные, тянущиеся к культуре, а наш Вожак человек безграмотный, но в экстремальных ситуациях это не так бросается в глаза. И потом, он заботился «о справедливости» и «об отдыхе». И еще, он человек с душевной контактностью, с мужицкой смекалкой, веселым и упорным характером.

И последнее слово в свое оправдание. Хотя мы начинаем наше размышление с галереи морских фотографий, все же спектакль не только о моряках. Я попросил художника О. Шейнциса не сооружать на сцене добротного военного корабля. Я его очень боюсь. С тех пор как кинематограф стал цветным и широкоформатным, мы перестали с ним соревноваться. Мы осознали свою силу в фантазии зрителя и смелом сценическом обобщении. Может быть, полезнее почувствовать нам в этом спектакле расплавленную, обгорелую землю нашей многострадальной истории, землю, которую мы обязаны лелеять, взращивая на ней красивых, смелых и умных людей. Мы слишком многих потеряли.

Что я думаю про Е.П. Леонова

Свои размышления о Е.П. Леонове я писал задолго до его смерти, и сейчас мне очень не хочется описывать их обязательно в прошедшем времени. По разным причинам, может быть отчасти мистическим. Как бы это громко ни звучало, но его сегодняшнее присутствие в «Ленкоме» — вещь для нас неоспорима. И посему пусть написанное мною будет выглядеть, как в то прекрасное время, когда я имел величайшее счастье общаться с великим русским артистом.

Начало нашего знакомства относится к тем далеким временам, когда Евгений Павлович Леонов, блистательно играя Лариосика в «Днях Турбиных», гастролировал с Московским драматическим театром имени Станиславского в Перми, а я делал безуспешные попытки устроиться в эту столичную труппу.

По рассказам очевидцев, художественный руководитель театра, замечательный русский актер и режиссер Михаил Михайлович Яншин, с особым педагогическим мастерством передал молодому актеру секреты своего неувядающего искусства. Лариосик был сыгран некогда самим Михаилом Михайловичем — участником знаменитого мхатовского спектакля. Талантливый и своенравный ученик играл с уважением к «первоисточнику», но во многом по-своему...

Леонов — Лариосик врезался в память, ошеломил, как необычайной яркости театральный праздник. Смешной, беззащитный человек, уморительный и трогательный до слез, поднявшийся в моем сознании к той запредельной высоте, когда человеческая наивность обретает черты вселенской доброты и, стало быть, мудрости. Наверное, мудрость человеческая не есть сумма знаний и даже не качество интеллекта, скорее, свойство страждущей души...

Есть чуждое нам идеалистическое воззрение, утверждающее некую трансцендентную связь личности с ее фотографическим изображением. Не принимая близко к сердцу этого насквозь ошибочного суждения, хочется тем не менее узреть в некоторых отдельных случаях устойчивую тайную взаимосвязь актера-творца и созданного им образа.

Друзья-театроведы, ведущие серьезные научные изыскания в мизансценических и интонационных недрах нашего искусства, постоянно углубляясь в судьбы популярных артистов, вероятно, расскажут о творческом пути Е.П. Леонова более обстоятельно. Я могу только по-своему: сбивчиво и отчасти неуверенно. Последнее, впрочем, рассматриваю как достоинство. Неуверенность в театроведческих публикациях считается таким недостатком, которого и быть не должно, а мне его не хватает. Не хватает суждений осторожных, проблематичных, дискуссионных, когда автор размышляет столь откровенным образом, что, расставаясь с главным театроведческим качеством — безапелляционностью, честно повествует нам о вопросах, не дающих ему покоя, но к которым движется он деликатно, по путям нехоженым, скользя по бесчисленным траекториям, лишь приближаясь к постижению того, что постичь до конца невозможно.

Мне хочется описать детство Евгения Павловича, которое я не знаю, а только догадываюсь, потом послевоенную голодную юность и даже работу на авиационном заводе в качестве ученика слесаря. Но «воспоминания» мои о том времени неприлично расплывчаты и ненадежны, потому что сам Евгений Павлович рассказывал о себе неохотно. Он только казался покладистым человеком, эдаким улыбчивым добряком. Комики — самые мрачные люди. В жизни не расплескиваются, берегут энергию для комедийных взрывов на сценических подмостках и съемочных площадках. На Леонова как ни посмотришь — в глазах сомнение, тоска, мелькает и недовольство. Последнее, кстати, есть для художника качество ценное. И заниженный жизненный тонус тоже, вероятно, оптимальное состояние. Если есть у художника Направление и Цель, а жизнь ему отпущена не бесконечная (не все живут подобно Джамбулу Джабаеву и Пабло Пикассо), может быть, стоит иной раз и пожалеть силы, не разбрасываться, не размениваться, не дергаться, не отвлекаться на мелкие статейки, если можешь написать роман!..

Все это из области эфемерных ощущений, а ручаться могу лишь за то, что знал о Евгении Павловиче совсем мало. Не пускал! Возможно, это защитный рефлекс. Он, любимец публики и товарищей по работе, вызывал пристальный интерес, все домогались его внимания и хотели расспросить обо всем на свете. И он, естественно, очерчивал круг, создавал «буфетную» зону общения, полную молчаливых улыбок при грустном выражении глаз. И даже режиссер, с которым он работал долгие годы, не на все имел право. А какие, собственно, преимущества у режиссера? Кто он такой? Самая близкая и любимая для актера фигура, одновременно вызывающая перманентную подозрительность и яростное негодование.

Однако случается, что актер достигает той желанной независимости и свободы, когда может относиться к представителям этой взбалмошной и крикливой профессии с холодным спокойствием и товарищеской снисходительностью. Артист Леонов достиг той редкой для зависимой профессии артиста высоты, когда мог делать то, что хочет, с кем хочет и там, где пожелает.

Это не бесконечная полоса в актерской жизни, но она у Евгения Павловича счастливым образом продолжалась, и довольно долго.

Почему?

Какой-то надежный фундамент. Устойчивая внутренняя опора. Очевидно, она была заложена в те далекие времена, с которых я начал.

Впервые на экране я увидел Леонова в кинофильме «Дело Румянцева», где замечательный артист Алексей Баталов был таким же замечательным артистом, каким он является сейчас. Даже внешне Баталов почти нисколько не изменился, а Евгений Павлович за прошедшие годы прожил сразу несколько жизней, перебрался из одной театральной эпохи в другую, преобразившись из милого, обаятельного паренька в человека безмерной судьбы, чей насмешливый взгляд впитал в себя страдание и удачу целого поколения.

Каким образом молодой актер самых обыкновенных способностей, типаж для небольших полузабавных киноэпизодов превратился в народного артиста не по званию, а по сути — вопрос увлекательный. Если бы извлечь из этого долгого пути общие рецепты и правила, размножить их типографским способом, раздать студентам первых курсов театральных вузов, как можно было бы обогатить педагогику! Беспочвенные мечтания, маниловские бредни вообще характерны для режиссеров в еще большей степени, чем для актеров...

И все-таки удача лежит не столько на путях педагогики, сколько в духовном созидании, в дебрях той кропотливой и незаметной работы, которую ведет актерское подсознание, если его об этом очень просят, если его умоляют, заламывая руки, и гонят прочь шальные вредоносные мысли о покое, отдыхе, сытости и тепле. «Надо много работать» — сама по себе фраза ценности особой не представляет. Все о ней знают. Работоспособность имеет тысячи нюансов, и необязательно лентяй — всегда неудачник, как Стрекоза у Крылова, а честный трудяга, попотев немного, получает в награду приз в виде сложившейся актерской судьбы.

В интересующем нас деле значение имеют те вещи, что можно разглядеть невооруженным глазом, — видимый спектр актерского труда и поиска, а потом главное — сгорающие клетки мозга, их качество, структура и характер горения. Иногда кажется, что стоит как следует на себя обидеться, возвести неудовлетворенность в постоянно действующую величину, обрести беспокойный характер, но не обозлиться, как бы туго тебе ни приходилось, и постепенно придет успех. Да, очень хочется разложить необходимые актеру заповеди по полочкам и вычертить на миллиметровке путь к штурму театрального олимпа...

Педагогических пожеланий накопилось в нашем деле предостаточно. Недостает гарантий успеха... А ведь есть еще счастливые стечения обстоятельств, игра случая, включая такие несуразные факторы, как вес и внешний облик.

Пишу — и самому тошно. Совсем ненаучный анализ, дилетантские домыслы вместо повода для диссертации! Разве в килограммах дело? Представить страшно: и в килограммах тоже. И в качестве рисунка морщин и расположении жировых отложений... Естественное дело: строгий контроль над собственным организмом, спортивный облик — дорога к творческому долголетию. Все просто. Только разве Наталья Гундарева приобрела бы зрительскую любовь с осиной талией? Сомневаюсь. А поджарого Леонова и представить невозможно. Это был бы не Леонов — это была бы другая судьба и иной, скорее всего, малоинтересный субъект с плохим характером...

Какие выводы можно извлечь из столь сомнительных размышлений? Пожалуй, никаких. Впрочем, какие-то идеи сформулировать в нашем деле всегда полезно, в любом случае, даже если они ошибочны.

Театр — зеркало общества, а актер есть отражение современника... Большим актером, выразителем своего времени становится тот человек, кто впитал в себя жизнь окружающих его людей, их духовную сердцевину и внешний облик... Говорят, долго живущая собака начинает напоминать своего хозяина. Не умаляя его человеческого достоинства, хочу сказать об актере, что, вероятно, он обязан почувствовать свою связь с социальным типом, которому наиболее близок. И свой внешний облик с помощью внутренней скрупулезной работы, с помощью ее величества Интуиции приблизить к воплощению Времени, в конкретном живом человеческом обличье.

Внешний слой этого процесса — жадное наблюдение, постоянно растущая коллекция человеческих проявлений. Контактность Евгения Павловича, которую он научился периодически «включать» и «выключать», помогла ему собрать яркие подробности поведения определенных социальных типов. Я видел его в общении с незнакомыми людьми во время поездок в поездах дальнего следования. Отдельные пассажиры, минуя всяческие представления о приличии и такте, бросались к нему, как мухи на огонек. А он никогда не пресекал даже самых беспардонных субъектов. Люди вообще, а театральные деятели в особенности, делятся на две большие категории: те, кто говорит сам, и те, кто слушает других. Леонов умел слушать. С грустной улыбкой он, не жалея времени, продолжал впитывать в свою актерскую память десятки, сотни человеческих судеб...

Он научился рассказывать о людях, никогда не опускаясь до анекдотов и актерских баек, его взгляд был гораздо проницательнее, чем могло показаться. Его часто воспринимали как баловня судьбы, современного Фальстафа, а он исследователь и наблюдатель, легкоранимый художник, весьма строгий к себе и собственным желаниям. Он застенчив, меланхоличен и вместе с тем всегда был готов для самых смелых и неожиданных поступков. Очень трудно понять его настроение, угадать его желания, оценить меру его симпатии. Он умел общаться с самыми разными людьми. Все воспринимали его как своего, не подозревая, сколь велики его аналитические способности в оценке человеческого характера, как быстро и цепко заглядывает он в душу и ставит диагноз.

Это изучение велось Евгением Павловичем вовсе не для того, чтобы потом «передразнивать» объекты своих наблюдений. Количественные накопления познаний приводили к качественному изменению его актерского мышления.

В свое время мы с ним очень быстро договорились о социальных аспектах нашего поиска, мы сосредоточили внимание не только на широких проявлениях доброй совестливой души, но и на болезнях века, на агрессивных, внешне обаятельных поползновениях лихоимцев, прохиндеев, делающих подчас блистательную карьеру, людей бескультурных по своей человеческой сути.

В «Оптимистической трагедии» Леонов сумел создать своего рода энциклопедию «номенклатурного негодяя». Вожак Леонова — очаровательный добряк, широкий, кряжистый, могучий. Внешность в решении кадровых вопросов — категория немаловажная. Нужна внешняя доброта, обаяние. Неторопливость тоже добродетель. Спешат те, кто в себе не уверен. Хорошему человеку спешить некуда...

Мы постарались воспроизвести этот социальный механизм всерьез, чтобы зритель не сразу воспринимал его как негативную фигуру. Пусть ему поверят и даже почувствуют симпатию. Пусть сработают условные рефлексы.

Леонов располагал огромным запасом наблюдений над людьми, гордо и неподвижно восседающими за массивными письменными столами, едва слышно проводящими беседы, о которых непосвященным знать не положено.

Во время репетиций мы делились собственными ощущениями и воспоминаниями о пластике и повадках людей, возомнивших себя вершителями судеб. Так родились замечательные телефонные разговоры Вожака. Он буквально останавливал действие пьесы и вел тихим, неторопливым голосом конфиденциальные беседы с другими, ему подобными вожаками. Все должны были замереть при этом и ждать окончания разговора. Конечно, это был действенный удар по авторитету и самочувствию Комиссара.

Умение действовать, вообще потребность в скрупулезном действенном анализе была у Леонова в крови. Здесь он последовательный ученик М.М. Яншина. Однако оговорить действенную подоплеку роли — не слишком большая заслуга. Выбрать, наметить такой действенный ряд, который сформировал бы предельно достоверное и вместе с тем комедийное развитие событий, — задача повышенной сложности, и временами Евгений Павлович решал ее виртуозно.

Конечно же, претензии Вожака простирались дальше письменного стола и телефона. Он свидетель великих революционных событий, не раз наблюдал пламенных ораторов. Леоновскому герою очень хотелось подражать этим людям, руководить массой не только с помощью кулака. Очень хотелось быть идеологом. Хотелось прослыть ученым, мыслителем, оставить после себя если уж не печатные труды, то, по крайней мере, речи.

Одну такую попытку леоновский Вожак предпринимал неистово. С моей точки зрения, это была вершина роли. Речь у него не получалась, но он ее продолжал изо всех сил, как положено — с призывными междометиями и жестикуляцией. Во рту каша, смысла никакого, одно «вдохновение». Замечательная по своему оглушительному комедийному эффекту претензия на руководство. «Некомпетентность» Вожака — Леонова, на мой взгляд, — пример острого социального мышления артиста. (Немного высокопарно. Леонов не любил режиссерских тирад, но лучше пока сказать не умею.)

В Вожаке и Подсудимом («Диктатура совести» М. Шатрова) Леонов атаковал не смешных и уже безобидных сегодня субъектов, он поднимал меч сатирика на великое зло нашей жизни. Вор, делающий служебную карьеру, не перестает быть вором. Это слово я употребляю не в значении «мелкий карманник», а скорее по Далю, где «вор» — не только «жулик», но «изменник»...

Когда Е.П. Леонов стал истинно народным артистом? Я полагаю, после «Белорусского вокзала». Сам же Леонов с особой симпатией отзывался о фильме «Донская повесть». Я с этим не согласен. Однако спорить не хотел, споров у нас и так хватало. Но поскольку я тоже упрямый, скажу: в «Белорусском вокзале» Евгений Павлович совершил бросок в новое состояние. Он выразил не себя, хорошего артиста, — за ним был целый пласт людей, не слишком удачливых, не слишком счастливых, добрых, веселых и самое главное — родных. А ведь родных любишь неизвестно за что...

С этого момента Леонова по-настоящему полюбили современники, не всегда отдавая себе отчет, за какие именно качества. Над смешными артистами с удовольствием смеются, но душа при этом не болит, с Леоновым — иначе...

Что-то мы такое на самом деле — сказать всегда затруднительно, но кое-какие особенности в поведении и мыслях, шутках и слезах мы за собой осознаем. Леонов преуспел в этом больше других, и очень по-русски, задушевно, широко, не всегда складно, без стараний, не так, чтобы из кожи лезть, а уж как получится. Почти всегда с улыбкой, как Петр Алейников... И улыбался он не для того, чтобы понравиться, а скорее извиниться перед нами за то, что мир наш пока еще так несовершенен.

Герои Леонова — совестливые люди, они как бы приближают нас к тому самому страданию, о котором поведал миру Ф.М. Достоевский. Жаль, что не было спектакля, где Евгений Павлович мог бы встретиться с героями великого писателя... Но зато были в репертуаре артиста «Иванов» А.П. Чехова, поставленный в 1976 году, «Лекция о вреде табака» — фрагмент из фильма М. Швейцера по ранним рассказам Антона Павловича. Эту киноработу я считаю непревзойденным уроком современного актерского мастерства.

Чаще других Евгений Павлович вспоминал своего учителя М.М. Яншина, его режиссерские и педагогические заповеди, к числу которых относилась и такая сложная для меня позиция: «Тебя вчера проводили со сцены аплодисментами, — говорил мудрый Яншин, — значит, что-то не так. Что-то не в порядке. Надо разобраться, в чем ты ошибся».

Всем сердцем понимая справедливость суждения, мне, бывшему актеру, очень трудно распространить эту заповедную позицию на все случаи театральной жизни. Живой театр может возвыситься до кафедры, а сценографические деревяшки обернуться баррикадами, и тогда овация в зале — желанное и необходимое явление.

Я долгие годы внедрял систему импровизационных действий, непрогнозируемых ударов по зрителю и близстоящему партнеру. Все мои разговоры о «коридоре» роли, о «белых пятнах» в теле спектакля, об обязательных изменениях в актерских приспособлениях упирались в наличие сильного актерского организма.

Ни в коем случае не хочу сказать, что Леонов удовлетворил всем этим режиссерским мечтаниям. Скорее он их во мне воспитал, не один, а в компании с некоторыми другими мастерами театра, где я работаю.

Репетиции спектаклей «Иванов» и «Вор» В. Мысливского, вероятно, важнейший для меня этап. (Я писал эту главу до появления «Поминальной молитвы» — выдающейся работы Артиста.) Евгений Павлович, не подрубая крыльев, весьма уверенно остудил мою режиссерскую прыть, воспротивился некоторым легкомысленным налетам на материал, подарил известный сарказм по поводу частого упоминания вахтанговской формулы «фантастический реализм».

Когда я пренебрегал подробным выявлением действенной первоосновы в том или ином эпизоде, Евгений Павлович всегда осторожно интересовался, уж не фантастический ли это реализм. (Опять!) Приходилось соглашаться: «Он!» И, несмотря на юмористический характер диалога, я чувствовал себя виноватым.

А потом мы пришли к соглашению: надо все объяснить друг другу, обо всем договориться, надо проанализировать предлагаемые обстоятельства, как учил великий Станиславский, и тогда каждый из нас будет иметь право на собственный спонтанный, необъяснимый порыв. И вот его объяснять не всегда уместно. Его расчленять на составные величины — необязательно. Потому что творческий акт основан на том вдохновенном движении души, которое поэты прошлого принимали за милостивый подарок Всевышнего...

Я недаром сейчас задрал голову ввысь и подумал о космосе. Большой артист в какие-то моменты действительно отрывается от земного покрытия и оглядывает с высоты полета судьбу народа, осознавая себя его частицей...

И еще одна мысль не дает покоя: человек — национальное достояние обязательно имеет посмертную судьбу, он навсегда остается со своей нацией и ее культурой.

Авторская стилистика

Театральное искусство, как, впрочем, и всякое другое искусство, — вещь противоречивая. Ему свойственны парадоксы. Постоянно действующие законы для театра — несбыточная мечта. Хотя и заманчивая. Осуществление этой мечты сильно бы упростило наше дело. Но сценическое искусство имеет подлую тенденцию не к упрощению, а, напротив, как и жизнь на нашей планете, — к усложнению. Это уже не парадокс, как говорил один из персонажей драматурга Горина: «Это не факт, это больше чем факт: так оно и есть на самом деле».

Меня задело одно критическое замечание по поводу авторской стилистики применительно к поставленным мною «Жестоким играм» А.Н. Арбузова. Речь шла о совпадении и несовпадении режиссерского решения с авторской интонацией. Скажу больше: несмотря на радость в связи со зрительским успехом, сам автор смущенно признался мне, что, конечно, такой пьесы он не сочинял. Стилистика его, арбузовского, творчества лежит в иной плоскости.

Если бы узнать, что такое режиссура, совпадающая с авторской стилистикой, то туман над режиссерской профессией в значительной бы степени рассеялся, а сама профессия перестала бы быть сравнительно редкой, и нынешнее убеждение всех умных людей, что режиссер — это штучный товар, давно бы улетучилось, и не надо было бы так долго учиться на режиссера, да потом еще всю жизнь переучиваться (каждые пять лет, как просил К.С. Станиславский). Под режиссурой я, естественно, не имею в виду добротное и грамотное воспроизведение чужого открытия, я подразумеваю сочинение собственных средств доставки авторской (режиссерской) мысли в сознание современного зрителя. Истинная режиссура — всегда импульс для бурной цепной реакции, когда идеи театра вообще и данного конкретного спектакля в частности вызывают множество небесполезных для человека и общества раздумий. Импульс — каждый раз иной, в зависимости от авторских воззрений и стилистических особенностей драматургического материала.

В практике современного театра имеется негласный джентльменский набор сценических приемов для воспроизведения стилистики того или иного автора. Этот свод правил не записан на бумаге (таких циников среди нас не нашлось), но в театральном обиходе он существует, и большинство режиссеров, театроведов, актеров, сценографов и наиболее осведомленных зрителей хорошо знают, как принято (культурно и со вкусом) эксплицировать, оформлять, мизансценировать и (извините) тонировать Чехова, Островского, Лопе де Вегу, Олби, Шекспира, Мольера и других. Вот тут, пожалуй, и начинаются главные парадоксы.

В первые послевоенные годы в Московском театре имени Ленинского комсомола режиссером С.Л. Штейном была поставлена «Женитьба» Гоголя. Спектакль шел с успехом, получился сочным, дерзким, с большой дозой гоголевского гротеска, с режиссерскими и актерскими находками. Бесспорные достоинства спектакля, его соответствие гоголевской стилистике нашли свое отражение в многочисленных рецензиях. Перечитывая их сегодня, понимаешь, что тот удачный спектакль совершенно не похож на «Женитьбу» Гоголя, поставленную А.В. Эфросом в Театре на Малой Бронной. Но работа Эфроса, по достаточно единодушному мнению ныне здравствующих ценителей, — талантливое, задевающее нас за живое, не противоречащее духу автора театральное произведение. Стало быть, что тот — истинный Гоголь, что этот — истинный. Оба спектакля хороши, потому что полностью совпадают со стилистикой Гоголя, однако ничего общего между собой не имеют. Этот парадокс меня интересует больше других. Почему он возможен? Потому что Гоголь — классик, а режиссер сегодня — во многом автор спектакля. Гоголь — великий русский писатель и драматург. Он впитал в себя столь мощную и обширную информацию о жизни, так деформировал ее своим гением, превратив в гоголевскую стихию, что идти к ее сценическому, телевизионному, оперному, кинематографическому воплощению можно не одной только знакомой дорогой, но бесчисленным количеством путей, касаться Гоголя можно по разным траекториям и под разными углами взаимодействовать с ним. (Именно взаимодействовать, а не воспроизводить.) И будущие удачные спектакли по «Женитьбе» Гоголя будут не похожи ни на спектакль Эфроса, ни на спектакль Штейна. Однако что-то очень важное и неуловимое их все же объединять будет. Это «неуловимое» и есть сам Николай Васильевич Гоголь. Такой всем понятный и такой для всех неуловимый. С этим парадоксом знакомы многие постановщики, отыскивающие собственные пути для сценической реализации хорошо известного всем автора. Сама известность автора никак не помогает делу, скорее, наоборот, всячески его отягощает.

Но я полагаю, что если к гению можно идти разными дорогами, то и к хорошему драматургу, каким, бесспорно, является Алексей Николаевич Арбузов, тоже пробиться можно не одной-единственной тропинкой.

Я сомневаюсь, что Арбузова всегда надо ставить, взяв за основу, как об этом писали некоторые театроведы, «мечтательную и элегическую атмосферу». Оба этих слова вообще меня сильно озадачивают. Когда я их слышу, то впадаю в известное оцепенение. Не потому, что отрицаю элегию и мечту. Я обеими вещами искренне увлекаюсь, но в свободное время, а применительно к сценической деятельности, в особенности к сценической атмосфере, — попросту боюсь их. От мечтательной элегической атмосферы мы, по-моему, уже все сильно настрадались. Особенно настрадался с нами А.П. Чехов. Почему говорю о нем? Потому что А.Н. Арбузов, с моей точки зрения, самый интересный у нас продолжатель его сценических открытий. Неудержимое стремление к мечтательной элегии во многих спектаклях по Чехову оборачивается, как правило, грустной многозначительностью, вместо организации на сцене тонкой чеховской полифонии, всегда замешенной на острейшем действии (чаще скрытом) и непримиримой борьбе героев (иногда с самими собой).

Набор сценических средств для чеховских постановок в 50–70-х годах сузился до такой степени, что зритель не выдержал — выучил их наизусть и заскучал. Так случается и может случиться с любым хорошим драматургом. А ведь тот же Антон Павлович Чехов оставил нам упоминания о своего рода недовольстве, которое он подчас испытывал при постановках его произведений в театре. Это было давно, но все равно кое-что его раздражало. Может быть, уже на заре чеховского театра накапливалась кое-какая излишняя элегия и мечтательность и оставались нереализованными другие мотивы, оттенки человеческого поведения, которые нам открыл великий реформатор современной драмы.

Наверное, всякая большая литература не ограничивается четко и однозначно сформулированной стилистической платформой. Когда проза или драматургия достигают больших высот, объяснить их стилистику так же сложно, как пересказать словами музыку.

Здесь мне хотелось бы снова сказать несколько слов о светлом и очень талантливом человеке — Алексее Николаевиче Арбузове, одна из пьес которого — «Жестокие игры», похоже, замахнулась в нашем театре на рекорд долголетия.

А.Н. Арбузову повезло: он всю свою творческую жизнь был востребованным драматургом. Те пьесы, которые он сочинял, вне зависимости от их качества всегда ставились в главных театрах страны. Многие пьесы игрались с успехом за рубежом. А.Н. Арбузов не успел дожить до того времени, когда рухнул «железный занавес», российские режиссеры получили возможность познакомиться со всем мировым репертуаром, партийные цензоры из «саблезубых тигров» превратились либо в мирных, улыбчивых соглядатаев, либо попросту разбежались и так называемая современная советская пьеса перестала быть обязательным репертуарным довеском, без которого нельзя было прикасаться к Шекспиру.

А.Н. Арбузов часто сочинял пьесы с большой долей милой его сердцу беллетристики. Его герои по делу и без дела постоянно срывались в добрые, а то и попросту сладкие сентенции. Никаких острых социально-политических проблем он никогда не касался, что, кстати, до сих пор вызывает симпатию и уважение. Он был верен себе, своей особой стилистике, но что такое драматургия и будущий сценический конфликт — понимал прекрасно. Всегда. Его ставили лучшие режиссеры страны, и некоторые спектакли по его пьесам, например «Старомодная комедия», становились шедевром. Я уже не говорю о легендарной «Тане» с М. Бабановой.

Его талант, конечно, подвергался обязательной цензурной деформации, возможно, его периодически возникающая беллетристическая милота была защитным оружием, но каждую его новую пьесу ждали все театры, и он, слава богу, не дожил до того часа, когда часть его коллег, перестав быть интересными сочинителями для нового современного театра, осерчали, разозлились, измучились и даже ушли просто в среднестатистическую литературу или мемуаристику.

А.Н. Арбузова уважали, любили, хотя втайне от него подсмеивались над его отрешенностью от социальных бурь и обязательными порциями «милой доброты».

Во всяком случае, когда я обратил внимание на его пьесу «Жестокие игры», многие мои единомышленники скорчили постные физиономии. Мне же многое понравилось в этом позднем арбузовском сочинении, начиная с названия. Вот уж чем мы все овладели — так это жестокими играми, которые, кстати, чаще всего ведем с самыми близкими людьми. Конечно, в пьесе были моменты, которые хотелось переписать, но мои почтительные отношения с драматургом не позволяли поднимать этот бестактный вопрос, и я оставил тайную надежду, что некоторые противные, с моей точки зрения, сцены незаметно проскочат на общем фоне. Кое-что проскочило, но не все. Тем не менее спектакль у нас получился в достаточной степени искренним, занятным, временами талантливым. Прекрасно играла дебютантка Т. Догилева, очень выразительными фигурами стали персонажи А. Абдулова, Н. Караченцова, Ю. Астафьева. В работе над этим спектаклем мы впервые встретились с крайне одаренным сценографом Олегом Шейнцисом, и с этого мгновения наше творческое содружество уже не прерывалось.

Арбузов тонко воссоздал многие особенности в мышлении и взаимоотношениях молодых людей, иногда на подсознательном уровне. Он «услышал» подлинную жизнь в так называемых московских сценах, а сибирские сцены сочинил (выдумал). Отсюда некая дисгармония в пьесе и, стало быть, в нашем спектакле. Но дисгармония, асимметрия, аритмия, несинхронность и прочее суть понятия для сцены подчас необходимые. Когда в пьесе все составные элементы слишком хорошо пригнаны друг к другу и все процессы сбалансированы так, что не остается ни швов, ни зазубрин и нет внутри брожения и звуков рвущейся материи, — для меня подобная драматургия всегда подозрительно хороша.

А в «Жестоких играх» не все было хорошо, рвался наружу скрытый темперамент спокойного на вид драматурга, бродила злость и энергия, пульсировало отчаянное стремление остановить несуразные и опасные для жизни человека игры, были узнаваемые метания, сомнения, пробы, срывы, удары и озарения. И еще — некая внешняя статика, отдающая инфантильностью, отчего внутренняя напряженность усиливалась. Думаю, был здесь и свой расчет. Герои только и делали, что пытались зашифровать свои рискованные для психики экзерсисы милыми шутками, ничего не значащими фразами. В том числе элегическими и мечтательными. Да, конечно, мы пытались сделать спектакль внешне лирическим, но внутренне агрессивным.

Хочу оговориться: у пьесы были противники из числа людей, которым я верю. Больше всего их раздражали ее оторванная от жизни мечтательность, словесная вычурность. А мне она тогда по-своему нравилась. Я думаю, что это форма прикрытия, маска, дымовая завеса, а не суть. Вообще в нашей насыщенной стрессами действительности мы очень любим закрываться разного рода выдуманными, шутливыми фразами, любим бесконечно иронизировать, не пускать партнера в душу и не выходить на исповедальную позицию при каждом удобном случае.

У нас, городских жителей, сформировалась прочная система прикрытия. Срабатывает подкорка, организм защищается. Чехов открыл нам, что в определенных условиях человек думает совсем не то, что говорит. На мой взгляд, арбузовские ребята из «Жестоких игр» не проще и не глупее нас. Внешне элегия и ирония, а по сути — кровавый поиск правды и своего места в жизни.

Арбузов — драматург, которого не надо воспринимать каждый раз дословно. Иногда он не просто «выдумывает» диалог — он его «слышит». Комментарии же самого автора могут приниматься или не приниматься в расчет. Как любые квалифицированные суждения, они интересны и полезны для театра, но не больше. Написанное автором всегда выше его комментариев к написанному. Это тоже хорошо известный парадокс. Поэтому я не очень огорчился, если бы, к примеру, Вильям Шекспир, воскреснув, обрушился с критикой на Р. Стуруа за его «Ричарда III». Повод для авторской критики, я думаю, предостаточный. И костюмы нарочито нешекспировские, музыка почти нэпмановская, и вообще в самой стилистике что-то от Брехта. Есть и другие поводы для острой критики, и, если бы Шекспир на нее решился, ему бы стоило ответить, я думаю, примерно следующее: «Спасибо вам, достопочтенный Вильям, за великое дело, сделанное вами, но теперь не мешайте нам наслаждаться вашим творением, ощущать прекрасную диалектику его существования во времени и пространстве. Что до ваших текстов — будьте спокойны, они незыблемо хранятся и передаются без изменений каждому новому поколению, а что до сценических воплощений — не надо ограничивать их количество, сообразуясь с личными пристрастиями!»

Конечно, так можно договориться бог знает до каких допусков. Я так и думаю, что можно. Можно вообще взять известную пьесу и поставить ее специально вопреки автору, более того, иронизируя над некоторыми ее сюжетными построениями. А где покажется скучно — дописать свои шутки или попросить других. Многие скажут — это уже слишком. А я как раз о постановке «Принцессы Турандот» К. Гоцци режиссером Е. Вахтанговым. Если говорить откровенно, ставил он ее не из любви к творчеству выдающегося итальянского драматурга, а скорее из любви к театру вообще, к своему и мировому. (Как известно, мировое театральное искусство многое приобрело от этого великого спектакля.) Теперь с этим никто не спорит, а в день премьеры, случись рядом родные или друзья покойного Гоцци, в крайнем случае гоцциведы, — они, наверное, могли бы обрушиться на молодого режиссера (что, кстати, потом и сделали). Могли бы даже сказать: «Как вам не стыдно, молодой человек, измываться над чужой пьесой! Тем более над трагедией! Напишите свою и делайте с ней что хотите. Автор бы вам этого не простил!» А я лично убежден: простил бы. И не стал бы скандалить и жаловаться на Вахтангова Луначарскому. У больших художников свои счеты, они слишком высоко ценят остроту ума, юмор и самое важное качество на театре — дерзость.

Примерно такое у меня ощущение о возможных воскрешениях В. Шекспира и К. Гоцци и их участии в нашей дискуссии по поводу имевших место в последнее время искажений авторской стилистики. Замечу, что такого рода «искажения» в последнее время имеют тенденцию к усилению. Советую отнестись к этому с максимальной терпимостью. Глупости и бесталанные грубости быстро забудутся, а талантливые сценические дерзости придадут всем нам отваги и, глядишь, обогатят современную театральную культуру.

При всем моем уважении к такому вечному и вместе с тем зыбкому понятию, как авторская стилистика, я все же думаю, что придерживаться ее надо. Придерживаться — если не почувствовать себя однажды таким же смелым, как Вахтангов или Стуруа, — тогда можно разрушать. С богом! Если получится талантливо — современники не осудят; если гениально — потомки простят.

Рождение новой профессии, или Откуда берутся плохие спектакли

Хочется ответить уклончиво: опять-таки из парадоксов, свойственных театру. Современный спектакль не всегда предназначается для успеха и не всегда для зрителя. Отдельные спектакли рождаются для более возвышенных целей. И часто бывает, что зритель даже мешает таким спектаклям. Поэтому некоторые спектакли, мне думается, следовало бы фиксировать без последующей эксплуатации. Записывать за театром и числить в репертуаре. Но ни в коем случае не показывать со сцены.

Сравнительно недавно мы научились понимать, что любое явление в нашем усложнившемся мире тесно связано с громадным количеством скрытых факторов, без учета которых разобраться в некоторых сегодняшних общественных, социальных, экономических вопросах попросту невозможно. Проблема хорошего спектакля, по всей видимости, того же порядка.

Наша критика подчас выявляет отдельные факторы, способствующие рождению дурного спектакля. Иногда даже анализируются причины. Но не все. Думаю, что когда мы перечислим и проанализируем все, обязательно останутся еще другие, самые интересные и загадочные.

Художнику для продуктивного и вдохновенного творчества нужно создать условия! Вот о чем стоит подумать в первую очередь. Нужно, чтобы ему, художнику, хорошо работалось. Так я считаю. Непонятно только, почему гениальный роман «Сто лет одиночества» появился в Латинской Америке, а, скажем, не в Швейцарии, где творческая обстановка, в особенности на берегу Женевского озера с его ровным, спокойным климатом и хорошим питанием, выгодно отличается от неуверенного и тревожного существования в городке Аракатука северо-западной части Колумбии? И почему великие открытия в области современной драмы сделал беллетрист из Таганрога, а не ведущий драматург из Парижа или Лондона?

Хороших спектаклей, я думаю, на земле будет больше, хотя они и будут появляться с труднообъяснимыми перерывами, и подъемы на театре будут чередоваться с досадными спадами и даже кризисными явлениями, но хороших спектаклей, повторяю, будет больше, если наши театры смогут чаще рождаться (что очень трудно) и исчезать (что пока еще труднее). Попросту разоряться, прогорать, уступать место иным творческим организмам, если токи театрального омоложения станут циркулировать щедрее и надежнее.

Излишняя стабильность тормозит прогресс. Отдельные звенья нашей культуры должны быть подвижными и не занимать постоянных точек в пространстве. Нельзя четко спланировать то, чего мы не знаем. Но именно то, чего мы не знаем, и есть предмет нашего поиска в искусстве, а стало быть, и планирования. Идеи художника не должны обязательно складываться каждый раз в желаемую конструкцию. Идеи еще должны и играть, свободно соединяясь в новые причудливые композиции, что само по себе может явиться источником новой энергии, неожиданного и целебного взрыва. (В конце концов, пушкинская Татьяна вышла замуж, не согласовав это событие с автором!)

Хорошо, когда мысли складываются в логическую тираду, но иногда и неплохо, когда они скачут, пульсируют и даже разбегаются.

Сколько стоит некомпетентность? Мы начали убеждаться — дорого. На печальных примерах. Воочию.

Еще лет пятьдесят-шестьдесят назад некомпетентная личность могла сломать себе шею, а заодно повредить головы нескольким людям, оказавшимся некстати поблизости. Теперь масштабы человеческой деятельности изменились настолько, что некомпетентная личность может угрожать сразу миллионам.

В технике и народном хозяйстве узреть такого рода примеры сравнительно легко, а в науке — сложнее, очень непросто доказать опасную некомпетентность людей, занятых в так называемой гуманитарной области.

Наступила пора трезвого, нелицеприятного анализа, и я вместе с моими взнервленными коллегами кинулся в редакционные коридоры с кипой исписанных страниц...

Однако моя публикация в «Литературной газете» в начале перестроечной эйфории вызвала даже своеобразную цепную реакцию и дала повод некоторым увлекающимся людям заключить, что я стою у истоков театральной реформы. Как ни заманчиво приписать себе «движение впереди прогресса», подобно сухово-кобылинскому Тарелкину, полагаю все же, что роль моих газетных сочинений много скромнее — они лишь частица общего потока радикальных настроений, мечтаний и попыток.

Захотелось вырваться из привычных тисков цензуры и сделать все заново. Захотелось участвовать во всех экономических и организационных преобразованиях даже в тех случаях, когда запутанные экономические механизмы продолжают оставаться за пределами наших интеллектуальных возможностей...

В этом потоке быстротекущего времени мы ощутили многое, в том числе необходимость иного отношения к свободе, иного осознания свободы. Свобода обрела неожиданно деловой, практический уклон, мы начали воспринимать ее не как «попустительство», «недосмотр», «баловство» и даже не как уступку буржуазно-анархическим настроениям «радикальных демократов», а как единственно возможный путь к решению исторических задач, вставших перед театральной культурой.

Впрочем, не только свобода, но и другие категории вселенского масштаба заинтересовали нас настолько, что в конце концов повергли в изумление. Подобно мольеровскому Журдену, удивившемуся однажды тому обстоятельству, что он разговаривает прозой, мы попытались добыть новую информацию о самих себе.

Можно допустить, что отсутствие информации способно оказать временную услугу коллективу или даже обществу. Но расплата тем не менее наступает и всегда оказывается жестокой. Хочется лишний раз поразмышлять о том, как надо сегодня обращаться с информацией, независимо от того, какие чувства она в нас вызывает. Лучше обращаться с ней уважительно. Может быть, она первооснова творчества? Но может быть и другое — недостаток информации, ее дефицит и есть тот самый тормоз, что пагубно сказывается на силе и качестве творческого акта.

Понимаю, объяснять кризисную зону, в которой пребывают многие наши театры, одной какой-либо причиной — наивно. Творческий акт есть непредсказуемый бросок в неизвестном направлении с группой самостоятельно мыслящих сочинителей. Их можно называть по-разному. Правда, среди уникальных театральных профессий я бы выделил одну, затрудняясь с ее названием. Профессия редкая и замечательная, требующая глубинных познаний и высокой культуры. Назвать ее можно завлитом-драматургом, редактором или художественным продюсером. Это должен быть талант уникальный, совмещающий в себе особую склонность к деятельности одновременно руководителя и ассистента, референта и психотерапевта. Своеобразный спарринг-партнер, мозг, представляющий собой как бы фантастический компьютер, на котором просчитывается прочность режиссерских замыслов и выдаются четкие, далеко идущие прогнозы.

Хочу напомнить, какое значение придается редакторам в тех странах, где не платят зря денег и не держат лишних работников. В частности, в США, в солидном и преуспевающем заведении «Театральный центр Юджина О'Нила», где я наблюдал однажды формирование театральных проектов.

На самом раннем рабочем этапе, помимо режиссера, композитора и драматурга, к авторской группе прикрепляется драматург-редактор. Этот человек тотчас начинает проводить очень интенсивную работу: выступает на общих собраниях-сборах, и, надо отдать ему должное, со знанием дела.

По моей субъективной терминологии — он «идейный руководитель проекта». Попросту человек, берущий на себя основную, как у нас говорят, персональную ответственность. Трудное и прекрасное призвание! При всех разговорах о самостоятельности потребность в такого рода людях была всегда и, полагаю, с годами не уменьшится.

Это, как правило, образованный, умный и смелый человек, обладающий особым человеческим талантом. Он вовсе не обязан знать все технологические тонкости сценического дела, его мышление и интуиция должны прежде всего аккумулировать зрительские интересы, реагировать на все изменения, происходящие в культуре.

Этот человек призван видеть талант уже тогда, когда он еще не проявился в достаточной мере, когда ему нужна поддержка...

Вероятно, мы еще далеко не все сделали, чтобы покончить со старомодным, но живучим убеждением, что-де, пока художник жив, его надо постоянно сдерживать, осаживать, подозревать... «Вот умрет — тогда другое дело! Воздадим должное! А пока жив — надо держать с ним ухо востро, потому что он непредсказуем». Это правда. Когда художник предсказуем, он уже художник не истинный, а в лучшем случае уважаемый.

Может быть, мой организационно-экономический пафос — дань момента. Может быть. Ведь сейчас как никогда усилился наш интерес и тяга к новым способам театрального существования, к новому, высокопроизводительному творчеству. Скорее всего, это зов времени, это настоятельная необходимость в качественно новом подходе к делу рук своих, к своему профессиональному и человеческому долгу. И театральное дело, устаревшее во многих своих звеньях, не должно остаться в стороне от этого движения.

Конечно, государство вовсе не обязано материально поддерживать любое творческое начинание, достаточно ему не препятствовать, выделяя для самых активных и неугомонных временно и на льготных условиях площадку для сценических опытов. (Вяло работающий клуб, освободившийся склад или гараж.) Наконец, и специально оборудованные театральные залы могли бы передаваться не в вечное пользование театральной труппе, а арендоваться ею у муниципальных органов на обоюдовыгодных условиях. Так мог бы функционировать небольшой коллектив до тех пор, пока он интересен. А потом его могла бы сменить другая компания одаренных лиц, и не надо такой компании обязательно огромного репертуара. Достаточно иметь один действительно яркий спектакль. В Москве, например, зрителей хватит надолго, а когда перестанет хватать, можно отправиться в другие населенные пункты, их у нас много.

Ничего на свете не стоит возводить в ранг абсолютной истины. Несмотря на мою приверженность традициям русского репертуарного театра и известную подозрительность к некоторым антрепризам, должен признаться: репертуарный театр с двадцатью названиями и труппой в восемьдесят человек — не такое уж обязательное и единственно возможное явление в российском театральном мире. Время, как мы установили ныне, диктует нам необходимый и разнообразный поиск во всех сферах материального и духовного созидания.

Театральный коллектив по-настоящему интересен лишь в одном случае — когда он обладает своими неповторимыми особенностями, и такому коллективу, по всей видимости, стоит самому определять для себя оптимальный производственный режим. Как к землепашцу не стоит приставлять специального человека, который бы будил его по утрам и подробно объяснял, сколько сегодня, где и чего засеять. Сколько хороших спектаклей выгодно иметь театру в своем репертуаре на данный момент — двенадцать, двадцать четыре или одно-единственное название? По-разному. Есть театры, выпускающие за сезон восемь-десять названий. Они, как правило, делают это исправно, но никак не успешно.

Время резко изменило наше отношение к зрелищу как таковому. Сейчас спектакль обязательно должен стоить дорого, даже если единственным его оформительским атрибутом будет коврик для двух актеров. Чтобы удивить сегодняшнего зрителя, а стало быть, привлечь широкое его внимание, чтобы выделиться из огромного числа атакующих его зрелищ, необходимо как минимум долго работать. Необходимо открыть и освоить новые способы театральной выразительности, тем более если в твоем распоряжении один коврик. В любом случае сегодня подготовка хорошего спектакля — это дорогостоящий акт. Хотя бы по отношению к одному только быстротекущему времени, которое ведет себя на театре особенно коварно. Наверное, «время — деньги» не такой уж гнусный афоризм.

К сожалению, затраты на каждый принципиально новый хороший спектакль имеют тенденцию к возрастанию. Мы еще часто не отдаем себе в этом отчета. В эпоху, когда рождался закон о всеобщем бесплатном медицинском обслуживании, мы не могли себе даже представить, каких баснословных денег будет стоить нынешнее медицинское оборудование и производство новейших медикаментов. А современный, технически и эстетически оснащенный спектакль? Конечно, иное театральное представление сегодня может стоить сравнительно недорого, но не дешевле определенного уровня, за которым оно автоматически уже не принадлежит серьезному искусству, как кинофильм, снятый на технически неполноценной пленке с плохой оптикой и дребезжащей фонограммой.

Еще один довод в пользу организационного и экономического разнообразия. Сегодня спектакль, ставший явлением на театре, стареет и разваливается раньше, чем его успевают посмотреть все желающие из разряда обыкновенных зрителей. Театральное событие мгновенно становится ныне явлением престижного порядка со всеми вытекающими отсюда экономическими последствиями. Обыкновенный молодежный зритель в первые два года существования интересного спектакля имеет мало шансов ознакомиться с таким спектаклем, именно когда он особенно свеж и заразителен.

Обычно спектакль, пользующийся успехом у зрителя, играется не больше двух-трех раз в месяц. Создается искусственный дефицит, он и притягивает к театральным кассам не только нормальных зрителей. Пачка фальшивых билетов на наши спектакли — весомое тому доказательство.

Спектакль, на который имеется особый спрос, почти всегда спектакль спорный, дискуссионный, в нем реализованы, как правило, какие-то непривычные театральные идеи. Они могут радовать зрителей и точно так же раздражать. Но играть такой спектакль два раза в месяц все равно не стоит.

И еще один, может быть, самый больной и спорный вопрос. В момент рождения того или иного произведения искусства трудно понять, стоит ли государственным или муниципальным органам финансировать подобное сочинение. Очень часто требуется время, чтобы страсти улеглись, чтобы мы успокоились и привыкли к новому театральному языку, к новым драматическим приемам. Вот тогда и можно поразмышлять, что стало общенациональным достижением, а что забылось как проходное и необязательное явление.

По первому беглому взгляду невозможно подчас определить истинную ценность того или иного творения. Оно может прийтись по вкусу, совпасть с субъективным настроем отдельного зрителя или, напротив, вызвать у него неприязнь. Но давайте припомним, что в нашем искусстве в разные годы поначалу нравилось и поначалу не нравилось.

Я, например, как и большинство творческих работников, считаю, что не могу ошибиться в оценке того или иного произведения. Не сумею. Как посмотрю, мне думается, на любую вещь — так на семьдесят-восемьдесят процентов всегда прав. У критиков эта цифра приближается к девяноста процентам. У пенсионеров она всегда равняется ста.

А истина, как ни печально, заключается в том, что все мы можем, должны и обязаны ошибаться. Именно — обязаны. С тем чтобы бродить не только по столбовым дорогам мира, но и лазить по тропинкам, заглядывать во все тупики, стучаться головой не только в двери, но и в стены. Нам важно не только радоваться на этой земле, но и огорчаться, иначе можно стать биологически и социально пассивным существом и повиснуть гирей на ногах у остального человечества. Иными словами, какую-то часть дров мы обязаны не только заготовить, но и наломать. Последнее удается чаще, и все же к рискованному дерзанию звать людей необходимо. В особенности молодых, которым еще нечего терять и которые сами к тому стремятся без нашего зова. Мир развивается, Вселенная расширяется, ей по-прежнему мало места, и человек продолжает (обязан) рождать те самые идеи, что попросту именуются сумасшедшими.

Так почему же, спрашивается, сумасшедшая идея не должна настораживать нормального человека? У нас любят по каждому поводу поминать с саркастической усмешкой людей, отрицавших в свое время кибернетику, а я всецело на их стороне, я их понимаю. Я их по-своему даже люблю. Они мне дороги как память. Я сам, услышавши эту «ересь», искренне в ней усомнился. Правда, я тогда учился в школе и как раз объяснял учителю физики принципиальную невозможность создания водородной бомбы на основе строго материалистических воззрений.

Позднее, к своему стыду, я испытал раздражение от музыки Прокофьева к балету «Ромео и Джульетта», хотя потом этот композитор стал любимым. Я не оценил по первым песням талант Владимира Высоцкого, довольно прохладно воспринял «8 $\frac{1}{2}$» Феллини и не был в восторге от наклеивания на живописный холст с помощью канцелярского клея разного рода попавшихся под руку вырезок из газет и журналов. Гораздо позже, засмотрев в программе «Время» восторженную колонну демонстрантов, над которой плыла, возвращаясь на родину, под оглушительное ликование народа знаменитая «Герника» Пабло Пикассо, я снова подумал, как опасно все-таки в нашем деле торопливо возмущаться. Лучше попросту, по-человечески усомниться на законных основаниях, но не более того.

Поскольку такие люди, как я, у нас еще встречаются, многие новые произведения искусства с первого раза воспринимаются не только с трудом, но и с негодованием. Впрочем, новые идеи всегда пробивают себе дорогу с некоторым напряжением. Это тоже одна из причин, почему по-настоящему хороших спектаклей рождается не так уж много.

Все это долгое и отчасти косноязычное вступление преследует одну цель: доказать появление новой театральной профессии: не директора, не технического директора, не производственного диспетчера — но продюсера.

Не изменяя своему кредо — русскому репертуарному театру, я приветствую рождение в российском театре антрепризы, хотя это для Ленкома источник непрекращающейся головной боли. Продюсером может стать далеко не самый наглый, хваткий, дееспособный деятель — это профессия сугубо интеллигентная, разумеется, в лучших ее проявлениях.

Нам пока далеко до Бродвея, наши стартовые капиталы даже самых удачливых продюсеров — первоисточников театральных проектов — оставляют желать лучшего. И все-таки замечательно, что в нашей театральной практике появился долгожданный плюрализм.

Антрепризу сегодня подстерегают бесчисленные проблемы, главные из которых — два стула, жеваный задник и две-три звезды, выращенные усилиями многих людей в репертуарных театрах.

Чем хуже ситуация в стране — тем сильнее влечение зрителя к театру. Парадокс, почти не поддающийся осмыслению. Существует невостребованность ряда способных российских актеров — и существует символическая плата за работу в репертуарном театре.

Скажу главное: антреприза — вещь опасная для квалификации артистов, их роста и творческого развития. Имя может взметнуться ввысь и достаточно быстро опуститься на недопустимо пошлый уровень.

И все-таки театральная держава должна работать разнообразно и непредсказуемо. Важно не переступить «красную черту», когда временный дополнительный заработок «убьет» неповторимую актерскую индивидуальность.

Пока в наших особенно дальних регионах еще существует настоятельная потребность посмотреть на живых киногероев. Однако вскоре может наступить откат зрительских интересов. Призываю к чувству меры и бережному отношению к отпущенному тебе богом таланту и наработанному мастерству в студийно-репертуарном содружестве.

Что же касается новых театральных организаторов — продюсеров, то я их воспринимаю не как классовых врагов, скорее наоборот, когда пишу эти строки, особое уважение испытываю к Давиду Смелянскому, хотя не все его продюсерские проекты я оценил достаточно высоко. И потом, ему лично могу сказать по секрету: репертуарный театр на творческом подъеме много лучше нашей сегодняшней антрепризы. Сегодняшней. Что будет завтра — не знаю.

Предатели

Мозг человека подарен ему Всевышним для интенсивной работы. С его помощью человек обязан постоянно корректировать собственное поведение в связи с меняющимися обстоятельствами жизни. Но не только поведение человека обязано видоизменяться; человек не должен бояться изменять собственные воззрения и даже убеждения. Сразу возникает вопрос: а что человек менять не должен? Веру?.. Хочется ответить утвердительно, но лучше воздержаться. Если бы немецкая принцесса Анхальт-Цербстская не изменила бы свою веру и не приняла православия, Россия не имела бы императрицы Екатерины Великой со всеми последующими ее блистательными свершениями для российского Отечества.

И все же есть категории человеческого бытия и духа, которые не должны предаваться: честь, совесть, наконец, десять библейских заповедей. Во всем остальном полезно сомневаться. Конечно, не всем и не всегда хватает ума для сомнений и тем более для углубленного анализа.

Долгие годы мне не приходило в голову, что герб бывшего СССР, мягко говоря, бестактен, груб и, похоже, агрессивен. Меня, как и моих школьных друзей, долгое время вполне устраивал государственный флаг. Потребовалось время, обилие новой информации, чтобы я с нескрываемой симпатией стал воспринимать русский исторический триколор и с такой же радостью взирать на византийского двуглавого орла. Возможно, сами по себе американские пятиконечные звезды совсем неплохи, как неплох и по-своему красив исламский полумесяц, но какое отношение имеют к русской национальной геральдике? К российским историческим традициям?..

Вышеобозначенный прорыв из подкорки на бумагу продиктован, вероятно, особенностями моего режиссерского характера. Каким бы важным ни казался мне человек на сцене, с его вибрирующей клеточной системой, как бы ни интересовали меня бесконечные в своем многообразии нюансы человеческих взаимоотношений — нет-нет да и прорывается наружу социально-политический подтекст многих моих сценических сочинений. Впрочем, не считаю это зазорным. И. Бунин чурался политики, пока не грянул 1918 год и возникли его опаляющие душу «Окаянные дни».

Российский театр всегда был плотно связан с общественным накалом страстей, которых в России всегда хватало и которые всегда били через край. Русский театр, как ни один другой, всегда отражал общественные бури, надежды и тревоги.

Мы до некоторой степени так устроены. В этом наша сила. Впрочем, возможно, и слабость. Если не слабость, то, во всяком случае, некоторый наив.

Не скрою, совсем недавно я знал буквально все, что надо немедленно сделать со страной, чтобы жизнь в ней стала прекрасной. Как Ленин, когда взбирался на броневик с четкой программой счастливого будущего. Теперь я, как Плеханов, в растерянности. О чем ни задумаешься — все тревожит. Очень большое внутреннее беспокойство доставляют раздумья об известном астрономе Николае Копернике, которые стали посещать меня с завидной регулярностью. Несмотря на свое польское происхождение,

Коперник долгое время почитал, хуже того, любил геоцентрическую систему грека Птолемея. Любил почти сорок лет, искренне полагая, что в центре мироздания находится Земля, а не Солнце. А потом взял и предал. В 1543 году издал книгу, где утверждал, что, как ни странно, планета Земля вращается вокруг Солнца, а не наоборот. В данном случае, мне думается, не столько важно, что вокруг чего вращается, важно другое: если ты всю жизнь поддерживал Птолемея, уж сделай доброе дело — останься человеком, не предавай учителя! Мне скажут: Коперник раскрыл истину. Как будто, не будь Коперника, люди в конце концов не разобрались бы со своим единственным Солнцем; смущает моральный аспект.

Конечно, тратить последние аналитические усилия на польского Коперника, когда своих коперников целая дивизия, не резон: слишком понятен его поступок. Труднее понять ликвидацию на первых страницах наших газет святого интернационального лозунга «Пролетарии всех стран, соединяйтесь!». Конечно, не так просто понять, как могут люди, работающие на разных промышленных предприятиях Австралии, Америки, Японии, неожиданно побросать работу и соединиться? (Кстати, о России, по-моему, вопрос никогда не стоял, потому что ради этого дела мы всегда были готовы бросить работу раз и навсегда.) Но захотят ли бросить работу остальные? И как это вдруг соединиться между собой и, главное, зачем? Впрочем, для чего рабочим объединяться, Ленин рассказал и показал достаточно подробно. Соединяться надо для того, чтобы физически уничтожить все другие непролетарские классы и социальные группы. С перечислением, кого именно полезно убивать, 17 декабря 1922 года на страницах «Известий» выступил легендарный чекист Петерс. Оказалось, что на первом этапе пролетарского единения надо перебить всех офицеров, духовенство, интеллигенцию, обязательно всех торговых работников, представителей других партий, аристократию, профессуру и всех их родственников. Очень важно тщательно рассортировать крестьянство: если работал умело и приобрел достаток — расстрелять или выслать. Если ни гроша за душой, если все, скажем прямо, просвистел или пропил — значит, свой. Значит, отношение к такому однозначное: с классовой симпатией.

А вот к современному историку, генерал-полковнику в отставке Д.А. Волкогонову очень многие его сверстники отнеслись настороженно и, более того, враждебно. Волкогонов принадлежал к старшему поколению советских ученых, был воспитан на идеях марксизма-ленинизма, преуспел в их изучении и даже преподавал эту дисциплину. Однако со временем, изучив многие труды и архивные материалы, пережил мучительный процесс нового постижения большевистской истории. Этот новый для Д.А. Волкогонова поиск исторической истины привел его в бывшие секретные архивы, в результате чего он создал несколько замечательных книг о большевистских вождях: Троцком, Сталине, Ленине.

Признаться, я много читал о вожде мирового пролетариата, в том числе самое обширное и серьезное исследование американского советолога Л. Фишера, изданное в 1970 году. Должен сказать, что в своих двух книгах о Ленине Д.А. Волкогонов, бесспорно, по всем статьям обошел американского коллегу и, пользуясь гигантским объемом засекреченных ленинских распоряжений и писем, издал самый глубокий, лишенный публицистического налета научный труд, который читается, однако, как детектив Агаты Кристи. Выдающемуся историку в последние годы жилось интересно, но несладко. Некоторые его бывшие товарищи, а также сограждане с плохим образованием посылали в адрес ученого проклятия, хотя он слышал и много добрых слов благодарности. В русском языке есть слова «изменение» и «измена». Обращаться с ними надо осторожно. Опасно перепутать.

В третьем классе я урыдался на спектакле о Павлике Морозове, а сейчас, высушив слезы, думаю не только о нем, Копернике, Волкогонове, но и о том безвестном человеке, который, отбросив однажды волоком волочившиеся по земле полозья, изобрел колесо, бросив тем самым традициям отцов и дедов дерзкий вызов: дескать, смотрите, не желаю жить вашим умом! Не желаю следовать вашим традициям! Предатель.

Контакты с пространством

Мои первые сценографические впечатления связаны с тем далеким временем, когда на сцене чаще всего располагалась дачная терраса в окружении радующей глаз зелени и забора. За забором всегда висел прозрачный тюль, за тюлем — живописный задник с нарисованной природой. Когда занавес (такое специальное устройство, которое вешалось раньше перед декорацией) открывался — зрители долго аплодировали. Когда же перед одним из электроприборов крутилось специальное колесико с дырочками и на сцене возникала иллюзия идущего снега, в зале начинались не просто аплодисменты, а нескончаемые овации. Я не уверен, что вышеперечисленные аксессуары и построения навсегда вычеркнуты из современного сценографического искусства. Подозреваю (почти уверен), что все театральные приемы возвращаются к нам на новых витках спиралеобразного восхождения. Если, конечно, убедить себя и других, что наше развитие происходит всегда вверх по спирали, а не напоминает подчас иные малоприятные графические начертания.

Возвращаться к нам может буквально все. И даже иллюзорные задники, и даже пни из папье-маше, окруженные пыльными травянистыми коврами. Не может только вернуться прежняя наивная радость зрителей. Телевизионная революция нанесла жестокий удар по многим визуальным радостям и, как объяснил Ф. Феллини, «обесценила изображение». Однако магия театра не может пострадать оттого, что у нее отняли некоторые иллюзии. Мы будем питать другие. Потеряли одно, будем наращивать другое. Судьба, Провидение или любая иная инстанция, поставив в определенном месте барьер, только стимулирует наше сценографическое и режиссерское воображение.

Я уже размышлял на страницах этой книги о том, что малоизученные процессы нашего подсознания тесно связаны с пространственной средой — источником многих явлений, происходящих в глубинах нашего естества. Существует гипотеза, что ни один контакт человека с миром и, вероятно, ни одна мысль не уничтожается полностью — все остается, все фиксируется в великом творении мировой эволюции — человеческом мозге, а может быть, и в более надежном месте — во Вселенной. И подобно тому, как электродное вторжение в мозг может вызвать в памяти человека объект, казавшийся забытым, так и комбинация некоторых материальных построений может привести к сильным и отчасти непредвиденным реакциям.

Здесь много неясного, спорного, неисследованного. Ученые доказали, что цвет, например, как таковой вызывает у человека определенные эмоции. Стало быть, интенсивность цвета и смешение одного цвета с другим могут подарить нам миллиарды нюансов.

Сценография вступила в принципиально новую фазу своего существования, когда, образно говоря, счет пошел не на метры, а на миллиметры и микроны. Спектакль начинается с изощренной визуальной атаки, и не столько литературного характера, сколько с организации серии импульсов. Талантливый сценограф конструирует (подчас интуитивно) на театральных подмостках своего рода зоны, от которых идут связующие нити к сознанию и подсознанию зрителя.

Организация «магической зоны» со своей особой энергетикой — вот, пожалуй, истинная цель современного сценографа. Бытописательство и этнография допустимы как частный случай, как составные элементы, как ритмическая и литературная деталь.

Не надо все раскладывать по полочкам, всего не рассчитаешь, но изучать современному сценографу воздействие пространственных построений на психику зрителя стоит. Интересно. Тем более что сюда примешиваются традиции, рефлексы, штампы, исторический опыт, изменчивость моды на одежду, цвет, материалы, музыкальные ритмы и нормы поведения.

Когда сценограф был просто художником, его можно было сравнить с древним кинооператором, который только и делал, что крутил ручку съемочной камеры. С годами эта наипростейшая функция превратилась в важнейшую и определяющую профессию. Разрушение первозданной ил-

люзорности на театре привело к бурному развитию сценографии. Сценограф будущего окончательно завершит свое
историческое превращение из иллюстратора-оформителя
в режиссера-сценографа. Такие люди уже встречаются.
Всех назвать сразу не сумею. Но перед глазами прекрасное трио — Д. Боровский, Э. Кочергин, О. Шейнцис.

* * *

С двумя первыми именами знакомство у меня поверхностное, с Олегом Шейнцисом пройден достаточно долгий
путь. Он — соавтор многих моих режиссерских сочинений, соавтор в самом широком смысле слова. Я писал эти
заметки, когда мы с О. Шейнцисом еще не имели в своем
репертуаре «Поминальной молитвы», «Безумного дня, или
Женитьбы Фигаро», «Чайки», «Мистификации». Я попытался проанализировать наши первые контакты с пространством, но, полагаю, в них уже было заложено многое из того,
что вывело О. Шейнциса в лидирующую группу современных театральных художников.

Шейнцис возник где-то на исходе 1977 года. Сначала
по слухам, потом непосредственно. Передо мной. Я никогда не видел его работ и доверился нашему режиссеру
Ю.А. Махаеву. До встречи с О. Шейнцисом я имел достаточно солидный опыт общения с театральными художниками. Я уже говорил о контакте с Валерием Левенталем.
Потом в моей жизни появился Александр Павлович Васильев.

Он не только подарил счастливые мгновения в совместных работах, из которых «Темп-1929» в Театре сатиры мне
представляется особенно удачной, — Александр Павлович
преподал мне урок высокого и редкого свойства — необыкновенную широту воззрений. Он — сценограф старшего
поколения, который с течением времени неожиданно помолодел, подобно легендарному Сен-Жермену, остановил
свои «биологические» часы, стал на удивление плодовитым,
неугомонным и, что самое приятное, непредсказуемым.
В нем обострилась художническая интуиция и появился, я
бы сказал, веселый авантюризм.

А.П. Васильев — один из немногих наших сценографов — давно догадался, что на одних театральных декорациях можно быстро истощить свою фантазию и иссушить мозг. Чтобы не заклиниться, не закомплексоваться, не заштамповаться и не занемочь, он бросился вон из театра на пленэр. В 50-е, отчасти 60-е годы его пейзажи казались достаточно заурядными. Это был вроде бы необходимый и полезный для профессии тренаж сценографа, подспорье для основной деятельности, а потом, не знаю точно в какой именно момент, А.П. Васильев вдруг поймал за хвост жар-птицу и начал с невиданной скоростью рисовать удивительные картины. Особенно заворожили меня его странные натюрморты, сделанные в графической манере и жухлой гамме.

Александр Павлович подарил лично мне, кроме дорогой моему сердцу сценографии, еще две собственные картины, несколько замечательных острот и небывалый запас художнического и человеческого оптимизма.

Есть множество примет, по которым мы пытаемся определить личность, ее творческую и чисто человеческую значимость. Я не знаю всех примет, не берусь сейчас определить и перечислить все необходимые критерии, но применительно к А.П. Васильеву хотел бы упомянуть особо важный показатель человеческой широты и щедрости художника: отношение к молодым коллегам и вообще к другим художникам, что трудятся на том же достаточно тесном участке театрального пространства.

В отношении к своим коллегам многие из нас, увы, грешники. Частенько брюзжим, скептически ухмыляемся, злословим. Не всегда умеем обуздать свою ревность к успеху товарища. А.П. Васильев — живой пример того, как мало говорить о своих товарищах по искусству, как надо уметь ценить их и сопереживать чужим успехам. Он первым сообщил мне о появлении молодых театральных художников О. Твардовской и Вл. Макушенко, людей талантливых, самобытных, догадался, что они хотя бы за счет молодости ближе мне, чем он сам, и как-то весело направил нас друг к другу.

* * *

С Олегом Шейнцисом связано что-то другое. У американского режиссера Спилберга есть фильм с прекрасным названием: «Контакты в четвертом измерении». И непонятно, и красиво. С Шейнцисом так же.

Его сценографические сочинения сразу же поразили меня своим многоголосьем. Декорационные объемы на наших подмостках стали звучать подобно трубам концертного органа. Композитор Шейнцис научился извлекать музыку из немых металлических сочленений, прозрачной стеклоткани, из подобранного на свалке металлолома, обыкновенной фанеры и деревяшек. Это было очень вовремя и очень кстати. Но самое главное все-таки заключалось в другом.

С Шейнцисом была открыта система неоднородного пространства, то есть пространства с разными свойствами. Этот странный и достаточно новый (по крайней мере, для меня) поиск впервые осуществил он в спектакле «Жестокие игры».

Пьеса, как известно, имела места действия, достаточно удаленные друг от друга (дело происходило то в Москве, то в Сибири). Обычно в таких случаях производится либо «чистая перемена», когда с помощью круга, движущихся фурок или просто через затемнение (закрытие занавеса) на сцене происходит некоторое декоративное изменение, либо на сцене сразу, изначально организуется несколько мест действия. Казалось, что именно так случится в «Жестоких играх». Уж очень не хотелось создавать равноценное «объективное» изменение обстановки, мерещился какой-то единый «поэтический» сгусток сценической жизни. Поначалу как будто бы так и формировалась сценография спектакля, но только поначалу. Шейнцис очень скоро разрушил равноправное существование «московских» и «сибирских» сцен. Зона (слева от зрителя), отведенная «сибирским» сценам, стала набирать собственную загадочную «энергетику», таинственным образом проникая в смежное («московское») сценическое пространство. И это был не просто чисто эстетический, живописный монтаж, за этим я усмотрел нечто большее — «контакт четвертого измерения»!

В своей рационально сформулированной «диспозиции» мы договорились, что главное действующее лицо — Кай, молодой художник, объединяет в своем сознании *все,* что происходит в пьесе. Прием, конечно, не революционный, но элементы некоторой революции (опять-таки, по крайней мере, для меня) стали вскоре возникать сперва в очень небольших дозах, потом поток загадочных атомов нового вещества стал настоятельно и упорно «облучать» «московское» пространство. Левая сторона сцены, «сибирская зона», неожиданно стала чернеть, теряя реальные границы, распространяясь безбрежно вглубь, превращаясь в конце концов в своеобразную «черную дыру», бесформенный «черный кабинет» с какими-то отростками и урбанистическими деталями. В сценографии спектакля появилась зона, которую захотелось называть не местом действия, но пространством.

Небольшое отступление в сторону пространства как такового, этой таинственной философской категории, которая с приходом О. Шейнциса стала интересовать меня во все возрастающей степени.

С каждым десятилетием происходит усложнение научных представлений о строении пространства, его происхождении, свойствах; появились идеи о развитии этих свойств во времени, о разных способах пространственного измерения и т. д. Это касается не только чистой теории, это имеет, по-моему, еще и отношение к человеку.

Появились предположения, что в ряде случаев привычное измерение пространства не играет той роли, которую мы ему отводим в повседневной жизни. Короче говоря, расстоянием можно иногда пренебречь, и мы вовсе не зависим от него так, как казалось прежде. (Мне, по крайней мере. Извините.) Психотроника (новое наименование парапсихологических явлений) накопила некоторые сведения о контактах, где понятие «расстояние» должно уступить место каким-то новым способам отсчета и взаимодействия. Впрочем, если не нравится психотроника, можно подумать о геометрии Лобачевского, о кривизне пространства, о закономерностях микрокосмоса, о пространственных «выкрутасах» элементарных частиц...

Конечно же, об этом думать необязательно, но для меня это все означает, что человек может и должен обращаться с пространством не как муха, ползущая по абажуру, а как творец, взаимодействующий со Вселенной на нескольких осях координат. И чтобы навсегда покончить с философией или, наоборот, чтобы с нею никогда не расставаться, полезно забраться в такие дебри, из которых потом не очень-то просто будет выбраться. (Нагрузки необходимо увеличивать не только на бицепсы, но и на мозги.)

Образы материального мира, всплывающие в памяти с помощью поражающих мое воображение электродов, свидетельствуют о том, что, казалось бы, навсегда забытые вещи, слова, люди, события благополучно существуют в нас. Они есть. Они будут. Где именно — мы не знаем. Зато знаем другое: материя порой ведет себя так, что не поддается бытовому осмыслению, как некоторые принципы теории относительности понять еще можно (поверить), а представить — никогда.

Боюсь предположить, но предполагаю, что информация и любовь — изобретения Вселенной, а не человека. От любви готов отречься, так же как от информации, но одно маленькое отступление.

Мы хорошо знаем, что как только появляется в природе зачаток разума, тотчас начинают формироваться законы бытия, связанные с его существованием и развитием. Возникают принципиально иные механизмы взаимообмена, взаимодействия и, наконец, взаимопонимания. Без взаимопонимания вселенский разум не совершит эволюции. Без любви не обойтись. Поэтому я не мог не полюбить Шейнциса, прежде всего во имя эволюции нашего театрального дела. Однако справедливости ради следует отметить, что, помимо эволюционных намерений, в нем сидит и ярко выраженный революционный дух, и это сказалось не только в сценографии «Оптимистической трагедии», это сказывается каждый раз при составлении им сметы.

* * *

Я не знаю, что думает по этому поводу философ Шейнцис, но когда я о нем задумываюсь, то сразу же погружаюсь в бездны мировых проблем, в этом смысле работа с ним обременительна.

Сценографию «Жестоких игр» он не просто поделил на две части, а создал посредством такого пространственного двумерного членения мощный самоорганизующийся театральный агрегат со своими динамическими способностями. «Черная дыра», например, стала очень скоро засасывать в свое чрево объекты и субъекты, ей не принадлежащие. Шейнцис тем не менее позаботился и о мотиве, объединяющем обе зоны, отчасти примиряющем две несовместимые пространственные среды. Его прекрасное изобретение — огромное красное колесо из металла — внесло недостающую гармонию в сценографическую структуру спектакля и тотчас обернулось источником новой напряженности.

По воле Шейнциса нам дано было узреть лишь половину колеса. И это неспроста. Исполинский овал всего лишь выглядывал из-за «московской» сферы, его истинное расположение и устройство осталось для нас тайной.

До Шейнциса колесо было изобретено в глубокой древности, подозреваю, не менее талантливым человеком, но изобретено сразу, полностью, во всей своей радующей глаз округлости. Олег Аронович Шейнцис изобрел в 1978 году половину колеса. Для сценографии «Жестоких игр» это оказалось фактором, во многом определяющим. Мы вознамерились не объяснять до конца зрителю, как устроен мир, на чем и за счет чего он держится. Зритель слишком многое знает о нас и наших сценических построениях. Так пусть не всегда и не везде прослеживает причинно-следственные связи, пусть иногда мучается, недоумевает по поводу отсутствующих звеньев, и вообще — пусть работает!

Мир, до конца познанный, останавливается в своем развитии и неминуемо гибнет. (Прошу отнестись и к этому моему размышлению не как к научному, а как к чисто эмоциональному и отчасти безответственному заявлению, хотя и допускаю, что в нем замешаны не одни только мои фантазии.)

Вселенная постепенно отучает нас от первобытного оптимизма, связанного с понятием бесформенного и бесконечного процесса. Она все чаще «толкует» нам о циклах и зигзагах. В этом смысле конец мира — всего лишь гигантский суперисторический цикл (по восточной философии — «Сутки Брамы»). После этого наступит что-то другое. Не то, что было прежде. Применительно к театру — закроется занавес; сочиненный автором текст и режиссерский замысел будут исчерпаны.

Если мы заранее узнаем про сценическое сочинение все, что в нем заключено, если слишком быстро соберем все сведения о его структуре, спектакль завершится неожиданно и досрочно. Зритель останется неудовлетворенным и обидится на короткометражность нашего зрелища. Сценическая история окажется недомерком. Чтобы сочиненное нами зрелище имело бы многоактное построение, информацию о сценографических процессах мы должны умело распределить во времени. Мир сценического пространства должен пребывать в процессе своего постепенного видоизменения.

Шейнцис об этом думает постоянно. Побуждать его к этому не надо — это у него в крови. И гигантское красное колесо в «Жестоких играх» — механизм загадочный, связанный с циклами сценической истории, — лишь постепенно раскрывает нам свое истинное значение.

Я заметил, как сценическая истина, заключенная в колесе, на первых же монтировочных репетициях стала очень быстро соскальзывать с его окружности. Как и все в этом мире, как любой видимый объект, колесо Шейнциса — явление не абсолютное, а только относительное. Сначала оно — какая-то часть наших городских механизмов, мотив урбанистической фантазии, «мотор» большого города. Потом, возможно, материализация быстротекущего времени. Потом — злой каток, барабан, шестерня, переезжающая нас своим бездушным металлом. Позднее — объединяющий все и вся Круговорот. Окружность. Самое прекрасное начертание во Вселенной. Самый совершенный геометрический знак, формула вселенской красоты, а значит — любви. И уже в самом финале — прирученный человеком исполин — веселый парковый аттракцион, почти домашняя радость, забава, сюрприз Деда Мороза.

Если бы даже сценографическое пространство «Жестоких игр» не было бы заполнено странными и временами безжалостными играми людей, сама по себе декорация, кажется мне, не осталась бы неподвижной. Она сконструирована на предчувствии взрыва, на двух пространственных величинах, дающих в своем соединении «критическую массу». Задолго до возможного взрыва декорация Шейнциса как бы устремляется к своему философскому завершению. Она не просто неустойчива, она угрожающе нестабильна. Добившись разности пространственных потенциалов, Шейнцис образовал на сценических подмостках незримый, но вполне ощутимый ток.

Важное пояснение: разность потенциалов здесь — не формальное противопоставление. В театре бытует подчас такого рода умозрительная сценографическая «литература», «символятина» — как называл ее В.Н. Плучек. Когда-то он очень своевременно предостерегал меня от такого рода «смелостей» и очень образно анализировал некоторые якобы полеты якобы фантазии: «Если будешь ставить спектакль про алкоголика, — говорил мне В.Н. Плучек, — не надо делать на сцене большую бутылку с дверцей, а за ней — койку, на которой спит главный герой».

То же самое можно сказать и о разного рода противопоставлениях: света и тьмы, добра и зла, дела исторически правого и дела исторически неправого.

Я об этом так подробно, потому что у Шейнциса тоже есть какая-то форма сценической конфронтации, но она связана не с «литературой», а с *энергетикой*. А это существенно. В «Жестоких играх» Шейнцис создал, по моим ощущениям, обширную магическую зону, состоящую из явлений разнородных и, казалось бы, несовместимых. Но явления несовместимые в театре есть пошлая эклектика в том случае, если их пытается объединить по чисто формальным признакам человек хотя и умный, но бесталанный; когда же этим делом занимается сам изобретатель половины колеса О.А. Шейнцис — на сцене образуется *синтез!*

Изобретатель Шейнцис дорог мне еще и потому, что сумел очень своеобразно и неожиданно выполнить одну мою давнюю сценографическую просьбу — сделать оформление таким образом, чтобы глаз зрителя «нигде не доходил бы до предела», «не утыкался бы в границу сценического мироздания». Мне всегда хотелось, чтобы фантазия зрителя нигде и никогда не угасала бы, а, получая стимулирующие ее визуальные сигналы, продолжала осуществлять творческие акции.

Выдвинув огромную плоскость стены почти на самую рампу в правой («московской») половине спектакля, Шейнцис создал из этой стены своеобразный магнит, забирающий наше внимание самым агрессивным образом.

Огромная, тупая плоскость и одновременно магнит? За счет чего он этого добился? Думаю, прежде всего за счет того, что изобретатель Шейнцис — не изобретатель, а философ.

Познание человека, его проникновение в тайны подлунного мира осуществляется, как известно, рывками. Дотянувшись *до* некоего предела, человек может и волен сделать над собой новое усилие, чтобы увидеть новый горизонт познания, новый промежуточный предел. Процесс бесконечный, и мудрый Ежи Лец заметил: «Опустился на самое дно, как вдруг снизу постучали».

Философ Шейнцис в отношении правой «московской» стены сделал злое и доброе дело одновременно: он ее дематериализовал. Стена стала распадаться на первозданные «кирпичики», на «сценографические молекулы» и «элементарные частицы», мы не ощутили в стене никакого предела, мы не восприняли ее как плоскость или границу, скорее как пористую среду.

Распадающаяся под нашим пристальным взглядом среда стала медленно терять свою плоскостную сущность. Очень скоро наше подсознание начало впитывать в себя бесчисленное количество «сигналов-следов» той человеческой жизни, которая была заключена прежде в этих старомосковских стенах. Мы увидели старинную настенную электропроводку на пожелтевших роликах, Шейнцис, атакуя нашу ассоциативную память, не поленился засунуть за электропроводку жухлые листочки бумаги с давнишними записями, и в нашей памяти всплыли первые московские телефоны, коридоры в коммунальных квартирах и исписанные химическим карандашом стены — следы былых восторгов и обид, что испытывали здесь наши родители и родители наших родителей.

Этот самый древний исторический пласт реставратор Шейнцис проработал со скрупулезной дотошностью, безошибочно вызвав в нашем подсознании «тени забытых предков», организовав в нашей подкорке устойчивый процесс материализации этой дематериализованной плоскости. На первый, древний пласт им вскоре был нанесен новый, послевоенный слой жизни, и на него в свою очередь спроецированы новейшие исторические напластования.

Надо отдать должное историку Шейнцису: все мельчайшие и малозаметные детали он смоделировал, пользуясь «не театральными» материалами. Это вызвало особое доверие у зрителя. «Радуйтесь, — говорили мы зрителю устами Шейнциса, — вы пришли в серьезный драматический театр со своей эстетической программой. Мы не скрываем своего условно-театрального поэтического мышления, но мы и не терпим обмана, презираем старомодный театральный реквизит и гарантируем правду жизни на всех уровнях вашего восприятия».

В театре должен время от времени возникать спортивный азарт как вызов среднестатистическим театральным нормам. Поэтому в сценографическом пространстве «Жестоких игр» появилась настоящая звуковоспроизводящая система, разного рода истинные самоделки, настоящие кисти (в большом количестве, что тоже важно) и общее изобилие всевозможных реальных предметов, характерных для настоящей мастерской художника, — причудливое и очень прозаическое единство несовместимых материальных объектов.

Историк Шейнцис не просто что-то проиллюстрировал нам о жизни этого дома — он наитщательнейшим образом воспроизвел эту жизнь со старательностью и фанатизмом фальшивомонетчика, который знает, что один неверный и приблизительный завиток на подложной ассигнации грозит ему неминуемым крахом. «Фальшивомонетчик» Шейнцис отпечатал настоящие ассигнации.

Шерлок Холмс вместе с Дерсу Узала из едва заметных следов получали всю необходимую информацию о людях, их оставивших. Памятуя об этом, мы разбросали видимые, едва видимые и почти невидимые следы в «пористой среде» «московского» интерьера, надеясь, что они постепенно впитаются в эмоции и разум зрителя. По-моему, следопыт Шейнцис знал, что делал, и не ошибся.

Со временем я вообще стал очень внимательно следить за всеми «отпечатками», что оставляет человек в этом мире и, не достигнув уровня Дерсу Узала, все-таки стал очень многое понимать про тех людей, что «наследили» в тех или иных пространствах. Теперь я точно знаю: несколько квадратных метров интерьера, где человек прожил несколько лет, могут рассказать о нем практически все. И чтобы внять такому рассказу, не обязательно иметь сверхострый взгляд и непомерно развитый аналитический ум — наше подсознание слишком мощное изобретение природы, и, я уже не раз писал об этом, оно впитывает в себя всю зримую, а главное, почти незримую информацию, чтобы выдать нам в конце концов устойчивые и достаточно надежные представления о тонких механизмах человеческого существования, — если и не до антракта, то уж во всяком случае во второй половине спектакля.

После «Жестоких игр» Шейнцис продолжил свои опыты с пространством и создал новую причудливую сценографическую фантазию для «Трех девушек в голубом» Л. Петрушевской. Здесь не было никаких прямых противопоставлений и, более того, странным образом отсутствовали границы между пространственными зонами с прямо противоположными свойствами. Плоскость подмосковного дачного интерьера незаметно и плавно переходила в какую-то наполовину экстерьерную среду, а та в свою очередь медленно стартовала с грешной земли и уходила в космос.

Этот «космос» имел, на мой взгляд, некоторое отношение к астрономии, но не только к ней одной. Устремленные ввысь параллельные плоскости, воспарив над землей, оборачивались внутрь человеческой души, зажимая ее невидимым коридором, побуждая к бунту и активным поискам выхода.

Этот вертикальный «космический» коридор проделывал с героями пьесы какие-то сложные психологические опыты. «Космический» коридор усиливал и обобщал опыт экстремальной ситуации, сочиненной Петрушевской, здесь сценический процесс достигал своего трагического апогея и выводил конфликт из космических сфер в сферы духовные, сугубо человеческие. В сценографии спектакля закономерно и естественно выстраивалось «лобное место», трагический зигзаг, пространство катарсиса.

Созидание в геометрически зарифмованных сферах есть поиск нашего материального и духовного бессмертия — главной мечты человечества. Об этом хорошо знают архитекторы. Если и не знают, то догадываются, интуитивно чувствуют. Поиск геометрической рифмы начался на заре человеческой цивилизации как попытка объединения с космосом. Первая прямая линия на Земле была проведена не между двумя земными точками, первая прямая была проведена от Земли к звездам.

Когда Шейнцис стал пристально вглядываться в потолок над сценой, когда ему помешали колосники и он недвусмысленным образом потянулся к крыше нашего здания, тут я окончательно догадался, что он — архитектор. Уже потом Олег Аронович (скромный в быту человек) рассказал мне, как в юности проектировал и строил дома, создавал архитектурные проекты, удостоенные международных наград.

По-моему, он изначально мыслит не в цвете, а в объеме, и только когда ему удается сочинить новое пространство, новую сценическую вселенную, он неторопливо ожидает, каким цветом напитаются сами собой его объемы. Цвет приходит к нему сам по себе, подчиняясь каким-то высшим, не зависящим от него закономерностям.

Архитектор Шейнцис с необычайной легкостью, веселым размахом, артистической щедростью и бухгалтерской смекалкой построил декорацию для нашей оперы «Юнона и Авось». И лабиринт и ринг — одновременно. Он как бы сказал нам: «Молодой театр, если он действительно молод, должен попробовать все на свете, побродить по всем неведомым дорогам, окунуться во все неслыханные «измы», чтобы под конец вдруг впасть, как в ересь, в неслыханную простоту». По-моему, он так и говорил: «Вы грезите о погружении в дразнящую всех и вся музыкальную стихию? Ваши музыкальные опыты не дают вам покоя? Извольте! Примите и насытьтесь прозрачными плоскостями, разноцветными клубами пыли, стробоскопами, дымами и лазерами! Это ремесло надо знать, чтобы превратить его из ремесла в искусство!»

И ремесленник Шейнцис соорудил «очень прекрасный» станок. (Если мой соавтор оказался ремесленником, зачем мне притворяться грамотным человеком?) Он его быстренько «отлудил», этот станок, очень простой с виду, но, как «кубик Рубика», таящий в себе миллион всевозможных веселых комбинаций. Короче — это была головоломная сценографическая игра. Только одну недопустимую вещь позволил себе банально мыслящий сценограф — решил повесить сзади прямоугольный задник с намалеванной на нем луной за красивыми тучками. «Как вам не стыдно, Олег Аронович?» — сказал я ему, внутренне сожалея о постигшей его художественной деградации.

Олег Аронович не стал мне грубить из уважения к возрасту. (Он родился, когда я сдавал экзамены за первый курс актерского факультета.) Он только печально усмехнулся и также посмотрел на меня с нескрываемым сожалением. Мы, помнится, долго стояли молча и жалели друг друга, пока я не уступил молодости.

Оказалось, что умелое (талантливое) привнесение в современную конструктивную среду старомодной театральной мелодии (в данном случае задника с луной) таит в себе особую человеческую эмоцию, особый сценографический эффект и еще что-то, о чем я уже писал так долго, пространно, путано, но чистосердечно. Словом, то была не пошлая эклектика, а долгожданный синтез.

Я не хочу сказать, что синтезатор Шейнцис всегда действует безошибочно. В той же «Юноне и Авось» я поймал его (подкараулил) на слабом сценографическом решении, от которого хитрый Шейнцис тотчас отказался.

Он вообще умело сочетает в себе редкостное природное упрямство (радующий меня фанатизм) с мобильным и достаточно гибким сценическим мышлением. Он слишком многое знает. После такой фразы в остросюжетном фильме, как правило, следует выстрел. Мне тоже хочется покончить с Шейнцисом. Я уже слишком долго танцую вокруг него. Любовь в своем конечном пределе приводит к смерти. От него невозможно избавиться, он продолжает жить в тебе независимо от твоего желания. И потом, не слишком ли многие качества я приписываю этому художнику?.. Последнее слово прошу воспринимать как досадную опечатку. Я называл его кем угодно, но только не этим возвышенным словом.

А может быть (как подозрение, не подкрепленное доказательствами), О.А. Шейнцис, главный художник Московского дважды орденоносного театра имени Ленинского комсомола, действительно Художник?

Об этом стоит подумать. Не надо его обнадеживать, но это не исключено.

Художник.

* * *

Долгие размышления о пространственных закономерностях, связанных с творчеством художника Шейнциса, поневоле оставляют в сознании автора некоторое пристрастие к архитектурным формам. Оглядываясь назад, на все уже написанное мною в этой книге, я с неудовольствием начинаю осознавать, что определяющие для меня режиссерские суждения слишком рассредоточены, бесформенным образом разбросаны и утоплены во многих неоднозначно выстроенных мною страницах, они дробятся и теряются в расплывшемся пространстве изложенного материала.

Время побуждает нас к поискам пространственной гармонии. Чувство формы — не самое сильное наше качество и, вероятно, наша общая историческая «задолженность». И вот возникает непреодолимое желание по мере приближения к финалу спрессовать все самое ценное в какой-то единый блок моих режиссерских поисков, познаний и надежд. Среди живых, работающих со мной слов самые жизненно важные для меня вдруг обретают самостоятельное движение, их хочется выделить, может быть, повторить, но, скорее всего, — проверить: «гипнотический контакт», «энергетический мост», «нервная температура», «режиссура зигзагов», «позиция дилетанта», «монтаж экстремальных ситуаций», «коридор поиска».

Коридор поиска

Наши зрители знают теперь о нашем искусстве все. Они знают, как и в каких допустимых пределах надо изображать на сцене любовь, личные раздумья и служебное негодование, знают, как должен задумываться директор, а как следователь, как должна улыбаться многодетная положительная мать, а как подлая секретарша, разбивающая чужие семьи. И в историческом плане зритель на удивление четко прогнозирует все возможные поступки наших героев. Сказал человек в семнадцатом году какую-нибудь фразу неприятным, скрипучим тембром — ясно: большевиков не поддержит. А вот посмотрел на красных неодобрительно, но сощурился — все понимают: к большевикам придет. Своей, нелегкой дорогой.

Как театр превращается из живого в мертвый и обратно — тема особая и привлекательная. Не скажу, что я здесь во всем разобрался; в театре столько болезней, что одно перечисление их — уже большой и отчасти рискованный труд. Некоторые «бациллоносители» могут обидеться, а их обижать не хочется, хочется воздействовать на них с помощью гуманизма и постановки хороших спектаклей. А для того чтобы ставить хотя бы иногда хорошие спектакли, нужны свежие идеи не только в области режиссуры и актерского мастерства, но еще и в области драматургии. (Великое открытие!) Сегодня эта проблема самая больная, самая напряженная. Говорят, так было всегда, но нам от этого не легче.

Новые и наиболее талантливые наши молодые драматурги не похожи на тех, кто до них преуспевал на театральном поприще. Сейчас в драматургии наблюдается временами трудно протекающая, как в спорте, смена поколений. Это закономерно, и от новых драматургов не стоит требовать, чтобы они писали так, как писали так называемые классики советской драматургии.

Начав в нашем театре работу с одним из новых драматургов, Людмилой Петрушевской, мы хорошо понимали, что у нее есть и будут серьезные и достаточно эрудированные оппоненты, которых, кстати, было не меньше и у такого поначалу раздражавшего многих драматурга, каким был безвременно ушедший от нас Александр Вампилов.

«Три девушки в голубом» — произведение, вызвавшее ожесточенное сопротивление цензурного аппарата. Наша борьба за спектакль продолжалась около четырех лет. Случай беспрецедентный! Мы проявили всю отпущенную нам богом волю. Мы спорили с пеной у рта, сражались за каждое слово, за каждую мизансцену. Странно, что спектакль все-таки разрешили, может быть, наиболее дальновидные чиновники предчувствовали эпоху перестройки.

В комедии Л. Петрушевской «Три девушки в голубом» люди озабочены не государственными, а сугубо житейскими проблемами, среди которых не последнее место занимает, например, семейный бюджет. Уж о чем о чем, а о деньгах обычные нормальные театральные герои у нас, как правило, совершенно не задумывались. В экономическом отношении наши сценические персонажи — люди на удивление независимые. У Александра Дюма был один граф Монте-Кристо, у нас — почти все действующие лица.

И вот неожиданно некоторые персонажи вдруг задумались о зарплате. Это нехорошо — согласен. Мы долгое время были убеждены, что современные герои о зарплате не помышляют, а герои Петрушевской все как один дважды в месяц ее получают. Но и этого им мало, они постоянно что-то подсчитывают, умножают, прикидывают и делят. Через некоторое время мы, конечно, начинаем понимать, что житейские и другие, чисто психологические детали нужны Петрушевской не для того, чтобы сконцентрировать зрительское внимание на каких-то сценических неприятностях, а договориться со зрителем о новой системе отсчета, о мере предполагаемой откровенности. Когда М. Шолохов, например, вводил в прозаическую ткань своего гениального «Тихого Дона» нецензурные выражения, я полагаю, он это делал не из-за ограниченности собственного словарного запаса. Автор как бы присягал своему читателю в том, что будет «говорить правду, и ничего кроме правды».

Людмила Петрушевская, может быть, специально и не думала о подобной «присяге», но степень ее драматургической правдивости явно выходила за среднестатистический уровень. И уже одно это было поводом для известной напряженности.

Ее Ирина (центральный персонаж пьесы) совершает на наших глазах некое духовное перестроение, своеобразное восхождение на иную ступень своего мироощущения, своих взаимоотношений с людьми близкими и людьми чужими, ставшими в результате такого внутреннего движения нашей героини людьми для нее дорогими и необходимыми.

Драматургическая ткань Петрушевской при некоторой ее непривычной резкости оказалась при внимательном нашем рассмотрении очень тонкой поэтической вязью. На первых репетициях мы пробовали для понимания ее лексических закономерностей добавлять в текст что-то из так называемых нынешних сленговых выражений. И тотчас почувствовали: фразы, якобы усиливающие достоверность происходящего, — тела инородные. Возможно, мы проделали на этих пробах то, что делает ребенок в первые годы своей жизни: соприкоснувшись впервые со стихотворным текстом, он пробует иногда заменить или переставить отдельные слова и с удивлением обнаруживает, что при неизменном смысле стихотворения из него уходит рифма. Уходит вещь эфемерная, зыбкая, которую иногда невозможно пощупать, — уходит искусство.

Язык Петрушевской — не магнитофонная запись, но вместе с тем и новое приближение к живым, непричесанным выражениям, к тому способу общения, который имеет место не в среднестатистических кинофильмах и телевизионных спектаклях, а в разноязычных волнах живой человеческой речи. После нашей сценической победы у Петрушевской появилось много последователей или подражателей. Не знаю, как сказать точнее, хотя оба понятия весьма условны. Идущие вослед знаменовали собой нашествие глобальной «чернухи». В основе таланта Петрушевской лежал поэтический дар, у ее последователей — грубая норма жизни с обильным использованием ненормативной лексики. На долгие годы современная драматургия на девяносто пять процентов превратилась в «чернушные» сочинения.

Погружаясь в затейливую и не совсем привычную драматургическую стилистику Л. Петрушевской, взаимодействуя с ней на разных уровнях нашего актерского и режиссерского сознания, мы постарались максимально приблизить к современной жизни все наши актерские и режиссерские приспособления; придирчиво контролируя друг друга, попытались услышать незаштампованные интонации, ощутить неожиданные для сцены, но правдивые подробности в поведении персонажей.

Конечно, такого рода скрупулезная репетиционная работа велась нами не только над пьесой Петрушевской, я полагаю, что все последние спектакли, за исключением наших музыкальных сочинений, побуждали нас к решительному пересмотру некоторых наших сценических привычек. В «Жестоких играх» нам впервые удалось организовать особые устойчивые зоны, когда зритель был буквально парализован неожиданным «антитеатральным» потоком действенных актерских импровизаций. Работая над «Жестокими играми», я впервые четко сформулировал задачу организации для каждого актера не линии роли, но коридора. Конечно, это была задача «на вырост». Некое благое намерение, еще не подкрепленное тщательным режиссерским методологическим обоснованием.

* * *

Живое, непредсказуемое для зрителя поведение на сцене пока что редкость в нашем искусстве. Привести свой актерский организм к живому, чуткому, импровизационному режиму сценического существования — задача трудная. Помимо блистательной и богатой техники, умения слышать и коллекционировать нюансы человеческого поведения, здесь необходимо еще и другое: необыкновенная волевая, нервная основа для навязывания зрителю сложного, зигзагообразного эмоционального движения, необходима абсолютная уверенность в собственных возможностях, что никогда не укрывается от зрителя. Зритель всегда понимает, кто на сцене важнее, кто лидер, руководитель процесса, а кто ассистент. Чтобы быть хозяином на сценических подмостках, чтобы сбить зрителя с привычного ему прогнозирования, необходимо расстаться с комплексом актерской неполноценности — явлением, которому подвержены многие внешне уверенные в себе театральные деятели. Нужно подготовить свой организм к очень тонкой борьбе, одновременно имея под рукой дополнительные энергетические мощности, о которых должен догадываться зритель. Важно их иметь и не рассказывать о них — зритель сам обо всем догадается, а если и не догадается, то почувствует. Обязательно. Вообще зритель, несмотря на то, что выглядит подчас простодушно, ведет себя иной раз дурашливо, — понимает про нас все.

Однажды я вычитал: встретите ночью отвязавшегося дога (самую коварную собачью породу) — сделайте все, чтобы не испугаться. Если что-то у вас внутри дрогнет, дог об этом сразу каким-то образом догадается и нападет, а не испугаетесь — никогда не посмеет к вам притронуться. Наш зритель, мне думается, не уступает догу в умении считывать информацию о невидимых биологических процессах. И если собачье обоняние превосходит человеческое, то наше подсознание располагает такими механизмами фиксации едва заметных сигналов, что полностью компенсирует недостаточно развитый нюх.

Человек излучает огромное количество информации при полном молчании и полной статике, а уж если человек стал перемещаться в пространстве и заговорил, количество сигналов о его здоровье, самочувствии, семейном статусе, служебных успехах, материальном положении, намерениях дальних и ближайших, по моему ощущению, достигает астрономической цифры.

Подойдите к заурядной гадающей цыганке и попробуйте ее обмануть: незамужняя женщина пусть спросит о своем муже, а замужняя — как скоро встретит она своего суженого. Обмануть цыганку не удастся, хотя, допускаю, она может в отдельных случаях подыграть по чисто материальным соображениям. Я в таких опытах участвовал, знаю, какой наметанный глаз у гадающих цыганок, опытных метрдотелей и официантов, шоферов такси и профессиональных разведчиков. Зритель в общем и целом не уступает ни одной из вышеперечисленных профессий.

Одним из сильных зрительских впечатлений явился для меня в свое время спектакль «Фантазии Фарятьева» в московском «Современнике». Я запомнил на всю жизнь это ни с чем не сравнимое ощущение, когда медленно открылся занавес и в глубине сцены внимание наше привлек печальный пожилой человек в потертом, слегка лоснящемся старомодном кителе. Человек был неподвижен, задумчив и суров, он смотрел вверх, медленно панорамируя взглядом. Я помню, как сразу же притих и растерялся зритель. Это был странный и неожиданный удар по нашим эмоциям, удар, шокирующий нас своей правдивостью и своей таинственностью одновременно. Мы поверили этому бесхитростному человеку, сразу же поверили в крайнюю искренность его намерений и одновременно не опознали эти самые намерения, что и было самым интересным. Помню, как я, загипнотизированный столь талантливым и неординарным началом, вздрогнул от режиссерской зависти. Помню, как тихо открылась дверь, вошла актриса, исполняющая роль мамы, как тихо, трепетно и вместе с тем очень правдиво начался этот спектакль... Потом человек не спеша удалился, обстановка на сцене выровнялась, стала понятнее, нормальнее. Вскоре спектакль пошел так, как я того и ожидал, — хорошо и культурно.

В антракте я побежал за кулисы и спросил у Игоря Кваши: как родилось в спектакле такое прекрасное начало? Кто придумал? Кто сыграл? Кваша ответил примерно так: «Никто не придумал, никто не сыграл. Это наш идиот пожарник вечно торчит на сцене, не может себе уяснить, когда открыт занавес, когда закрыт. Все шарит глазами по потолку — нет ли где огонька...»

Я стал тотчас размышлять, каким образом возможно зафиксировать подобное явление на сцене. Допустим, связаться с пожарником? Опасно. Как только он почувствует себя участником спектакля, в его поведении тотчас произойдут разительные изменения, он превратится в самодеятельного артиста и уверенности, тем более покоя он продемонстрировать не сможет. Придется поручить эту роль артисту примерно такого же внешнего облика, то есть которому перевалило за пятьдесят. Обычно такие артисты относятся к числу заслуженных и ведущих. Объяснить такому артисту, зачем ему надо две-три минуты постоять на сцене, глядя наверх, отнюдь не просто. Но даже если и удастся объяснить всю якобы необыкновенную важность подобной мизансцены, обычный ведущий артист постарается выполнить ее на «высоком идейно-художественном уровне». Поэтому он, скорее всего, задумчиво сощурится, показывая зрителю всю глубину и важность своего раздумья, и посмотрит наверх не просто так, абы посмотреть, а бросит на это дело все свое накопленное годами мастерство. Словом, посмотрит так, чтобы зритель непременно сказал: «До чего же хорошо смотрит!» Но именно все это и создает ощущение самой банальной иллюстративно-театральной мизансцены. Никакого удивления «задумчивость» ведущего артиста у зрителя не вызовет, он видел такие задумчивые мизансцены миллион раз.

И потом, артиста так не оденешь, такого костюма, который был надет на пожарнике, в театре не сошьешь. Ведущий артист в костюме, изготовленном в театральной пошивочной мастерской, и настоящий пожарник в собственной одежде — явления несовместимые. Настоящая одежда человека в изобилии излучает те самые «сигналы», о которых я писал выше, она посылает в пространство огромное количество данных о своем хозяине: пошитый же в театре костюм — чаще всего явление мертвое и декоративное.

Я замечал, как достаточно интересные, самобытные личности со следами сложных жизненных перипетий при облачении в средневековые колеты, плащи и панталоны превращались в карточных валетов — людей без биографии, без груза прожитых лет.

Я не призываю к закрытию пошивочных театральных мастерских, но для спектаклей с углубленной психологической разработкой моделирование театральных костюмов и их пошив сегодня должны быть иными, отличными от той устоявшейся нормы, что господствует в большинстве наших театров.

Работая над выпуском «Трех девушек в голубом», мы, как и при рождении «Жестоких игр», столкнулись со сложнейшей проблемой живого сценического костюма. Было много поисков и мучений. Иногда сшитая одежда отдавалась актеру для повседневного пользования, дабы материя впитала в себя следы реальных жизненных событий. Метод не универсальный, но заслуживающий внимания. Были выявлены и некоторые закономерности. Например, зрителя невозможно обмануть по поводу «фирменной» тряпки. Сшить джинсы в театральной мастерской и выдать их за фирменные, строго рассуждая, невозможно. По каким едва заметным складкам, линиям, потертостям на швах или каким другим микроскопическим деталям отличаем мы настоящую вещь от ее имитации — я точно не знаю.

Пока мне ясно одно: если мы намерены в жанре бытовой психологической драмы добиться высокой сценической правды на всех уровнях зрительского восприятия, мы обязаны добиться «живого», «биографического», материального контакта актера со своим костюмом. Костюм должен излучать поток «сигналов-следов», которые дополняли бы зримую информацию о человеке еще и некоторым количеством информации незримой, точнее, неосознанной. (Однажды пожилой шофер такси рассказал мне, как он отличает среди прочих своих клиентов банковских работников, бухгалтеров и других лиц, имеющих отношение к пересчету больших денежных сумм. Он поделился со мной своеобразными наблюдениями.)

Оставим костюмы в покое, подумаем теперь о пластике, о движении рук, ног, человеческих глаз.

Техника современной киносъемки позволяет иногда снимать героев фильма непосредственно в толпе прохожих, иногда же приходится такую толпу организовывать из статистов. Обмануть зрителя здесь практически невозможно. Если он поставил себе целью — определить, где настоящие живые люди, а где «выступление» статистов, — он это сделает очень легко в фильме обыкновенного кинорежиссера и слегка помучается у режиссера экстра-класса, но все-таки и там распознает, где натуральная живая толпа, а где ее тщательная имитация.

* * *

Зритель без труда угадывает в среднем культурном актере заученность и выверенность его движений, пауз, вздохов, охов и всех прочих звуковых и мизансценических посылов. (Заученность диалога может быть также обнаружена по сокращенным паузам между репликами и другим нюансам.)

Репетируя «Жестокие игры», мы проводили опыты по выявлению различий в пластике актера и нормального человека, к актерской профессии отношения не имеющего. Сделав так, чтобы монтировщик декораций не догадывался, что он — объект нашего наблюдения, мы организовывали его проход через сцену и жадно наблюдали. Что мы видели? Человек шел «по делу», человек не ставил перед собой важнейшую цель каждого здравомыслящего актера — понравиться публике во время этого прохода. Я допускаю, что специально и нарочито такая цель в небольшом служебном проходе актера, может быть, и не ставится. Но подсознание актера, которому в свое время было дано четкое задание — понравиться публике, — подсознание работает и... срабатывает. Проход нормального актера по сцене заметно отличается от прохода нормального монтировщика декораций. Если актер начинает заниматься на сцене делом, а не выпрашивать успех у зрителя — такое «антитеатральное» поведение повергает зрителя в «шок», но потом вызывает пристальный интерес. Сначала просто любопытство, потом — доверие. Если актер хотя бы на небольшом пространственном и временном отрезке начинает действовать не в соответствии с разученными им ранее мизансценами — эффект может возникнуть уникальный. Зритель теряет возможность прогнозировать поведение такого актера, он не понимает его намерений и проникается к такому человеку, я бы сказал, патологическим доверием. Импровизационное движение столь же резко отличается от ранее опробованного, как настоящий прохожий в кино от снявшегося в кино статиста.

Устойчивая прежде категория «актерская выразительность» стала теперь достаточно зыбкой. Очень часто теперь «невыразительность» дилетанта выразительнее самого выразительного набора профессиональных актерских навыков.

* * *

Когда у американцев появился широко разрекламированный ими «детектор лжи», мы справедливо поставили под сомнение выдаваемую им информацию как однозначное определение правды или лжи. Но мы, естественно, не ставили и не ставим под сомнение объективность его показаний, связанных с изменениями в человеческом организме. В тот момент, когда задается вопрос, обдумывается ответ и, наконец, произносятся слова, датчики фиксируют незначительные, но подчас четкие изменения в функциях многих органов допрашиваемого человека. Я допускаю, что некоторые закономерности здесь могут быть обнаружены пусть не с абсолютной, но с достаточно высокой надежностью. Видимо, какие-то ответы при подобном «допросе» даются испытуемому легко, каким-то ответам предшествуют напряжение, волнение, что и фиксируют датчики.

Я лично отдаю должное подобной аппаратуре и понимаю всю объективность ее показаний. Но я думаю, что человеческий организм не уступает «детектору лжи» или каким-либо другим современным устройствам, приходящим на помощь медицине, более того, уверен и даже знаю, что человек может «поймать» и самую загадочную субстанцию на свете — чужую мысль.

Так или иначе, мы все слышали о сходных явлениях, они нестабильны, в значительной мере представляют собой пока что тайну, но раз человек способен на прием тончайших сигналов, отличить в принципе первое, действительно неожиданное человеческое движение от заученного, но имитирующего такую неожиданность, — не слишком сложная задача.

Конечно, существует разная актерская квалификация, разная техническая оснащенность, и все-таки в девяноста случаях из ста зритель отличает неожиданный импровизационный ход от воспроизведения хода, опробованного и повторенного десятки, а то и сотни раз. Импровизация прежде всего неизбежно влияет на поведение партнера: того актера, который атакован на сцене новым и неожиданным образом. Он не может отнестись к подобной атаке безразлично, даже если не поддержит предложенный ему актерский ход, «обидится» на импровизацию своего товарища или с внутренним раздражением ее проигнорирует — все равно, я уверен, будучи в этот момент подключенным к «детектору лжи», он бы тотчас «толкнул» стрелочки многих приборов. И изменение нервного потенциала другого человека на сцене тоже не укрывается от зрителя, чаще всего оно им воспринимается. Опять-таки не всегда сознательно.

Если актер выстроил свое внутреннее действие как систему разнообразных попыток изменить создавшееся на сцене положение, если он попытается нанести по окружающим его партнерам или по собственному организму удары, которые бы в корне изменили создавшуюся ситуацию, а сама ситуация приближается по своему нервному градусу к экстремальной, то применение в этом случае серии незапланированных актерских приспособлений, то есть смелая и действенная импровизация свободного в своих поисках и волевого актера, может привести зрителя к «шоковому состоянию». Термин, конечно, достаточно условный и субъективный. Но я не раз замечал, как резко меняется атмосфера в зрительном зале, когда озадаченный зритель подпадает под гипноз живых актерских посылов.

* * *

Импровизация тесно связана с еще одним труднейшим способом актерского существования, о котором мне бы хотелось сказать несколько слов. Я имею в виду тот способ сценической жизни, когда актер ничего «не выпрашивает» у зрителя, когда он «независим» от него, когда он «демонстративно пренебрегает» его симпатиями и вкусами. Актер занимается своим делом, а всему остальному как бы не придает значения. Он не старается прикинуться многозначительной личностью и вообще делать то, что чаще всего пытается делать актер на сцене, — производить выгодное впечатление. Он даже не старается поворачиваться к зрителю тем боком, с которого он особенно симпатичен, не демонстрирует ему свою молодость или обаяние. Он как бы говорит: «Мне лично ничего доказывать уже не надо, я все давно доказал. Артист я настолько редкостный, что ваша зрительская любовь или нелюбовь меня сегодня совершенно не волнует. Я тут по делу, это мои проблемы, я ими занимаюсь так, как я считаю нужным, а не так, как вы того ожидаете».

Читатель меня, надеюсь, простит за несколько грубоватый стиль этого вымышленного монолога, его, разумеется, можно сформулировать иначе, но смысл должен остаться примерно таким и нести в себе элемент некоторого вызова, некоторой скрытой конфронтации. «Заискивают пусть другие, начинающие или те, кто послабее».

Такая актерская позиция, если она не несет в себе, разумеется, излишней грубости, как правило, покоряет зрителя. Мне всегда казалось, что зрительный зал на талантливо сорганизованном спектакле очень скоро превращается в какое-то особое фантастическое живое существо. (Почти как у С. Лема.) Будучи актером, я, помню, чувствовал его мощное энергетическое излучение. Страшное существо казалось мне то добрым, то настороженным, то выжидательно-отчужденным. Особая и очень интересная тема: механизм сложения отдельных нервных человеческих потенциалов в некую коллективно функционирующую биологическую величину. Боюсь углубляться в эту загадочную проблему, но знаю хорошо: от простого количественного сложения однородных нервных импульсов может родиться качественно новая энергетика массы. Однажды в жизни на сугубо отрицательном примере я испытал то, что именуется иногда «чувством толпы» или «настроением толпы». Помню, как мной овладела необыкновенно прогрессирующая во мне и шагающих рядом людях жажда агрессивного уничтожения всех и всяческих преград, стоящих на нашем пути. Это было ни на что не похожее ощущение, переходящее в потребность, в неотвратимое намерение, оно не принадлежало мне лично и было вообще мне несвойственно, но я хорошо помню, что испытывал своеобразное опьянение от нахлынувших на меня необыкновенных эмоций, и потом, много позже, анализируя свое состояние, догадался, что это и есть известный науке путь к совершению разного рода печальных поступков.

Естественно, общее настроение или единая эмоция коллектива может быть и со знаком плюс, может быть направлена на созидание и совершение доброго дела. Хочу сказать, что энергетический потенциал коллектива формируется и развивается по собственным, весьма своеобразным законам. Случайно собравшиеся в зрительном зале люди обретают некоторый общий нервный режим существования. И зрительский коллектив — это «особое существо» с необыкновенно развитой психикой, необыкновенной эмоциональной чуткостью, с поразительным аналитическим мышлением, но и с устойчивыми явлениями «низшего порядка». Я имею в виду некоторые признаки воспоминаний о жизни в «дочеловеческую» эру. Недаром в науке о человеческом коллективе существует такое понятие, как, например, «неформальный лидер», то бишь бывший «вожак стаи». Меньше всего хочу отождествлять человеческий коллектив со звериным «прайдом», но считаю, что описанными мною глубинными, иногда почти исчезающими рефлексами все же полностью пренебрегать не стоит. Они в какой-то степени живучи, и, более того, при некоторых обстоятельствах экстремального характера эти черты в поведении человеческого коллектива начинают недвусмысленно прослеживаться. Поскольку современный театр имеет дело с моделированием экстремальных ситуаций, нам стоит еще раз поразмышлять на эту тему. Кто, к примеру, становится «неформальным лидером» в коллективе?

Несколько упростив многосложную проблему, скажем так: предпочтение оказывается той особи, которая постоянно демонстрирует силу и свое неоспоримое преимущество. Настаиваю: постоянно. Даже в неконфликтной ситуации. Каждому человеку присуще сознательное или не осознанное до конца стремление утверждать себя. Сила при некоторых обстоятельствах — синоним уверенности. Женщина, надевшая новую дорогую вещь, часто видоизменяет свою пластику, меняет выражение глаз — короче, посылает окружающим иные сигналы, чем женщина, испытывающая затруднения с одеждой. Конечно, здесь все очень и очень непросто. Человек может появиться в драных штанах и держаться при этом по-королевски. Это произойдет в том случае, если он имеет дома много штанов и может себе позволить не заботиться об одежде так, как заботится человек, переместившийся в такие сферы (либо очень высокие, либо очень низкие), где наличие или отсутствие штанов уже не играет никакой роли.

Итак, человек постоянно пребывает в состоянии плотного информационного обмена с окружающим его коллективом. Скрытая, своеобразная борьба за первенство ведется даже в самых невинных, спокойных ситуациях. Подозреваю, что время от времени каждый претендент на высокое положение в коллективе как бы выбрасывает предупредительный, но по-своему весьма агрессивный сигнал: «Со мной связываться не советую!» или «Я сильнее вас!», иногда даже «Я посильнее вас всех вместе взятых!». Описать, из какой материи состоят подобные сигналы, я сейчас не берусь, это наш человеческий микрокосм. Дело особой деликатности. Умение расшифровать такого рода сознательные и подсознательные человеческие акции — показатель актерской и режиссерской квалификации.

Некоторые способы человеческого утверждения в коллективе, некоторые наиболее выразительные мгновения в процессе «демонстрации силы» неплохо исследовал мировой остросюжетный кинематограф. К числу его заметных открытий я отношу систему крайне независимого поведения отдельных его героев, которую можно определить формулой: «Я настолько для вас страшен, что даже пугать не хочу. Не вижу среди вас достойного соперника, поэтому так спокоен, что почти засыпаю».

Все эти странные и, возможно, очень спорные суждения необходимы мне, чтобы настроить актера на сугубо действенный, конфликтный лад, когда в ход идут лишь едва различимые сигналы — изощренная система оповещения партнера о своем превосходстве. Сюда входит и особая вибрация голосовых связок, и особые пластические характеристики, и некоторые нюансы в движении глазного яблока и лицевых мускулов. Возможно, не все здесь связано с одним только движением, возможно, что энергетически насыщенная статика, полнейшая остановка тоже оборачивается подчас сильнейшей атакой.

Я называю подобные целенаправленные действия «борьбой за лидерство». Борьба в разных ее формах должна присутствовать на сценических подмостках в каждую отпущенную нам секунду. Даже во время так называемых «проходных» сцен, ничего, казалось бы, не значащих реплик должен происходить обмен скрытыми информационными ударами на предмет выявления лидера.

Сегодня я все чаще рассматриваю современный спектакль как «монтаж экстремальных ситуаций», где в широких ритмических и эмоциональных диапазонах постоянно, подспудно, сознательно и неосознанно ведется героями достаточно жестокая борьба за собственное утверждение. Не всегда «борьба за лидерство» — некая рациональная система поступков, иногда, и очень часто, такая борьба в нашей жизни ведется на подсознательном уровне. Например, в любовных взаимоотношениях соперничество может быть утоплено, почти дематериализовано — и все-таки «почти», не полностью. Наметанный, хорошо тренированный режиссерский глаз должен выявлять в любой жизненной ситуации «материю борьбы». Она необходима нам для моделирования на сцене обязательного действия.

Тончайшая сигнализация о своих правах на лидерство может и должна обрушиваться непременно и на коллектив зрителей. В этом случае она, как правило, носит еще более скрытый характер. Не стоит впадать в театральное ханжество и делать вид, что зрители — лишь соглядатаи сценических борений. Лучше сразу договориться, что сценические партнеры — всего лишь посредники в организации главной атаки на психику зрителя. И в этой атаке убеждает и подчиняет себе зал тот актер, кто отважится «схлестнуться» с целым зрительским коллективом. К одному из действенных способов в достижении такой победы я и отношу вышеупомянутую систему демонстрации сценической «независимости», «пренебрежительное» отношение к собственному успеху или неуспеху. В некоторых ситуациях, повторяю, в зрительском коллективе циркулируют своеобразные дуновения «низменных» инстинктов, когда человеческий коллектив начинает выстраиваться по примитивной биологической иерархии. И тогда суетливые особи, желающие во что бы то ни стало «приглянуться» и «показаться», могут восприниматься как «не уверенные в себе существа». Опытный актер знает: чем больше стремишься понравиться зрителю, чем больше суетишься и пыжишься, тем меньше надежды завоевать его симпатию. Похлопать-то он тебе похлопает, но всерьез не зауважает.

Далеко не каждый актер может позволить себе такую свободу, чтобы не «вымаливать» успех у зрительного зала, чтобы делать дело, а не купаться в собственном мастерстве. Добиться свободного и независимого существования на сцене непросто, очевидно, это противоречит некоторым лицедейским рефлексам. Чтобы создать подобный режим сценического существования, надо проделать со своим актерским организмом длительную и трудоемкую работу. Многое открыл и сформулировал здесь великий Станиславский. Но, по-моему, не все. Нам, его наследникам, необходимо по-новому и тщательно разобраться в некоторых особо сложных и тонких психических механизмах, на коих покоится ныне система взаимоотношений современного актера с современным зрителем.

Очень полезно рассматривать сегодня спектакль как серию опытов с психикой зрителя. Разумеется, «серия опытов» — понятие условное, мы не влияем впрямую на состояние здоровья зрителей. Мы пытаемся лишь превратить декоративное театральное начало в пружину для интенсивного и разнообразного нервного «облучения» человека, пришедшего в театр. И тут возникает потребность в специальной методологии, в чутком отношении к зрительскому опыту, к устоявшимся вкусам, которые необходимо разрушать, к зрительским познаниям, к некоторым особенностям волевого человеческого контакта, включая элементы гипноза.

В ряде случаев я уже чувствовал себя не режиссером, а психотерапевтом по отношению к актеру и иногда гипнотизером по отношению к зрителю.

Всерьез повести за собой избалованного бесчисленным количеством зрелищ, капризного зрителя, сбить его, высокомерного умника, с прогнозирования наших сценических поступков — задача огромной сложности. Но решать ее надо непременно, решать смело, целенаправленно, методом дерзких проб и ошибок. Иного выхода у нас нет.

Сегодня зритель мгновенно «просчитывает» и сам сюжет, и обязательные сценические приспособления, которые к нему прилагаются. Когда этот набор с теми или иными допусками преподносится со сцены в добротном исполнении, зритель вежливо благодарит, кивает и дружелюбно аплодирует. И только когда он сталкивается вдруг с неопознанными выбросами актерских и режиссерских эмоций, когда разрушается привычная система знаков и вместо нее обрушивается поток человеческой энергии — вот здесь зритель может впервые в жизни ощутить, что такое настоящий, живой театр, какова его истинная магия. В эти мгновения он может осознать то, что называют по-разному: то «чудом» театра, то его «волшебством».

* * *

Итак, не линия роли, но *коридор*. Мы обозначаем крайние вехи во времени и пространстве. Мы ограничиваем пространство самыми важными репликами, без которых не можем обойтись, мы ограничиваем площадку сценографическими деталями, но так, чтобы места актеру оставалось много. Мы, наконец, определяем главное: действие. Лучше — задачу: «Чего я хочу?» Действие сформулировать сложно, плохо поддающиеся словесной расшифровке движения составляют главную его прелесть. Поэтому — задача. Понятие более четкое и простое. Чего я, актер, хочу добиться в конечном счете, потому что промежуточные деяния хорошо бы не фиксировать заранее.

Таким образом мы готовим «коридор» для свободного и непредсказуемого в своих приспособлениях действия. Мы благословляем актера и запускаем его в эту достаточно широкую полосу возможной жизни. Отметим сразу: далеко не каждый актер, согласившийся со мной в чисто теоретическом плане, избирает такого рода свободное движение. Очень часто актер идет боязливо по стеночке «коридора», сбиваясь, по существу, на ту же самую, заранее апробированную линию роли. Чтобы двинуться по «коридору», нужна актерская отвага, огромная уверенность в своих силах и определенная склонность к спонтанным решениям, к смелой и неожиданной для себя импровизации. «Для себя» — я бы выделил особо. Это очень важное условие. Далеко не все следует актеру планировать в своем движении по «коридору», необходимо оставлять белые пятна, сознательно не загадывать заранее все зигзаги своего пути, решения принимать молниеносно, в зависимости от энергии партнеров, состояния зрительного зала и собственного внутреннего настроя.

Если все будет происходить на сцене подобным или похожим образом, в спектакле может родиться необыкновенная, редкостная сцена. (На весь спектакль целиком я пока не надеюсь.) Подробности и особенности родившегося сценического акта будут таковы, что их наверняка отнесут к вершинам современной режиссуры. Однако краски его не будут домашней режиссерской заготовкой. Их дома не придумаешь.

Это мечта не о режиссерском сочинении, а о плодах режиссерского метода. Плоды должен щедро и в изобилии рождать живой, подвижный, сильный и независимый актерский организм. В этом я вижу смысл современного режиссерского поиска.

Режиссура зигзагов и монтаж экстремальных ситуаций

Можно ли изобразить сценический процесс в графическом начертании? Думаю — полезно, ибо с помощью такой условной формулы можно передать кое-что от принципа реализации драматургических намерений автора, что лежат в основе нашего искусства.

Сначала я употреблял условный термин — «кардиограмма сценического процесса», — но довольно скоро от него отказался. Во-первых, портит настроение всем актерам, кому перевалило за сорок, а тем более за пятьдесят. Во-вторых, в кардиограмме много округлых линий, стало быть, изменения не слишком-то неожиданны, и еще один недостаток — ритмическая однородность линии, периодически однообразный повтор в рисунке. Правильнее и точнее, я думаю, представить основу сценического процесса в виде *зигзага*.

Система аритмичных зигзагов, по моему мнению, как нельзя лучше передает суть того движения, которое мы призваны воплотить на подмостках современного театра. Именно призваны. Потому что само воплощение иногда напоминает и иные начертания, в том числе и вялые волнообразные линии, нагоняющие тоску и даже убаюкивающие зрителя. Кстати, эффект колыбельной песни связан именно с комфортабельным ритмически однообразным построением звуковых акцентов.

Я убежден, одно из главных занятий режиссера в современном театре — представить (выстроить, сочинить) сценический сюжет в виде ломаной линии, острые и неожиданные углы которой образуют изощренную систему зигзагов различной величины и интенсивности. Под интенсивностью я подразумеваю наличие в каждом луче зигзагообразной линии сильной энергетики, сильного действенного посыла, проявляемого, однако, во всем эмоциональном разнообразии, свойственном человеческому организму.

Если согласиться со мной по поводу ликвидации «линии роли» и организации вместо нее «коридора», то жизнь сценического персонажа может быть выстроена в виде широкой полосы («коридора»), в которой этот персонаж свободно импровизирует некоторое непредсказуемое зрителем зигзагообразное движение к намеченной цели.

Каждый неожиданный слом, угол, поворот есть сценическое событие, более или менее крупное, заметное, осязаемое всеми, или, наоборот, событие, почти невидимое для посторонних глаз, относящееся к тайнам жизни человеческого духа. Событие на сцене — это не обязательно наводнение или крик «Вы — подлец!». Иногда событием на сцене может оказаться та последняя крохотная капля, что «переполняет чашу терпения», приводит человека к принятию важного решения или побуждает к спонтанному движению, поступку. Событием, по моему ощущению, может оказаться любое слово, произнесенное на сцене, любой объект материального мира, а также мысль и само ощущение.

Я не собираюсь умалять роли конструктивного актерского мышления и, более того, считаю, что современный актер обязан приобретать еще и режиссерские навыки. Но сделать главное: воссоздать жизненный процесс как зигзагообразное развитие человеческих намерений, развитие, проходящее по цепочке событийного ряда, выявить эти подчас загадочные точки в сознании и подсознании действующего актера, найти нюансы психологического свойства, которые в конечном счете и являются переломными зонами, — есть наша основная режиссерская задача, если только из всех режиссерских задач можно выявить таковую и назвать ее основной.

Очень нетрудно, прочитав пьесу, пометить себе карандашиком события в ее сюжете. Беда лишь в том, что такого рода «события» могут совсем не являться событиями для людей, собравшихся в зале. То, что может показаться нам неожиданным изменением в сценическом процессе, для современного зрителя очень часто оказывается явлением ожидаемым. Такое «событие», по существу, не может именоваться событием. Жонгляж терминологией возбуждает и горячит режиссерское воображение, и очень часто незаметно для себя мы выдаем желаемое за действительное. Как бы мы ни гипнотизировали самих себя, следует помнить, я уже говорил об этом, что наш зритель уже давно выучил наизусть эти самые «события» в классической драматургии и отлично разобрался с возможными (допустимыми) «происшествиями» из «нашей жизни» вместе со всем сопутствующим среднестатистическим набором актерских телодвижений и интонаций. Сюда хочется отнести уже заодно и разного рода «звукодвижения», в том числе «музыкальные отбивки», призванные сдабривать пресную «говорильню» и создавать ощущение ритмического разнообразия.

Впрочем, перечислять сейчас все имеющиеся в нашем наличии режиссерские штампы, в том числе свои собственные, мне не хочется. Не потому, что они еще пригодятся, а потому, что я пытаюсь заострить внимание на событиях, происшедших за пределами театра, в жизни тех, кто покупает билеты на наши спектакли.

Если мы намереваемся поставить спектакль для передового зрителя, мы должны определить, наметить, почувствовать, сочинить (не знаю, какой из глаголов здесь лучший) такой событийный ряд, где каждое событие в сценической жизни становилось бы подлинным событием для того, кто сегодня пришел в театр. Событие должно прежде всего ошеломить, удивить, заинтересовать своей неожиданной правдой, но не обязательно сразу, возможно и допустимо восприятие «задним числом». К этому обстоятельству я еще вернусь. Со зрителем хорошо идти некоторое время в плотном эмоциональном контакте, а потом вдруг «предать» это единение, свернуть в сторону, оторваться от его зрительского «преследования». В реализации этих намерений зримо проявляется режиссерский талант — склонность к творческому акту, поражающему современников своей необходимостью и новизной одновременно.

* * *

То, что оказалось событием для одного действующего лица и что привело к едва заметному или хорошо зримому зигзагу в его поведении, неизбежно должно вызвать цепную реакцию изменений в существовании всех сценических персонажей. Это закон не столько общетеатральный, сколько всемирный.

Здесь во всей сложности сегодняшнего театрального построения возникает такая основополагающая категория нашего искусства, как оценка. (Реакция актера на происходящее.) Это самая подлая и неверная лошадка в нашем нескончаемом беге к сценической истине. Ничто так не тяготеет к одряхлению, консервации, к штампу, как сценические (кинематографические) реакции актера на слова или поступки его партнеров. Зритель отлично знает, что «по этому поводу — хорошо поднять брови и лукаво усмехнуться, по этому поводу — лучше всего задуматься сощурившись». А тут «вздрогнуть и замереть, как бы удивляясь».

Высокий «актерский пилотаж» сегодня приводит, по моим наблюдениям, к тому, что оценка как таковая может вообще отсутствовать, но только угадываться каким-то неведомым образом. И это тайна актерского и отчасти режиссерского мастерства. Не все движения человеческого духа нужно делать обязательно зримыми. Попробуйте догадаться, что скажет и как себя поведет живой, малознакомый вам человек в экстремальной ситуации, а на сцене (в кино и на телеэкране) вы очень часто и с большой точностью прогнозируете и все его так называемые оценки, и всю его незатейливую линию поведения.

Конечно, рассказать, как актеру надо реагировать на поступки и события, чтобы производить впечатление тонкого мастерства, я не смогу. Не входит в мою задачу. Не сумею. Очень скоро, в свою очередь, начну образовывать новые штампы, которые со временем (и достаточно быстро) обратятся в набор банальных рекомендаций. Однако все же некоторые подозрения на этот счет у меня имеются.

Подозреваю, не все и не всегда стареет в нашем искусстве. Петр Мартынович Алейников, в юном возрасте снявшийся в фильме С.А. Герасимова «Комсомольск», выглядит там как замечательный современный актер. Режим его существования во всех своих составных элементах, куда я отношу лексические характеристики, ритмическую организацию речи, особенности звукового пыла, систему реакций и т. д., — словом, весь его актерский багаж отличается качествами того высокого «актерского пилотажа», к которому я пытаюсь подвести многих моих товарищей-актеров.

Такие случаи, помимо Алейникова, я наблюдал, правда, и в других старых фильмах, эстетика которых уже вызывает у нас лишь чисто познавательный, исторический интерес, но живые проявления талантливого актерского организма, наделенного редким чувством правды, продолжают удивлять своим глубинным проникновением в суть человеческого характера.

По моим наблюдениям, процесс мышления у нормального человека удален много дальше от лицевых мускулов, чем это представляется некоторым нынешним актерам.

Интересно наблюдать за хорошим актером и видеть, как в его сознании формируется новая и неожиданная мысль, но еще интереснее наблюдать за хорошим актером, когда не видно, как формируются его новые и неожиданные мысли. Интересно, когда видны лишь обрывочные следы реальных мозговых процессов, но каким образом возникает у хорошего актера мысль и в какой именно момент она рождается — понять затруднительно.

Я, например, могу смотреть много раз подряд спектакль «Три девушки в голубом», не потому что я обязан дежурить на поставленных мною спектаклях, я не могу оторвать глаз от тех артистов, что умеют совершать непредсказуемые зигзаги в своем сценическом существовании, привносить новые, живые черты в действенный ряд роли. Т.И. Пельтцер, Е.А. Фадеева, И.М. Чурикова взаимодействуют с эмоциями зрительного зала каждый раз с едва заметными отличиями от предыдущего спектакля. Их отдельные движения и фразы, оценки и приспособления не поддаются устойчивому зрительскому прогнозу и посему вызывают у зрителя особый интерес и особое уважение. Мне интересно следить за различиями в реакции зала, и я всегда боюсь, как бы эти реакции не стабилизировались, не упростились бы до одинаково дружного смеха или какого-либо другого общего упрощенного восприятия. Дороже всего для меня негромкий смех «волнами», своеобразные переливы зрительского дыхания, гудение, глухой рокот.

Мне бесконечно интересен был артист Олег Борисов в недавнем мхатовском спектакле «Дядя Ваня» прежде всего потому, что он не обозначал на своем лице приближающуюся мысль. Но когда эта мысль рождалась, я понимал всю естественную закономерность ее неожиданного рождения. Борисов был одновременно и близок и понятен мне и вместе с тем на протяжении всего спектакля оставался загадкой.

«Не хлопотать мордой», — весело просили нас великие наши учителя, но эта их настоятельная просьба все же часто предается забвению как в театре, так и в кинематографе и на телевидении. Конечно, штампы актерских оценок, выполненные с помощью бровей и лицевых мускулов, сильно изменились по сравнению с периодом «немого» кино. Многие мастера в последние годы научились, как говорится на актерском сленге, «давать тонкача». Хотя этот «тонкач» порой ничем принципиально не отличается от «жирных» оценок времен «великого немого».

Естественно, я не хочу бросить тень на больших мастеров и очень молодых, но талантливых артистов, которые владеют внутренней техникой и стараются избегать расхожих обозначений. И все-таки нормы нынешних актерских построений, мне думается, все же отстают от требований современной психологической драмы.

Хочу отвлечься в сторону некоторых кинематографических ощущений, имеющих несомненную взаимосвязь с нынешними сценическими проблемами.

По моим наблюдениям, культура актерского эпизода в зарубежном кино очень часто превосходит отечественный уровень. Не раз наблюдал, как в западном кинематографе разного рода полицейские комиссары, официанты, шоферы, портье и другие лица осуществляют свои функции так, что даже в голову не приходит оценивать их актерское мастерство; мы их как бы и за артистов-то не считаем. Они заняты своим делом и совершенно не намерены врезаться в нашу память. Мы, зрители, их вообще не интересуем, им некогда демонстрировать свои актерские способности, потому что они на работе.

Вот это и есть, по моему ощущению, один из важнейших признаков высокого «актерского пилотажа». Борис

Чунаев в спектакле «Три девушки в голубом» существует на сцене так, что зритель меньше всего думает о том, насколько глубоко он сжился с образом Валерика. Артист добился такой «антитеатральной» органики, что этот вопрос как-то сам собой отпадает.

Когда мы видим на улице двух кошек, нам в голову не приходит, что одна из кошек двигается лучше другой и той, второй, следует поработать над своей пластикой. Это (будем считать, шутливое) сравнение понадобилось мне с одной только целью — укрепиться в ощущении, что актер — исполнитель эпизодической роли в современной психологической драме — обязан производить двойственное впечатление: зритель не должен разобраться, кто перед ним — дилетант или гений. На высоком витке сценической (кинематографической) правды зрителя следует лишить расхожих и привычных критериев в актерских оценках.

К сожалению, наши артисты, исполняющие эпизодические роли, очень часто самым активным образом реализуют намерение: украсить собой фильм или спектакль, придумать себе «эдакую» характерность, промелькнуть столь «эффектно», чтобы запомниться всем режиссерам сразу.

Мне сейчас удобнее рассуждать об эпизодических работах, но механизмы, о которых я веду речь, естественно, имеют прямое отношение и к центральным персонажам, несущим основную эмоциональную и интеллектуальную нагрузку. Применительно к кинематографу я заметил, что крупные планы главных героев снимаются нашими кинорежиссерами как бы с большей ответственностью, чем это делают ведущие мастера за рубежом. Наш артист как будто бы сильно озабочен оправданием своего крупного плана, слишком радуется этому обстоятельству, пытается вместе с режиссером в считаные секунды рассказать о себе как можно больше, придать во что бы то ни стало своему облику предельную выразительность, то есть насытить свое лицо «обильным переживанием». В лучших зарубежных фильмах я не раз обращал внимание на «безответственные» портреты главных героев, и эти ни о чем не говорящие планы, как ни странно, подчас являются более выразительными (правдивыми) зонами человеческого существования, чем те «ответственные» моменты, где актер ставит перед собой задачу глобального раздумья о всей жизни сразу и не скрывает этого от зрителя.

На примере крупного плана в кино легче говорить о некоторых принципах современной актерской манеры, когда умный и тонко организованный актер сажает зрителя на «голодный информационный паек», стремится к резкому уменьшению информации о своем самочувствии, своих помыслах. Как ни странно, если ты истинно значимая личность, если ты успел многое пережить и о многом подумать, умение не рассказывать о себе так же интересно, как и умение рассказать о себе много интересного.

Наши требования к правде человеческого поведения сегодня ужесточились, появились иные точки отсчета. Телевизионная революция предоставила нам счастливую возможность на том же вечно полыхающем экране наблюдать в изобилии, помимо актерских лиц, и бесконечное количество живых людей, не отягощенных актерскими комплексами. На телеэкране мы часто видим теперь людей, снятых скрытой камерой, и таких, что пребывают перед объективом в естественном, «нетеатральном» общении. Как и все наши нормальные сограждане, они вовсе не выворачивают перед нами свои души, не впадают в ложную значительность, экзальтацию и не исповедуются по каждому поводу, подобно героям наших пьес. Нормальные люди вообще не ставят своей целью демонстрировать какое-то особое обаяние, не имеют склонности к традиционным актерским ужимкам.

Человек, умеющий спокойно, правдиво, достойно размышлять перед телевизионной камерой, вызывает безусловное доверие. Конечно, театр многолик интонационно и эстетически. Существуют Шекспир, Аристофан, Лопе де Вега и даже современная опера для драматической сцены. Но в том жанре, где мы ищем особую углубленно-психологическую истину человеческого мышления и поступка, — там мы обязаны производить сегодня смелую и тщательную коррекцию в системе устоявшихся актерских навыков. Они (эти навыки) сегодня обесцениваются и умирают раньше, чем завоевывают всеобщее признание.

Вместе с актерами московского театра Ленком я пытаюсь все скрупулезнее сверять построение сценической фразы, ее голосовое (тембральное) звучание, систему пауз и чисто интонационных посылов с особенностями речи, свойственной людям нетеатральным. Попробуйте включить телевизор и, закрыв глаза, догадаться, чей голос звучит в кадре. Без всяких на то усилий вы определите возможные варианты: диктор, репортер, актер и нормальный человек. В последнем случае, правда, могут быть градации. Нормальный человек, говорящий в волнении или, как мы говорим, «в зажиме», и человек, который достаточно свободно и естественно существует перед камерой.

Актерские голоса тоже имеют свою профессиональную классификацию. Голоса, изображающие (дублирующие) персонажей в иностранном фильме, — это, пожалуй, худшее проявление нынешних штампов. Здесь есть свои признанные лидеры, умеющие говорить «заграничным голосом». Они демонстрируют, как правило, густой набор якобы сочных, но абсолютно мертвых и вычурных интонаций. Эти приторные голосовые модуляции почти сплошь состоят из грубой экзальтации и скрипучих нечеловеческих завываний. Совсем тягостное впечатление оставляет, на мой взгляд, закадровая читка по голосам при показе недублированного иностранного фильма по телевидению. Но и система «культурного» озвучания в кинематографе, особенно силами артистов Театра киноактера, превратилась в набор удручающих штампов, не имеющих никакого отношения к живой человеческой речи. Многие актеры словно бы не понимают, что в организме человека все взаимосвязано. То, что хорошо знают философы, медики, биохимики и просто обыкновенные люди с нормальной памятью, как-то ускользает от некоторых «мастеров» озвучания.

У человека, шагающего по сырому подвальному помещению, и у человека, расположившегося в жаркий летний полдень на сеновале, работа голосовых связок имеет принципиальное отличие. Один и тот же текст должен в таких случаях произноситься в совершенно различных голосовых режимах. На вибрацию голосовых связок оказывает существенное влияние время суток, возраст, характер и скорость движения, состояние дыхательных органов, эмоциональный строй, температура воздуха, расстояние до партнера (в интерьере и на свежем воздухе) и многие другие обстоятельства.

В большинстве наших фильмов отчаянный крик на открытом пространстве, как правило, обозначается в тонателье в совершенно чуждом живому человеческому организму режиме. Для звукорежиссера важно, чтобы подобное условное обозначение человеческой эмоции прошло беспрепятственно через ОТК студии и чтобы каждый из его работников услышал, что именно крикнул киногерой, независимо от того, на каком расстоянии пребывал. Что касается режиссера-постановщика, который пропускает мимо ушей омертвевший знак человеческой жизни, — тут остается только плечами пожать. Эта массовая ныне профессия насчитывает лишь единицы тех, кто слышит живую человеческую речь. В этом смысле я бы посоветовал ввести во ВГИКе факультативный курс — «Фонограммы Алексея Германа».

Киноактер высокого класса сознательно или бессознательно впитывает в себя многие факторы окружающей среды, умело соотносит их с особенностями собственного организма и тем свободным импровизационным настроем, который, как правило, присущ таким мастерам. Театральный же артист, располагаясь каждый раз в одних и тех же мертвых декорациях, общаясь на каждом спектакле с одними и теми же партнерами, сбивается постепенно к воспроизведению одного и того же биологического режима. Его чуткость к изменениям внешней среды имеет тенденцию к угасанию. (Не хочу сказать, что обязательно угасает, но имеет такую тенденцию, как опасность чисто профессионального заболевания.) Театральный актер не имеет профессиональной необходимости тренировать свою биологическую гибкость в контактах с окружающим миром. Это опасно, это чревато ранним приобретением штампов и вообще некоторым омертвлением актерского организма. Не хочу сказать, что киноактер находится в лучшем положении. Киноактеров, за очень малым исключением, я вообще недолюбливаю. Есть за что. Я сейчас хочу напомнить о том, что двух одинаковых спектаклей на свете не бывает, и зритель каждый вечер собирается разный, и каждый спектакль начинается с разной тишины. Ее надо не только слышать, но и ощущать. Йоги пытаются вписаться в ритм Вселенной. У нас задача скромнее, но не проще.

Я много думаю о том, как ликвидировать дистанцию некоторого превосходства, которая иногда прослеживается между хорошим театральным артистом, снимающимся в кино, и хорошим театральным артистом, в кино не снимающимся. Все артисты театра в кино сниматься не могут. И не должны. Уровень таланта не всегда определяется сотрудничеством на киностудии и тем более популярностью у массового зрителя. И все же театральный актер, снимающийся в кино, тренирует некие качества, о которых может забыть в потоке сценических будней его собрат, не связанный с кинематографом; как и киноактер, не связанный с театром, похоже, не разовьет свою нервную систему, свою волевую биологическую заразительность до уровня своего талантливого театрального коллеги.

На занятиях режиссурой в РАТИ (ГИТИС) я пробовал разрабатывать у актеров механизм адаптации к постоянно изменяющейся обстановке. Учебный отрывок, хорошо проработанный до действенной линии, сорганизованный на основе тщательного психологического анализа, мы переносили из одной репетиционной комнаты в другую, меняя пространственные ориентиры, кубатуру самого помещения и даже расстановку мебели. Мы как бы проверяли истинную надежность (правдивость) нашего сочинения — качества нашей актерской органики, нашу гибкость и склонность к импровизационному образу сценической жизни.

Если артист воистину владеет основами современного психологического театра, он в любой изменившейся обстановке будет действовать естественно и органично, корректируя (видоизменяя) свою пластику, работу голосовых связок, нервную активность и многие другие биологические механизмы. Самое страшное в театральной практике — когда по каким-либо причинам репетиция переносится со сцены в небольшое пространство репетиционной комнаты, а артисты продолжают действовать и обмениваться информацией так, как будто бы ничего не изменилось. В последние годы я беру на себя смелость (тут есть некоторый риск) лишить подобную репетицию «воспоминаний» о сценическом пространстве и предлагаю решительно соотнести все актерские деяния с новой «средой обитания».

В моей методологии частая смена обстановки при работе над спектаклем имеет существенное значение. Я имею в виду не только геометрическую кубатуру репетиционного помещения, но и присутствие разного количества разных людей на репетиции и изначальное настроение, с которого начинается поиск новой, сегодняшней правды. Такое погружение актера в разнообразные условия жизни при неизменной сверхзадаче воспитывает у него, помимо обостренного чувства правды, еще и уверенность в возможностях собственного организма. Воспитывается актерская отвага, вне зависимости от кинематографических успехов. Актер приближается к существованию на сцене по системе свободно импровизируемых зигзагов.

Зигзаг в режиссуре и актерском существовании — это инструмент познания современного мира, наш макро- и микрокосм: «Я — действующее лицо, не раскрываю до конца своих тайных намерений. (Возможно, я и сам до конца не понимаю пока, чего я хочу, — такое случается в жизни сплошь и рядом.) Я — в поиске. Я ищу действие, необходимое мне в данных предлагаемых обстоятельствах, чтобы добиться той цели, которая возникла в моем сознании. Я наношу тайные и явные удары по организму своих партнеров и собственному сердцу. Мои удары зависят от той реакции, что появляется у лиц, причастных к моей сценической жизни, и в зависимости от их ответных мер я видоизменяю свое мышление, иначе перемещаюсь во времени и пространстве, а также корректирую собственную логику поведения. Я твердо знаю, моя логика есть моя ахиллесова пята. Ее не должны познать мои партнеры, ее не должны заранее «просчитать» зрители. Непредсказуемость — моя свобода. Пока я опережаю моих партнеров и зрителей, я свободная и сильная личность. Закономерность моих помыслов и поступков может быть постигнута ими лишь задним числом. И никак иначе. Неожиданному изменению в способах моей сценической атаки зритель сначала должен удивиться и только потом понять всю закономерность и правдивость моего поступка, слова, движения. (Но уже после того, как я их совершу, никак не раньше.) Протяженность (условно) одного прямого луча после совершаемого мной зигзага должна измеряться возможностями зрительского прогноза. Совершив зигзаг в своем поведении, я иду новой дорогой, и мой зритель, радуясь этой новой правде моего существования, устремляется вслед за мной. В любви и согласии движемся мы в одном и том же направлении до тех пор, пока зритель меня «не догонит». Как только он познает и оценит мой новый способ существования, я должен расстаться с ним и совершить новый зигзаг. Это «предательство» во имя любви к зрителю. Допускаю, что через некоторое время он снова догонит меня и я совершу новый зигзаг. Допускаю, что через некоторое время зритель привыкнет к свойственным мне изменениям, и тогда я во что бы то ни стало обязан почувствовать это мгновение, эту адаптацию ко мне и моей актерской манере. Если я почувствую, что «запеленгован» и «просчитан» зрителем или приближаюсь к этому опасному пределу, я обязан разрушить возникшую ритмичность моих зигзагов и (одно из двух) либо резко изменить их продолжительность (протяженность), скажем, сделать их короче, острее, или (более предпочтительный вариант) выйти на абсолютно «прямую линию». Я имею в виду полную и решительную остановку, нулевой режим, статику, временное выключение из системы каких-либо активных действий. Это период внутренней «перегруппировки сил». Время созерцания и накопления энергии».

Последний тезис моего «актерского» монолога кажется мне особенно любопытным. Он связан с «законом симметрии» — так осторожно (и очень субъективно) пытаюсь сформулировать я подмеченную мною в театре странную закономерность: самое прекрасное, самое интересное сценическое качество, как правило, имеет свою противоположность, которая может быть не менее интересной и важной для искусства. Иными словами, нас может радовать не только позитивное явление, но и явление со знаком минус. Так, например, изысканный вкус — продукт редкостный и дорогостоящий, но не меньшую ценность может представлять на сцене и дурной вкус, разумеется, доведенный в своей дурноте до эстетической завершенности. Подлинный актерский профессионализм, я подозреваю, может иметь в театре свою замечательную противоположность. Мы любуемся актером, который многое умеет, — но можем и залюбоваться актером, у которого вообще ничего не получается.

Я сталкивался с проявлениями редкого по своей комедийной новизне эффекта, когда у артиста все валилось из рук; он ставил перед собой прекрасные задачи, и ни одна из них не получила сколь-либо вразумительного решения. Сплошное «невезение». Это происходило в стенах РАТИ (ГИТИС), где я потом долго бился над тем, чтобы закрепить этот оглушительный комедийный эффект, но у меня ничего не получилось. Я не сумел добиться устойчивых результатов и понял лишь, что такое выразительное «неумение» должно зиждиться на столь блестящей внутренней актерской технике, на таком фантастическом мастерстве и комедийной интуиции, что, очевидно, это дело будущего. Как режиссер я до него не дотянулся, хотя и наметил несколько предварительных заданий актерам с целью сосредоточить свое внимание на моделировании некоторых редко встречающихся психологических состояний. Например, задание «потерять серьез», то есть засмеяться так, как смеется только дилетант или самодеятельный актер. Эта разновидность «нервной разгрузки», свойственной вообще любому человеку, пока не дается в руки актерам. Иногда это получалось у Чуриковой в «Трех девушках», но не всегда. Иногда она сбивалась на обычную улыбку и делала то, что умеют делать все актеры.

Возвращаясь к «закону симметрии», хочу заметить, что как интересен нам театральный образ, находящийся в непредсказуемой динамике, точно так же интересен и герой, находящийся в глухой и безнадежной статике.

Большой артист может довести зрителя до такого сопереживания и интереса к его персоне, что зрителю будет любопытнее неподвижная зона в его жизни, чем активные или даже неистовые поступки других актеров. Яркий тому пример — поведение Акима (И.В. Ильинского) в знаменитом спектакле Б.И. Равенских «Власть тьмы» Л. Толстого. Я уже плохо помню спектакль, но неподвижная, согбенная фигура Акима, восседающего на печи в течение долгой и бурной сцены, запомнилась на всю жизнь. Об этой мизансцене не раз писали наши критики. Ильинский сидел неправдоподобно долго, почти затылком к зрителю, и все взоры были прикованы к нему одному.

* * *

Зигзаг в нашем сценическом существовании ни в коем случае не должен являться каждый раз продуктом математически выверенной режиссерской конструкции. Какие-то основополагающие сюжетные повороты при организации «коридора» мы, естественно, должны спланировать заранее, но чем больше мы оставим белых пятен для самостоятельного и свободного актерского движения, тем ярче и богаче может быть конечный результат.

Сами по себе зигзаги в отрыве от острых жизненных обстоятельств могут показаться набором метаний, «мельтешней» и даже своеобразным актерским кокетством. Движение по зигзагообразной линии интересно для зрителя лишь в том случае, когда оно есть последствие мучительного поиска, когда личность, его совершающая, находится в особо сложных, экстремальных условиях.

Сегодня мы не имеем права вообще что-то повествовать, вести эдакий неторопливый пересказ сюжета в призрачной надежде, что мы всегда и во всем интересны для нашего зрителя. Следует признать: очень часто сегодня мы становимся для него не совсем интересными, а иногда просто неинтересными. Количество зрелищных аттракционов возрастает. К старым способам времяпрепровождения постоянно добавляются новые. Чтобы встретить во всеоружии наступающую информационную цивилизацию, мы обязаны научиться рассматривать (а стало быть, формировать) жизнь наших театральных героев по каким-то новым, обостренным параметрам. Ситуация, возникающая сегодня на сцене или киноэкране, должна, попросту говоря, выглядеть так, чтобы от нее невозможно было оторваться.

Для этого, на мой взгляд, надо соблюсти три необходимых условия. Первое: обстоятельства, в которые попадают наши герои, должны оборачиваться для них режимом крайнего внутреннего напряжения (лучше — сразу, без экспозиции, как в гоголевском «Ревизоре»). Второе: ситуации, в которых оказываются наши герои, должны вызывать обязательное зрительское сопереживание. Независимо от актерской заразительности, экстремальные обстоятельства должны так или иначе касаться людей, собравшихся в зале. Экзотика и этнография допустимы как декоративные приправы, но суть ситуации всегда должна задевать зрителя за живое, то есть касаться жизненных обстоятельств, в которые он сам уже попадал, попадает или легко может попасть. Наконец, третье: выход из создавшейся ситуации должен быть непредсказуем. Необязательно в сюжетном плане. На сцене и на экране очень часто важен способ выхода из ситуации, важно, как актер совершает поступок.

В пьесе Брехта можно заранее сказать зрителю: «Смотрите, сейчас он его убьет». И зрителя тотчас начнет интересовать уже не сам факт, а то, каким непредсказуемым образом этот факт материализуется на его глазах. Очень интересно в театре не знать последствий какого-либо актерского намерения, но не менее интересно и заранее знать все последствия и наблюдать лишь за движением артиста по лабиринту возможных вариантов, с тем чтобы реализовать это известное нам намерение.

Рассматривать сценическое действо как монтаж экстремальных ситуаций учит нас всякая хорошая драматургия. Всякая по-настоящему талантливая пьеса сорганизована именно по этому принципу.

«Я пригласил вас, господа, с тем, чтобы сообщить вам пренеприятное известие: к нам едет ревизор». После этой и последующих реплик Гоголь предлагает нам воспроизвести на сцене крайне напряженное и лихорадочное созидание. Понимая уязвимость городского хозяйства, городничий и его компания должны пуститься в отчаянную борьбу, ни больше ни меньше как за собственную жизнь. Но и Хлестаков перед встречей с городничим находится в безвыходной ситуации, которая усугубляется угрозой тюремного заключения.

Классическая драматургия всегда предоставляет нам возможность существования на пределе человеческих возможностей. А дальше все зависит от нас — научимся мы в каждом конкретном случае разворачивать сценические события в динамике, захватывающей сегодняшнего зрителя, или собьемся на пересказ знакомых сюжетных построений — тут вопрос упирается в нашу профессиональную оснащенность и главным образом в отпущенный нам талант.

Что понимать под экстремальной сценической ситуацией и каким образом формировать ее экстремальную суть применительно к современному зрительскому опыту — опять-таки вопрос нашей режиссерской квалификации. Экстремальная ситуация вовсе не синоним обязательной беготни, стихийных бедствий и громких выстрелов. Пьесы великого Чехова построены, например, по законам предельного внутреннего напряжения. Чеховские герои переживают, как правило, период мучительного поиска, иногда смешного и бессмысленного; отсутствие ясной цели, ограниченность возможных вариантов, внешне будничный и даже сонный покой — все это наполняет трепетные сердца чеховских персонажей неслышным и затаенным страданием. Неглупые люди совершают множество глупых, смешных и никчемных поступков, однако делают и отчаянные попытки разорвать цепи обстоятельств, обрести надежду, запомнить свой бесславный путь и передать будущим поколениям жажду высокого человеческого дерзания.

Чтобы превратить чеховский сюжет в монтаж экстремальных ситуаций, рассчитанных на современного зрителя, одной веры в гениальность Чехова мало. Сказать, что здесь необходимы режиссерский талант, соцветие актерских дарований, множество счастливых совпадений, а главное, особо острый, глубинно-психологический стиль современного постановочного мышления — значит ничего не сказать. Однако и перечислить все факторы, замешанные в подобном созидании, не представляется возможным. На это просто не хватит сил, бумаги и ума. Посему хочу коснуться лишь одного постановочного механизма, который, возможно, является хоть и не самым главным, но достаточно сильным подспорьем.

Борис Леопольдович Левинсон рассказал мне однажды о памятном ему и многим студийцам спектакле «Три сестры» в драматическом отделении студии Станиславского в 1938 году. Тяжело больной К.С. Станиславский принимал уже готовую работу, которая велась под руководством М.Н. Кедрова. Учебный спектакль радовал всех своими несомненными достоинствами, были все основания рассчитывать на благосклонность Константина Сергеевича, но перед самым началом показа, когда уже воцарилась гробовая тишина, случилось непоправимое. Один из участников спектакля, не справившись с волнением, вынырнул из-за кулисы и слегка передвинул в сторону стул — что самое ужасное — всего на три-четыре сантиметра. Эта невинная акция вызвала неожиданный гнев у великого реформатора русской сцены. Стукнув ладонью о стол, Константин Сергеевич гневно произнес приблизительно следующее: «Что же это у вас за артист такой?! Если стул стоит на этом месте, он играть, видите ли, может, а если в трех сантиметрах левее — уже не может?! Попрошу немедленно стул убрать вообще, шкаф передвинуть направо, диван — налево. Быстро ликвидировать окно — там будет дверь...» — и так далее, пока обстановка на сцене не видоизменилась полностью. После этого Константин Сергеевич потребовал немедленно начинать спектакль, и он действительно начался, но уже не как просто хороший, добротно поставленный спектакль, а как некое театральное чудо, воспоминание о котором на долгие годы сохранили все его участники и немногие присутствующие зрители.

Нетрудно догадаться, что это историческое зрелище было единственным в своем роде и повторить его не удалось. К хорошо разработанной действительной основе студийного спектакля добавился неуверенный поиск в незнакомом пространстве, напряжение и отчаянная борьба с этим напряжением; появились странные, бесконечные правдивые детали в неожиданных мизансценах, уникальные, сиюминутно рожденные интонации и многие-многие другие нюансы. Спектакль превратился в сплошной поток экстремальных ситуаций, заворожив всех своей ошеломляющей правдой и необычайной внутренней динамикой.

Режиссура студии, естественно, не сумела зафиксировать все эти очень сложные и новые для нее подробности внутреннего человеческого движения, как не позволила повторно воспроизвести этот спектакль и актерская техника студийцев 1938 года.

Явление поучительное. Огромную роль здесь, конечно, сыграл повышенный «выброс» нервной актерской энергии. Этот мощный источник театральной заразительности создает определенные трудности в самой репетиционной методологии. Но искусство моделирования глубинных процессов нервного свойства, замешенных на натуральном «топливе», на реальных биоэнергетических реакциях человека, — это искусство нам необходимо осваивать настойчиво, целеустремленно, шаг за шагом постигая тайны актерской волевой организации. В каких-то деталях зрителя можно «обмануть», но сама по себе энергия не поддается имитации. В зале с нормальной театральной кубатурой зритель кожей ощущает температуру всех протекающих в нем нервных процессов, четко и недвусмысленно ощущая каждый раз ее повышение или понижение.

Давайте вспомним: когда актер осуществляет срочный (аварийный) ввод на большую и сложную роль в незнакомом ему спектакле, он, как правило, прилично играет этот самый первый, страшный для него спектакль. Зато в последующих спектаклях тот же самый актер, освоившись в предлагаемых обстоятельствах и не имея проработанных действенных опор, наигранных рефлексов и прочего оснащения, уже так сыграть ту же роль не может. Нет сомнений, что в этот первый, аварийный спектакль вводятся дополнительные энергетические мощности. Рожденные экстремальными обстоятельствами срочного ввода. И зрителю передается это необычное возрастание внутреннего актерского волнения, что имеет свои градации и степени, многие из которых лежат за пределами технических возможностей обыкновенного актера.

На первом спектакле вводящийся актер проходит целую серию тревожных и напряженных поисков «правильного» пути. Освоившись в спектакле (выучив этот путь), выработав линию поведения, актер скорее «рассказывает» зрителю о своем волнении, чем воспроизводит его реально. Он и рад бы снова вернуть тот уникальный по своей заразительности способ нервного зигзагообразного поиска, но, увы, не умеет этого сделать, не умеет «запустить в дело» глубинные нервные центры своего организма, не умеет до них дотянуться.

Здесь мы приближаемся к очень сложным проблемам контроля над собственной психикой, которые вплотную приближаются, вероятно, к технике современной аутогенной тренировки в ее самых усложненных формах.

Печально (!), но одной режиссерской изобретательности для монтажа экстремальных ситуаций на сцене недостаточно. Подлинный «экстремизм» ситуации может возникнуть, лишь когда в дело вступает реальная актерская энергетика. Наша режиссерская задача — выстроить для актера «взлетную полосу», и подальше от «постановки интонаций»! Если мечтаешь о плотном сближении с актером, научись удаляться от него, смотри на него внимательно и увеличивай дистанцию между ним и собой, дари ему веру в свободное пространство «между жизнью и смертью». Пусть делает все что бог на душу положит. Одаренному и чистому человеку в душу залетают добрые семена. Если актер поверит в себя и чистоту собственной души — обойдется без мелких мизансценических подпорок, весело отбросит их прочь и отправится самолично по лабиринту непредсказуемых поисков, потерь и обретений.

* * *

Чтобы познавать мир, чтобы развиваться и совершенствоваться не только на сценических подмостках, мы должны совершать смелые зигзаги в своем развитии. Применяя научную терминологию, мы должны вводить в наше театральное сознание «новые программы», знать и использовать «теорию игр». Творческий акт немыслим как простой и однородный в своей основе эволюционный процесс. Эволюция как таковая может обернуться пассивным приспособлением к жизненным условиям. Простой, удобно планируемый и хорошо познаваемый процесс созидания можно обозначить прямой или округлой линией, а смелый бросок к совершенствованию нашего духа и бытия можно передать лишь как смелое чередование новых направлений поиска — как систему непредсказуемых и аритмичных зигзагов.

Площадь Согласия

По-французски «Place de la Concorde».
Рядом с этой центральной площадью Парижа расположено здание, именуемое «Эспас Карден» («Пространство Кардена») — своеобразный эстетический и деловой центр знаменитой фирмы, возглавляемой Пьером Карденом — одним из законодателей мировой мужской моды. Здесь находятся ресторан, выставочный и просмотровый залы и, наконец, мест на пятьсот с небольшим театрик, перестроенный архитекторами Кардена из старинного, когда-то существовавшего на этом месте театра «Амбасадор». Театр Кардена по нынешним меркам не слишком удобный, но достаточно уютный, в его фойе висят афиши всех побывавших в нем гастролеров — внушительная галерея громких имен. Стены фойе в своем большинстве застекленные, отсюда открывается вид на красивейшую зеленую магистраль Парижа — знаменитые Елисейские Поля. Здесь в конце 1983 года состоялись полуторамесячные гастроли московского театра Ленком с музыкальным спектаклем «Юнона и Авось», сочиненным поэтом Андреем Вознесенским и композитором Алексеем Рыбниковым. Об этом событии сообщили парижанам красочные афиши с изображением прыгающего артиста Абдулова со счастливой улыбкой и факелом в руке.

На сцене «Эспас Карден» факел пылал ослепительно, и спектакль шел с большим и все возрастающим успехом. Этому событию, получившему подробнейшее освещение во французской прессе, предшествовали другие события, тоже, с моей точки зрения, интересные.

* * *

За несколько лет до нашего появления в Париже поэт Андрей Вознесенский посетил кладбище американского города Сан-Франциско, где ему была показана одна из местных достопримечательностей — могила Кончи Марии де ля Консепсьон, дочери губернатора Сан-Франциско Хосе Дарио Аргуэльо. Конча Мария, ставшая первой монахиней Калифорнии, была обручена в 1806 году с русским мореплавателем и дипломатом Николаем Петровичем Резановым, приплывшим в начале прошлого столетия к берегам Америки. Русский мореплаватель стремился установить с тогдашними испанскими поселенцами тесные торговые и экономические связи, необходимые ему прежде всего для поддержания Российско-Американской торговой компании, обосновавшейся на Аляске и прилегающих к ней островах. Тогдашнее испанское правительство чинило всяческие препятствия намерению России обосноваться в Калифорнии в качестве ее торгового партнера, однако Резанов, обладавший незаурядным дипломатическим талантом, сумел склонить на свою сторону испанского губернатора, и их усилиями была заложена основа первым экономическим и культурным контактам России и Америки. Очевидно, не последнюю роль в этом деле сыграла шестнадцатилетняя дочь губернатора Кончитта (Конча Мария де ля Консепсьон), первая красавица Калифорнии, полюбившая сорокалетнего русского дипломата и обручившаяся с ним перед его возвращением на родину. Резанов обещал вернуться через год. Он вознамерился добыть в Санкт-Петербурге разрешение на брак с красавицей католичкой, но, будучи человеком увлекающимся и азартным, ринулся налегке через заснеженные сибирские просторы, загоняя лошадей, торопливо переправляясь прямо в седле через студеные сибирские реки. Несмотря на все старания, он не сумел добраться до Санкт-Петербурга, тяжело заболел в пути и умер в 1807 году в Красноярске. Как сказал об этом поэт Вознесенский:

> Авантюра не удалась.
> За попытку — спасибо.

Кончитта далеко не сразу узнала о гибели своего возлюбленного. Шли годы, а она продолжала жить надеждой на его возвращение. Доходившим до нее слухам она не верила, а точные документальные подтверждения смерти Николая Резанова достигли Калифорнии лишь через тридцать пять лет, в 1841 году. Убедившись наконец в смерти своего русского жениха, Кончитта взяла обет молчания на оставшиеся годы и стала первой монахиней в американской Калифорнии.

«Кончитта ждала Резанова тридцать пять лет», — говорим мы в нашем спектакле. Стараемся говорить просто, по протоколу, но в зрительном зале наступает пауза, своеобразный шок, замешательство. Глупость это, блажь, неразумное, нерациональное по всем статьям упрямство или возвышенный и редкостный человеческий подвиг?

Задача непростая. Конечно, с точки зрения здравого смысла — глупость. В наш век бесчисленных сексуальных допусков и некоторого усиления потребительских инстинктов такой поступок молодой женщины может вызвать разве что сожаление или даже показаться смешным. Мы поначалу, кстати, и пытаемся осмеять это сумасбродное поведение невесты нашего далекого земляка. Артист Абдулов, произносящий историческую справку о дальнейшей судьбе Кончитты, так прямо и смеется по этому поводу, потом вместе с залом думает, а потом, опечалившись, тихо говорит, обернувшись к Кончитте: «Спасибо...» Тут наступает какая-то особая тишина, иногда звучат аплодисменты, но всегда недружные, что интересно, многим здесь аплодировать не хочется, и никакого единого эмоционального поля в зале не возникает. Зритель как бы сбит с толку, что в современном театральном искусстве бывает редко. Это место в спектакле мне нравится больше других.

* * *

История Кончитты и Резанова красива и удивительна. Может быть, А. Грин слышал о ней, когда писал свои «Алые паруса»? Кто знает. Жители западного побережья Америки и Канады сохранили некоторые смутные воспоминания об этом странном событии в истории человеческих отношений. У нас же до Вознесенского о Кончитте знали немногие. О Николае Резанове, конечно, слышали, но тоже в самых общих чертах. Интересной литературы о Резанове не существует. А он достоин этого.

Будучи мальчишкой, я, помнится, увлекался толстой книгой Н. Чуковского, выпущенной в предвоенные годы в «Детгизе». Книга называлась «Водители фрегатов», и там в описании кругосветного путешествия И.Ф. Крузенштерна рассказывалось немного и о Н.П. Резанове. Книгу эту я очень любил и хорошо запомнил имя отважного русского путешественника и дипломата. Позднее, пользуясь некоторыми зарубежными источниками, я выяснил, что это была незаурядная личность, обладавшая многими талантами. И смелое путешествие его через несколько океанов носило характер важной политической миссии, как бы теперь сказали, характер мирной инициативы. Резанов мечтал «возвести мост между Америкой и Россией». Он вез в заморские страны коллекции замечательных произведений искусства, был человеком энциклопедических знаний и высокой культуры. Готовясь к дипломатическим контактам с Японией, он составил первый русский «Словарь японского языка», а также «Руководство к познанию японского языка». Во время общения с испанскими поселенцами на западном побережье Америки Резанов вел с ними беседы не через переводчика, как это делается у нас в спектакле, а непосредственно на их родном языке. Он выучил его по дороге в Калифорнию. Я узнал об этом после выпуска спектакля и во время репетиций ориентировался, похоже, на собственные усредненные представления о своих знакомых и себе самом в зарубежных поездках. В который раз пришлось убедиться, что многие наши предшественники обладали, может быть, и меньшими знаниями, но большей культурой. Обидно за себя и радостно за них.

Помимо прочих замечательных качеств, у Резанова
была еще одна черта, которая меня как главного режиссера особенно взволновала. Резанов умел выигрывать
безнадежные сражения. Во время длительного плавания
команды обоих кораблей, неудовлетворенные руководством Резанова, выказали ему свое неповиновение. Во
главе оппозиции стал сам знаменитый капитан И.Ф. Кру-
зенштерн, который в очень жесткой форме публично
оспорил верховные полномочия Резанова. К Крузенштер-
ну примкнули все его офицеры, и некоторое время наш
герой находился фактически под арестом, в полной физической изоляции в собственной каюте. То, как он сумел
постепенно восстановить равенство сил, а затем добиться капитуляции и извинений со стороны взбунтовавше-
гося коллектива, — тема особой, актуальной для любого
театра пьесы.

Но Андрея Вознесенского интересовали совсем другие события в жизни Резанова, и он сочинил поэму, которую назвал по имени одного из резановских кораблей —
«Авось». Столь выразительного и веселого слова нет ни
у одного народа, и перевести «авось» на любой европей-
ский язык, в том числе на французский, — сложно. Но,
оказывается, все-таки можно. При желании. Я наблюдал,
и не раз, как это делали мои товарищи. Руки обычно раз-
брасывались ими в стороны, плечи резко поднимались,
рот беззвучно раскрывался, голова кренилась чуть на-
бок, а по лицу плыла более чем странная улыбка — смесь
отчаяния и радости. Есть такая улыбка и в поэме. Есть в
музыке. Иногда возникает она в спектакле. Сочиняя поэму, поэт, конечно, не предполагал, что она явится поводом для более чем странного сценического произведения, именуемого то рок-оперой, то современной оперой,
то мюзиклом, то музыкальной комедией, то музыкальной
драмой, то просто музыкальным спектаклем.

* * *

После успеха нашей первой современной оперы, «Звезда и смерть Хоакина Мурьеты», мы с композитором Алексеем Рыбниковым мучительно искали драматургическую

основу для новой работы в этом жанре. Наиболее привлекательным материалом нам стали представляться образцы древнерусской литературы, в частности «Слово о полку Игореве». С этой идеей мы и обратились вскоре к нашему талантливому современнику, который, только что получив Государственную премию, находился, как нам казалось (и мы не ошиблись), в расцвете творческих сил. Андрей Андреевич внимательно выслушал наши неуверенные суждения и кисло усмехнулся. Андрей Андреевич был прав в своей улыбке. (Это лучшая фраза, сочиненная мною, и я на ней настаиваю.) Лично моя неуверенность была следствием посетившего меня незадолго до этого кошмара: я «увидел» в очень большом количестве пенсионеров, схватившихся за листы чистой бумаги и почтовые конверты. До сих пор не понимаю четко: была ли это обычная галлюцинация или акт ясновидения? Впрочем, кислая улыбка поэта навела на мысль, что галлюцинации посещают не меня одного. Спасибо поэту — его улыбка многое прояснила.

Первое впечатление от поэмы «Авось», помню, было не самым обнадеживающим. Поэтов у нас не всегда понимают сразу, иначе бы им слишком хорошо жилось, а у поэтов жизнь должна быть сложной, иначе им не о чем будет писать. До встречи со мной поэт встречался со многими людьми, которые позаботились о том, чтобы ему жилось интересно и было что написать. И он сочинил конечно же прекрасную поэму. В ней содержался в каком-то спрессованном состоянии довольно мощный энергетический заряд. Постепенно ощупывая слова, сочиненные, сконструированные, свинченные и услышанные поэтом, мы с композитором ощутили некое волнение и смутную надежду. Надежда в театре всегда должна быть смутной. Сочинитель никогда заранее не должен знать конечного результата, он не должен быть уверенным в успехе, ибо конечный продукт истинного творческого акта — вещь, не имеющая аналогов в обозримой Вселенной. Разумеется, это «программа-максимум». От нее в процессе сочинения можно и нужно несколько попятиться, потом еще чуть-чуть, еще немножко и постепенно добраться до «программы-минимум» — такого произведения, которое является почти точным повторением того, что было сочинено накануне творческого акта.

В своих поисках мы, конечно, использовали кое-что из уже найденного прежде, однако пятиться до «программы-минимум» никто из нас не собирался. Вознесенский в тесном контакте с театром начал писать пьесу в стихах, и первые же новые стихи стал смело и вдохновенно исследовать за роялем мой второй талантливый современник — композитор Алексей Львович Рыбников. Спектакль вообще сочинялся в основном у рояля на квартире Рыбникова, где меня посещали все самые интересные режиссерские и отчасти драматургические идеи. Работа шла достаточно долго у рояля и необыкновенно быстро на сцене.

Новый музыкальный спектакль явился итогом длительной и многолетней подготовительной работы. Если не считать моих музыкальных опытов на сцене Театра сатиры, то с первых же дней работы в театре Ленком я во многих своих спектаклях постепенно увеличивал роль и значение музыки. Это была не случайная прихоть, усматриваю здесь объективную закономерность. Объясняю эту закономерность так: музыка и театр — древние стихии, одновременно родившиеся и прошедшие свой исторический путь в тесном и крайне разнообразном единении как за рубежом, так и в нашем Отечестве. И я полагаю, наша культурная традиция не уступает в своей мелодичности и музыкальности ни одной другой. Разумеется, справедливости ради отметить надо, грузины, скажем, поют лучше, и когда слышишь на нашей улице пение — понимаешь: многоголосье пока еще не самое сильное наше качество. Однако мы все же обладатели древней музыкальной традиции, которая облеклась нашими предшественниками в своеобразные театрализованные формы. Возлагать же ныне все надежды на создание современных музыкальных спектаклей лишь в театрах музыкальной комедии, по-моему, не стоит. Традиции старой венской оперетты, с которыми не могут расстаться эти театры, не годятся для современной проблематики. Тут более подходит оснащенный другим сценическим мышлением живой драматический театр. Я не один так думаю. Г.А. Товстоногов тоже зачем-то затеял сначала постановку музыкального спектакля «История лошади», а позднее поставил на своей драматической сцене еще и оперу Колкера «Смерть Тарелкина».

Зрительская потребность в современном проблемном музыкальном спектакле огромна, и не только среди молодежи. И не только в нашей стране. Мы почувствовали это в театре «Эспас Карден» осенью 1983 года.

* * *

Карден выступал как не зависимый от своего правительства меценат, решительно осуществлявший неожиданную для многих французов культурную акцию, не преследуя при этом никаких серьезных финансовых целей. Дорога в оба конца, гонорар и все расходы по культурной программе нашего пребывания Карден брал на себя. Возместить такие расходы, играя в маленьком театре «Эспас Карден», было невозможно. Очевидно, речь шла о каком-то ином, некоммерческом расчете и ставка делалась не по законам, свойственным обычным зарубежным импресарио.

Трудно разобраться с нашей социалистической бухгалтерией, а уж вникать в сложные взаимосвязи капиталистической экономики — совсем не мое занятие. Но все-таки думаю, что появление нашего спектакля во Франции нельзя отнести к совершенно бессмысленному делу с точки зрения экономического расчета.

Имя Кардена обозначалось на модных предметах мужского туалета, на галстуках и сорочках; в данном случае оно появилось на новом и достаточно оригинальном для Парижа явлении — русской рок-опере. Так определили здесь жанр нашего спектакля, хотя у нас, и прежде всего у самого Рыбникова, существовали серьезные сомнения на этот счет. Скорее всего, наш спектакль — какая-то новая разновидность современной музыкальной драмы, от рок-оперы она все-таки сильно отличается, но слово «опера-рок» само по себе звучное, и на период гастролей мы не возражали против такого наименования.

Карден много выступал по французскому телевидению, называя наш спектакль «посланником мира», он высоко оценил идеи, заложенные в сочинении Андрея Вознесенского, был страстным поклонником музыки Алексея Рыбникова, восторженно отзывался о Николае Караченцове, Елене Шаниной, Александре Абдулове, Павле Смеяне и вообще в течение всего нашего пребывания в Париже проявлял большую заботу о нас. Дирекция его театра обязалась взять на себя часть затрат по дополнительному техническому оснащению своей сцены, с тем чтобы на ней сумел расположиться и ожить наш достаточно непростой спектакль, — и французская сторона полностью выполнила все свои обязательства. Но конечно, надо отдать должное нашему главному художнику Олегу Шейнцису: вместе с руководителем постановочной части Александром Ивановым они разработали остроумную систему частичной перестройки нашей декорации, произвели большую, сложную, а главное, незаметную для зрителя работу, в результате которой произошло, с моей точки зрения, весьма поучительное сценографическое чудо: наши декорации выглядели во Франции так, как будто они были рождены именно в театральном зале «Эспас Карден». Конечно, пришлось внедрить много дополнительных постановочных идей, кое-что изменить в мизансценах, выдвинуться в зрительный зал, поглотив два первых ряда, но результат был превосходный — оформление спектакля и архитектурное пространство театра составили одно гармоничное целое.

Мы, что называется, «пристрелялись» к акустике зрительного зала, выверили и уточнили все изменения в мизансценах. Значительно улучшили звучание нашего музыкального ансамбля и вокальной группы, уточнили и несколько видоизменили световую партитуру.

В целях наилучшей подготовки к первым спектаклям мы установили жестокий режим работы и отдыха — единый час прихода в гостиницу, обязательный послеобеденный отдых и воздержание в первые дни от каких-либо прогулок по городу. Я явился автором этих «драконовских» мер, понимая, как интересен Париж, как соблазнительны прогулки по его уникальным улицам, сколько физических сил могут они потребовать и какая нервная нагрузка может обрушиться на плечи наших артистов. И главное, сколь печальным образом могут сказаться эти незаметные внешне нагрузки на наших спектаклях. Были тому грустные примеры в прошлом. Мои предложения встретили, как мне показалось, полное понимание у коллектива, во всяком случае, коллектив изобразил на своих лицах удовольствие по поводу разного рода ограничений. Главный режиссер иногда встречается с парадоксами актерской логики, и ему не надо слишком обольщаться по поводу бурных изъявлений актерского восторга. Но в данном случае, однако, мучительно и недоверчиво вглядываясь в лица товарищей, я в конце концов поверил в их искренность. Не поверили некоторые французские журналисты, пристально наблюдавшие за нами. Они восприняли предложенный мною режим работы как неслыханную казарменную строгость и массовое подавление личной свободы. Я как главный «душитель свободы» попытался объяснить работникам прессы наши внутритеатральные правила и необходимость особо интенсивной работы при подготовке к первым парижским спектаклям. Вообще говоря, мы были готовы к «классовым сражениям», и такого рода домыслы не очень огорчали нас, тем более что постепенно мы снижали наши строгости. Мы заметили, что наши актеры в своем большинстве умело распоряжаются временем, внимательно следят за своим здоровьем, состоянием голосовых связок и вообще демонстрируют во всех сферах жизни и работы надежный профессионализм.

Я помню волнение перед первым спектаклем, знаю, что иногда умею взбодрить коллектив, поднять его нервный тонус, но перед первым парижским спектаклем я, очевидно, от волнения, перестарался. Конечно, я вспомнил слова Суворова, которые он всегда якобы произносил перед штурмом неприятельского города, конечно, я громко, одушевляясь, выкрикнул слово «Солдаты!..» Перед нами был действительно чужой город, и я, помнится, воодушевил людей настолько, что не все сумели произнести свой текст. Владимир Ширяев на этом первом спектакле вместо длинного монолога, объясняющего, почему и зачем надо плыть Резанову в Америку, сумел только после некоторого замешательства выкрикнуть: «Плывите, и все!» Хорошо, что хоть посохом взмахнул — это условный знак для музыкального вступления.

Волнение в тот вечер было всеобщим и чрезмерным. Зрительский прием в конце спектакля был выше всяких ожиданий, но недовольство осталось серьезное, и наутро я назначил общую репетицию. Мы постарались предельно сконцентрировать силы и успокоиться. Не слишком, но до известных пределов. Второй спектакль превосходил первый по всем компонентам. И далее мы обнаружили поразительную вещь, о которой до сих пор не можем забыть: каждый последующий спектакль в Париже был в чем-то лучше предыдущего.

Маленькая остановка, чтобы осмыслить случившееся. Мы, дети репертуарного театра, всегда страшились этого буржуазного кошмара: играть каждый день один и тот же спектакль. Мы и не понимали подобного страшного метода и, выезжая на парижские гастроли, не признаваясь себе в том, сильно трусили. Да, у нас были в Париже выходные дни, было время для восстановления сил, но воспоминания о всех наших московских срочных вводах, неожиданных заболеваниях, подворачивающихся ногах и руках, эпидемиях гриппа, растяжениях связок и хрипах в голосовых связках наводили нас на очень тревожные размышления. И вот оказалось, что при умелой организации дела, при правильном отношении к собственному здоровью, при высоком профессионализме всех и каждого играть в течение длительного времени один и тот же спектакль ежедневно — полезно. Более того, выгодно во многих отношениях. Я не хочу поставить под сомнение принцип репертуарного театра, просто хочу сказать, что есть в природе и такой способ театрального творчества и он, помимо своих явных недостатков, имеет свои сильные стороны. Недаром профессиональные хоккеисты считают, что для поддержания хорошей спортивной формы играть надо через день, не реже.

Спектакль «Юнона и Авось» в Париже приобрел не просто так называемый «накат», не просто подобрался по линии общей четкости и ритмичности, спектакль превратился в весьма прочную саморегулирующуюся систему, которая выработала надежный механизм ежедневной корректировки.

Прежде всего разительно улучшилась наша пластика. Хоть мы и объясняли на пресс-конференциях, что труппа у нас постоянная и мы не можем делать сборную команду, приглашая в музыкальный спектакль профессиональных танцоров, — все равно объяснять это каждый раз собравшимся зрителям и просить у них снисхождения в связи с тем, что на сцене драматические артисты, мы, естественно, не могли. Нам оставалось другое — довести нашу пластику, нашу хореографию до максимального уровня, на который мы только способны.

В гостинице, где мы жили, каждое утро решено было проводить обязательные репетиции-разминки. Наш балетмейстер-педагог Валентина Савина умело и целенаправленно организовала эту очень важную и интенсивную работу, последствия которой не замедлили сказаться на наших спектаклях. Ежедневные обязательные занятия по движению очень способствовали также созданию у нас хорошей физической формы, хорошего самочувствия и того самого надежного состояния, которое я обозначил «прочной саморегулирующейся системой».

* * *

Успешное проведение первых спектаклей помогло нам отвлечься от некоторых неожиданно неприятных впечатлений. Я имею в виду прежде всего цены на билеты. Билет в партер на наш спектакль стоил четыреста франков. Это очень дорого. Пойти вдвоем в театр почти за тысячу франков могли себе позволить немногие, даже если это рок-опера из СССР и даже если в ней является перед вами сам Караченцов. Мы скоро догадались, что такие цены были назначены не для того, чтобы покрыть расходы по нашим гастролям — этого сделать в «Эспас Карден» все равно невозможно, — просто здесь были свои традиции и нормы. «Эспас Карден» — театр элитарной публики, и заглянуть сюда массовому демократическому зрителю не представляется возможным.

Первых зрителей было не слишком много (оставались свободные места), никто в окна театра не лез, как в Москве, телефонов не обрывал, фальшивых билетов не печатал, но постепенно зал стал заполняться все плотнее и плотнее, какая-то часть «простого» зрителя все-таки стала попадать на наши спектакли, кому-то содействовали мы, выпрашивая у дирекции контрамарки, кто-то сам активизировался, и вместо трех запланированных недель гастроли наши были продлены по просьбе Кардена еще на две недели. На каждом спектакле зрители долго и горячо аплодировали. На москвичей нам, конечно, грех жаловаться, но овации в Париже были горячее и продолжительнее. Первая треть спектакля воспринималась, пожалуй, несколько настороженно, но уже к антракту мы ощущали растущую симпатию зала. Окончание спектакля, как правило, превращалось в восторженную манифестацию с бесконечными выходами на поклон и дружными возгласами зрителей.

Мы получили свыше семидесяти публикаций во французской прессе. Случай беспримерный. Работники нашего посольства говорили, что подобное случилось лишь однажды во время первых послевоенных гастролей Большого театра. Позднее ни один советский коллектив такой обширной прессы не собирал. Наш спектакль очень удивлял французов, и мы каждый день узнавали о себе много нового. Например, что наш «кордебалет» не уступает нью-йоркскому в знаменитом мюзикле «Кошки». Здесь у нас хватило ума отнестись к этому сообщению с иронией. А вот с тем, что спектакль наш — «ослепительный каскад сценических эффектов, возбуждающей музыки и энергичных танцев. В спектакле есть даже немного эротики», — мы спорить не стали.

Газета «Монд» писала так: «Наиболее интересные моменты — это соединение русской православной литургии, русской традиционной музыки с рок-музыкой. Первая часть спектакля открывается прологом, где размытые моменты протеста были стерты в адаптации, проверенной советским посольством в Париже». Впервые в жизни я узрел на страницах западной прессы явную ложь и очень удивился. Мне раньше казалось, что это делается как-то тоньше, не так топорно. Даже огорчился за газету, хотя статья о нас заканчивалась красиво: «Приходишь в восхищение от замечательного ритма действия и от персонажей. Поражаешься красоте картин, обаянию кинематографического письма, близкого к барочному, и волшебству актеров с прекрасными голосами». Газета «Фигаро» отозвалась по поводу нашего спектакля следующим образом: «Не опера, не рок, но замечательная музыкальная комедия, «сделанная в СССР», что уже само по себе достаточно удивительно, в ней нет ничего революционного, но присутствует нервный стиль, неожиданный на Востоке. Мелодии Алексея Рыбникова такие же обворожительные, как у Бернстайна, исполняются актерами с глухими и захватывающими голосами, прекрасно подзвученными, деформированными, разделенными синтезатором и «камерой эхо». Результат завораживающий, блестящий, прекрасный по своему ритму. Мизансцены Марка Захарова полны инженерной выдумки, красоты света и движения».

Некоторые рецензенты, заметив в глубине сцены мелькающие лопасти, отмечали прекрасную работу электронной установки по синхронному движению дыма, не догадываясь, что клубы дыма отчаянно гнал небольшой фанеркой наш председатель месткома артист Б. Чунаев.

Имя Вознесенского буквально не сходило с газетных страниц. Только два печатных католических органа упомянули про нас с некоторым сарказмом, никак, впрочем, не обосновывая свою позицию, просто мы им сильно не понравились, и все.

* * *

Пьер Карден сумел придать нашим гастролям, помимо всего остального, и характер важного политического события в жизни французской столицы. Идея взаимопонимания и культурного контакта между двумя континентами волнует сегодня французов. Как и другие европейские народы, они кровно заинтересованы, чтобы между Россией и Америкой установились отношения дружбы и взаимопонимания — то, к чему так стремился отважный герой Андрея Вознесенского еще в начале XIX столетия.

В одно и то же время с нами в Париже гастролировал американский музыкальный театр, игравший эстрадное шоу на темы сочинений Дюка Эллингтона, и Пьер Карден, используя совпадение, организовал эффектную встречу обоих коллективов. Сначала на парижской площади Согласия. Мы приехали туда с разных концов города и под восторженные вспышки многочисленных фоторепортеров сфотографировались вместе у знаменитого обелиска. Наши лица говорили всем: «Мы, артисты Советского Союза и Соединенных Штатов, достигли согласия, дело теперь за теми, кто его избегает!» В этот же день Карден устроил прием для двух гостивших в Париже театров. В «Эспас Карден» было шумно и весело. Американцы пели для нас, мы — для них. Накануне мы были на их музыкальном спектакле и очень высоко оценили великолепную технику артистов из США. Они — первоклассные певцы и танцоры, соревноваться с ними драматическим актерам, конечно, бессмысленно. С точки зрения здравого смысла. Но искусство наше замешено не на нем одном. На приеме первыми выступили американцы. Однако закаленные в международных сражениях ленкомовцы не дрогнули, они усилили свои ряды работниками постановочной части, звукорежиссурой, режиссурой и дирекцией. Среди них не все умели петь, но... голоса неожиданно прорезались, и мы взяли экстазом, массовостью, напором и всеми оставшимися в нашем распоряжении достоинствами, которых у нас немало. Присутствующие на приеме гости Кардена и многочисленные журналисты провожали нас продолжительными аплодисментами и восторженными возгласами. А вскоре мы пели уже вместе с американскими артистами финальную «Аллилуйю» Андрея Вознесенского из «Юноны и Авось»:

> Жители двадцатого столетья!
> Ваш идет к концу двадцатый век.
> Неужели вечно не ответит
> На вопрос согласья человек?
> Две души, несущихся в пространстве
> Полтораста одиноких лет,
> Мы вас умоляем о согласье,
> Без согласья смысла в жизни нет...

В Париже живет много русских людей. Мы знали об этом и психологически готовили себя к возможным встречам. На деле все оказалось иначе, сложнее, чем казалось в Москве. Выходцы как из России, так и из Советского Союза — люди по большей части очень разные, непохожие друг на друга. «Общество Франция — СССР» в Париже проявляет большую заботу о многих русских людях, переселившихся по разным причинам во Францию, для них проводятся встречи и приемы, организуются выставки и просмотры новых советских фильмов. Многим русским семьям оказывается помощь и поддержка. Так называемое первое поколение эмигрантов уже сильно поредело. Оставшиеся в живых — теперь уже очень старые люди. Их дети и внуки, как правило, не испытывают к Советскому Союзу никаких враждебных чувств, да и сами старики, не сумевшие в свое время вписаться в новую жизнь, оказавшиеся иногда в силу целого ряда трагических обстоятельств по ту сторону границы, относятся чаще всего к нашей стране и приезжающим сюда советским людям с большой и нескрываемой симпатией. Приближение смерти вызывает и обостряет в людях чувство национального самосознания и национальную память. В людях происходит своеобразное очищение, рождается потребность освободиться от суетных комплексов, обрести мир и душевную гармонию с далекой российской землей. Многие передают Советскому государству свои архивы, книги, ценные коллекции. Их дети и внуки, казалось бы, вопреки утилитарной потребности, сохраняют в своих семьях русский язык, бережно относятся к русской словесности и национальным традициям.

В одной доброй русской семье для нас с удовольствием и долго пели подростки, родившиеся в Париже, пели очень складно, преимущественно народные и цыганские романсы. А потом, видно, опечалившись некоторой однородности своего репертуара, сказали, что с большим удовольствием разучивают также и наши советские песенные новинки. В подтверждение они тут же дружно запели:

Капитан, капитан, улыбнитесь,
Ведь улыбка — это флаг корабля...

Вскоре мы поняли, что русским людям в общем и целом живется в Париже несладко. Они тянутся друг к другу, испытывают потребность в постоянном общении, пытаются помогать друг другу и сообща бороться с невзгодами. Русский человек, за очень малым исключением, не может сделать во Франции блестящую карьеру, даже если он там родился, не может занять важного высокооплачиваемого поста, выдвинуться по службе, он постоянно встречает некое, и весьма ощутимое, противодействие, а временами и достаточно устойчивую неприязнь.

С каждым спектаклем на балконе «Эспас Карден» появлялось все больше и больше русских зрителей. Мы знали, что порой наш спектакль может трогать, и даже до слез, но таких зареванных глаз на наших спектаклях я никогда прежде не видел. В сцене прощания Резанова и Кончитты, случалось, некоторые земляки наши, потерявшие свою родину, рыдали навзрыд. Зал был небольшим, он быстро, в иные мгновения взрывоподобным образом, наполнялся взаимными нервными биотоками. Поток актерской энергии воссоединялся с нервной энергетикой зрительного зала, и возникал акт совместного театрального экстаза, взаимного и глубокого контакта на разных уровнях сопереживания.

Мы играли каждый день, но наши парижские спектакли так и не превратились у нас в механическое действо, не обросли чисто техническими имитациями жизненных процессов. Мы ощущали себя представителями русской театральной школы и очень гордились нашим запасом сил и вдохновения.

Во второй половине гастролей у нас появилось много постоянных зрителей, которые смотрели наш спектакль по много раз, некоторые русские парижане приводили детей, иногда даже пяти-шестилетних, и объясняли им, что все, что они видят, надо запомнить, потому что на сцене — настоящий русский язык и настоящая русская поэзия.

Однажды после второго выстрела артиста Павла Смеяна в нашего дирижера Геннадия Трофимова, когда тот, трагически взмахнув руками, грохнулся на авансцене, одна солидная дама вывела из зала плачущего ребенка и строго сказала:

— Да!.. Я не знаю, почему мсье постоянно стреляет в дирижера. Я этого не знаю. Но у него отличный русский язык, и мы должны досмотреть это до конца!

Присутствующий рядом режиссер-постановщик, во-первых, потерял серьез, потому что вдруг осознал, что и сам до конца не очень понимает, зачем мсье постоянно стреляет в дирижера, а во-вторых, глядя на своего испуганного и плачущего собрата, кажется, впервые пожалел о некотором переизбытке постановочных эффектов. Режиссерам тоже иногда свойственно критическое отношение к собственному творчеству. Хотя такое случается нечасто.

* * *

Мы увидели в Париже все то, что уже так хорошо описано другими людьми, побывавшими здесь до нас. В этом смысле ездить в Париж необязательно. Тем не менее мы тщательно осмотрели уникальные музеи, соборы, ансамбли Версаля, Шартра, Латинский квартал, Большие бульвары, Монмартр, лавки букинистов... Словом, впечатлений было предостаточно. Карден организовал для нашего коллектива роскошную экскурсию по Сене на плавучем ресторане, потом не раз приглашал всех нас к себе на приемы, в том числе в знаменитый ресторан «Максим», где цены не поддаются осмыслению и повергают нормальных людей в ужас. Ресторан «Максим» с недавних пор принадлежит Кардену. Мы с интересом осматривали его стены — почти музейное достояние. Именно здесь рождался архитектурный стиль модерн начала века. Здесь он еще не определился окончательно, это первые, ранние поиски и тем не менее — точка отсчета. Позднее у нас в России этот некогда презираемый аристократическими кругами общества купеческий «моветон» обрел большое великолепие и особый дизайнерский изыск. В таком стиле был построен не только Художественный общедоступный театр в Камергерском переулке, но и дорогое нашему сердцу здание бывшего Купеческого клуба, где ныне работает московский Ленком.

Как все зарубежные рестораны, «Максим» не совмещен с дискотекой, и там можно разговаривать. Хорошо слышно друг друга, только иногда в одном зале играет тихая музыка, и мы пользовались этим обстоятельством и разговаривали. С легкой руки Александра Абдулова весь коллектив мучился в догадках: будет Карден платить за ужин или не будет? Если свой ресторан — зачем, спрашивается, платить? И кому? Потом мы отвлеклись от этой неразрешимой для нас проблемы, потому что, когда из «Максима» ушли все посторонние посетители, знаменитая французская певица Мирей Матье пела специально для нас. В этот вечер она пришла на наш спектакль со своим красивым седовласым импресарио, несколько напоминавшим Раймонда Паулса, что усиливало наши симпатии и к импресарио, и к самой Мирей Матье. Когда начались долгие финальные аплодисменты, Мирей Матье поднялась на сцену «Эспас Карден» с огромным букетом роз и вручила их, к большому удовольствию зала, Елене Шаниной, исполнительнице роли Кончитты. Ныне заслуженная артистка РСФСР Елена Шанина имела в Париже большой успех, и, что интересно, несколько больший, чем у себя дома. Думаю, в Москве огромная популярность Николая Караченцова несколько отвлекает зрителей от других актерских работ, но, возможно, это мое поверхностное суждение, и я не учитываю других, неизвестных мне факторов, до которых не дотянулся мой режиссерский разум. Но даже когда режиссерский разум и не дотягивается до чего-либо, тренировать его надо постоянно.

Седовласый импресарио в этот вечер обратился ко мне с громогласной просьбой — зачислить в нашу труппу звезду французской эстрады Мирей Матье, чтобы приучить ее наконец к порядку и дисциплине. Слухи о том, что у нас очень строгое заведение, быстро разнеслись по Парижу. Мы иногда тоже умеем кое-что преувеличивать.

Конечно, мы осмотрели все достопримечательности Парижа, посетили все музеи, чтобы потом с чистой совестью ходить по магазинам и чувствовать себя интеллектуалами, которые иногда снисходят и до земных, чисто бытовых проблем. Мы побывали также на очень красочных и изобретательно поставленных шоу в эстрадных театрах: «Фоли-Бержер», «Мулен Руж», «Лидо». Нас поразило обилие лазеров, дымов, разного рода световых эффектов, богатых костюмов, живых слонов, дрессированных дельфинов, прыгающих, на зависть Абдулову, прямо с потолка, и объятых пламенем каскадеров; обрушилось на нас и множество других ослепительных неожиданностей.

Небольшая группа артистов была приглашена Карденом в очень дорогое варьете «Крези хорс» («Бешеная лошадь»), предназначенное для особо богатых гостей Парижа. В этом всемирно известном заведении приблизительно двенадцать очень красивых и актерски одаренных танцовщиц создавали в течение часа изощренные и по-своему изящные эротические фантазии. Лично меня поразила не столько высокая пластическая техника и красота исполнительниц, сколько необыкновенная ловкость и филигранность режиссерского мышления. В середине каждого номера кажется, что дело вот-вот обернется банальным стриптизом, но в самый последний момент постановочное искусство совершало едва заметный зигзаг — и вместо заурядного стриптиза на сцене возникало нечто вроде смелого решения любовной темы. Даже в том случае, когда исполнительница обходилась в своем творчестве совершенно без одежды, — все равно за счет мощных световых проекций тело ее принимало облик достаточно обобщенный: женщина — вообще. Появлялись даже мысли о красоте человеческой пластики во всех ее проявлениях, в том числе и сугубо интимного характера.

Вообще в Париже нас достаточно часто посещали противоречивые чувства. Например, в метро. Не очень приятная (точнее, непривычная для нас) традиция — побирающаяся молодежь. Правда, лица у ребят, как правило, обаятельные, глаза смышленые, заходят по очереди в каждый вагон с музыкальными инструментами и играют. Как нам потом объяснили, это в основном студенты готовятся к сессии. Как бы репетируют и попутно зарабатывают на кофе, а некоторые еще и на сандвичи. Играют не только в вагонах, но и в подземных переходах и кассовых вестибюлях. Играют прилично, иногда даже виртуозно, и в репертуаре никакой разнузданности и оглушительности. Все очень чинно, благородно, осмысленно. Никакого эстрадного засилия. В парижском метро музыка звучит разная.

Очень запомнились мне две девочки лет по четырнадцать. Стояли в переходе перед пюпитрами, одна с флейтой, другая со скрипкой, и приучали людей к хорошей классической музыке. Кто хотел — бросал им под ноги монеты, а кто не хотел — проходил мимо. Мы тоже бросали, и не раз, чтобы развеять миф о том, что советские люди за рубежом якобы очень экономят деньги. Мы действительно то очень их экономили, то совершенно переставали их экономить. Дружно и не сговариваясь.

Словом, везде в Париже нам было интересно, неинтересно было только в парижских театрах. Раза три-четыре ходили мы смотреть спектакли, которые наши французские друзья рекомендовали нам посмотреть как наиболее интересные, и каждый раз уходили в антракте. Дружно и не сговариваясь. Те наилучшие спектакли в Париже, которые мы видели, в значительной степени уступали наилучшим московским, ленинградским, тбилисским и другим советским спектаклям. Сказал я об этом своим товарищам, и товарищи не стали со мной спорить, не потому что я главный режиссер, а потому что насквозь прав. Правда, в период нашего пребывания во французской столице не работал театр Питера Брука. Это существенно. И досадно.

Во время одного из таких малоудачных театральных походов посетила меня еще одна мысль. На этот раз патриотическая. Спектакль, который имеет неоспоримую ценность в Москве, вовсе не домашняя радость. Такой спектакль — объективная ценность современной театральной культуры. Сказал я об этом товарищам, и снова товарищи со мной согласились, чувствуя мою все возрастающую правоту. У нас очень много людей, умеющих работать отлично, на уровне самых высоких мировых стандартов. Надо быть скромным, но не скромничать излишне. И эту мысль тоже никто из товарищей оспаривать не стал, не потому что я надоел товарищам, а потому что опять оказался правым.

* * * *

Лишь одно театральное впечатление Парижа прочно задержалось в моей памяти и, более того, вызвало чувства сложные и опять-таки противоречивые. Впечатление неоднозначное и не театральное в чистом виде. Речь идет о своеобразном «массовом зрелище» на окраине Парижа, поставленном в закрытом спортивном стадионе, рассчитанном на четыре тысячи человек. Называется зрелище «Человек по имени Иисус». Мизансцены Робера Оссейна.

Известный французский актер и режиссер Робер Оссейн специализируется в последние годы на постановках такого рода зрелищ в больших концертных и спортивных залах. Несколько лет назад он явился автором и постановщиком спектакля о революционных событиях на броненосце «Потемкин», потом им был поставлен «Собор Парижской Богоматери» по Гюго и вот теперь — пользующаяся огромным успехом современная мистерия из жизни Христа.

Не сразу сумели администраторы Кардена достать нам билеты на это представление. Второй месяц игралось оно ежедневно, и ежедневно в огромном спортивном зале — аншлаг.

Первое приятное ощущение — легкая дымовая завеса над трибунами — похоже на наше начало в «Юноне и Авось». Правда, через каждые три-четыре минуты голос диктора торжественно объявляет по стадиону, что дым, который стелется над трибунами, состоит из специальных органических веществ и не представляет никакой угрозы для здоровья. В связи с этим через каждые три-четыре минуты диктор просит соблюдать полное спокойствие. Мы таких торжественных заявлений, естественно, делать не можем, спокойствия у нас вообще не бывает. А из чего состоит наш дым, мы толком не знаем, хотя привыкли к нему и он нам нравится. Понравился он также и французам. Когда мы уезжали, дирекция «Эспас Карден» попросила у нас для сценических нужд театра, а также на память о нашем пребывании немного нашего дыма. Мы торжественно преподнесли дирекции целый полиэтиленовый мешочек с порошком. У них во Франции многое есть, но вот такого именно дыма нету. Не могут такого выдумать. И мы были очень горды этим обстоятельством.

Дым французского производства понемногу стелился, трибуны парижского стадиона заполнялись.

На том месте, где располагается обычно ледяное хоккейное поле, — выжженная солнцем земля; там, где обычно электронное табло, — огромное пространство с величественными декорациями: далекий гористый пейзаж, а на переднем плане мрачноватый скалистый холм — Голгофа. Декорации выполнены с кинематографической тщательностью и размахом. По всему периметру стадиона — ряды мощной электроосветительной аппаратуры, большое и богатое разнообразие приборов.

Спектакль начинается весьма выразительным образом и вместе с тем просто. Является на стадион чувство тревоги. Не сразу ясно — откуда именно. Медленно нарастает далекий гул, как поток извергающейся лавы, сначала едва слышный рокот (очень низкие частоты), потом все более мощный и тревожный звуковой вал приближается к нам медленно и неотвратимо, меркнет свет, и после короткого затемнения на выжженной солнцем земле появляется фигура в светлой одежде. В самом центре стадионного пространства стоит рослый и красивый человек. Он выглядит так, как представляет себе Иисуса Христа подавляющее большинство живущих на Земле людей. Человек по имени Иисус долго смотрит на заполненные трибуны стадиона и потом произносит имена двенадцати апостолов. Произносит тихо, выразительно, знакомые, чуть видоизмененные в произношении имена: «Симон, Петр, Филипп, Иуда...» Произносит медленно, так же медленно на переполненных трибунах среди опоздавших и уже спокойно восседающих зрителей начинают подниматься и пробираться вниз молодые люди. Некоторые охотно, некоторые неохотно, неуверенно, словно раздумывая, стоит идти к Нему или не стоит, спускаются они по лестнице вниз, выходят на открытую площадку выжженной библейской земли и не слишком дружно приближаются к Христу.

Спустившиеся с трибун люди — молодые ребята, самые что ни на есть типичные среднестатистические французы, без головных уборов, в потертых куртках и таких же штанах. Уж очень не похожи они на артистов. И в этом все дело. А прием, конечно, старый — цирковая «подсадка», это понятно, а вот какое-то новое, неуловимое своеобразие в нем все же есть. Может быть, оттого, что дело происходит на стадионе и все последующие мизансцены, все постановочное мышление режиссера целиком и полностью рассчитаны на этот масштаб, на это обильное заполнение трибун. И это движение людей самых реальных, обыкновенных, ничем не примечательных в центр стадиона к человеку, чье имя небезразлично сегодня каждому из нас, вне зависимости от того, верующий он или атеист, — это движение к позвавшему их создает какую-то особую магию. Движение собирает наше зрительское внимание и вызывает в нас чувство доверия к тому, что будет происходить с этими людьми.

Потом молодые люди удалятся и явятся чуть позже уже в длинных библейских одеяниях, и вообще все участники спектакля будут одеты сообразно эпохе и сольются с очень добротным, я бы сказал, академическим оформлением, рассчитанным на массовое, среднестатистическое восприятие событий Нового Завета. Никаких особых усилий зрителю делать не надо — все очень понятно, ясно, зримо, диалогов мало, как в хорошем кино. И полнейшая сюжетная ясность, вне зависимости от знания французского языка. В представлении используется радиозапись, как на наших новогодних елках, где Дед Мороз только рот открывает, а вместо него звучит давно записанная фонограмма. Но фонограмма у Оссейна добротная, и музыка подобрана со вкусом, звучит и Бах, и Моцарт, и Чайковский, есть и цыганские напевы и немного современной музыки. На очень высоком уровне свет, на каком уровне артисты — понять трудно. Их очень много, свыше ста пятидесяти, одеты в красивые исторические костюмы, как в хорошей и богатой опере. Когда римские легионеры волокут по стадиону сочувствующих Христу людей, волокут прямо по лестницам, сверху вниз, мимо переполненных трибун, видно, как хороши и натуральны латы легионеров, как звенит настоящий металл и как остро наточены мечи. Само представление складывается из отдельных красочных картин, с большими массовками, где каждый статист или артист (что неясно) работает очень выразительно и добросовестно, как у нас на премьере детского спектакля работают стражники, медведи, простой народ. Особых достоинств пластического или какого другого характера за французскими артистами не числится. Но уж если кто побежал — то изо всех сил; если уж остановился — то как вкопанный.

Робер Оссейн замечательно чувствует огромное пространство, и жанр его режиссерского сочинения точно вписывается в это громадное спортивное сооружение. Его режиссура рассчитана на эту геометрию и на это количество зрителей. Последний раз такого рода радость от подобной постановочной гармонии я испытал в 1967 году в Театре Советской армии на памятном всем нам спектакле Леонида Хейфеца «Смерть Иоанна Грозного», где все невообразимые архитектурные сложности этого театра были обращены режиссером в сильнодействующие средства современной сценической выразительности. Но спектакль Леонида Хейфеца был актом настоящего искусства, а что делать со спектаклем Робера Оссейна и куда его отнести — я до сих пор не очень понимаю. С одной стороны, добротный, коммерчески выверенный коктейль из режиссерских построений, рассчитанных на усредненное восприятие массового зрителя. Тема Христа, его движение к Голгофе и сама Голгофа — все это на уровне хороших иллюстраций. Иногда на уровне детских переводных картинок. И я бы, конечно, не тратил столько времени на описание этого представления, если бы не один момент в режиссуре Робера Оссейна, который потряс меня, вызвал большое количество раздумий о том, что есть наша профессия и какими рычагами воздействия она обладает.

Речь идет об одном библейском чуде, а именно о том, как Христос накормил четыре тысячи человек семью хлебами. Это событие воссоздано режиссером следующим образом: тоскливая и заунывная музыкальная тема, Христос с апостолами движется через пустыню, за ним следует толпа голодных людей. Апостолы напоминают Христу об этих голодных. Он останавливается и, обернувшись к апостолам, достает из складок своих одежд небольшую стандартную французскую булочку. Потом, разломив ее, передает апостолам с каким-то пояснительным текстом. У апостолов тоже появляется несколько булочек, и они, разламывая их на части, передают голодным и страдающим. И несмотря на то, что толпа голодных людей весьма внушительна, а булочек всего семь, хлеба хватает на всех. Наверное, не ахти какой сложности фокус, но делается он очень грамотно, и мы не замечаем никакого добавления хлеба. Но потом наступает момент режиссерского прозрения. Христос оборачивается к трибунам стадиона и, подумав, указывает рукой в сторону сидящих зрителей. Он просит поделиться хлебом и с сидящими на стадионе зрителями. Он просит всех имеющих хлеб поделиться этим хлебом с другими людьми. Участники спектакля расходятся в разные стороны, приближаются к трибунам. Небольшие кусочки хлеба протянуты первым рядам. И вот они поплыли вверх. Стадион замирает. На всех трибунах зрители получают хлеб, надламывают его и передают выше, следующим рядам. Ощущение ни с чем не сравнимое: француз, сидящий передо мной (амфитеатр на стадионе крутой), протягивает мне кусочек булки, я медленно принимаю из его рук этот неожиданный и ни с чем не сравнимый дар, жую свежий и душистый хлеб и оставшуюся часть передаю в руки тех, кто тянется ко мне сверху. На стадионе — благоговейная тишина, четыре тысячи человек делятся друг с другом хлебом. И хлеба хватает всем. Мы все становимся свидетелями какого-то первозданного и великого человеческого ритуала. Он длится достаточно долго и протекает в абсолютной тишине. От нахлынувшего волнения и режиссерской зависти я не могу запомнить, как долго длится пауза на французском стадионе. В эти мгновения я прощаю Роберу Оссейну все его дальнейшие не слишком ловкие и достаточно заурядные постановочные картинки, ибо это — прекрасный и неожиданный, опрокидывающий меня, вводящий в состояние шока урок современной режиссуры. Не хочется называть это сочинение с хлебом трюком. Но с точки зрения нашей профессии это трюк. Что делать? Придуман такой достаточно простой фокус. Простой по мысли и исполнению. И в этой простоте — его режиссерское величие.

А дальше, я уже говорил, дело складывается хотя и добротным, но достаточно банальным образом. Может быть, уже в самом конце снова проявляется высокая режиссерская одаренность Оссейна. Распят Христос вместе с двумя разбойниками на Голгофе. Финал. Три креста с кровоточащими телами безмолвно возвышаются над стадионом, и вдруг врывается сюда рев реактивных двигателей, гудки автомобилей и прочие звуки современной урбанистической среды, является на поле группа нынешних туристов с фото- и киноаппаратами, почти как в нашем спектакле «В списках не значился». Тот же самый сюжетный ход — на место кровавой трагедии приходит новое поколение людей. У нас туристы приходят на развалины Брестской крепости. И эти новые люди не обязательно должны рыдать по поводу случившегося — они туристы, и в том нет ничего плохого, нет ничего кощунственного. Связь времен осуществляется в нашем мире не всегда зримо и по прямой, наша духовная взаимосвязь с ушедшими ценностями прежних эпох рождается в сложном зигзагообразном построении, и надо быть терпеливым, не раздражительным человеком, чтобы не спеша распознать тоненькую, витиеватую, с временными обрывами цепочку духовной преемственности. Цепочку, связывающую нас с космосом нашей общей истории.

Самое выразительное в финале Оссейна — появление одиннадцати уцелевших апостолов, снова, как и в самом начале спектакля, в своих современных костюмах. Они расходятся в разные концы света, точнее, направляются в разные концы стадиона и зовут туристов с собой. И кое-кто пускается в путь вместе с ними, кто-то уверенно, кто-то осторожно раздумывая и неуверенно оглядываясь по сторонам, но кто-то и не следует их зову, кто-то остается стоять на месте, полный сомнений. А молодые апостолы в современных костюмах поднимаются вверх на трибуны и как-то незаметно теряются в человеческой массе, растворяясь в огромном зрительском муравейнике.

Потом звучат аплодисменты, и внушительная по количеству компания артистов долго раскланивается. Артисты они или просто статисты, понять действительно сложно. Но мы тоже не боги, с нами тоже не все до конца ясно, и поэтому мы их долго благодарим и даже заходим к ним за кулисы. Что делать? Коллеги.

* * *

Самое сильное мое впечатление во Франции — это посещение русского православного кладбища Сент-Женевьев-де-Буа, что в тридцати километрах от Парижа.

Сравнительно небольшое пространство, ряды одинаковых прямоугольных плит с крестами или миниатюрными полутораметровыми моделями церковных маковок. Никакого соревнования по части изощренных надгробных монументов. Никаких увесистых калиток и оград с замками, собственными столами и скамейками. Царит дух сурового и вместе с тем заботливого посмертного равенства. В единстве умерших на чужбине заложена какая-то сильная идея, может быть, комплекс идей, в которых не так просто разобраться. Есть и свои немаловажные особенности: просьба не оставлять на могилах живые цветы. Это правило оборачивается в конечном счете определенным устойчивым настроением — на Сент-Женевьев-де-Буа нет никакого мусора, нет увядших, погибших растений, нет забытых, неухоженных могил с сухими стеблями бывших букетов. Не пахнет тленом. Нет кладбищенского сумрака. Деревьев не больше, чем следует. Пространство открыто небу. Очень чисто и опрятно. Настроение поначалу возникает отнюдь не кладбищенское, но это лишь поначалу. Потом возникает не просто печаль, а нечто большее, что, возможно, не удастся мне до конца передать словами.

Кладбище — место, где на психику человека обрушивается лавина очень сильных и разнородных ощущений. Режиссер, наверное, обязан задумываться обо всем на свете, обязан он размышлять и о тех смутных ощущениях, что возникают порой в недрах его подсознания и незаметно до поры до времени существуют там в процессе какого-то тайного созидания. Что именно созидается в тайниках нашего разума, когда сам разум еще не контролирует подобный процесс, — загадочно. Вопрос притягательный и пока неразрешимый, так же как не ясен, скажем, механизм сверхскоростных подсчетов астрономических цифр, что демонстрируют нам отдельные феномены на эстраде, не могущие толком объяснить, каким образом они совершают свои подсчеты. Такой подспудный загадочный процесс можно распознать мгновенным озарением, но можно и мучиться бесконечно от долгих и неясных предчувствий. На кладбище Сент-Женевьев-де-Буа я очень скоро начал испытывать нечто подобное.

Теперь все чаще нас посещают мысли о том, в какой сложной многообразной взаимосвязи пребываем мы в своем временном поселении на нашей маленькой планете, как витиевато переплетаются на ней судьбы живых и уже покинувших ее жителей. В каком странном взаимодействии противоборствующих идей и конкретных судеб формируется наша общая земная история. Похоже, что история наша, в том числе новейшая, фиксируется не единожды. Не сразу. Похоже, что формируется она медленно, не одним-единственным поколением очевидцев, формируется неторопливо, поэтапно, усилиями многих умов, и совсем не грех подключать временами к этому глобальному вселенскому осознанию и наш скромный театральный разум. Разум, располагающий собственными исходными данными, не столько фактологического характера, сколько мотивациями психологического и эмоционального плана. Но ведь все человеческие эмоции — реальность вполне объективная, точнее, могущая таковой стать. Прозорливый писатель иногда видит дальше и глубже прозорливого историка. А театральный сочинитель во многом сродни ответственному за свои мысли литератору. Будем надеяться, что наши театральные фантазии состоят не из одних только ошибок и малозначащих субъективных эмоций.

Волнение — слово в театральном мире истертое. Чуть что, говорим: «с большим волнением», «извините, я очень волнуюсь» (оставаясь при этом предельно спокойным). Но здесь меня посетило Волнение. Истинное. Отчасти непонятное. И, пытаясь его разгадать, не умея это сделать строго и просто, я в предыдущих абзацах своего писания достаточно пометался между космосом, земной историей, вечностью и Вселенной. Как ни странно, но все эти высокие категории продолжают вращаться в моем сознании, когда я думаю о русских людях, похороненных под Парижем.

Отдельные участки кладбища — словно застывшая в своем печальном и торжественном безмолвии история Гражданской войны. Та самая история, которую изучал я когда-то в школе. Офицеры старой русской армии лежат во французской земле отдельными «боевыми» соединениями. Впервые в жизни я видел настоящую, не бутафорскую военную символику великой Российской державы. Знаки отдельных воинских образований, ведущих свою историю с петровских времен. Есть такие магические словосочетания: «Гвардейский Преображенский полк...» До этого мгновения я видел лишь их кинематографическую имитацию. Теперь передо мной была моя живая история, ставшая мертвой. Неужели это и есть то самое, что принято называть свалкой или кладбищем истории? Поспорить с этим не могу. Но очень хочется.

На некоторых каменных плитах выбиты миниатюрные изображения полосатого военно-морского Андреевского флага. В нашем спектакле Резанов отправляется в «Первое кругосветное путешествие россиян» под этим легендарным полотнищем петровского военного гения. В «Оптимистической трагедии» капитан Беринг говорит нам о том, что его семья служила русскому флоту двести лет. Время, если оно заполнено работой человеческого разума, постепенно стирает не только старые условные, но, по-моему, и безусловные рефлексы. Я помню, с чем в предвоенные годы ассоциировалось у нас слово «офицер». Помню тот шок 43-го года, когда на солдатах Красной армии появились первые погоны и сверкнула на глазах изумленных людей золоченая офицерская портупея.

И вот теперь на земле Франции передо мной выбитый на русских военных надгробиях древний византийский орел — двуглавый красавец, с которым связаны не только наши исторические печали, но и слава, дерзость наших предков, наш древний византийский дух Третьего Рима, отвага русских чудо-богатырей.

В двадцати пяти процентах моей крови намешаны еврейская и отчасти татарская кровь. В семидесяти пяти процентах моей крови — чистая славянская старомосковская основа. Вот она-то, наверное, не объясняя толком, почему и зачем (она всегда так), сжала меня за горло и застучала в висках. Я помню, как ноги стали ватными, когда я ощутил эти запахи трагической и родной российской истории. Как захотелось вернуть этих людей если и не к жизни (они уже не могут в нее вписаться), то хотя бы в родную землю, как вернулся в нее совсем недавно прах великого Шаляпина.

Возможно, некоторые из похороненных здесь стреляли в моего отца. Он принимал участие в Гражданской войне. Возможно, в кого-то из этих людей стрелял он. Не исключено, что здесь лежат возможные, потенциальные его убийцы (тогда, возможно, и мои?).

Впрочем, XX век преподнес нам и более яркие примеры послевоенных эмоций, когда наши фронтовики встречались с бывшими немецкими фронтовиками, воевавшими с ними на одних и тех же участках фронта. Наверное, это источник еще большего волнения, но я этого не знаю, мне хватает своего собственного. Я стою на русском кладбище под Парижем и плачу как дурак по чужим людям, а на могилы близких людей хожу редко и, похоже, не плачу. Я стою на чужой земле, чувствуя, что со мной происходит что-то неладное, стою и догадываюсь, что на кладбище Сент-Женевьев-де-Буа во мне пробуждается генетическая память, если таковая вообще существует (что проблематично). С неописуемой скорбью взираю я на могилы моих земляков, сделавших все возможное, чтобы меня не было на свете. Испытывать к ним ненависть или хотя бы неприязнь? В 1983 году — трудно. Виновные давно отбыли сроки земных наказаний. Смерть уравняла их с безвинно пострадавшими, отброшенными историческим вихрем от родной земли, и они вместе спят теперь на чужбине. Само упоминание их полного воинского звания или титула, их имени, фамилии и отчества — во многом ушедшая от нас музыка русской словесности.

В отдельных воинских захоронениях — пустые, незанятые могилы для тех, кто еще задержался в этом мире, кто доживает свои последние дни. Им оставлены места. И, кажется, даже их ждут. Здесь не так плохо, здесь хорошо, но страшно. Потому что и после смерти эти люди уже не воссоединятся с землею своих предков. Умирая, они это понимали, и некоторые из них выбили на своих могилах слова... Прекрасные, трагические, бьющие наотмашь: «Любите Россию. Нет ничего прекрасней нашей России. Мы это знаем, мы спим на чужбине». «Русские, любите Россию всегда, какой она была, какая есть и какая будет. Только тогда вы — русские». И еще одно, самое страшное начертание: «Мы погибли за честь и свободу России, в борьбе за ее державность и независимость».

Да, XX век преподносит нам сюрпризы! Как много людей на земном шаре умирало и еще, вероятно, умрет за свободу, и сколь по-разному воплощалось и воплощается ныне на нашей планете это красивое и звучное понятие! Какой многоголовой гидрой оказалось оно! Сколько крови и слез отдано людьми во имя этой человеческой мечты, так часто оказывающейся призраком.

Наши предки, впрочем, давно предупреждали: свобода есть самая тяжкая ноша для человечества.

Русское кладбище во Франции наводит на самые разные мысли, и в частности: скольких мы потеряли! Здесь похоронено много известных писателей, поэтов, артистов, философов, священнослужителей и просто хороших, умных, добрых русских людей. Многострадальная история наша познала не только кровавый океан братоубийственной бойни, гигантский невосполнимый урон был нанесен и нашей генетике. Надо так много думать, так сильно-сильно умнеть, освобождаясь от суетности, чтобы мы смогли восполнить тот пробел, который возник в космической буре, пронесшейся над нашей землей.

* * *

Мы заканчивали наши гастроли в рождественские дни. В конце декабря в Европе праздник. Не будем преуменьшать достижений художников и инженеров-электриков Парижа, трудившихся над праздничной иллюминацией: центральные магистрали города обрели неповторимо-сказочный облик. Сотни, тысячи изобретательно выстроенных сверкающих огней опоясывали фасады домов и ветви всех деревьев на Елисейских Полях. Не будем преувеличивать последствия энергетического кризиса 1983 года — количество электроэнергии, брошенное на созидание рождественского Парижа, поражало своей щедростью и размахом. Скажем честно, помимо рождественских красот и прочих услаждающих глаз объектов, мы видели вещи малоприятные и даже страшные. Разговор о язвах и трагических проблемах чужой страны требует основательной подготовки, хорошего знания чужой жизни, высокой объективности и высокого публицистического мастерства — я этими достоинствами не обладаю, это не моя профессия, и потом, полтора месяца, проведенные нами в Париже, были слишком перенасыщены положительными эмоциями, обилием новых, как правило, приятных впечатлений.

Было слишком много радостных событий. В заключительные дни особенно. И наш дополнительный бесплатный спектакль, который мы сыграли для театральной общественности Парижа, спектакль, превратившийся в незабываемый праздник, и рождественский прием на более чем просторной квартире Кардена. Хозяин дарил нам в рождественскую ночь веселые сувениры, а А. Абдулову за его заслуги в укреплении советско-французских культурных связей преподнес сногсшибательный дар в небольшой зеленой сумке, из которой этот дар высовывался и лаял. Причем на всех нас сразу. Подарок имел на это право: у него была такая родословная, которую советскому человеку и представить невозможно. И потом, сама природа tekkel poil dur требовала к себе особого почтения, она встречается не в каждом московском дворе. Перед Александром Абдуловым и Ириной Алферовой сразу же встали серьезные проблемы, и все мы им искренне сочувствовали и продолжаем сочувствовать. Найти особь противоположного пола для получения красивого потомства на территории СССР крайне затруднительно, и поэтому, очевидно, семье Абдуловых предстояли частые деловые поездки во Францию. Только там можно найти богатый выбор женихов породы, которую запомнить и правильно выговорить в театре мог лишь один хозяин. Но и этого мало, после возвращения из Парижа Андрей Вознесенский в своих новых стихах воспел этот подарок Кардена, который был еще в самолете названа Авоськой. (Настоящее имя: Юссела де Фан Шассер.) Стихи Вознесенского опубликовала газета «Правда», что еще больше подняло престиж этого странного зверя, которому на французской таможне отдавали честь, — в таком изумительном порядке были оформлены все его выездные документы, а к зеленой сумке было приложено фирмой специальное высококалорийное питание и набор собачьих игрушек. И то и другое пользовалось у коллектива огромным успехом.

Мне кажется, мы многому научились на этих гастролях, опробовали какие-то новые для себя профессиональные навыки, приобрели полезные качества и испытали чувство особого коллективного единства и единения. Мы совершили большую и полезную работу в непривычных для нас, экстремальных условиях.

Когда-то в начале своего режиссерского пути мне показалось, что театр — это сплошное режиссерское искусство. С тех пор произошли изменения во мне самом, и прежде всего в нашем искусстве. Возникло насыщение постановочными идеями и устойчивая тяга к сценическим аттракционам, замешенным на психической энергии актера, тяга к поискам одновременно правдивой и психологически изощренной фантастической конструкции. Однако багаж чисто постановочного мастерства не оскудел, наоборот, сегодняшняя сценографическая культура стоит на пороге слияния с режиссурой и совместного открытия новых усложненных пространственных и пластических форм. Сегодняшний серьезный спектакль по своей технологической сложности, я убежден, не уступает космическому аппарату. Соединение тончайших биологических процессов в организме актера с полифоническим движением всех остальных сценических выразителей, причудливая система, комбинирующая импровизационные (автономно существующие) блоки театрального процесса с опорными, но тем не менее подвижными конструкциями других сценических построений. Сегодня такую надежно функционирующую систему один человек придумать и «запустить на орбиту» не в силах. Я убежден, в современном искусстве так же, как в науке, происходит все более узкая специализация. Постановщик все чаще мечтает о режиссерской группе, как кинорежиссер — о большой компании сценаристов, разрабатывающих один общий замысел. Сейчас мы слишком много знаем о театре и слишком многого от него хотим. Сегодня тезис «Театр — искусство коллективное» приобретает, мне кажется, во многом новое значение. В наше время театральный спектакль, как и фильм большого кинематографа, должен сочиняться группой разнообразных лиц. Спектакль должен монтироваться из самостоятельно и талантливо сочиненных блоков, тщательно подгоняемых в единое и живое целое. В какие-то отдельные, очень короткие ключевые моменты такого сочленения нужна одна-единственная воля, один-единственный мозг и одна-единственная (лучше божественная) интуиция — все остальное время нужен конгломерат разнородных по своему характеру творцов, непохожих и не повторяющих друг друга, их общая эстетическая и идейная платформа также не должна быть закована в жесткие границы, она должна быть подвижной, и сами по себе творцы должны быть птицами вольными и отчасти шальными. (Такого рода людей у нас много, особенно последнего свойства.)

Значение режиссера, конечно, никто всерьез не отрицает. Хотя дело теперь не только в режиссере, и главным образом не в нем. Важны сотрудники, соавторы, сотворцы, важен постановочный коллектив, индивидуальная одаренность каждого и общая идейная оснащенность. Важно, затевая в театре постановку очередного спектакля, таким образом формировать группу ответственных сочинителей, чтобы автором произносимого со сцены текста был писатель, не уступающий Андрею Вознесенскому. Нужен композитор, не уступающий Алексею Рыбникову, и художник с таким пространственным, архитектурным талантом, каким располагает Олег Шейнцис. Но ему не надо заниматься костюмами. Не следует гнаться за двумя зайцами. Пробовали. Опасно. Здесь нужен мыслитель-модельер, умеющий работать ножницами и головой, умеющий держать в руках нитку с иголкой, вышивать бисером и одновременно травить замшу соляной кислотой, как это совершает, шутя и играя, наш художник по костюмам Валентина Камолова.

Не может сегодня серьезный режиссер, скажем, пригласить для организации хореографического начала в спектакле человека, умеющего лишь пританцовывать, — сегодня нужен истинный хореограф с мощным и ярко выраженным режиссерским, а может быть, философским мышлением. Сегодня необыкновенно важно, чтобы мизансцены режиссера органично воссоединялись с пластикой хореографа, чтобы они сами потом не сумели провести четкой границы между собой, чтобы зритель не сумел разделить спектакль на две постановочные зоны. Владимир Васильев — человек, обладающий не только талантом балетмейстера, но и режиссера. Что очень важно. Без этого уникального сочетания в одном лице наш спектакль в его нынешнем качестве, конечно не состоялся бы. И еще, нужен человек, очень важная фигура, постоянно вкладывающая энергию в уже выстроенный спектакль. Театральное сочинение в силу целого ряда его природных особенностей всегда стремится к распаду. Театр вообще сродни тем элементам системы Менделеева, которые легко и охотно самораспадаются. Суметь противопоставить центробежным силам распада центростремительные силы созидания — задача серьезной методологии и мастерства. Валентина Савина и позднее Инна Лещинская, наши балетмейстеры-педагоги, появились кстати и вовремя. Без них наша пластика — и еще нечто иное, большее, чего я уже касался, что составляет эфемерную категорию эмоциональной прочности нашего искусства, это самое и дорогое «оно» — вряд ли уцелела бы дольше нескольких премьерных спектаклей. Сегодняшняя сценографическая культура требует не технарей, а художников, таких, какими стали в нашем театре мастера по сценическому свету — Михаил Бабенко и Татьяна Плешкова. И я сегодня искренне не понимаю, как можно затевать большое театральное дело без серьезной, технологически обоснованной инженерной идеи, автором которой, как правило, является у нас такой человек, как Александр Иванов — художник, инженер, организатор. За ним следует большая группа фанатиков, думающих только о театре и категорически не подчиняющихся нормированному рабочему дню: Серафима Георгиевская, Елена Пиотровская,

Сергей Зозуля, Овсеп Согомонян, Леонид Луговой, Тамара Мещанинова, Михаил Гусак, Клавдия Строкова, Александр Каргин. За просто фанатиками следуют у нас сверхфанатики, люди, владеющие разными музыкальными профессиями: Александр Садо, Владимир Черепанов, Геннадий Трофимов, Василий Шкиль, Сергей Березкин, Дмитрий Кудрявцев, Анатолий Абрамов.

Все они создали из огромного количества частностей нечто Целое. Единое. Общее. Они превратили сценическое пространство нашего спектакля в «площадь Согласия».

Конечно, упомянув основных действующих лиц «Юноны и Авось», я забыл, как всегда, про Валентину Дугину, Людмилу Поргину, Любовь Матюшину, Ирину Алферову, Татьяну Дербеневу, Татьяну Рудину, Владимира Ширяева, Бориса Чунаева, Владимира Белоусова, Сергея Грекова, Владимира Кузнецова, Виллора Кузнецова, Станислава Житарева, Евгения Леонова, Виктора Лосьянова, Юрия Мороза, Александра Сирина, Николая Шушарина, Александра Карнаушкина, Игоря Фокина — всех тех, кто сообщил нашему спектаклю вдохновение и зримую энергию. Это мое упущение — о них забывать нельзя. На примере этих людей я окончательно понял, что густонаселенный спектакль сегодня должен и может обойтись без традиционных театральных массовок, эдакой «дежурной толпы». Вышеперечисленная актерская компания доказала это.

И еще один мой недостаток — мало написал о Николае Караченцове. Это не так просто сделать. Да и мнения, честно скажу, в иностранной прессе о нем резко разделились. Некоторые писали о Караченцове как о звезде, другие — как об очень большой звезде. Я, чтобы в корне отличаться от зарубежных авторов, хочу написать о нем как «о редкой суперсверхсуперзвезде, медленно переходящей в стадию сверхсверхсуперсупербольшой суперзвезды». (Так и хочется добавить — с последующим возможным взрывом. Как в астрономии. Но и он тоже надо мной смеется, и я просто свожу с ним счеты.)

В конце концов, думаю, в театре так и надо делать — всегда всех хвалить. А потом по секрету признаваться: ничего сверхъестественного в каждом из перечисленных лиц нету. Нормальные ребята. Артисты, которых у нас пруд пруди. Богатая же страна по части талантов! Встречаются и гении. Вот приходите к нам на спектакль — сами убедитесь.

Как я мешаю жить
молодым режиссерам

Некоторые страницы этой книги были написаны несколько лет назад, когда я казался себе очень молодым. Но пока я собирал исписанные страницы, перепечатывал их, правил, вступал в договорные отношения с издательством, пытаясь увлечь его не одним каким-нибудь контактом, а сразу несколькими, да еще на разных уровнях, прошло немало времени. Я увидел себя несколько раз по телевизору и ужаснулся. Раньше мне казалось, что я всегда буду выглядеть человеком не старше сорока, а тут вдруг понял, что пора говорить что-то доброе и вечное. В заключение. Иначе могу не успеть. Пора что-нибудь произнести в адрес молодых, начинающих. Правда, я уже делился с ними кое-какими раздумьями и даже давал советы, но давать советы в режиссуре, так же, как в любви, — занятие бесперспективное.

Впрочем, недавно я испытал совершенно неведомые мне ощущения. Это произошло, когда несколько молодых режиссеров выступили в печати с жалобами на то, как трудно им живется и как некоторые руководители столичных театров мешают им заниматься творчеством. И тут, не скрою, со мной случилось страшное: отдельные глубоко симпатичные мне молодые режиссеры стали меня раздражать, и я, не скрою, ценой огромных умственных усилий сумел догадаться, почему так случилось. «Вот и старость пришла. Здравствуй, — подумал я. — Еще немного, и руки мои сами потянутся к писчей бумаге и почтовым конвертам, чтобы укорить молодежь за инфантильность, с гневом откликнуться на некоторые телевизионные передачи и пр. Но первые агрессивные побуждения, что интересно, сменились вскоре еще более тяжкими раздумьями: «А уж не со мной ли борется молодая прогрессивная поросль нашей режиссуры? Уж не я ли в числе других лиц являюсь главным тормозом на пути театрального прогресса? Ведь я главный режиссер. Теперь называюсь худруком. Вот что плохо. А кто главным образом мешает молодым режиссерам? Главные! И худруки заодно». Это они, вместо того чтобы, встав у служебного входа, говорить: «Здравствуй, племя, младое, незнакомое…», начинают мучительно вглядываться в молодые лица: уж не крадется ли к ним в театр новое режиссерское дарование, которое лучше всего сразу же незаметно отпугнуть? Зачем? Вот сделает в вашем театре хороший спектакль — будете потом мучиться, как Сальери!

Из выступлений некоторых молодых режиссеров я понял не только это, но и другое, самое главное: человек, получивший диплом режиссера, хочет получить вместе с ним и место для спокойной, размеренной работы в престижном (лучше столичном) театре, он хочет, и совершенно справедливо, сообразно с затраченными на него государственными средствами получить и надежные государственные гарантии. А гарантии как раз и есть самое уязвимое место в нашей профессии. С гарантиями всегда было плохо. Вместо них — досадная неопределенность, как бы варианты возможных последствий от поставленного тобой спектакля. Это и есть главный непорядок, то, с чем надо бороться.

Увы, искусство тем и отличается от производственных, технических, научных сфер; обязательного, размеренного, а главное, технологически обоснованного прогресса в сфере сочинительства нет. В творческих актах нельзя гарантировать обязательную ежеквартальную эстетическую прибыль, можно только научиться выстраивать надежную организационную основу для будущего (иногда и призрачного) успеха. Само по себе звание творца, сочинителя, выдумщика, его чин, служебное положение никак не гарантируют подлинных открытий в искусстве, как не гарантирует их и режиссерская молодость, творческая юность, отсутствие заслуг и званий.

Хуже того, в нашем и без того нелегком деле созидания того самого, чего мы еще не знаем и никогда не видели, присутствует еще и довольно острая творческая конкуренция, не соревнование, не спокойный обмен опытом в свободное от работы время, а конкуренция. В больших театральных центрах страны идет достаточно жесткое творческое состязание, борьба за зрительский интерес, борьба за приоритет в открытии новых театральных идей, за приоритет в открытии новых способов современной сценической выразительности. И в нашем искусстве, увы, часто дело обстоит как в футбольном первенстве, где некоторые команды то и дело, несмотря на искреннее возмущение спортивной общественности и спортивных комментаторов, занимают последние места. А ведь принимается много мер, чтобы избежать этого, тратится много государственных средств, чтобы никто не уступал никому, и все-таки каждый раз, как нарочно, находится такая команда, которая все-таки уступает и портит нам картину почти любого первенства. Похожие дела у нас: неравные возможности, не *все* могут и умеют работать первоклассно, некоторые, сколько их ни учи, сколько за них ни отвечай — все равно уступают другим, то старым — заслуженным, то новым — молодым.

Но, может быть, слишком своеобразна наша специфика? Ведь режиссер сегодня все чаще напоминает гордого поэта, который не использует чужую матрицу, а кладет перед собой чистый лист бумаги и пользуется только собственными знаниями и вдохновением. И что же? Как работается такому сочинителю? Работается ему трудно.

Достаточно раскрыть старый справочник Союза писателей и взглянуть наугад: многие ли литераторы вам знакомы? Отыскать в справочнике 1986 года издания писательское имя, чьи произведения вам известны и стали заметными вехами в нашей литературе, — задача исключительной сложности и удачи. А казалось бы, что мешает писателю отображать окружающую нас действительность, героические проявления которой сами просятся на бумагу? Только успевай записывай. Но вот не все успевают. В условиях телевизионной революции при сегодняшних требованиях к сочинителю — сочинять трудно. Режиссерам сочинять спектакли еще труднее, чем поэтам сочинять новые стихи. Молодой поэт сочиняет, про что ему вздумается, в особенности если его посетила неудачная любовь — так он может целый сборник издать. А молодому режиссеру, какая бы любовь его ни посетила, ставить очень часто надо то, что предложит ему руководитель театра. (Если, конечно, сам молодой режиссер не ошеломит дирекцию театра собственной прекрасной идеей, что случается редко.) Захочет молодой режиссер поставить, к примеру, лучшую, вторую часть «Фауста», а главный уже тут как тут с ехидной улыбкой: «Нет уж, ставь первую».

Шучу вроде бы, да не совсем. Недавно один молодой режиссер мне настойчиво предлагал именно «Фауста». И хоть ехидную улыбку я, как мне показалось, заменил обаятельной, все же от «Фауста» уклонился, вызвав большое облегчение у Главного управления культуры, художественного совета и дирекции.

Что делать — у меня совсем другие мечты. Вообще мечтами главного режиссера в отношении молодых режиссеров могу с удовольствием поделиться, потому что все главные режиссеры мечтают приблизительно об одном и том же: иметь в театре постоянных и очень надежных сотрудников, умеющих самостоятельно мыслить и приносить в общую театральную копилку ценные репертуарные идеи. Иметь рядом с собой людей, умеющих находить неожиданную сценическую реализацию неожиданным репертуарным идеям. Иметь людей, смело вторгающихся в современную проблематику, не нарушая при этом основных эстетических принципов театра, разделяя с главным режиссером и ведущей творческой группой понятия о хорошем вкусе и художественном достоинстве. Каждый главный режиссер мечтает иметь рядом такого режиссера, который обладает всеми разнообразными качествами современного театрального сочинителя и, главное, — умением продуктивно работать с актерами любой квалификации, в том числе с самой трудной и капризной их частью — ведущими актерами. Главный режиссер мечтает, чтобы «господа артисты» не дергали бы его с первых дней, не донимали бы постоянными просьбами: «Приходе скорее, «мальчик» выглядит беспомощным, репетирует скучно, режиссерская фантазия его и интеллект оставляют желать лучшего. Жалко терять время».

Серьезному драматическому театру нужен, увы, не просто умный молодой человек с режиссерскими склонностями, а непременно творец с сильным организаторским талантом. Режиссер, не обладающий качествами лидера, не имеющий четко выраженной эстетической позиции, — профессионально неполноценная фигура в современном театре. Конечно, он может найти себе подходящее место для приложения своих режиссерских склонностей (не таланта, а именно склонностей) в различных театральных сферах, они у нас достаточно многообразны. Но претендовать на роль режиссера-постановщика в больших сложившихся коллективах Москвы, Ленинграда, Саратова, Нижнего Новгорода, Омска и других городов такой человек не может. И наконец, дополнительная сложность: на пятьдесят-семьдесят актеров требуется не более двух-трех режиссеров. Это в еще большей степени увеличивает (ужесточает) творческую конкуренцию в нашем цехе.

Но! Если! Все-таки! Однажды молодой режиссер ставит не просто культурный спектакль, не просто более-менее грамотное сценическое действо, а добивается серьезного успеха по самому высокому столичному счету, проявляет качества художественного лидера, заявляет о себе сразу как о человеке, могущем создавать собственную режиссерскую магию и сочинять такие спектакли, которые штурмует зритель, — такого человека не оставляют у нас без работы. Даже самые худшие по своим склонностям главные режиссеры, вроде меня, начинают такого человека разрывать на части, норовя заманить в свой театр. За Анатолием Васильевым сразу после его спектакля «Взрослая дочь молодого человека» пошла настоящая охота. Рассказываю как деятельный ее участник. Я включился в погоню за ним, когда впереди меня было уже несколько более удачливых театров, и в нашем главке на меня только руками замахали — дескать, спохватился: «Уже не достанется. Поздно!» Но я очень старался и сумел понравиться молодому режиссеру, постепенно оттеснив конкурентов, которые тоже старались, но понравились меньше. Васильев начал репетировать в нашем театре «Виндзорских проказниц» В. Шекспира, название, которое он, естественно, определил для себя сам. С громадным удовольствием в дело включились Леонов, Чурикова, Янковский и другие популярные артисты. Несколько репетиционных месяцев, которые Васильев подарил нашему театру, оставили добрый след в их памяти, ибо они прикоснулись к большому и самобытному молодому Мастеру.

Да, к сожалению, спектакль не был поставлен. Да, МХАТ со мной все это время боролся. Да, через несколько месяцев МХАТ победил и увел к себе Васильева на «Короля Лира». Дело не в этом, все равно в конце концов Таганка подстерегла его возле МХАТа и через несколько месяцев увела к себе. Дело тут в другом. Очень многие главные режиссеры делали все возможное, чтобы рядом с ними сверкал ослепительный режиссерский талант. Главных режиссеров можно обвинить в чем угодно, но они люди не наивные, и в данном случае они хорошо понимали, что режиссура молодого Васильева по ряду компонентов значительно превосходит их собственную.

Известно, режиссеры — «штучный товар». Режиссерский диплом, так же как диплом, полученный после окончания Литературного института или сценарного факультета ВГИКа, — величина во многом символическая. Это стоит подробно объяснять всем молодым сочинителям. Сразу. Еще до поступления в творческий вуз. Строго рассуждая, выучиться на поэта нельзя. Думаю, на режиссера — тоже. Можно лишь человеку, родившемуся художником, помочь в его становлении.

Потребность в новых режиссерских именах у нас велика, но любой крупный театральный коллектив страны (я уже не говорю о других, поменьше) столько раз обжигался на новых молодых режиссерах, так часто терпел художественный и экономический крах, что у каждого театра накопился сегодня богатейший опыт, связанный с отрицательными эмоциями в этом вопросе. Не каждый главный режиссер и не всегда может позволить себе положиться только на собственную интуицию. Но не только главный режиссер, прежде всего весь театральный коллектив, его руководство и творческий актив хотят иметь достаточно весомые гарантии необходимого уровня или даже успеха. Некоторые и к этому стремятся.

Когда молодой человек уже что-то срежиссировал самостоятельно, прогнозировать его дальнейший рост хотя и трудно, но возможно. Но как решиться на самый-самый первый шаг? В жизни театра, так же как и кинематографа, это происходит по-разному. Здесь играют роль многие обстоятельства, в том числе и его величество Случай. Он вообще в искусстве, как и в жизни нашей, начиная с момента знакомства наших родителей, — величина не последняя.

* * *

В первые дни моих педагогических занятий по режиссуре я пытался «натаскивать» и «начинять» молодые режиссерские головы всей той информацией, которой обладаю. Я пытался научить учеников всему тому, что умею сам. С годами я стал много осторожнее, у меня возникло больше сомнений в отношении моих личных «режиссерских рецептов». Сегодня, не умаляя собственных познаний, пытаюсь поделиться с молодыми коллегами лишь некоторыми технологическими премудростями нашей профессии, некоторыми тактическими тайнами, относя весь этот инструментарий к понятию режиссерского ремесла, решительно отрицая его причастность к высотам современной режиссуры. Я все чаще говорю своим молодым ученикам: «То, что делаю я, надо знать и уметь, но стремиться надо к иному способу режиссерского мышления, к тем бесценным открытиям, что закрыты пока для нынешних творцов, включая вашего покорного слугу. Ребята, — говорю я, стараясь придать своему голосу черты отеческой задушевности, и это мне удается, отчасти потому, что я бывший лицедей, отчасти потому, что на самом деле так думаю. — Я постараюсь научить вас, мои дорогие друзья, строить «взлетные полосы», я даже научу вас правильно разбегаться по их бетонному покрытию, но как набрать «взлетную скорость» и как «оторваться от земли» — тут я вам не советчик! Я буду радоваться вашему полету, если не буду ощущать формулы вашего дерзания, если ваш свободный и гордый полет станет загадкой для моих усталых режиссерских мозгов!..»

Быть может, этот будущий контакт с учеником, летящим на недосягаемой для меня высоте, и станет самым счастливым мгновением в жизни, самым высоким уровнем в контактах с мирозданием.

* * *

Я долго размышлял, как постепенно и по возможности красиво подвести к концу свой затянувшийся, крайне непоследовательный и субъективный поток режиссерского сознания. Я не придумал ничего лучше, как вспомнить несколько фраз из своей книги с загадочным названием «Контакты на разных уровнях». «Контакт» для нашей профессии совсем неплохое слово.

Второй поток сознания

Кто я такой в своем окончательном виде, я понял сравнительно недавно. В 1993 году мне настоятельно порекомендовали сделать операцию шунтирования на сердце. Московское правительство или, правильнее сказать, мэр Москвы Ю.М. Лужков подписал распоряжение о спонсировании операции, и я вылетел в Германию в прекрасном настроении, потому что об операции старался во время полета не думать. Этому очень способствовали разного рода напитки, подаваемые на борту авиалайнера.

При коронарной разведке с помощью катетера, вводимого в сосуд, ведущий к сердцу, я, помнится, тоже не очень волновался. «Потерпи, — думал про себя, — может, еще обойдется... без операции». Хорошему самочувствию способствовал доктор-переводчик, который доносил до меня исключительно оптимистические фразы, произносимые немецким хирургом:

— Так, так, хорошо... замечательно... приближаемся к сердцу. А вот и сердце!

После этой фразы немец почему-то долго раздумывал и сказал потом что-то такое, что мне уже тогда очень не понравилось, даже по-немецки, без перевода.

А мой переводчик, подумав, высказался в том смысле, что сердечная мышца в очень, просто на редкость хорошем состоянии, как будто специально для операции.

Через несколько дней, когда пришла уверенность, что точно останусь на этом свете, я спросил у переводчика:

— А что это была за фраза, после которой вы долго искали литературный перевод? Что сказал немец?

— Немец тогда сказал: «Как же этот парень сюда долетел?»

— Почему же я, по-вашему, долетел?

Доктор-переводчик был допущен в операционную и видел, как из меня делали цыпленка табака. Он некоторое время раздумывал, потом честно признался:

— Есть, вероятно, у вас какие-то отличия...

— От нормальных людей?

— Да.

— То есть если бы на моем месте был нормальный, цивилизованный немец — он бы не долетел?

— Никогда.

— А я...

— А вы, как бы сказать, такой... упертый.

— Советский человек?

— Именно это я и хотел сказать.

Это было важным открытием для меня за последнее время. Никакой я не прогрессивный демократ, не одухотворенный либерал и не сторонник гражданского общества. Я — советский человек.

И дело не в том, что сказал мне об этом малознакомый врач. Там же, в Мюнхене, мучительно выбираясь из наркоза, я почувствовал такую боль при дыхании, что твердо понял — продержусь минут пять, от силы десять. Дальше надо сдаваться.

Врач в реанимации посочувствовал мне с помощью русскоговорящей медсестры и сказал, что боль нужно убирать самому постепенно, с помощью специально глубокого дыхания и главное — оптимизма. Дыханием я должен заниматься сам, оптимизмом тоже, хотя на некоторое время мне помогут.

Я получил сильную дозу наркотика и, превозмогая боль, начал смотреть интересное кино. Поплыли и красиво расплющились стены в реанимации, и я стал мысленно посылать себе команды: «Оптимизма! Оптимизма давай!..»

Потом с нетерпением стал ожидать по меньшей мере слетающихся ангелов, их сводный хор, в крайнем случае «Аве Марию», но услышал только цокот копыт по брусчатке и в ушах радостно зазвучало:

> Мы — красные кавалеристы, и про нас
> Былинники речистые ведут рассказ...

Чуть позже я прослушал также:

> Веди, Буденный, нас смелее в бой!

Вот оно, мое подсознание! Здравствуй! От такого подсознания сразу полегчало, потому что стало смешно. Бывало, думалось совсем недавно: уж не единомышленник ли я Бердяева со Станиславским? Нет. Оказалось — советский человек с набитыми его же оптимизмом советскими мозгами.

Это у меня предисловие. Второе, исповедальное. Дальше — главное.

Суперпрофессия

Теперь самое время снова прикоснуться к режиссуре. И не просто как к профессии. Лучше обозвать ее суперпрофессией.

Режиссура — система созидания того, чего не знает бог. (Произвольный вариант бердяевской формулы.) Режиссура в моем представлении — все сознательные и подсознательные воздействия на психику человека, все разновидности собственных намерений с превращением их в комбинации зримых материальных и энергетически ощущаемых процессов. Искусство режиссуры есть право и умение распоряжаться эмоциями и экономическими ресурсами людей, вовлеченных в подвластную автору стихию творения.

В еще более грубом, глобальном и даже космическом аспекте режиссура есть строительство принципиально новой собственной динамической конструкции, до конца не подвластной логике зримых событий, обладающей гипнотической заразительностью с очень сильным воздействием на подсознание человека.

Но разве не может быть режиссура откровенно прагматичной, тривиальной и старомодно-иллюстрированной? В основном таковой и числится, однако я пытаюсь рассуждать о режиссуре как о суперпрофессии.

Следуя этой наглой логике, можно и собственную земную жизнь заранее, хотя бы частично, сорганизовать как режиссерский сценарий с хорошо проработанными механизмами и четко определенными подвластными субъектами, вовлеченными в созидаемый тобою режиссерский замысел.

Режиссура высокого класса, достигающая уровня суперпрофессии, требует на определенном этапе (после наития) скрупулезно организованного инженерного планирования с огромным количеством самостоятельных творческих разработок. Режиссура еще и искусство вовлечения в формулируемый тобою процесс талантливых сотрудников с самостоятельным волевым, эстетическим и инженерным мышлением.

Режиссура далеко не всегда связана с театром или кинематографом. Сброс фашистских знамен к подножью Мавзолея на Параде Победы в 1945 году — выдающаяся режиссерская акция. Однако подобного рода эмоциональные режиссерские «выбросы» могут иметь также и отрицательный ядовито-губительный эффект, в этом их глобальное своеобразие. Гитлер был выдающимся, всемирно признанным оратором, Геринг мало чем уступал ему в режиссерских построениях, воздействующих на огромные массы людей. Для меня совершенно очевиден режиссерский талант Григория Распутина, Иосифа Сталина или Шарль-Мориса Талейрана.

Постановочное искусство тесно связано с лидерским талантом человека. Поскольку люди не могут быть уравнены в собственных возможностях и способностях, режиссура еще и способ выявления тех, кому дано направлять человеческие помыслы, созидать подсознательные импульсы для духовного совершенства или губительной деградации.

Опасно и то и другое. Претензия на деяния по духовному совершенству ближних может привести не только к смешным глупостям, но и к опасным профессиональным заболеваниям. Психика человека, возомнившего себя выдающимся режиссером, очень часто не выдерживает, человек погружается в разного рода поведенческие аномалии и даже начинает писать книги. За примерами недалеко ходить.

Режиссура в ее нынешнем восприятии была изобретена в самом конце XIX столетия как прикладной, чисто организованный свод правил для лицедействующих актеров с их нехитрыми мизансценами. Позднее сюда добавилось право определять основные команды на движение занавеса, света, звука, декорационных объектов и т. д. Важным событием для развития режиссуры явились команды: «громче», «тише», «быстрее», «задушевнее» и т. д. Позднее, уже на наших глазах, режиссура начала дробиться на самостоятельные направления и дисциплины. Появилась кинорежиссура, радио- и телережиссура, режиссура массовых зрелищ, режиссура стадионов, комнатная, сектантская, оперная, детская и др.

Режиссура в конечном счете — система программных импульсов, обязательно задевающих и воздействующих на психику возможных зрителей. Я говорю «возможных», потому что существует, правда в ограниченном количестве, и такая режиссура, которой зритель вообще не нужен. Он может только помешать режиссерскому таинству, и в этом случае его зрительская энергия — лишняя помеха.

Мое личное, очень сильное впечатление от «сектантской» режиссуры я получил в студии суперодаренного современного режиссера Анатолия Васильева. О его собственных сочинениях писать очень трудно, и делать это надо глубоко и обстоятельно. Сейчас мне это не под силу. Может быть, и не только сейчас. Лучше несколько слов о приехавшем к нему в гости одном из последователей Гротовского некоем Джонсоне с небольшой группой единомышленников для своеобразной акции (спектаклем такого рода действие назвать — значит расписаться в собственном невежестве). Так вот, «action» начался с телефонного звонка Анатолия Александровича с поздравлениями по случаю того, что я утвержден зрителем на предстоящем «экшене». Таких достойных посмотреть «экшен» обнаружилось в Москве всего четверо, все остальные были забракованы.

В назначенный час мы, четверо, по-моему, не совсем нормальных и уравновешенных людей, собрались в студии на Поварской, где получили долгий и подробный инструктаж — как себя вести на «экшене». Боже сохрани высказывать какое-либо одобрение «экшену» (его качество и так остается вне всяких сомнений). Ни в коем случае нельзя хоть как-то зримо сопереживать тому, что увидишь, например засмеяться или заплакать. Об аплодисментах вообще не может быть и речи. Задача наша состояла в незаметном присутствии и таком же незаметном наблюдении.

Джонсон оказался человеком невзрачным и маленького роста (иначе он занимался бы чем-нибудь другим). С собой он привез таких же маловыразительных людей, но — босиком. Они ходили по полу в разных хороводных комбинациях и самозабвенно напевали самые древние на земле мелодии, записанные в районе Карибского моря. Ходили часа полтора, разумеется, без антракта. Не могу сказать, что пели и ходили плохо. Во-первых, получали от собственного пения удовольствие, что уже немало. Во-вторых, временами, по-моему, погружались в своеобразный транс, что тоже приятно. Назвать это театральным искусством мне очень трудно, но какой-то этнографической ценностью привезенный «экшен» бесспорно обладал.

Несмотря на некоторую иронию, без которой я практически обойтись не могу, о чем бы ни писал, — то, что делает Анатолий Васильев с Джонсоном или без него, вызывает у меня безграничное уважение и интерес. Васильев один из тех, кто, с моей точки зрения, имеет право за государственный счет заниматься такого рода суперэкспериментальной режиссурой. Она крайне благотворно воздействует на формирование новых режиссерских идей в отечественном театре. Его система режиссерского поиска оригинальна и самодостаточна. И хотя он не сумел пока воспитать нормальных выразительных актеров, занимается Васильев очень важным аспектом современного театра — формированием невидимого энергетического потока, гипнотически воздействующего пусть на немногочисленных, но завороженных зрителей. Может, и не все окончательно заворожены, но тот, кто не имеет влечения к завораживанию, к нему в театр и не пойдет.

Театры-студии, подобные васильевскому, я, повторю еще раз, уважаю, почитаю, признаю (в очень ограниченном количестве), но не люблю. Хотя очень и очень интересуюсь той методологией, которая подчас весомо и мощно укрепляет энергетический потенциал актерского организма.

Я не приемлю одностороннего энергетического потока, как у Джонсона и, возможно, у гениального Гротовского. Меня интересует и влечет совместный энергетический экстаз актера и зрителя. При этом он может быть очень тихим, вкрадчивым, но и буйным, экзальтированным, даже шокирующим и непременно непредсказуемым. Зрительский прогноз сегодня — самое большое зло на театре. Почему и уходят так часто зрители в антракте. Время берегут. Оно теперь, извините за повтор, стало много дороже, но не только... уходят, потому что приблизительно (а иногда довольно точно) представляют, что будет дальше. Умный режиссер, который умеет объективно оценить свое сочинение, при самых малейших сомнениях в увлеченности зрителя делает свой спектакль без антракта. Что правильно. Наличие или отсутствие антракта для меня всегда важнейший показатель режиссерской самооценки.

Мое излишне долгое отвлечение в сторону Джонсона и проблемы антракта связано с важнейшими для меня аспектами режиссуры как суперпрофессии.

Энергетика театрального зрелища — наверное, самое важное в современном психологическом театре. Что это такое, по-моему, мы до конца не знаем — иногда можем только почувствовать. Все углубленные раздумья о материальной основе нашего искусства ведут в глубины современной биохимии и даже философии. Я все чаще говорю об актерском организме на клеточном уровне. Человеку дано изменять биохимический состав своих клеток. Сегодня полноценное, мощное, непредсказуемое воздействие актера на своего сценического партнера, а стало быть, на зрителя, возможно только с привлечением тех возможностей человека, которые граничат с элементами сверхчувственного восприятия.

Однажды в Киево-Печерской лавре для меня сделали индивидуальную экскурсию. И человек, ощущающий разную степень излучения святых мощей, рассказал, что обычно в глубокой древности все монахи уходили из жизни примерно одинаково. Ритуал не нарушался. Разница была в молитвенном экстазе, его интенсивности и протяженности. Сверхнапряженная молитва в предсмертные годы изменяла облик людей. (Нимб над головами святых — не выдумка художников.) В некоторых случаях людям удавалось, как сказали бы сегодня ученые, изменять свою биохимию. Молитва изменяла свойства умирающего тела. Всех монахов хоронили рядом и в одинаковых условиях, однако через три года захоронение обязательно вскрывалось. В одних случаях обнаруживался обыкновенный скелет умершего, в других — нетленные мощи.

Ресурс человеческого организма, сила и целенаправленность мысли, лежащей в основе молитвы, — мощная энергетическая величина. Мысль, не выраженная словами, в некоторых режимах человеческого существования несет осязаемую информацию. Мысль способна преобразовать тело. Здесь возникает много вопросов. Какова материальная основа мысли и чем измеряется ее сила? Экранирует ли она от плоскости или это для нее безразлично? Можно ли переносить информационный энергетический поток в режиме молчания с одного объекта на другой? Когда мысль обладает гипнотическим воздействием (и почему), а когда высказанная мысль — всего лишь рабочая переброска информации?

Знаю ли я ответы на эти вопросы? Если бы не знал, то и не писал бы. Могу ли объяснить? Могу, но не хочу. Боюсь преждевременно погрузиться в околонаучное шаманство. Еще успею.

В качестве примера (почему не пускаюсь в пространные объяснения): в каком помещении лучше, приятнее играть — в театре с долгой историей или в удобно скроенном новом цементном «аквариуме»? 99 процентов артистов предпочтут старые стены. Уж не хотят ли они этим сказать, что стены помнят? Хотят. Как помнят и почему? Вопрос к бабушке Ванге или тибетскому далай-ламе.

Я так надоел со словом «энергетика», что дома мне, например, категорически запрещено его произносить. Жена после неприлично долгого сожительства со мной недавно призналась, что больше об энергетике слышать не может. Я пообещал в домашней обстановке воздерживаться от его употребления, и те же самые намерения я в какой-то мере распространил на театр. Ищу, иногда безуспешно, синонимы.

Поэтому сейчас не впрямую об энергетике, а по касательной. О чисто визуальном взаимодействии — что имеет прямое отношение к контакту зрительного зала с артистами. Пытаюсь рассуждать очень осторожно, всячески превозмогая свойственную режиссерам мессианскую безапелляционность. (Кстати, чисто профессиональное заболевание.)

Примерно в 1976 году вместе с Евгением Павловичем Леоновым я был в гостях на даче у нашего директора Рафика Гарегиновича Экимяна. Леонов приехал со своим псом, проживавшим у него в доме около двадцати лет. Пес был неправдоподобно похож на своего хозяина и по комплекции, и по выражению лица (извините, морды). Его пластика очень напоминала леоновскую, ну и, разумеется, характер. Помню, как все мы долго смеялись над этим обстоятельством, подмечая все новые знакомые черточки в псиных повадках. Собственно, я рассказываю не новость; то, что при долгом совместном проживании живые существа активно воздействуют друг на друга, замечали многие. Какими похожими становятся супруги после нескольких десятков лет совместной жизни! (Выравниваются даже показатели медицинских анализов.) Почему? Каков механизм воздействия? Далеко не всегда люди, и тем более животные, стремятся осмысленно подражать или даже передразнивать друг друга. Очевидно, между ними образуются устойчивые и незримые каналы, по которым периодически проходят сильные информационные потоки, преобразующие организм, характер, пластику.

Наконец, есть еще одна любопытнейшая система передачи информации. Зарубежные ученые назвали ее «эффектом сто первой обезьяны». Я вычитал об этом в одном солидном издании. На некоторых островах Индокитая живут большие колонии обезьян, где за ними ведутся постоянные научные наблюдения. Однажды ученые заметили, что среди сотни обезьян, живущих на небольшом необитаемом острове, появилась одна смышленая особь, которая стала ополаскивать в воде овощные клубни перед употреблением в пищу. Ополоснув, она их ловко чистила и только потом грызла. Сначала сородичи не обратили внимания на смышленую подругу. Однако позже некоторые, заметив нововведение, стали обезьянничать — подражать и поступать с клубнями подобным же образом. Вскоре вся сотня обезьян стала приходить к воде и дружно заниматься одним и тем же делом. Самое удивительное и необъяснимое в другом. За несколько сотен километров, на другом острове обезьяны, которые ни при каких условиях не могли увидеть своих более прогрессивных сородичей, стали заниматься тем же самым делом. Повторяю, водный рубеж подобной протяженности ни при каких условиях не мог быть преодолен обезьянами. Спрашивается: каким образом информация от первых умельцев поступила ко вторым?

Может ли ответить на этот вопрос современная наука? Не может. А режиссура? Тоже не в состоянии. Но отдельные представители этой профессии — суперпрофессионалы — должны об этом крепко и глубоко задуматься. Нескромно каждый раз причислять себя к суперпрофессионалам — но я об этом думаю. Более того, внедряю эти нехитрые мысли в сознание артистов Ленкома и студентов режиссерской мастерской при Российской Академии театрального искусства (РАТИ — бывший ГИТИС). Очевидно, человек посылает в пространство значительно большее количество сигналов, чем принято думать. Не все сигналы, посылаемые артистами со сцены, зритель воспринимает осмысленно и, что называется, напрямую, в визуальном контакте. Возможно, некоторые используют нетрадиционные средства связи.

У артиста самое выразительное — глаза. Даже у очень красивой актрисы — все равно самое важное в глазах. Вероятно, это основной канал, по которому поступает самая наиважнейшая информация о сценическом образе. Но артист, впитавший в свою психотехнику элементы сверхчувственного восприятия, мощную внутреннюю энергетическую насыщенность, может повернуться к нам спиной, и мы, зрители, получим в свою подкорку сильную дозу информационного облучения. Мы можем не сразу разобраться в этой информации, даже не сразу понять, но наше подсознание начнет свою незримую, а иногда и неощутимую работу по ее распознанию. Конечно, речь о «высшем пилотаже» современного актерского мастерства.

Можно ли его, кстати, тренировать помимо репетиций? Обязательно! Но проблема глубоко субъективная, здесь может быть много сугубо личностных поисков от отдельных индивидуальных упражнений до стиля жизни. В качестве одного из советов: попробуйте сосредоточить внимание на затылке человека и заставьте его обернуться. Не вздумайте только посылать ему мысленные угрозы или вообще какую-либо негативную информацию. Кто знает, какими возможностями и неизвестными вам энергетическими ресурсами располагает ваш организм? «Не навреди!» Клятва Гиппократа сегодня распространяется и на театральное искусство. И, естественно, на тех, кто хочет претендовать на свою причастность к суперпрофессии.

Что такое Ленком?

Это многострадальный московский театр, история которого тем не менее изобилует не только затяжными кризисами, но и яркими страницами, когда театр своими работами сосредоточивал вокруг себя многочисленные восторги, повышенный интерес зрителей и серьезное театроведческое внимание.

Его история началась в 1927 году. По инициативе московского комсомола некоторые разрозненные любительские кружки были объединены в новый профессиональный театр — «ТРАМ» (Театр рабочей молодежи).

На месте бывшего Купеческого клуба, построенного по проекту архитектора Иванова-Шица, долгое время формировался своеобразный очаг культуры. В Купеческом клубе регулярно игрались драматические и музыкальные спектакли, а также давались музыкально-вокальные дивертисменты. С 1917 года в здании обосновался политический клуб с элементами анархии, расхищения имущества и планомерного разрушения уникального дизайна, выполненного так же, как и архитектурное пространство дома, в стиле так называемого «модерна начала века». Потом на этом месте обосновался Коммунистический университет имени Я.М. Свердлова, где В.И. Ленин на знаменитом III съезде комсомола в 1920 году произнес знаменитую речь, в которой с обескураживающей простотой поведал миру об отсутствии морали как таковой: «Морально только то, что способствует победе пролетариата». Это, по моему мнению, был один из поворотных моментов в истории XX столетия. Коммунистический вождь первым в истории освободил вооруженную партию нового типа от такого досадного понятия, как совесть. Позднее у него появились всемирно известные последователи, главным образом в германском Третьем рейхе, но и в Италии, Камбодже и многих других странах. (Должен честно признаться, что подобным образом я смог характеризовать некоторые исторические мгновения, связанные с нашим домом, только в последние годы. До этих последних лет мне не хватало ни ума, ни исторических познаний.) После образования в 1923 году при Коммунистическом университете популярного московского кинотеатра «Кино Малая Дмитровка, 6» сюда были направлены серьезные мхатовские мастера Н.П. Баталов, Н.М. Горчаков, В.Я. Станицын, Н.П. Хмелев, И.Я. Судаков и даже М.А. Булгаков. Эта группа была призвана возглавить работу ТРАМа, который в своем первоначальном творчестве сосредоточивался на плакатно-агитационных представлениях, которые не оставили серьезного следа в истории советского театра, разве что вырастили звезду советского кинематографа — Николая Афанасьевича Крючкова.

Однако появление на Малой Дмитровке Ивана Николаевича Берсенева с блестящей плеядой молодых мхатовских актеров — Софьей Гиацинтовой, Серафимой Бирман, Ростиславом Пляттом, Аркадием Вовси и другими — привело к созданию серьезного театра, который быстро завоевал любовь москвичей. В 1938 году искусный политик и признанный лидер театра Иван Николаевич Берсенев сумел добиться ликвидации малопрестижного названия «ТРАМ» и появления на фасаде театра нового наименования, которое способствовало официальному признанию его прежних и будущих заслуг, — «Московский театр имени Ленинского комсомола». Здесь родились замечательные по тому времени спектакли драматурга Константина Симонова, им сопутствовала феерическая популярность Валентины Серовой и многое другое, что породило заслуженную любовь зрителей.

Когда поколение Берсенева завершило свой творческий взлет, прошло естественную стадию спада, деградации и сценической смерти, в 1963 году здесь совсем ненадолго, но ослепительно засияла звезда новой российской режиссуры — Анатолий Васильевич Эфрос. Около трех лет этот выдающийся мастер буквально околдовывал театральную Москву своими незабываемыми по сию пору спектаклями: «В день свадьбы» В. Розова, «104 страницы про любовь» и «Снимается кино» Э. Радзинского, «Мой бедный Марат» А. Арбузова, «Мольер» М. Булгакова.

С Эфросом руководство столичной культуры и высшие партийные инстанции поступили традиционно жестоко.

В виде огромного благодеяния его удалили из театра, разрешив перевести с собой в Театр на Малой Бронной нескольких близких ему актеров. Счастливая полоса в жизни театра обернулась коротким мгновением, на смену которого пришло достаточно печальное десятилетие. В театре постоянно и быстро менялись главные режиссеры, ставились спектакли-однодневки, и зритель постепенно терял интерес к Ленкому.

Название Ленком появилось не случайно. Это — продукт городского фольклора, которым воспользовалась позднее уже новая театральная генерация, пришедшая на смену всем предыдущим. Мы долго боролись за новое название театра, целиком не открещиваясь от истоков его прежней аббревиатуры, но наши усилия увенчались успехом уже в новое перестроечное время, когда рухнул прежний партийно-цензурный аппарат.

* * *

Мое появление в качестве театрального руководителя Ленкома связано с успехом ряда спектаклей, поставленных в других театрах, что имели порой судьбу трудную, далеко не однозначную, иногда трагически-анекдотическую.

Мой первый режиссерский успех на профессиональной сцене пришел в 1967 году в Московском театре сатиры после постановки достаточно сенсационного и памятного для многих театралов спектакля «Доходное место» А.Н. Островского. Это, пожалуй, одно из самых ярких воспоминаний моей режиссерской молодости.

Спектакль до своего громкого и скандального запрещения прошел около сорока раз, что, конечно, являлось государственным упущением. Впрочем, об этом я уже говорил.

После запрещенного «Доходного места» я поставил комедию А. Арканова и Г. Горина «Банкет» в том же театре и примерно с тем же печальным финалом. Только на этот раз спектакль был запрещен по инициативе тогдашнего министра финансов, у которого возник стойкий эстетический и идейно-художественный протест против своеобразного и достаточно остроумного опыта современной абсурдистской комедии. Разумеется, расставаться с «Банкетом» было не так тягостно, потому что там не было замечательных актерских работ А.А. Миронова, А.Д. Папанова, Г.П. Менглета, Т.И. Пельтцер и других великолепных мастеров, составлявших гордость тогдашнего Театра сатиры, и, конечно, не было того уровня режиссерского вдохновения, что посетило меня в 1967 году.

Когда моя режиссерская профессия повисла на волоске, А.А. Гончаров пригласил меня в свой Академический театр имени Вл. Маяковского, где мне удалось поставить, и достаточно изобретательно, собственную сценическую версию фадеевского «Разгрома» (пьеса была написана совместно с И.Л. Прутом).

Самым счастливым моментом в этой работе была моя встреча с Арменом Джигарханяном, которого я отношу к людям уникальной актерской и человеческой одаренности. Я бесконечно благодарен судьбе за этот подарок — мое общение с ним оставило неизгладимый след в моих размышлениях над природой актерской одаренности, в тех высших ее проявлениях, когда исполнитель центральной роли становится фактически твоим сопостановщиком. Его усталый, с загадочными энергетическими ресурсами командир партизанского отряда Левинсон, по-моему, навсегда вписался в историю современного российского театра.

Вторым счастливым моментом в этой истории было то, что я уцелел физически, не был уничтожен, а остался режиссером. Судьба спектакля и моя собственная профессия, что называется, повисли на волоске. Причем я не сразу это понял, не сразу осознал и только по прошествии некоторого времени, когда узнал некоторые обстоятельства моего балансирования на краю пропасти, испытал неприятный холодок в позвоночнике — я уже рассказывал об этом раньше в главе «Годы странствий».

Полагаю, однако, что в моем назначении главным режиссером Ленкома основную роль сыграли спектакли «Темп-1929» — вольная фантазия на темы пьес Н. Погодина с музыкой Г. Гладкова и комедия «Проснись и пой!» венгерского драматурга М. Дьярфоша, которую мы переписали и поставили совместно с А. Ширвиндтом.

Съемки телефильма «Тот самый Мюнхгаузен». Оператор В. Нахабцев внимает режиссерскому замыслу (1988 г.)

С режиссером-сценографом и уникальным художником О. Шейнцисом

На съемках фильма «Убить дракона» (1988 г.)

С В. Раковым, убеждаю его, что он станет народным артистом России, что и случилось в 2003 году

Л. Каневский, Л. Дуров, А. Эфрос, А. Миронов в гримерке на Малой Бронной, спектакль «Продолжение Дон Жуана» Э. Радзинского (1979 г.)

С О. Янковским и реж. Ю. Махаевым

«Три девушки в голубом» по пьесе Л. Петрушевской (1988 г.)

Т. Пельтцер

И. Чурикова, Ю. Колычев

«Поминальная молитва» по пьесе Г. Горина (написанной по мотивам произведений Шолом-Алейхема) (1989 г.)

В. Ларионов, Т. Пельтцер, А. Абдулов, Е. Леонов, А. Фирин, Е. Шанина, А. Захарова и другие актеры

Режиссер за работой

А. Абдулов снялся во всех моих фильмах.

С Г. Гориным (1990 г.)

С Н. Караченцовым на репетиции спектакля «Юнона и Авось» (2001 г.)

«Шут Балакирев» по пьесе Г. Горина (2001 г.). О. Янковский, А. Захарова

С И. Чуриковой на репетиции спектакля «Город миллионеров» (2004 г.)

На премьере спектакля «Ва-банк» (2004 г.)

О. Янковский, Д. Певцов

И. Чурикова, Л. Броневой

Иногда я попадал в хорошую компанию: Г. Каспаров, В. Спиваков и Сати Спивакова с дочерью, Г. Вишневская, М. Ростропович

С Ю.П. Любимовым мы всегда обсуждали одно и то же – наглые происки цензурного аппарата. В этих разговорах часто участвовала моя жена Нина Лапшинова

Композитор А. Рыбников, режиссер Марк Захаров, поэт Андрей Вознесенский и актер Николай Караченцов. Двадцать лет спустя (2001 г.)

Пьер Карден в Ленкоме (2006 г.)

«Безумный день, или Женитьба Фигаро»
по пьесе П.-О. Бомарше (2005 г.)

А. Захарова, Н. Щукина, А. Лазарев, Д. Певцов

А. Захарова

Д. Певцов, Н. Щукина

**«Мистификация» по пьесе Н. Садур, по мотивам поэмы
Н.В. Гоголя «Мертвые души» (1999 г.)**

Монтаж известных декораций художника О. Шейнциса

Д. Певцов, А. Большова   В. Раков

Д. Певцов, А. Большова (четвертая Кончита)

Д. Певцов. Сцена бала у губернатора

Д. Певцов называет себя ду-
блером Н. Караченцова. Но он
все-таки не дублер, он – новый
Рязанов

С А. Ширвиндтом (2008 г.)

С А. Джигарханяном (2010 г.)

* * *

Однажды один рецензент обозвал Ленком «субкультурой». Мне это очень понравилось. Потом другой умный человек с хорошим образованием объяснил мне, что ничего радостного в этом слове нет. Но оно мне все равно продолжает нравиться. Так со мною случается. Теоретически и лексически я понимаю ущербность этого понятия, но затаенная радость при этом остается. Будем считать это не глупостью, а режиссерским своеобразием.

Свыше четверти века Ленком вызывает пристальный интерес как у любителей театрального искусства, так и у нормальных зрителей. Вероятно, это не временный и не случайный успех, в противном случае в театре не сформировалась бы такая разнообразная и любимая зрителями плеяда мастеров. Когда пишу эти строки, как раз подрастает еще одна генерация актеров уже не второго ленкомовского поколения и даже не третьего, — похоже, четвертого.

При всей пестроте и несхожести моих работ есть все же нечто общее, что их, по-моему, объединяет. Это «нечто» я обозначаю для себя как «поэтический допуск», как «игру воображения», фантасмагорию, как «театральную фантазию на тему».

Подозреваю, что Московский театр Ленком, который я возглавляю, есть театр фантасмагорического, отчасти поэтического мировосприятия. Для меня бесконечно близка и дорога формула Е.Б. Вахтангова— «фантастический реализм».

В последнее время я очень увлекаюсь просьбами к артистам изменять тембр голосового посыла в сторону тонального повышения или понижения, разумеется, в пределах органики, то есть абсолютной правды своего человеческого существования. Оказывается, это мощный стимул для изменения многих механизмов во взаимодействии сценических героев. Подчас возникает новая и очень живая цепочка нюансов, влияющая на смысл и характер отдельной сцены или формирование нового режима в сценической жизни самого актера.

В организме человека слишком много известных и еще большее количество неизвестных внутренних взаимосвязей, и очень часто, казалось бы, чисто внешнее изменение в пластике или звуке приводит от чисто формального начала к очень искренним, неожиданным внутренним последствиям. Возникает принципиально иная заразительность актерской личности или даже целой сцены.

В бытность мою студентом ГИТИСа один мхатовский мастер учил своих учеников плакать на сцене, что само по себе интересно и необычно. Считалось хорошим тоном не заботиться о слезах, они, дескать, появятся сами, если твои внутренние процессы будут правильно выстроены, а сам ты талантлив, как Ермолова или Москвин. Такая, с моей точки зрения, разновидность режиссерского или педагогического ханжества.

Истинное актерское вдохновение, увы, подводит. (Впрочем, как и режиссерское.) Чуть-чуть забарахлила нервная система или какой-то ее узелок, вышел из-под контроля четко выстроенный психический настрой — и пожалуйста: слез нет. А слезы, особенно для актрисы, часто, как крылья, несут тебя по сцене, придавая все новые силы и новую заразительность.

Так вот, Василий Александрович Орлов, мхатовский мастер выдающегося дарования, сажал в пятидесятые годы перед собой будущего актера или актрису и терпеливо учил их формальному упражнению — дрожанию подбородка. Почти всегда этот чисто внешний допинг порождал в конце концов реальный спазм в горле и настоящие слезы. А рождение настоящих слез приводило весь актерский организм к правдивому и искреннему самочувствию.

Йоги, по нашему европейскому размышлению, занимаются ерундой — принимают смешные, нечеловеческие позы и гоняют через нос воздух. Однако если эти упражнения выполняются правильно, целеустремленно и в соответствующей обстановке — конечный эффект воспринимается потом как чудо. Почему? Очень мало знаем о себе, своих ресурсах и работе собственного организма. Понять, каким образом многие тысячи человеческих клеток находятся в такой строгой связи и субординации, честно говоря, затруднительно. Несмотря на бурное развитие биологии, наши ученые пока не в состоянии объяснить очевидные вещи. Но то, что не могут зафиксировать и объяснить ученые, — подчас необъяснимым образом чувствуют актеры.

* * *

Я думаю, что подлинный театр — это всегда поэзия. Конечно, мир безграничен. Возможно, на сцене могут существовать и другие, абсолютно прозаические и приземленные построения, но для меня они всегда лишь блоки, составные элементы, которые могут превратиться в здание современного спектакля только в поэтическом монтажном слиянии, при непременном создании внутреннего ритмического каркаса.

Театр в моем представлении — всегда поэтическая фантазия при самых смелых прозаических допусках и скрупулезных бытовых деталях. Но эти детали в моих намерениях — всегда акции высокого поэтического тонуса. Это не означает обязательных романтических или пафосных интонаций, но вместе с тем спектакль для меня всегда сочинение. Я очень боюсь позиции, которую занимают наши средние (средние по качеству) кинематографисты. «Смотрите, — как бы говорят они, — вот оно, как в жизни!» А к жизни показанное не имеет никакого отношения. Такого рода режиссура предлагает нам чаще всего хорошо известный набор знаков, дежурных и прилизанных обозначений, не имеющих никакого отношения к реальным людям с их нынешними интонациями, лексическими оборотами, неповторимыми подробностями в поведении, с их бедами и радостями, что встречаются сплошь и рядом в нашей многотрудной жизни.

Особое, но хорошо скрываемое (по этическим соображениям) раздражение вызывают у меня некоторые кинематографические опусы, где долговременным образом имитируется какая-либо профессиональная среда — например, работа милиции или обстановка проведения следственных мероприятий. Чаще всего артисты, не имеющие в запасе никаких углубленных профессиональных наблюдений, и такой же среднестатистический режиссер разыгрывают как бы многозначительное и непременно крайне разнообразное по количеству актерских штампов псевдоинтеллектуальное действо, не имеющее ни малейшего звукового, пластического, лексического и вообще поведенческого сходства с реальным режимом многочасового существования в органах правопорядка или спецназа.

Так и хочется сказать коллегам: не уродуйте свою профессиональную оснащенность скольжением по разного рода «милоте», «задумчивости», «осмысленности» или якобы «напряженности». Ваши потуги — как сводные картинки рядом с живописными шедеврами. Посидите месяц-другой на Петровке, 38 (если, конечно, допустят, что вряд ли), но честно — от звонка до звонка. Почувствуйте разницу, как ведут себя профессионалы на пятом-шестом часе рабочего дня и что выкамариваете вы перед камерой, не в силах одолеть среднестатистического самолюбования.

Если мною написанное воспринимается как желчная ворчня — посмотрите хотя бы для частичного самообразования фрагменты зарубежного сериала «Скорая помощь» или (если дело касается других профессиональных сфер) почитайте финальные страницы стародавней детективной повести В. Богомолова «В августе сорок четвертого». Хорошо полистать, а лучше прочесть со вниманием «Три минуты молчания» Г. Владимова или «Смиренное кладбище» С. Каледина. В каждом из перечисленных сочинений авторы не просто ловко описали собственные наблюдения — они познали, извините, «на собственной шкуре» суть профессиональных взаимоотношений той среды, живописать которую взялись. Они погрузили собственные нервы и мозги в реальные катаклизмы будничного быта контрразведчиков, моряков или гробокопателей. И прежде чем спеть свою песню, воспарить в поэтическом одухотворении подобного калибра, сочинители не погнушались познать быт выбранной им среды обитания, закономерности, подчас скрупулезно натуралистического характера, что проявляются в людях, занимающихся реальным делом без «интересничанья», без позерства, без усредненного вымысла.

Это у меня пока самый злой поток сознания, чтобы читатели не подумали, что я во власти умиротворяюще благостных эмоций. Нет, от некоторых явлений искусства, в том числе массового, у меня шерсть на загривке поднимается. Оказывается, тяжело переживаю массированные удары по нашему культурному достоянию и благородной норме. Хотя и одобряю частенько экзальтированную дурь. Без дерзания, в том числе идиотского, тоже скучно и даже вредно существовать. И все-таки очень раздражает поза солидного, добропорядочного, якобы культурного свершения при полупрофессиональности, полуусредненности и полуприблизительности.

* * *

Мои сегодняшние режиссерские поиски, а стало быть, поиски московского Ленкома, сосредоточены в нескольких направлениях, но одно из них, связанное с чудовищным переизбытком художественной (в том числе телевизионной) информации, я считаю доминирующим.

Возвращаясь к термину Эйзенштейна «монтаж аттракционов», хочу, во-первых, пояснить, что меня, как и будущего зрителя, интересует прежде всего монтаж *психологических* аттракционов, то есть самым интересным и важным в театре является сегодня зигзагообразный путь, который совершает актерский организм во взаимодействии с другими актерами и видоизменяющимся пространством.

В моих спектаклях, даже если действие происходит в едином декорационном объеме, все равно этот пространственный объем должен «дышать». Структура сценического пространства должна быть подвержена обязательным, иногда малозаметным, но изменениям. Мы живем в стремительно изменяющемся мире, особенно в последнее десятилетие, и, даже когда некий материальный объект кажется статичным, наше восприятие его претерпевает обязательные изменения субъективного характера, которые на сцене имеют право обретать объективную значимость.

Возвращаясь к зигзагообразному движению человеческого характера на сцене, настаиваю на непременном аритмичном его существовании, когда мы сознательно выбираем из драматургической ткани литературного первоисточника те поворотные моменты, те неожиданные преобразования в мыслях, поведенческих акциях, пластических сломах, которые и представляют сегодня главный и, пожалуй, единственный интерес для зрителя. Еще раз повторю: зритель сегодня хорошо знает, чего можно ждать от сценического персонажа в театре, в отличие от живого человека на улице, производстве, транспорте, в случайном или осмысленно подготовленном контакте со знакомым или полузнакомым человеком.

В последних своих режиссерских сочинениях я стремлюсь «спружинить», собрать в плотный клубок зигзагообразные, обязательно не предсказуемые зрителем сценические акции.

Очень важен вопрос мотивации так называемого *неожиданного удара*. Конечно, это не должен быть штукарский набор режиссерских или актерских экстравагантностей. За каждым материализующимся на наших глазах зигзагом в поведении актера должна прослеживаться логика. Важно не бояться, что понимание этой логики живого, а не выдуманного человека может, а иногда и обязано опережать зрительское понимание. То есть для зрителя каждый зигзаг, каждое изменение в линии поведения сценического персонажа должны в первые секунды быть предельно неожиданными, но по прошествии какого-то времени становиться естественными и закономерными.

Метод этот вовсе не так прост, как может показаться. Совершая зигзаг, неожиданный психологический поворот, резко меняя свое пластическое и настроенческое существование, актер Ленкома обязан быть предельно правдивым и искренним. Иногда, чтобы отбросить одну мысль и обрести новую, неожиданную для партнера, требуется некоторое время. Необходима зона, когда актерский организм формирует в себе эту новую энергию, не расставаясь с органикой, с той правдой актерского бытия, которому Станиславский посвятил всю свою жизнь. Очень часто в прежние годы в театре было очень интересно наблюдать, как одаренный актер, отбросив устоявшийся режим существования, входил в режим новых раздумий и намерений.

Теперь я категорически возражаю против этого органичного формирования драматургического зигзага, ни в коем случае не посягая на саму органику, правду жизни сценического героя. Я делаю все возможное, чтобы научить актера спрятать от зрителя эту «зону», эти секунды, когда в организме формируются предпосылки даже для мгновенного, спонтанного выброса новой мысли, поступка, мизансцены или, точнее, неожиданного удара по партнеру, а правильнее сказать — по психике зрителя. Чтобы не расставаться с учением великого Станиславского и остаться глубоко правдивым человеком, резко меняя свое поведение, актер, конечно же, должен «набрать» новую энергию, новое вдохновение, потребность в качественно новом деянии — так, чтобы в момент «набора» ни один человек в зрительном зале не догадался о назревающем изменении. Здесь нет четких рецептов. Иногда нужна одна-единственная секунда, чтобы актерский организм выстрелил по-новому. Иногда требуется пять-десять секунд или того более, когда зритель в отношении сценического героя должен оставаться на «голодном информационном пайке».

Переизбыток телевизионной, театральной и другой «художественной» информации дает сегодняшнему зрителю возможность мгновенного (часто подсознательного) прогноза в отношении последующего шага сценического героя. Его необходимо во что бы то ни стало лишить этого просчета, этого вызывающего скуку познания грядущей сценической акции.

У многих актеров сформировался достаточно устойчивый рефлекс в имитации мозгового процесса. Здесь, дескать, я подумал-подумал и сказал что-то новое. А здесь я еще глубже задумался и красиво родил благую идею.

В театр уже давно ходят не за идеями и даже не за мыслями в прежнем понимании. Ходят удивляться новой, сиюминутной правде. Что такое правда на сцене, многие актеры, во всяком случае теоретически, понимают или близки к такому пониманию, но вот как *удивлять* правдой, знают далеко не все.

Нормальный человек очень редко показывает свое раздумье, показывает, как и какая мысль его озарит в последующую секунду, — даже если мы ощущаем это раздумье, то все равно иначе, чем это принято в среднестатистическом культурном спектакле. Нормальный человек, неожиданно снятый в телерепортаже, замолчав, думает так, что очень затруднительно определить, что именно явится результатом его неожиданной паузы. Среднестатистический актер только и занимается тем, что якобы углубленно раздумывает, причем всегда понятно, в каком направлении. Иногда даже можно приблизительно определить фразу, которая прозвучит после якобы умственного якобы напряжения.

Ленком — это театр, отрицающий необходимость среднестатистического и даже очень «культурного» сценического процесса. Театр стремится следовать великим заветам мхатовских учителей, но больше всего боится скуки, когда все уже все понимают, что происходит и, главное, что должно произойти.

Конечно, это — декларация о намерениях. В театральной репетиционной жизни и особенно потом, на сцене перед зрителем, многое из того, что я хочу, — не получается. Такая профессия.

* * *

Еще один немаловажный вопрос. Совсем не хочу, чтобы читатель подумал, что я рассуждаю о неизвестной зрителю драматургии. Ленком сегодня в основном ставит спектакли по пьесам, содержание которых известно зрителям. Во всяком случае, большинству. Во всяком случае, так мне хочется думать.

Хочу подчеркнуть, что предварительное знакомство с содержанием пьесы совершенно не отрицает ту часто эпатирующую неожиданность, которая возникает в сценических взаимоотношениях и возбуждает зрительское сопереживание. Современные актеры высокого класса всегда будут завораживать внимание зрителя, даже если зритель будет уверен, что Отелло задушит Дездемону. Все дело в тех неожиданных, непредсказуемых зигзагах при движении к печальному финалу.

Этот театральный эффект глубоко исследовал и доказал выдающийся немецкий драматург и режиссер Бертольт Брехт.

Во время милой беседы двух людей на сцене он мог сделать объявление: «Он убьет ее через пять минут». Потом мог объявить: «До преступления осталась минута». И эта информация при определенной высококлассной режиссуре и актерском существовании никак и никогда не снизит зрительского интереса. Может быть, наоборот, усилит интерес к происходящим незримым изменениям в сознании сценических героев и манере их поведения.

Футбольный матч и спектакль, замешенный на высшем режиссерском пилотаже, — вещи все-таки разные при некоторой их схожести.

* * *

И еще одна характерная особенность Ленкома. Как режиссер, очень часто я предпочитаю не скрывать того, что показанное на сцене есть произвольно воссозданный поток воспоминаний или театральное исследование со значительными субъективными допусками. Субъективное на сцене неплохо, если не плох сам субъект.

Каждый человек, в том числе режиссер, имеет право спеть свою собственную песню о том, что он видел, и о том, чего не видел, но только предполагает. И даже не то, что предполагает, а то, что можно назвать материализацией его подсознательного влечения. Лицезреть и ощущать кожей такого рода песню, рожденную талантливым (лучше — суперталантливым) сочинителем,— редкое счастье. Потому что такой человек имеет право петь, иногда не слишком задумываясь, о чем его песня.

Московский театр Ленком отдал немало сил открытию и утверждению собственных поэтических фантазий. Огромную роль в этом деле сыграла для меня многолетняя работа над музыкальными сочинениями для драматического театра: «Разгром», «Тиль», «В списках не значился», «Звезда и смерть Хоакина Мурьеты», «Юнона и Авось», «Безумный день, или Женитьба Фигаро», «Поминальная молитва», «Королевские игры», «Мистификация». Сюда же следует, очевидно, отнести и мои работы в телевизионном кинематографе — «Обыкновенное чудо», «Тот самый Мюнхгаузен», «Формула любви», «Убить дракона» и др.

Разумеется, громкая современная музыка в театре — вещь удивительная, но еще более удивительна та музыка в театре, которую не слышно. Когда одна тишина сменяется другой, прямо противоположного свойства, когда ритм из простого сценического понятия вытягивается в загадочную химеру. Ритм на современной сцене есть нечто большее, чем чередование звуковых и пластических импульсов. Ритм — еще одна бездонная, безграничная система воздействия на поведение человека. Йоги говорят о ритме Вселенной. Мы их хотя и уважаем, но такого не говорим. Однако то, что каждая наша клетка находится в постоянной ритмической пульсации, теперь знаем точно. Стало быть, в наших руках мощнейшее оружие, не уступающее тем изобретениям человека, с которыми следует обращаться с величайшей осторожностью. В чередовании ритмических построений есть почти все необходимое, чтобы потребовать себе точку опоры и перевернуть мир.

Кроме этого намерения, у меня есть и более скромное желание подвергнуть практическому анализу всевозможные и разные средства современной сценической выразительности, без которых немыслимы поиски нового поэтического пространства в театре.

Такая работа требует ювелирной точности, она требует терпения и хорошего здоровья, ибо часто мы создаем слишком хрупкие конструкции, их надо удерживать, укреплять и проверять в жестоком режиме сценической эксплуатации, но, поставив однажды тихий поэтический спектакль без всякого музыкального сопровождения («Вор» В. Мысливского), я с увлечением вел кропотливую работу над «тихими» сочинениями, где мы пытались освоить некоторые иные способы поэтического созидания. (Здесь самое время упомянуть о спектаклях, которые особенно любимы и дороги. «Три девушки в голубом» Людмилы Петрушевской и «Чайка» Чехова.)

Режиссерская методология должна постепенно (а иногда и резко) меняться, так же как и актерские навыки, сценографические идеи. Станиславский просил переучиваться каждые пять лет. Будем внимательны к его просьбам.

Поток сознания
с Григорием Гориным,
Александром Ширвиндтом,
Николаем Караченцовым
и другими лицами

Григорий Горин начинал свои литературные игры, находясь в должности врача «Скорой помощи». Ничто не предвещало славы комедиографа, разве что ненавязчивые аналогии с уже известными до него врачами — Чеховым и Булгаковым.

В свободное от основной работы время молодой врач-шестидесятник остроумно играл идеями и словами, слагая из них забавные миниатюры, шутки, скетчи и репризы. Он делал вид, что его волнуют еще встречающиеся у нас порой отдельные недостатки. Сатирик-юморист тех лет имел право клеймить оружием смеха только нерадивых официантов, идиотов-закройщиков и обнаглевших дворников. Горин исправно клеймил, пока не сочинил рассказ «Остановите Потапова», который вывел его из юмористов в писатели.

После своей первой пьесы «Свадьба на всю Европу», написанной совместно с А. Аркановым, последовал «Банкет», принесший молодому драматургу большую удачу, — его спектакль в Московском театре сатиры был категорически запрещен партийной цензурой. Позднее Горин скажет устами Патрика из фильма «Дом, который построил Свифт»: «Поэтам бросают цветы, сатирикам — булыжники. Сатирик, который перестал раздражать, — кончился».

Но Горин только начинался. В 1970 году он сочинил комедию «Забыть Герострата», где мощно и зримо был заявлен его парадоксальный стиль со всем вытекающим из него горинским своеобразием.

Горин не просто автор остроумных пьес и сценариев — он понимает и знает театр изнутри. Как свидетель могу констатировать: его замысел всегда формируется не печатными знаками, но общим режиссерским ощущением. Он замечательно предчувствует и угадывает жанровые и стилистические нюансы будущего спектакля; он не хочет, не умеет сочинять вне воображаемого будущего спектакля; он не хочет, не умеет сочинять вне воображаемого сценографического пространства. Потом его собственная режиссерская концепция может видоизменяться под воздействием подключившегося в работу режиссера-постановщика, но начинает он всегда сам, с изобретательного ряда, с эстетического запаха, формируя его на сверхчувственном уровне.

Чаще всего, следуя практике В. Шекспира, Жана Ануя или Евгения Шварца, Горин использовал уже известные людям сюжеты, полагая, что полезнее исследовать миф, уже существующий во Вселенной. В этом смысле он скорее философ, чем драматург. Шекспир без зазрения совести брал старинную британскую легенду о короле Лире и, учитывая многочисленные литературные разработки, сделанные до него примерно двенадцатью авторами, смело и вдохновенно писал свою собственную версию.

По смелости Горин не уступал Шекспиру, а по всем другим параметрам лично мне он ближе и дороже. Общение с ним научило меня иронизировать над завихрениями собственной фантазии, хотя после нескольких сумасбродных мгновений он всегда требовал серьезного разговора.

Серьезно. Горин создал собственный «королевский театр». Его игры, с будоражащими зрительское сознание идеями и образами, затрагивая самую сердцевину наших сегодняшних комплексов, тревог и надежд, остаются по-королевски щедрыми, величественными и дорогими. Это касается в том числе и постановочных расходов.

Лично мне он бесконечно дорог как писатель, сумевший остаться репертуарным драматургом в жестокий переходный период, когда многие его коллеги, талантливые сочинители, не смогли выдержать конкуренции с современной мировой драматургией. Горин смог.

И еще. Он зримо доказал, что можно сочинять суперсовременную пьесу, не помещая ее действующих лиц в интерьер хрущевской пятиэтажки. Зимой 1974 года он видоизменил историю Московского театра имени Ленинского комсомола, ныне Ленкома, отстучав на пишущей машинке первые диалоги своего искрометного «Тиля».

Обновленная и счастливая труппа Ленкома начала новую жизнь.

* * *

Николай Петрович Караченцов стал именно тем самым тараном, что пробил брешь в стене, отделяющей старый Театр имени Ленинского комсомола от нового московского Ленкома. Успех «Тиля» во многом определялся новым молодым героем, актером синтетического свойства, прекрасно владеющим, помимо прочего, пластикой и вокалом. А остальное прочее заключалось в чрезвычайно насыщенной, агрессивной и артистической подвижности, то есть том бесценном даре, который прежде назывался на театре темпераментом.

Организм Караченцова поначалу, казалось, вот-вот сломается под нагрузками, выпавшими на его долю. Несколько раз срывался голос, но он его восстанавливал не столько специальными упражнениями, сколько своим неистовым волевым потенциалом. Допускаю, что в первые спектакли Николай Петрович был временами формален, в каких-то местах даже вроде бы выступал на первый план режиссерский каркас, но постепенно, очень мощно и целеустремленно (здесь мне могут не поверить), перестраивался весь организм, биология человека постепенно видоизменялась. Понижался тембр голоса, и на глазах формировалась та ощутимая сила, которая при восточных единоборствах резко возрастает с воплем «Кья!».

У меня для Николая Петровича сохранились письма некоторых зрителей с требованием не выпускать на сцену комсомольского театра такую страшную физиономию. Однако физиономия, судя по кино, тоже стала вскоре восприниматься как любимая. Он, конечно, не просто покорил, он еще и укротил зрителя. Сегодня, когда Караченцов является на сценические подмостки где-нибудь на концерте или творческой встрече, некоторые зрители впадают в небезопасное для психики ликование.

Я употребил слово «сегодня» и вспомнил, что, когда кто-нибудь спрашивал: «А где сегодня Караченцов?» — я всегда задумчиво смотрел на географическую карту. По-моему, мастер разбил ее на квадраты и, решив, что сделан из нержавеющей стали, постоянно где-то вращается — среди океанов, материков, съемочных площадок, дворцов спорта, концертных залов. Но иногда мы случайно виделись в театре.

Это у меня публицистически завуалированный укор замечательному артисту, с которым так плотно связана моя судьба, — не грех бы слегка притормозить, поостеречься. Может быть, не во всех «досье» надо сниматься?.. Такая у меня легкомысленная и самонадеянная позитура: дескать, прочтет, задумается. К сожалению, ни того, ни другого не сделает. Некогда.

Возраст свой иногда действительно заметить трудно. Вспомнив, каким я впервые увидел Николая Петровича в спектакле Театра имени Ленинского комсомола «Музыка на одиннадцатом этаже» — эдаким неприлично юным, тощим, почему-то длинноносым «гадким утенком», играющим хотя и старательно, но невнятно, — подумал: какой же я уже сам-то давнишний!

* * *

Это, будь оно неладно, трепетное чувство, что ты, мягко говоря, не юноша, окрепло у меня, когда в Ленком пришла молодая актриса, обаятельная и талантливая Мария Андреевна Миронова, дочь Андрея.

(Самое любопытное, что после шестидесяти пяти лет является еще и другое, глупое, наивное удивление: надо же, сколько лет по земле топаешь, иногда ползаешь по больничным койкам, сколько на твоих глазах происходит с другими людьми разительных изменений! А с тобой так... косметические мелочи.)

В период своего актерства в Московском театре имени Гоголя я обратил внимание на очень красивую актрису Р. Градову. Внимание обратил скромное, эстетическое. Клянусь. Тем более она была много старше меня, в возрасте эдак лет тридцати. Однажды на гастроли актриса Градова захватила с собой ангела во плоти — необычайно красивую дочку лет пяти-шести, Катю, которая постоянно бегала с сачком и ловила бабочек. Это я очень хорошо запомнил, потому что увидел потом эту самую Катю уже в должности актрисы Театра имени Маяковского, которая потом перешла на работу в Московский театр сатиры. Когда это случилось, почти сразу Миронов Андрей Александрович очень оживился, взволновался, похорошел. Глаза у Андрея Александровича стали поблескивать, и это поблескивание привело к тому, что я в компании близких друзей отправился как свидетель бракосочетания в один из отделов городского ЗАГСа. Катя Градова там тоже была. Ее все поздравляли как девушку, решившуюся выйти замуж за Дрюсика, так иногда ласково мы называли Андрея Александровича. Дрюсика тоже поздравили заодно.

Непосредственно во младенчестве прекрасное последствие этого брака, Марию Андреевну Миронову-Градову, я как-то не очень запомнил. Обратил на нее внимание позже, когда она была уже очень худой, ничем не примечательной студенткой. Даже закралась мысль: «Уж не отдохнула ли природа на ребенке столь примечательных родителей?» И даже когда она впервые вышла на сцену Ленкома, я еще терзался некоторыми тайными сомнениями, и только после ее появления в роли Бланш в «Варваре и еретике», а чуть позже в спектакле «Две женщины» с терзаниями простился. Хотя сомнения остались. Они в нашей профессии всегда рядышком, далеко не отпускают. Впрочем, когда я говорю, что на нашей ленкомовской сцене замечательно работает продолжательница знаменитой актерской династии и я очень этим горжусь, — я не вру ни себе, ни людям. Хотя чего-чего, а врать-то режиссеры все умеют. Из того, что я написал, почти все вранье.

У Марии Андреевны сильная, подвижная нервная система, выразительная внешность, волевая актерская хватка. Если поворачивается в профиль — похожа на Андрея. Теперь это уже не главное ее достоинство, осталось совсем немного людей, для кого это что-то значит. Я пока в их числе.

Сын Марии Андреевны Андрей в возрасте 4–5 лет фантастическим образом напоминал детские фотографии своего прославленного деда. Интересно, когда его внучка-актриса (будет внучка) засядет за книгу воспоминаний, станут ли ей интересны такие далекие от нее свершения и глупости ее предков? И главное — друзей ее предков. Ибо они-то как раз и специализировались в основном на глупостях.

* * *

Уверен, что ей, прапраправнучке Андрея Александровича, это будет любопытно. Для нее, для лапушки, сейчас и пишу, потому что современность я давно опередил. С большими художниками это случается. Ширвиндту с Гориным многого не понять уже с десятой страницы. (Шутка.)

После бракосочетания и торжественного обеда Катя с Андреем отправились в свадебное путешествие в Ленинград (бывший Санкт-Петербург). Нет, в бывший Ленинград, ныне Санкт-Петербург. (Это чтобы прапраправнучка не запуталась в нашем героическом времени.)

Во время привокзальной суеты с распитием шампанского мы с Ширвиндтом незаметно для молодоженов положили в их чемоданы несколько кирпичей и портрет Ленина. Нескрываемую радость нам доставило то, что молодожены с большим трудом втащили чемоданы в купе. Мы с Ширвиндтом не переставали искренне удивляться — зачем брать с собой так много тяжелых вещей?

Андрей потом нам рассказывал, что Кате при вскрытии чемодана уже в купе шутка понравилась не очень. Она даже в нас тогда слегка разочаровалась.

Вторая жена Андрея, Лариса Голубкина, однажды в нас тоже разочаровалась. Причем громко. Почему сейчас сразу пишу о второй жене? Потому что это — мемуарный поток сознания и явной логики здесь просматриваться не может. Скрытой — тоже.

Когда происходило бракосочетание Андрея с Ларисой Голубкиной, я как раз вычитал у одного классика, что американские ковбои всегда долго готовились к шуткам в брачную ночь любимого друга. Мы хотя специально не готовились, но довольно большой компанией отправились ночью на автомобиле в сторону дачи, где уединились Андрей с Ларисой.

Сначала мы осторожно изображали ночные привидения, ходящие с воем вокруг дома с погашенными окнами. Поскольку окна не зажглись, звуковую гамму решили разнообразить. «Привидения» стали не только выть, но противно пищать и ухать. Когда пришло физическое утомление без всяких видимых изменений на даче, Ширвиндт проявил огромную, незабываемую на всю оставшуюся мою жизнь изобретательность. Он неслышно влез через окно в спальню и укусил Ларису Ивановну за пятку. Ларисе Ивановне это почему-то страшно не понравилось. Почему — для меня загадка.

Отчасти подуставшие, мы собрались у машины, когда уже начало светать.

— Ох и намучаемся мы с ней! — сказал я искренне.

Все расценили эту фразу не просто как на редкость остроумную. Ширвиндт вместе с Червинским восприняли ее прежде всего как мудрую и даже провидческую.

* * *

Раз из моего потока сознания материализовался Ширвиндт, я просто обязан обозначить его значение и роль в современности. Потому что у нас есть такой тост: «Дорогие друзья! Давайте поблагодарим друг друга за то, что мы друг дружке современники!»

Александр Анатольевич Ширвиндт, наверное, все-таки не артист, хотя умеет играть в спектаклях смешно и занятно. Тем более не режиссер. Хотя замечательно ставит в Вахтанговском училище остроумные спектакли со студентами. В театре он, скорее, генератор идей. Когда мы совместно ставили в Театре сатиры веселую комедию М. Дьярфоша «Проснись и пой!», он прежде всего убедил меня подальше отойти от автора и сделать собственную фантазию на тему этой среднестатистической венгерской пьесы. Название «Проснись и пой!» нам подарил Валентин Николаевич Плучек, единственный человек, с которым Шура на «вы». Александр Анатольевич угадал, а может быть, создал жанр нашего совместного творения, притащив в театр молодого композитора Геннадия Гладкова, из которого после «Бременских музыкантов» продолжали фонтанировать исключительно одни шлягеры. Для нашего спектакля он написал несколько бессмертных творений.

Если уж я поставил вопрос радикально: кто такой Ширвиндт? — отвечу, что профессия у него уникальная: он — Ширвиндт. Без всякой иронии скажу, что мне лично не попадалось в жизни что-либо на него похожее.

В самые цензурно-беспросветные годы он, будучи молодым артистом Театра имени Ленинского комсомола, организовал в Доме актера на улице Горького (теперь Тверская) знаменитый актерский капустник, который существовал много лет с потрясающим успехом. Здесь, а не в театре, он, очевидно, сформировал свой актерский организм с редким комедийным обаянием и особой манерой поведения (точнее — общения). Думаю, что его удачи в театре Эфроса (например, Людовик в «Мольере» Булгакова) питались во многом именно его редкостным «шоуменским» талантом.

В определенных условиях он действует как гипнотизер и умеет делать то, чего не умеет делать никто. Недавно в Германии эмигрировавший туда когда-то племянник знаменитого комика Хенкина, выслушав мой монолог о Ширвиндте, сказал:

— Я с этим знаком. Это очень редкая разновидность актерского таланта. Мой дядька был примерно таким же.

— Но он же был знаменит именно как артист. Я помню в исполнении Хенкина рассказы Зощенко, так часто звучащие тогда по радио.

— Был, конечно, артистом. Неплохим, смешным. Но его уникальность заключалась в наиредчайшем импровизационном даре. Если было настроение, он доводил хохочущих людей до полуобморочного состояния. Особенно если собиралось знакомое или полузнакомое застолье.

Я был свидетелем нескольких такого рода «сеансов» Ширвиндта и, честно говоря, не очень понимаю, как можно так долго импровизировать и с таким оглушительным эффектом.

Некоторые его случайно брошенные фразы, если запомнить, можно рассказывать потом как анекдоты. На его творческом вечере я имел большой успех, рассказывая, как моя жена у нас дома поставила перед ним банку с зернистой икрой, а он, подцепив вилкой одну икринку, поднес икринку к ее носу и сказал:

— Вот, Нинка, смотри, — твоя пенсия.

Наверное, он ей отомстил за ее идею, предложенную нам с Андреем в те годы, когда Александр Анатольевич постоянно снимался на студии Довженко в мелких эпизодических ролях, которые никто никогда не видел, в том числе он сам.

Мы почему-то очень торжественно провожали его на съемку в Харьков, развлекали известной мелодией Нино Рота, Шурик стоял в тамбуре, не опуская руку в невозмутимо молчаливом приветствии. Исчерпав всевозможные шутки по поводу его украинской кинематографической карьеры, Андрей сказал:

— Эту «Железную маску» ничем не проймешь!

Поскольку Шурик придумал слово «Дрюсик», Андрей всячески внедрял прозвище «Железная маска» в связи с хронической невозмутимостью Ширвиндта практически во всех ситуациях.

Когда поезд тронулся, моя мудрая жена сказала:

— Вот интересно, удивилась бы Железная маска, если бы приехала утром в Харьков, а вы уже там?..

Мы с Андреем сразу же бросились занимать деньги на авиабилеты.

Деньги на исторический перелет ссудил администратор Театра сатиры Громадский, открывший нам дверь, в связи с поздним временем, в трусах.

В диспетчерской аэропорта, несмотря на отсутствие билетов, к Андрею отнеслись с пониманием, его уже стали узнавать после «Бриллиантовой руки», но кто такой я и зачем это меня срочно несет в Харьков, поняли не сразу.

— Это мой пиротехник, — сказал Андрей. — Без него не снимаюсь. Просто боюсь, если его вдруг со мной не будет. Специалист.

— Да уж, — сказал я фразу, которую мы потом в «Двенадцати стульях» отдали Кисе Воробьянинову.

Почувствовав на себе любопытные взгляды, я, помнится, тихими короткими посвистами изобразил полеты пуль, потом, вздрогнув, серию более громких взрывов. Чтобы не оставалось сомнений — закомплексованный профессионал.

На съемочной площадке мы оказались раньше Ширвиндта. Когда он появился вальяжной походкой, мы приблизились к нему со спины и тихо запели мелодию Нино Роты. «Железная маска» не удивилась, но, подумав, одобрила:

— Хорошо, — скромно сказала она.

Потом, через несколько лет, призналась:

— Когда утром услышал ваши голоса, все-таки подумал про себя страшное: пить надо меньше.

Приятно, что студия Довженко оплатила Андрею Миронову и его пиротехнику участие в съемках массовки. Сохранилась фотография, где мы с Мироновым играем на равных: изображаем провожающий украинский народ в аэропорту.

Театр в лифте и поток подцензурного сознания

Когда у нас возникла мода на постановку спектаклей в репетиционных залах, рабочих комнатах, просто комнатах и коридорах, количество зрителей такого рода экстравагантных зрелищ стало угрожающе уменьшаться — не потому, что не находилось охотников, а наоборот — сокращение пространства вызывало повышенное любопытство, непривычные зрительские ощущения, новую эстетическую заразительность и театроведческий восторг.

Несмотря на то что я уже касался проблемы малого театрального пространства и очень высоко оценил многие работы А. Васильева, — например, его замечательное вокально-пластическое действо «Плач Иеремии», меня по-прежнему тупо раздражало, что многие опытные театральные мыслители ставили знак равенства между спектаклями на большой сцене и в репетиционном зале. Конечно, здесь существует еще одна весьма сложная и деликатная проблема: какое пространство следует относить к нормальной сцене, а какую театральную кубатуру считать не большим, а малым залом.

Вообще проблема границ как философское понятие относится к числу самых непростых. Попробуйте точно определить, где именно кончается черный цвет и начинается темно-серый, где окончание одного атома и начало другого. Еще интереснее задуматься: много вам платят денег или опять мало. И где она, та условная черта, после которой можно сказать: денег так много, что зарабатывать их дальше нет смысла? Сколько это, по-вашему?

Во всех такого рода загадочных обстоятельствах, вероятно, надо общими силами, коллективным разумом принимать пусть не простые, не бесспорные, но волевые решения. Например, кого считать боксером тяжелого веса, а кого — среднего.

Оценка в театральном искусстве — величина подвижная, вечно ускользающая, зависящая от несметного количества обстоятельств и тончайших нюансов, включая погоду, атмосферное давление, физиологические данные, гипноз того или иного актерского (режиссерского) имени и еще одну тысячу причин. И все-таки о грубо приближенном коллективном, общественном восприятии того или иного явления в искусстве говорить полезно — хотя бы во имя развития того самого искусства, которое так непросто оценить.

* * *

В прежние времена, по которым так тоскует большинство нашего народа, партийные органы власти, разного рода цензурно-редакционные комиссии обоих министерств культуры (союзного и эрэсэфэсэрного), Главного управления культуры и других руководящих органов только и делали, что собирались по поводу идейно-художественных оценок и главным образом по устранению досадных идеологических просчетов, так свойственных наиболее известным деятелям театра. Кого ни возьми — все ошибались, как идейно, так и художественно. И Георгий Товстоногов, и Анатолий Эфрос, и Олег Ефремов. А Юрий Любимов вообще только этим и занимался.

При Сталине за художественные ошибки расстреливали, в любимом же народом застойном периоде вместо выстрелов применяли изощренно-карательный, психодемагогический набор всевозможных мер воздействия — от едва ощутимых укусов до зубодробительных акций. Некоторые «заплечных дел мастера» подвешивали «на дыбу» провинившихся режиссеров, словно бы стесняясь или тайно им сочувствуя. Однако находились мастера вроде Ю.С. Мелентьева (министр культуры РСФСР), которые получали от своего занятия нескрываемое удовольствие. Если говорить о моем режиссерском поколении, мне все-таки кости целиком переломать не успели, а вот по Леониду Хейфецу и Петру Фоменко прошлись основательно, с громким хрустом. В кинематографе жестоко покалечили Михаила Калика за его «Человека, идущего за солнцем» и Александра Аскольдова — постановщика фильма «Комиссар». Впрочем, список приблизительный и может быть продолжен.

Позвоночники обычно ломали без свидетелей, но иногда проводились и специальные «обсуждения» для заботливо-воспитательного воздействия на мастеров сцены. Помимо режиссеров, на них приглашали директоров, парторгов, иногда профсоюзных вождей и ведущих актеров. Получался полный драматизма и непредсказуемого сюжетного развития увлекательный спектакль.

При коллективных «выволочках» у каждого уважающего себя художника была своя тактика и манера поведения. Меня в свое время очень вооружил разного рода демагогическими приемами Валентин Николаевич Плучек. При повторных сдачах готового спектакля я обычно ничего существенного не менял, почти все дорогие мне фразы всегда сохранял, и к моим спектаклям цензурный аппарат просто по-человечески привыкал. Даже иногда тайно начинал симпатизировать. (В Ленкоме редкий спектакль не принимался специальной комиссией по три-четыре раза.) Поэтому часто критика в мой адрес начиналась с фразы: «Ну вот, прошлые замечания, конечно, пошли на пользу». «Еще бы, — соглашался я, демонстрируя сыновние чувства,— как не пойти!» — «Многое уже сделано, — кивали мне, — но далеко не все». Я послушно доставал блокнотик, как бы обозначая свое намерение принять с радостью все замечания: все высказанное должно пойти «на пользу» без остатка. «Одному театру, без идеологического руководства, ведь пользу не принести, — как бы соглашался я всем своим видом. — Только вместе с партией, которая ничего не делает другого, как только заботится обо всем, чего ни увидит».

Когда меня укоряли в неумении правильно ставить спектакли, я сначала всегда огрызался, иногда неглупо, уходил из-под удара и стремился, между прочим, в разных инстанциях ссорить между собой цензоров. (Почему в Москве главным режиссерам работать всегда было легче? Начальства больше.)

Когда обрушивались все сразу с остервенением, я, помнится, всегда старался светлеть на глазах, какую бы чушь ни слышал. Скрыть отношение к перлам, которые иногда звучали, было трудно, требовалось волевое усилие.

Утверждая меня главным режиссером на бюро МГК КПСС, член Политбюро В.В. Гришин, например, сказал:

— Ошибок у вас было очень много. Но теперь уж работайте, как говорится, без экспериментов!

Я согласился, что весь вред в театре именно от экспериментов. И если уж работать — то без них.

Юрий Петрович Любимов, которого мне довелось видеть пару раз на такого рода экзекуциях, придерживался иной тактики. Когда только начинался разговор о его очередных идейно-художественных просчетах, он преображался, как-то внутренне воодушевлялся, можно сказать, расцветал на глазах от самого запаха предстоящей борьбы и сразу же наносил серию превентивных, упреждающих ударов по заботливым отцам-цензорам, заодно — и по матерям. Однажды после невинного замечания первого заместителя министра культуры СССР он, круто взметнувшись, как буревестник, радостно напомнил ему и всем присутствующим, как замминистра в бытность свою артистом одного из ведущих московских театров, приклеенный к бороде, дабы изобразить кучера, свалился с козел по причине чрезмерного употребления спиртных напитков. «Что же теперь может мне посоветовать этот бывший пьяный кучер?» — примерно так резюмировал Любимов.

Вообще, Ю.П. Любимов — пример особого мужества, таланта и, я бы сказал, стратегической интуиции. Идти откровенно в лобовую атаку— это, пожалуй, в определенные годы было под силу ему одному. Кроме общепризнанной одаренности, за ним стояло особое человеческое, гражданское обаяние, мощная общественная поддержка. Это хорошо чувствовала власть и иногда просто опасалась с ним связываться. Хотя ничего не простила, не забыла и в конце концов свела с ним счеты.

Меня, например, размазать по стеклу было много легче. Один из бывших руководителей Главного управления культуры рассказал мне, какому сильнейшему телефонному воздействию подвергался он со стороны известного только номенклатурным деятелям культуры грозного генерала КГБ Абрамова. «Если мы лишили гражданства Любимова, что останавливает нас сделать то же самое по отношению к Захарову?» — примерно так ставил вопрос генерал, курировавший в КГБ искусство.

Думаю, что он неправильно выбрал момент для удара, слишком большая волна недовольства нашей полицейской политикой в отношении культуры уже поднялась на Западе и в США. Генерал припозднился. И потом, я предполагаю, всегда что-то от моей персоны в последний момент отвлекало, возникало что-то более важное, внимание переключалось, одним словом, везло. Первый раз повезло еще с Д.С. Полянским, известным членом Политбюро. У него очень большое раздражение вызвал мой спектакль в Театре сатиры «Темп-1929». Покидая театр, Полянский пообещал Плучеку разобраться с молодой идейно-порочной режиссурой. Но буквально через день-другой Полянский был переброшен на руководство сельским хозяйством, что всегда расценивалось в государстве как публичная казнь. После сельского хозяйства он очень скоро уехал послом в Японию, и, естественно, ему уже было не до спектакля с веселой музыкой Геннадия Гладкова.

Совершенно очевидно, что повезло мне и с «Тилем» Г. Горина. После сенсационного успеха, сопровождающего этот спектакль, где-то через год, примерно в 1975 году, на «Тиля» занесло родственницу «портрета». («Портретами» Ю.П. Любимов называл членов и кандидатов в члены Политбюро ЦК КПСС). Дама почему-то решила, что спектакль детский, и привела с собой «портретова» внука. В спектакле присутствовала некоторая невинная по тем временам доля фламандского юмора, в одном зарифмованном месте хотя и не произносилось, но подразумевалось слово «жопа», что повергло воспитательницу не просто в ярость, но вызвало в ней желание действовать незамедлительно, на уровне высшего партийного руководства.

Примерно дня через два меня вызвал в Главное управление культуры М.С. Шкодин, руководивший в то время этим грозным учреждением. Шкодин был личностью одиозной, вписавшей свое имя навечно во всемирно-историческую акцию под названием «бульдозерная выставка», когда первые осмелевшие художники выставили свои полотна под открытым небом, как на Монмартре. Так вот, самой организацией прибывших на место бульдозеров, как и вспашкой почвы на месте «бунта», руководил лично Шкодин. До этого он собственноручно сломал несколько декораций в Театре на Таганке, чтобы исправить режиссерские заблуждения Ю.П. Любимова.

Но сейчас я пишу об этом потому, что не устаю удивляться, как на бушевавшем в XX веке фронте идеологических сражений все запутывалось, перемешивалось в какой-то фантасмагорический калейдоскоп, где определить, при всем желании, причинно-следственные связи, не говоря уже об элементарной логике, часто не представлялось возможным. Так, своим назначением в главные режиссеры Театра имени Ленинского комсомола я обязан был прежде всего В.В. Гришину, члену Политбюро, Первому секретарю МГК КПСС, который, как мне потом подробно рассказывали, долго беседовал по вертушке с незабываемой мною Е.А. Фурцевой, тогдашним министром культуры СССР. Фурцева долго и обстоятельно объясняла Гришину, какую роковую ошибку может совершить московская партийная организация, настояв на столь необдуманном назначении, против которого она решительно возражает. Фурцева подробно описала Гришину мой идейно-порочный, отдающий антисоветчиной внутренний облик, так хорошо знакомый ей по засмотренному «Доходному месту». Но, на мое счастье, Гришин не внял добрым советам министерши и единолично назначил меня главным режиссером. Спрашивается: какие чувства я испытываю теперь к В.В. Гришину? Прямо и попросту ответить не могу, нужен психоаналитик. Аналогичная ситуация с М.С. Шкодиным.

Мы кончили театральные школы в один и тот же год, после чего три сезона проработали вместе в Пермском облдрамтеатре, некоторое время жили вместе в пермской гостинице, наши гримерные столики стояли рядом. Естественно, мы много общались и после выступления Хрущева на XX съезде повели даже по пермским масштабам вызывающе смелые разговоры. Практически антисоветские. Я, помнится, сказал, что небоскребы в Нью-Йорке мне нравятся, потому что их много и они все высокие. А Шкодин, помнится, согласился, но добавил при этом еще, что заграничные мужские носки с резиночкой лучше наших. «Кроме носков, говорят, есть еще товары, которые лучше», — это уже сказал я, завершая тревожную тему. После всего этого в 1958 году я уехал из Перми, оставшись при своем мнении, а Миша Шкодин был вскоре вызван в военкомат. Так он мне потом рассказывал в порыве редкой, но отчаянной откровенности. Хотя повестка и пришла как бы из военкомата, на самом деле Мишу сразу же препроводили в районное отделение КГБ, где сказали строго, что нам, дескать, хорошо известны ваши подлые беседы с уехавшим Захаровым, хорошо бы для вашего же счастья их прекратить с кем бы то ни было. Что было дальше, Миша рассказывать не стал, но я постепенно догадался, что вызвавшая его организация помогла ему перебраться сначала в режиссеры, а потом в Москву на руководящую работу.

Вызвавши меня в главк после «Тиля», засмотренного семьей «портрета», Миша по-дружески, но кисло улыбнулся. Сказал прямо:

— Решение о твоем увольнении принято на самом верху. К нам бумага придет дня через два-три. Знаешь, как мы к тебе относимся, поэтому решили так: тихо, без шума, незаметно переводим тебя режиссером в Театр оперетты. Придет распоряжение — а ты уже на другом месте.

Несмотря на известное огорчение при мысли о «Сильве», я все-таки ответил разумно. Примерно так:

— Спасибо, Миша. Слишком много артистов пришло в театр ради меня, и я не имею права их предавать. Буду ждать официального увольнения.

Спрашивается: почему не пришел приказ об увольнении? Наверное, это наша великая государственная тайна. Что-то кого-то опять куда-то отвлекло. Может быть, кто-то вдруг почему-то раздумал или где-то под ковром на Старой площади случилось такое, какое никому, кроме бывших там, под ковром, не известно. Но ответ может быть и проще: порядка как не было, так и нет.

Мой Миша умел очень сильно хамить как своим непосредственным подчиненным, так и руководителям московских театров. Делал он это с удовольствием и подолгу. Но со мной его связывали пермские товарищеские отношения, и он им остался верен. Не только вяло укорял за идейные ошибки, но однажды совершил важный для моей последующей режиссерской судьбы поступок. Вызвал как-то в главк и спросил:

— Ты хочешь всю жизнь работать под Плучеком? Или хотел бы сам руководить каким-нибудь театром?

Конечно, я ответил, что «хотел бы сам и каким-нибудь театром».

— Мы тут поговорили о тебе, подумали, — сообщил Миша многозначительно. — Возьми лист бумаги и пиши заявление в партию.

Совсем неглупое предложение для 1972 года, хотя в партию меня никогда не тянуло. Не было такого, чтобы проснуться ночью и подумать: «Вот бы в партию!» Но порядок вещей был таков, он всегда казался незыблемым, несмотря на оставленный процент для беспартийных, — получить самостоятельную, интересную, перспективную работу, уклоняясь от марксизма-ленинизма, было почти невозможно. И потом, если честно, никакой персональной ненависти к кому-либо только за то, что он член КПСС, да и к самому марксизму-ленинизму я тогда не испытывал. Мне казалось вполне нормальным, что такие люди, как Юрий Любимов или Булат Окуджава, состояли в партии. Короче, в 1973 году, когда кончился мой кандидатский стаж, я вступил, по рекомендации трех уважаемых людей, в числе которых была Татьяна Ивановна Пельтцер, в ряды КПСС. После вступления я неприлично быстро был вызван в Отдел культуры МГК, где мне было велено прийти в следующий раз в скромном галстуке на заседание бюро, потому что там меня будут утверждать главным режиссером Московского ордена Красного Знамени театра имени Ленинского комсомола.

* * *

Вспоминая замечательные по своей конечной непредсказуемости общения с цензурным прессом, хотел бы заметить, что набор средств воздействия на сомнительных художников был много разнообразнее, чем может теперь показаться. Во-первых, не всегда давили прямо, ломая кости, — иногда только надламывали. Кроме кнута, широко применялись пряники. Во-вторых, разговор с главным цензором (это было чаще в кино) мог начинаться сперва по-дружески, с глазу на глаз. И вопрос мог стоять не только о здоровье мятежного художника, но даже о его бытовых проблемах, иногда даже как бы сообща обдумывался жилищный вопрос. Были в запасе у опытных идеологических надзирателей и такие меры воздействия, против которых устоять простому человеку было не просто трудно — практически невозможно.

После окончательного приема на «Мосфильме» моего фильма «Обыкновенное чудо», где я уже был вынужден сделать досадные заплатки, меня искренне поздравили со сделанными заплатками и уже пожимали руки, когда один из тогдашних телевизионных руководителей, взяв меня под локоток, вывел из просмотрового зала в коридор для окончательного прощания. Там он сказал:

— Как же я все-таки рад за ваше творчество! Причем — искренне.

Я было нацелился на обцеловывание, но поклонник моего таланта добавил:

— Вот только фразочку у Андрея Миронова «Стареет наш королек» давайте уберем. Лично для меня, по-дружески.

— Но ведь ее придумал не я, а сам Шварц! — подавил я спазм в горле.

— По-дружески, — улыбнулся ласковый друг. — Просьба сугубо личная.

Ну, в общем-то, и не совсем личная. За время съемок, как назло, Брежнев как раз постарел.

С «корольком», плача и стеная, я расстался и потом даже смирился. Во-первых, потому, что вскоре собирался снимать «Того самого Мюнхгаузена» по пьесе Г. Горина, а во-вторых, потому, что мой телевизионный друг, обладая известным обаянием и сочувствием, после долгих дискуссий, раздумий и мучительных сомнений все-таки оставил столь смущавшую всю редактуру «Мосфильма» песенку Миронова о бабочке, которая крылышками бяк-бяк-бяк-бяк и за которой рванул воробушек.

— Чего это воробушек с ней сделал? — спрашивали меня редакторы «Мосфильма», сощурясь.

— Воробушек возжелал дуру-бабочку как бы скушать, — отвечал я со всей доступной мне искренностью.

— Нет, — говорили мне наиболее умные редакторы. — Он от нее другого захотел, поэтому и погнался.

— Что вы! — махал я рукой на редактуру. — Тема чисто гастрономическая.

— Сексуальная.

— Гастрономическая.

Конечно, я лукавил, изворачивался, двурушничал, позорно лгал. Песня Андрея Миронова про воробушка была не просто песней — то занималась заря грядущей в России сексуальной революции.

Здесь самое время углубиться в сексуальную революцию на конкретных примерах. А я знаю такие примеры, от которых тираж этой книги резко возрастет. Но, поскольку это поток сознания, а оно, сознание, еще полностью не потеряно, хочу вернуться к тому, с чего начал. К театру в лифте.

* * *

Теперь, когда начался то ли беспредел, то ли вольница, то ли демократия, коллективные оценки содеянного в театре стали происходить реже, чем в вышеописанное время. Вопрос о непосредственном устройстве театра в лифте у меня возник как-то на заседании секретариата СТД, когда речь зашла о наиболее интересных спектаклях прошедшего сезона. Все театральные достижения, по мнению многих экспертов, возникали, как правило, только при стечении двадцати или тридцати зрителей. (Немного преувеличиваю — но не слишком.) Подобные раздумья о так называемых малых сценах (чаще комнатах) случались и на разного рода заседаниях жюри, в которых я иногда участвовал излишне часто, как Городулин у А.Н. Островского.

Пишу об этом потому, что убежден: в репетиционном зале осуществляется режиссура иной «весовой категории». Спектакль, разыгранный для пятидесяти пяти зрителей, есть театр иной постановочной ориентации. И судить о нем, оценивать или как-то на него реагировать стоило бы иначе, не так, как оцениваются и воспринимаются спектакли в традиционном театральном пространстве. Пространство само по себе, его объем, конфигурация, эстетическое своеобразие и прочие психологические аспекты, как и конечная сумма энергетического зрительского потенциала, складывающаяся при особых специфических условиях из индивидуальных (зрительских) эмоциональных величин,— все это слишком серьезные категории в нашем деле, требующие длительного и углубленного изучения.

На разного рода заседаниях и в работе всевозможных жюри я честно старался, но мне было очень трудно согласиться, что спектакль, вызывающий радость у нескольких сотен зрителей, может быть приравнен к успеху у тридцати или пятидесяти людей, где действие, естественно, разворачивается у них «на носу» и актеры думают, как им не отдавить ноги.

Согласен, что есть много соблазнительных аспектов в режиссерских сочинениях, заключенных в непривычную кубатуру, где по-другому, в ином нервном режиме возникает контакт актера со зрителем (если, конечно, возникает).

Я однажды не поленился и воспользовался приглашением в домашний театр. (Есть и такие театры!) В московской квартире, расположенной в районе Тверского бульвара, для меня и, по-моему, еще одного гостя была специально разыграна какая-то западная пьеса среди небольшого жилого пространства, натуральной, много лет существующей мебели, занавесок, домашней утвари. Здесь собралось трое или четверо актеров, включая, по-моему, и хозяйку дома. Я не сумел запомнить ни сюжета, ни актеров, но запомнил чувство непривычной зрительской благодарности, что вот так, ради нас двоих, взрослые, серьезные, не слишком молодые люди жертвуют своим временем и с нескрываемым удовольствием творят искусство прямо перед моим носом. Я проникся и благодарностью, и редким уважением.

Я не хочу сравнить это доведенное до абсурда театральное действо со спектаклями на малых сценах, среди которых, как известно, существуют весьма достойные, а иногда очень интересные и талантливые. Но все равно актерское существование в комнатном театре при малом количестве зрителей носит целый ряд принципиальных отличий от большой сцены.

Играть там (в специально ограниченном объеме) надо, конечно, по-другому, с целым рядом «поправок», коррекций, как перед кинокамерой. Не хочу сказать, что это легче, хотя такая мысль иногда витает. В кино я могу поручить выразительный эпизод дилетанту, не имеющему к искусству никакого отношения, в театре — никогда. Ничего большего я сказать не хочу. Добиться настоящего серьезного успеха одинаково трудно и в кино, и в театре. Но, действуя в двух метрах от камеры, нервная система и психика актера не обязательно должны соответствовать той мощности, что необходима на сцене. Многим очень приличным киноартистам в театре очень часто не хватает того внутреннего энергетического стержня, который необходим для «заполнения» всей кубатуры зрительного зала. Качество их актерского обаяния на сцене часто меняет свои параметры. Известный (точнее — популярный) актер, конечно, остается предметом зрительского любопытства довольно долгое время, но... боюсь углубляться в эту весьма деликатную тему, боюсь обидеть коллег, — но актер, получивший хорошее театральное образование (не во ВГИКе), воспитанный репертуарным театром, обладающий талантом и заслуженным успехом по целому ряду чисто нервных, физических, психических, гипнотических и пластических данных, превосходит своего кинематографического собрата. Превосходит, разумеется, на сцене, а не перед камерой на съемочной площадке. Театральный артист может хорошо сыграть центральную роль в кино, для киноартиста большая роль на сцене — серьезная проблема.

Те, кто захочет полемизировать по этому поводу, скажут, что театральный актер играет грубее, примитивнее.

Плохой артист — он и в театре примитивен, а у хорошего на съемочной площадке, как правило, происходит необходимая внутренняя перестройка, нервная переориентация, его хорошо разработанная психотехника целенаправленно переводит организм в иной способ существования. Вообще, предмета для спора здесь нет. Кино и театральная практика давно решили этот вопрос.

Разумеется, у театрального актера тоже есть свой потолок. Это зал примерно на 1500 зрителей. При углубленном, упорном, долгом освоении большего театрального объема можно сохранить, с некоторыми коррективами, очень ценные и тонкие нюансы спектакля (с умелым подключением радиоусиления) и в зале на 2000, и даже 2500 мест. Но это, пожалуй, предел. Дальше — другие законы, связанные скорее с шоу-бизнесом, чем с серьезным театром.

Вернемся, однако, к театру в лифте.

Конечно, я в свое время распространил слух о такого рода спектакле, готовящемся в Ленкоме, ввиду своего плохого характера и желания постоянно вступать в бесполезные дискуссии. Но представьте на минуту, как среди нескольких зрителей, в их плотном физическом окружении, очень хороший актер начинает демонстрировать признаки нездоровья и все возрастающего волнения. Он, допустим, говорит сбивчивый монолог о преследующих его психологических срывах.

Вне плотного физического контакта, в театральном зале на 1000 мест мы, конечно, тоже, вполне возможно, эмоционально подключаемся к этому актеру, если он большой мастер и если до его «сбивчивого монолога» мы как зрители успели им заинтересоваться и полюбить. Его монолог тоже может взволновать нас, но при этом мы, конечно, не съежимся в кресле, не задергаемся, не убежим из зала и вообще сохраним свою психику в относительном порядке.

В плотном же физическом контакте, где даже экранируют стены, большой мастер с тренированной психикой и гипнотическим даром, медленно срываясь на наших глазах, скажем, в эпилептический припадок, обрушит на нас такую мощную энергетику, что мы сможем испытать нечто, никогда не испытанное в нормальном театре. Это может быть очень сильным психическим и эстетическим комплексом ощущений, который вряд ли посетит нас в нормальном зрительном зале.

Поскольку в нашей профессии, как и во Вселенной, происходит постоянное расширение, а также разбегание, размежевание, расслоение, — есть смысл разделить режиссуру драматического театра на две, скажем так, номинации. Это потребность времени, и, по-моему, она уже начинает отчасти реализовываться.

Актерское раздвоение: с Инной Чуриковой и Олегом Янковским

«Раздвоение» — говорю исключительно для того, чтобы не сказать «шизофрения». Чтобы не было обидно. Чтобы ни с кем не ссориться. Потому что театр — очень подходящее для этого место.

На каждом собрании коллектива я говорю об объективных законах театральной этики и — с совершенно искренней убежденностью — об актерском братстве, понимая, что и то и другое — субстанции зыбкие. С 1974 года нам действительно удалось многое сделать (опять-таки на данный, сегодняшний момент, что будет завтра — предугадать невозможно). Нам, вероятно, удалось многое сделать по формированию относительно прочных этических норм, производственной прочности и созданию некоторой видимости надежно работающей структурной системы. (Иногда надо формулировать как-то эдак так, чтобы уважали. У Ю.М. Лужкова я еще научился говорить «системное мышление», которое и вставляю щедрым образом где ни попадя.)

В первые годы (особенно в первые месяцы) в моем системном мышлении многое висело на волоске. Музыканты могли спокойно не явиться на спектакль, кто-то демонстрировал себя зрителям в нетрезвом виде или, как мы уклончиво теперь формулируем, «был не в форме». У меня во всех этих и других малоприятных случаях сначала возникала короткая паника, потом — неимоверная злость. При всем моем, как мне представляется, внешнем миролюбии и даже задумчивой мягкости, у меня присутствует стойкий и агрессивно функционирующий в экстремальных ситуациях элемент подавления деградирующих звеньев. Если надо, я могу затаиться, как Сталин, и провести хорошо подготовленный персональный удар с последующим жестоким завершением начатого дела.

После таких жестоких акций ко мне часто приходили «ходоки», дружно ходатайствуя о реабилитации случайно оступившегося или не годящегося к работе товарища. Иногда сперва подсылали после долгого инструктирования Инну Михайловну Чурикову для предварительного смягчения ситуации, долго растолковывая ей, о ком идет речь. За четверть века в двух случаях я соглашался с ходоками, но, как правило, решений своих не менял и старался избавляться от человека мгновенно. Иногда мгновенного увольнения не получалось, тогда я упрямо дожимал свое намерение и старался правильно обосновать для коллектива свою жестокую акцию. Мы расстались с рядом очень способных людей. Лично против них я не чинил никаких злонамеренных козней, но хорошо знал, как в театрах наступает гибельная «цепная реакция» после безвольного и чисто административного отступления.

Театр — в значительной степени замкнутое пространство, как корабль. Из истории известно — бунт на корабле возникает, когда его не подавляют в самом зародыше. К таким «подавлениям» я иногда специально готовился и даже принимал предварительно валидол, потому что не зверь, хотя старался в отдельных случаях на него походить, чтобы хоть пахло зверем. У тех, кто работает в театре, обоняние всегда острое.

Во время репетиций «Гамлета» Глеб Анатольевич Панфилов сообщил мне, что не может и не будет работать с артистом Сократом Абдукадыровым, который ведет себя нагло, публично демонстрируя свое нежелание участвовать в массовых сценах. Я собрал коллектив исполнителей в зрительном зале, сделал нейтрально-миролюбивое лицо и очень тихим голосом сказал, что иногда в театре даже хорошим артистам приходится играть вспомогательные роли — так устроен репертуарный театр, не мы его придумали. «Но, — еще миролюбивее произнес я для контраста с запланированной жестокой экзекуцией, — у нас есть люди, которые свои личные настроения ставят выше общих творческих интересов. Вероятно, таким людям не надо участвовать в работе нашего театра, им лучше уйти, причем чем скорее они это сделают, тем лучше». Далее я погрузился даже в своеобразную меланхолию, чтобы никто не подумал, что могу действовать агрессивно. «Сократ Абдукадыров, к вам у нас есть серьезные претензии, — печально вздохнул я, соображая, какая дверь будет выглядеть эффектнее, — встаньте, пожалуйста, если вам не трудно». Когда Абдукадыров встал, я резким движением вскинул руку: «Вон дверь. Через нее вам надо уйти, и прямо сейчас». Артист был растерян, как-то неуверенно вышел в проход партера, и я ему помог, рявкнув: «Вон!!!»

Я почувствовал, что эта акция произвела весьма полезное, я бы сказал, даже целебное воздействие на рабочее настроение коллектива. Удачно она прошла еще и потому, что делал я ее не в первый раз. За год до этого я пригласил в свой кабинет директора театра Р.Г. Экимяна, после чего вызвал главного администратора А.А. Кислицкого.

Кислицкий, будучи человеком, умеющим работать хорошо, иногда блистательно, правда, спонтанно от случая к случаю, — в момент моего прихода в театр поразил меня своей некоторой интеллектуальной дремучестью. Потом я заметил скрытое пренебрежение к моим просьбам, потом — даже хамоватый тон в разговоре. Потом в театр пришел Виктор Сергеевич Розов и, наклонившись к окошечку администратора, попросился в театр.

— А кто вы такой? — спросил Кислицкий, ковыряя в зубах.

— Розов.

— Кто-кто?

— Драматург Розов Виктор Сергеевич.

— Не знаю такого! Все билеты проданы.

Пришлось с Кислицким проводить урок жестокой дрессуры. Правда, производился он в основном для Экимяна, на какие-либо глубинные изменения в самом Кислицком я не очень рассчитывал. Да и, в отличие от Абдукадырова, с Кислицким расставаться сразу не решился. Однако мизансцена с дверью из кабинета была такой же. Кислицкий, обескураженный, поплелся из кабинета, не скрывая растерянности. Экимян молча думал. Потом, через три дня, похвалил.

Теперь мне уже не надо, по-моему, прибегать к столь театрально-демонстративным методам. Я расстаюсь с людьми спокойно, без экзальтации. Но расстаюсь. В театре надо точно для себя решить, кого и когда можно прощать, а с кем никаких воспитательных игр вести не надо. Вредно для остальных.

Театр, как я уже не раз повторял, изначально соткан из противоречий (я имею в виду традиционный русский репертуарный театр). Главенствовать у нас должны театральное братство, обязательная коллегиальность (соборность) и одновременно единоличное художественное лидерство (диктатура).

Художественным лидером может быть не обязательно режиссер. На Западе это сплошь и рядом. У нас — редко. Успешно руководит театром О.П. Табаков, не претендуя на режиссерские лавры; надежно и умело возглавляет «Сатирикон» К.А. Райкин, будучи очень интересным актером и редко балуясь режиссурой.

Полагаю, что этот абзац получился у меня и доказательным, и разумным. Хотя начал я с шизофрении. С раздвоения. Что это такое в моем театральном представлении? Очень распространенное в жизни явление, когда сознание работает в одном режиме, подсознание — в другом. То есть ты понимаешь и хочешь одного, а делаешь почему-то другое. Не можешь противиться желанию, которое сам же мысленно не считаешь правильным. Думаю, половина преступлений на свете совершается именно благодаря этому несовпадению интересов интеллекта и чувства. Можно ли этот механизм смоделировать на сцене? Можно, если артист обладает особой одаренностью и еще — особым умением полагаться на сценическую интуицию, может быть, точнее, как Михаил Чехов, — на свое загадочное и мощное подсознание. Ведь Чехов умел с точки зрения человеческой психики делать вещи, недоступные большинству актеров, — отдавать подсознанию доминирующую роль в мотивации своего поведения. В драматургии такое явление впервые подметил А.П. Чехов. В «Трех сестрах» Маша произносит слова, которые никак не соответствуют ее мыслям: «У лукоморья дуб зеленый, златая цепь на дубе том...» Еще раньше, в «Иванове», тот же драматург заставил Сару цитировать стихи, которые логически никак не вытекали из ее трагического самоощущения. Полагаю, что виртуозная актерская игра с собственным сознанием и подсознанием есть высший пилотаж в современном психологическом театре.

Кто в нашем театре это умеет делать лучше других? Наверное, Инна Михайловна Чурикова. Хотя сразу же подумал и об Олеге Ивановиче Янковском.

Примерно года через два ленкомовский спектакль «Чайка» вдруг приобрел новое качество и заразительность. Формально этому способствовали санкт-петербургские гастроли, где пришлось играть на неудобной для этого спектакля большой сцене. Мы не просто освоили тогда новое, непривычное пространство, мы, очевидно, что-то домыслили в самом действенном построении некоторых фрагментов. Так, сцена Тригорина и Нины Заречной, особенно по возвращении в Москву, вдруг приобрела как будто бы новое режиссерское построение. Но на самом деле просто то, что было сперва робко мною намечено, вдруг как-то преобразилось, заиграло, заискрилось психологическими, нервными токами у Олега Янковского и Александры Захаровой.

Про дочь, что бы ни написал, будет отдавать субъективизмом, а вот Олег Иванович вдруг заиграл спектакли имени Михаила Чехова. И достоверно, и парадоксально, и смешно. Глаз от него теперь оторвать нельзя, потому что не понимаешь, а только догадываешься, в какой круговерти пребывает его подсознание, у которого, как под ногами, постоянно путается сознание.

Вообще об Олеге Ивановиче Янковском я много рассуждал. Он прошел очень сложный зигзагообразный путь в своем актерском становлении. И даже начинал в Саратове, как я, опираясь вначале на авторитет жены, ее волю и талант. Однако вскоре лабиринт личного движения в актерской жизни вывел его в целебные и питательные зоны. Сначала он до некоторой степени случайно встретился с Е.П. Леоновым на съемках фильма «Гонщики», и Леонов настоятельно посоветовал мне посмотреть на этого артиста в саратовском театре. Так Янковский перебрался в Москву, где вскоре, по-моему, прошел свои университеты под руководством Ролана Быкова в фильме «Служили два товарища». Быков как личность сверходаренная и волевая, изначально оказывающая на любого своего партнера мощное воздействие, многому научил Янковского. Может быть, и не занимаясь какими-то осмысленными уроками актерского мастерства, Р. Быков все равно косвенным, подсознательным образом всегда осязаемо влиял на тех, кто работал рядом с ним. Это ощутил даже я, когда он снимался у меня в небольшой роли отца Федора в «Двенадцати стульях».

Олегу Ивановичу Янковскому везло на людей, хотя само слово «везение» у меня всегда под вопросом. Когда это самое «везение» не укладывается в одну-единственную встречу — возможно, речь должна идти об особой природной интуиции, которая приводит такого человека к необходимым для него людям. У Янковского набралась целая галерея подобных творческих деятелей, включая автора этих строк. «Тот самый Мюнхгаузен», «Полеты во сне и наяву» Р. Балаяна, «Мы, нижеподписавшиеся» Т. Лиозновой, например, ощутимо расширили актерский диапазон О. Янковского, на этих и некоторых других киноработах он вывел свой актерский организм на качественно иной уровень. Думаю, что в значительной степени его внутренняя актерская техника зримо обогатилась во многих театральных работах, особенно таких, как «Ясновидящий» по Л. Фейхтвангеру, капитан Беринг в «Оптимистической трагедии», Учитель физкультуры в «Школе для эмигрантов» Д. Липскерова, Генерал в «Варваре и еретике». Вершиной его сценических свершений я считаю на сегодняшний день роль Тригорина в чеховской «Чайке».

Я очень благодарен Олегу Ивановичу за его вклад в строительство Ленкома, он сделал многое для преодоления свойственных театру профессиональных заболеваний, привнес в поставленные мною спектакли много собственных неожиданных идей. Необычайно продуктивную творческую помощь и товарищескую поддержку Олег Иванович оказал мне на съемочных площадках в фильмах «Обыкновенное чудо», «Тот самый Мюнхгаузен», «Убить дракона». Посвятил в некоторые технологические тайны и закономерности кинематографа, научил распределять силы и резким образом стимулировать фантазию именно тогда, когда необходимо неожиданно новое режиссерское решение.

Но все равно не он главный! (Пример того, как режиссер быстро меняет свои привязанности.) Главное для театра — большая драматическая актриса. Так говорил Несчастливцев в «Лесе» А.Н. Островского, и спорить с ним глупо.

* * *

Инна Михайловна Чурикова стала знаменитой, сыграв центральную женскую роль в фильме Глеба Панфилова «Начало». Она сразу явилась как большая актриса, потому что ее героиня представляла собой уникальный и вместе с тем хорошо узнаваемый, очень распространенный тип некрасивой девчонки. Героине ее повезло за счет внутренней незаурядности, а никак не из-за схожести с топ-моделью. Временами она была вызывающе некрасива, и в этом заключалось ее особое, новое для кинематографа тех лет обаяние. Интересно, что после этого фильма она попала в тайный список Госкино. Это был замечательный документ, куда были занесены фамилии артистов, которых ни под каким видом нельзя снимать в главных ролях, чтобы своим видом они не клеветали на государство, партию и красоту советского человека. Возглавлял список незабвенный Ролан Быков.

Когда Инна Михайловна начала в 1974 году репетировать в «Тиле», я помню, как с удивлением заметил, что она вдруг может становиться очень красивой женщиной. Играла Инна Михайловна в спектакле блистательно, и мы с Экимяном иногда специально приходили смотреть ее сцены. Глазищи у нее иногда становились огромными, искрящимися, походка и все остальное, что было при ней, обретало особую женственность и притягательность. Понятно было, чего так Караченцов-Тиль безумствует. Собачница, которая в то время приходила ощипывать нашего фокстерьера, постоянно вздыхала:

— Как они все-таки экстерьерно подходят друг другу!

Теперь, пожалуй, наиболее интересующая меня тема. Чурикова как никто другой обладает способностью к погружению в тайные, возможно, не осязаемые ею до конца глубины подсознания. То есть умеет в какой-то степени делать то, что совершают люди со сверхчувственным восприятием, действительно надежно работающие экстрасенсы. В грубом виде механизм их аномального творчества состоит из волевого задания, которое они мысленно посылают своему «я», и получаемого сразу или через некоторое время ответа.

По моим наблюдениям, Чурикова обладает некоторыми аномальными качествами. Она любит очень подробно оговорить свое сценическое действие, весь комплекс проблем, называемый у нас «предлагаемыми обстоятельствами», и в эти минуты делает произвольно или непроизвольно (этого я не могу точно знать) волевую встряску всему организму, «разогревает» и одновременно раскрепощает психику. И в это время иногда вдруг ее организм, как бы помимо прагматической цели (логики), может выдать, подарить такое деяние, жест, междометие, поступок, мысль, мизансцену, которых режиссеру невозможно придумать дома перед репетицией, да и на самой репетиции тоже.

На занятиях своей режиссерской мастерской я это называю «подарками организма». Не хочу сказать, что никто, кроме Чуриковой, не умеет и не может получать таких «по-

дарков». Но она делает это чаще других артистов, и ее про-
диктованное подсознанием поведение на сцене является
иногда ошеломляющим по своей неожиданной правде. Оно
вроде бы непредсказуемо экстравагантно и одновременно
предельно искренне.

Инна Михайловна, конечно, умеет иногда забираться
в какие-то глубины своего психического естества. Я наблюдал такие мгновения, которые очень далеко уходили
от того, к чему привыкаешь в театре. В спектакле «Три девушки в голубом» Л. Петрушевской в начале первого акта
ее героиня готовила яблочное пюре для больного ребенка и временами неожиданно, в том числе для себя самой,
металась между обеденным столом и кухонной плитой.
Нормальная, культурная актриса, как бы точно и выразительно ни пребывала в данных предлагаемых обстоятельствах, не могла бы так себя вести на сцене, как Чурикова. У Инны Михайловны был при этом какой-то текст, она
что-то говорила Татьяне Ивановне Пельтцер, говорила с
обычной актерской точки зрения даже как-то невырази-
тельно, потому что от нее шли животные искры страха.
Это был глубоко запрятанный страх самки за своего де-
теныша и еще какая-то неизвестная мне плотная, бьющая
по нервам энергия. Она так сосредоточивалась на приго-
товлении пюре, как нормальные актеры чаще всего делать
не умеют. Какие-то едва ощутимые изменения в пластике.
Какая-то скрытая от посторонних глаз нервная вибрация.
Я уже об этом думал и писал. Актер, часто помимо своей воли, старается почти каждую мизансцену выполнить
если и не красиво, то уж всегда выразительно. Чуриковой
было наплевать на выразительность — больной ребенок
был важнее. Мы наблюдали акцию своеобразной антите-
атральности, доведенной до неправдоподобно высокой театральной выразительности.

Чурикова поразила меня и в роли бабушки Антониды
Васильевны в «Варваре и еретике». Особенно на первых
спектаклях. Пишу в приступе дурной правды. У Шукшина
есть очень полюбившаяся мне фраза: «И в приступе дурной
правды он сказал ему, что его жена живет с агрономом».

Так вот, на репетициях мы добились в первой ее сцене особого принципа общения с генералом и всей его компанией. У Инны Михайловны нет непосредственно личного опыта общения с людьми, я бы сказал, в старомодно-номенклатурной манере. А я на эту манеру насмотрелся, вкусил в разных модификациях. Поэтому здесь были определенные трудности.

Сценический процесс, если чуть огрубить проблему, состоит всегда из серии разнообразных ударов по партнерам. Действенность (сила) этих ударов вовсе не зависит, например, от громкости или какой-то зримой активизации. Ужесточение в желании перевести партнера в ничтожную степень человеческой значимости — хорошая задача. Конечно, моя терминология страдает отсутствием внешней гуманности. Я считаю очень важным научиться «обижать партнера». Я так и формулирую это важнейшее актерское умение. Начиная со взгляда. Кстати, это в моей методологии очень важно: взгляд есть действие. В строгом соответствии с системой Станиславского. Можно так посмотреть — и получить пощечину или довести человека до слез.

Попробуйте назвать фамилию человека, к которому вы обращаетесь нормальным нейтральным тоном. Это будет один вариант сценического действия. А потом попробуйте произнести ту же самую фамилию излишне громко, нарочито деформировав свою дикцию. Это уже будет совсем другой вариант. Громкий, нарочито противный голос будет воспринят партнером, а стало быть, и зрителями как грубое разрушение человеческих отношений. В XIX веке это был повод для дуэли.

Повышение или понижение тембра — тоже мой режиссерский пунктик. Я считаю, что хрестоматийно воспринятая система Станиславского этот вопрос не разработала.

Вернемся к умению обижать партнера. Дело, скажу сразу, непростое, если не скатиться на примитивную, чисто театральную грубость, поскольку в настоящей жизни только и происходит, что «борьба за лидерство». Причем борьба постоянная, тотальная. Ее можно при желании разглядеть даже в любовных отношениях. Конечно, этические нормы, выработанные цивилизацией, сделали эту «борьбу за лидерство» не похожей на то, что происходит в львином прайде или волчьей стае, но, кстати... Кое-что в любом человеческом коллективе напоминает наше животное происхождение. Стоит признать, что при сотворении человека многие поведенческие нормы были опробованы и усовершенствованы на наших меньших братьях.

Кто в коллективе неформальный лидер, кто занимает в иерархии сообщества второе место (официально или неформально — неважно) — очень интересная театральная и социологическая проблема. А какая интересная драматургия чаще всего скрытой борьбы разворачивается повсеместно за место рядом с вожаком, вождем, директором! Борьба за второе место — всегда борьба очень сложная и ожесточенная. Однако внешне ее можно и не заметить. Распознать иерархию в коллективе совсем непросто, тем более что это величина подвижная. Например, появилась на молодой женщине дорогая шуба — едва-едва, незаметно меняется походка и манера разговора, потому что владелица дорогой шубы перемещается на ступенечку выше. Это как случайный пример. Одежда играет роль, но весьма незначительную и не определяющую. Интереснее сама система общения со всеми ее нюансами.

Итак, в «борьбе за лидерство» важно понизить статус партнера. Разумеется, я не хочу представить нашу жизнь как сплошную драку, но жизнь сценическая (монтаж экстремальных ситуаций, пусть очень тихих и внешне мирных) может быть только борьбой. И в этой борьбе, как у борцов, весовые категории оказываются разными. Один владеет тремя-четырьмя приемами, другой (как правило, актер высокой квалификации) владеет тридцатью восемью, а может быть, ста двадцатью четырьмя способами понижения партнерского статуса. Иногда сценическому персонажу требуется едва заметное мини-понижение, а иногда хорошо (необходимо) применить смертельное.

В качестве смертельного удара крик, как правило, не годится, даже яростный. Если кричишь, значит, можешь простить. Ссора на сцене (в отличие от кинематографа) — вещь не слишком опасная. Ссоришься — значит, признаешь партнера за равного. Если я стал кричать на человека, значит, скорее всего, расставаться или «ликвидировать» его как личность не буду. Потом помирюсь.

Когда надо мной нависала смертельная опасность для моей дальнейшей режиссерской деятельности, никто на меня не кричал. Когда однажды вызвал министр культуры П.Н. Демичев для последнего предупреждения, он, помнится, голоса своего не повысил. Наоборот, говорил подчеркнуто тихо и вяло, как бы давая понять, что тратить на меня силы ему совсем неинтересно.

Между прочим, разговор (система общения) был действительно очень выразительным. Сесть он не предложил, я стоял у двери кабинета, а он, метрах в пятнадцати сидя за столом, начал после долгой паузы говорить бесстрастно и так тихо, что я только догадывался, что говорить-то он говорит, но что?

С Инной Михайловной Чуриковой в жизни никто так не разговаривал, а мне очень хотелось, чтобы ее Антонида Васильевна общалась с генералом, демонстративно не общаясь. Тихие, невнятные звуки Демичева тут не годились, говорить, с моей точки зрения, стоило внятно, но с оскорбительной бесстрастностью. Это как раз и стало сначала получаться, потом чуть-чуть позиция актрисы видоизменилась. Она стала тщательнее и подробнее взаимодействовать с партнерами.

Теоретически мы тут были единомышленниками (после некоторых дискуссий), но вот как практически скорректировать малозаметные отклонения — об этом можно рассуждать часами, но можно это сделать легко, за одну секунду.

В крохотном финальном эпизоде фильма «Тот самый Мюнхгаузен» Инна Михайловна в роли баронессы вдруг впала на моих глазах в своеобразный транс, ее мышление затормозилось, она стала чем-то напоминать великую Ф.Г. Раневскую, и я уже тогда понял, сколь многими еще не реализованными ресурсами располагает ее уникальный «актерский организм».

В кинематографических дебрях

Впрочем, тот пафос, который вырвался из моего потока киносознания, можно легко понизить, заземлить и полить изрядной долей скепсиса.

Пока мы еще вправе рассматривать кинематограф как самостоятельный вид искусства, но дни его самостоятельной жизни, по-моему, заканчиваются. Если согласиться с моим утверждением, что все мы со страшной и все возрастающей скоростью погружаемся в пучину космического телевидения, то кинематограф уже можно рассматривать как предварительную технологическую разработку общепланетарного или, точнее, вселенского телевидения. Все уплотняющиеся информационные потоки превращаются в окружающую нас виртуальную реальность. И очень скоро нам станет безразлично, каким образом получено изображение — с помощью кинокамеры, заправленной пленкой «Кодак», или способом цифровой видеозаписи шестого поколения, то есть когда видеозапись при взгляде знатока перестанет уступать кинопленке, а скорее всего (и я в этом убежден) — превосходить кинокопию по всем техническим и эстетическим параметрам.

* * *

Мне очень давно хотелось приобщиться к кинорежиссуре, еще в пору моих первых сценических сочинений. Не останавливаясь на некоторых невнятных работах на телевидении в шестидесятые годы, обращусь сразу к «Двенадцати стульям» И. Ильфа и Е. Петрова. Обращусь ненадолго, мимоходом, потому что это странное, полулубочное, наивное теледейство не стало поворотным моментом в развитии мирового искусства. Но я был прав, что не стал соревноваться с традиционным кинематографом, а сделал в результате некое литературно-музыкальное обозрение с большими текстовыми блоками, целиком извлеченными из первоисточника.

По прошествии нескольких лет после первого показа четырех серий музыкального теледейства зрители стали смотреть на мое творение с несколько большей симпатией, чем при первоначальном знакомстве. «Поменялись многие вкусовые пристрастия, — объяснял мне Михаил Козаков. — Ильф и Петров перестали быть самыми любимыми писателями. Появился Булгаков с «Мастером и Маргаритой» — и еще кое-что другое. На твое музыкальное хулиганство перестали смотреть с прежней строгостью».

Это неточная цитата, но смысл его диагноза был именно таким. Очевидно, Козаков был прав. Зрителям захотелось отчасти порадоваться, повеселиться или чуть-чуть погрустить по поводу своих юношеских увлечений, во всяком случае, отнестись к увлечениям своих родителей с нескрываемой иронией.

Эту потребность замечательно почувствовали композитор Геннадий Гладков и поэт Юлий Ким. Настало время снова спеть какую-нибудь «Рио-Риту» или «Брызги шампанского», но уже с иным отношением к любимцу советского народа Остапу-Сулейману-Берте-Марии-Бендеру-Бей. Дистанция во времени подтолкнула нас к иному восприятию феерического Андрея Миронова и незабвенного Анатолия Папанова. Зрителям не захотелось лицезреть стопроцентного реалистического Остапа Бендера, назрела потребность в чисто эмоциональном (не идейно-смысловом) воспоминании о нашем былом увлечении. Не знаю, кого имел в виду Юлий Ким — Андрея Миронова или Остапа Бендера, когда сочинил один из своих пронзительных фокстротов:

> ...О, наслажденье скользить по краю!
> Замрите, ангелы, смотрите — я играю.
> Моих грехов разбор оставьте до поры,
> Вы оцените красоту игры!..

Остроумная музыка Гладкова, состоящая из мелодий, которые запоминались раз и навсегда, удивительно элегантные, иронические стихи Кима, блистательные актерские работы Миронова и Папанова — все это представляло собой неоспоримую ценность. Хуже обстояло дело с режиссурой. Режиссеру не хватило умения грамотно реализовать то немногое, что было хорошо задумано, не хватило умения, воли, целеустремленности в съемочном периоде, не хватило сил удержать весь гигантский объем сценария в плотном единении с художником, оператором, сложным, многотрудным производством, не хватило навыков импровизировать на пустом месте или при очень скромных постановочных возможностях. Если обобщить и упростить проблему — было слишком много режиссерского авантюризма, с избытком хватало режиссерской наглости — но не хватило таланта, если понимать под этим словом совокупность самых разнообразных качеств и умения талантливо решать задачи профессионально несовместимые, но подвластные тому, кто пытается причислить себя к суперпрофессионалам.

Совсем скоро, в 1976 году, мне удалось доказать, что я хоть и не семи пядей во лбу, но не случайный человек в кинематографе, — Сергей Николаевич Колосов, руководитель мосфильмовского объединения телевизионных фильмов, подарил мне идею «Обыкновенного чуда» и пригласил на постановку. Здесь, подобно тем людям, что изгоняют из себя бесов, я выбросил прочь всяческую нахрапистость, легкомыслие, производственное недомыслие и подошел к подготовительному процессу со всей ответственностью, волей, стопроцентным «погружением» в парадоксальный и мудрый мир героев Евгения Шварца.

Я начал писать режиссерский сценарий очень медленно, возможно, погрузив себя в своеобразный транс с элементами акварельных галлюцинаций. В транс меня вводила кассета с голосом Джо Дассена, которую я практически не выключал. Через некоторое время я как бы переставал слышать Джо Дассена и начинал улавливать сердцебиения шварцевских героев.

Когда-то С.И. Юткевич в Студенческом театре МГУ сказал мне, что в кино самое главное — сотрудники. Мой ангел-хранитель вместе с С.Н. Колосовым послал мне замечательных соавторов — художника Людмилу Кусакову и оператора Николая Немоляева. Разумеется, при мне осталась русско-корейская гремучая смесь — Юлий Ким (я назвал его позже синтезом корейского отчаяния с русской безысходностью) и наследник «могучей кучки» Геннадий Гладков. Еще я постарался, не останавливая работу Ленкома, сделать так, чтобы в фильме обязательно снималось хотя бы несколько ленкомовских актеров. Евгений Леонов и Олег Янковский не вызывали у мосфильмовского руководства сомнений (роли в то время утверждались дирекцией Мосфильма). А вот в отношении только что поступившего в труппу Александра Абдулова у начальства сомнения были. На предложение поучаствовать в кинопробах молодой Александр Гаврилович ответил: «С удовольствием. Потому что все равно пробуюсь всегда я, а снимается потом Костолевский».

Эта фраза, признаюсь, добавила мне спортивного азарта, и в результате Александр Абдулов сыграл, по-моему, важную для него роль. Мне очень хотелось, чтобы в фильме снимался Александр Збруев, но что-то помешало ему, возможно, вполне закономерные сомнения. В роли хозяина гостиницы замечательным образом запечатлелся Юрий Соломин. Когда его назначили министром культуры Российской Федерации, все телевизионные каналы стали дружно и ежевечерне демонстрировать его дуэт с Екатериной Васильевой, где министр культуры проникновенно пел в любовном экстазе:

> Ах, сударыня, когда мы с вами вместе,
> Все цветочки расцветают на лугу...

Закрадывается даже подлая мысль — уж не сказался ли этот дуэт на продолжительности его министерского служения.

Очень многое для меня значило общение на съемочной площадке с Евгением Павловичем Леоновым. Он как никто другой понимал разницу между комедийной ситуацией, которая возникала, скажем, при съемках в павильоне, и конечным результатом на пленке. Здесь я получил от него несколько бесценных уроков. В двух-трех случаях он наглядно продемонстрировал мне свое превосходство в чисто кинематографическом мышлении. Он говорил примерно так: «Давайте снимем, как вы этого просите, а потом один «актерский дубль» — то есть я сделаю это же самое, но несколько по-другому. В павильоне моя версия выглядела интереснее, а на пленке в просмотровом зале то, что делал Леонов, оказывалось всегда более точным и комедийным.

Но однажды я все-таки одержал убедительную победу, правда, в несколько ином, цензурном аспекте. Леонов в роли Короля появлялся в оконном проеме, задерживаясь для общего приветствия перед сценой венчания. Выход был торжественным и под звуки марша. Я попросил Евгения Павловича остановиться на несколько секунд и приветствовать собравшихся, слегка приподняв руку, как это делали в то время члены Политбюро на трибуне Мавзолея. Естественно, репетиция вызвала общий взрыв энтузиазма всей съемочной группы. Евгений Павлович глубоко задумался. Многолетний опыт съемок в кинокомедиях его многому научил. Он сказал: «Маркуша, будем пересниматься и за те же деньги».

Я согласился, что надо снять вариант без подъема руки, но и предложенную мной акцию также запечатлеть на пленке. Не знаю, чем руководствовались многочисленные цензоры — то ли симпатией к Леонову, то ли к фильму, то ли отсутствием должного порядка в их рядах, — но «правительственное» приветствие уцелело в фильме.

Времена меняются быстро. Сейчас это — невинная полушутка. Но в день премьеры фильма в Доме кино, когда Евгений Павлович поднял руку, начался общий и демонстративный восторг с повальным хохотом.

* * *

Закончив работу над «Обыкновенным чудом», я очень скоро бросился вместе с Григорием Гориным в экранизацию его «Того самого Мюнхгаузена». Очень радовало, что в глазах Янковского-Мюнхгаузена обозначились шальные комедийные огоньки.

Пьеса Горина имела неоспоримые достоинства и одно самое ценное — в пьесе был второй акт. Стало быть, фильм имел органичное право на двухсерийность.

Проблема второго акта — головная боль для любого драматурга, а стало быть, и режиссера. Первый акт очень часто сочиняется как удачно придуманная расширенная экспозиция, но никакого «тектонического» глубинного взрыва, космического изменения в созидаемом автором мироздании, увы, часто не происходит. Сегодня для меня это особо сложная и больная тема. Я не люблю и даже не приемлю одноактных спектаклей. (Конечно, понимаю, что в любом театральном суждении нет стопроцентной истины.) Но мне, повторю, важен второй акт, неподвластный зрительскому прогнозу. Предтеча назревающего, преобразующего мир взрыва должна обязательно обозначиться в финале первой части. Лично для меня этот вопрос принципиальный, возможно, замешенный на профессиональном достоинстве. Если я приглашаю людей на серьезный игровой фильм, я не должен показать им взамен ловко сделанную короткометражку.

Со спектаклем (обязательно двухчастным) примерно та же история. Просто поделить одномерно развивающуюся ткань сценического сочинения пополам — смысла не имеет. Что-то есть в этом неполноценное. Хочешь претендовать на владение суперпрофессией (а кто из режиссеров не хочет?) — создавай многомерный, полифонически развивающийся процесс с обязательными резкими сломами — это соотносится с динамикой зигзагообразной человеческой жизни.

* * *

В «Том самом Мюнхгаузене» замечательно сыграл роль герцога Леонид Сергеевич Броневой. Когда только формировался состав исполнителей для этого фильма, я уже смотрел на него с режиссерским вожделением, понимая, как важно для Ленкома заполучить в свою труппу актера такого масштаба.

Однажды, уже не помню по какому случаю, он показал мне крохотный актерский эскиз, его личное наблюдение из жизни номенклатурных деятелей. С точки зрения сюжета или трюка это была мимолетная актерская чепуха, но выполненная с такой филигранной психологической выразительностью, а главное, убийственной достоверностью, что я запомнил этот этюд на всю жизнь. Леонид Сергеевич рассказывал мне о том, как важно в нашей жизни не выделяться. (Рассказ был связан с темой барона Мюнхгаузена.) Леонид Сергеевич вспомнил, как жестоко пострадал один его молодой знакомый. (За точную достоверность, кем приходился Броневому герой его мини-рассказа, сейчас уже не поручусь.) Но молодой человек приобрел автомобиль иностранного производства и припарковал его возле военной академии, где работал или учился. Естественно, автомобиль резко контрастировал с застывшими у академии черными «Волгами». Леонид Сергеевич показал мне, как именно, какой походкой, один из генералов подошел к окну, как посмотрел на иномарку и как спросил — чей автомобиль? Когда ему ответили, Леонид Сергеевич показал, как неподвижным образом и тупо задумался генерал и как спросил: «А кто отец?» Когда выяснилось, что отец — никто, генерал Броневой, не моргнув глазом, отошел от окна, и, несмотря на его неподвижное лицо, стало понятно, что судьба владельца иномарки решена окончательно и бесповоротно.

Когда я говорю «Леонид Сергеевич показал», я явно употребляю неверную терминологию. Броневой ничего не показывал, он — существовал. Более того, его мозг, я это чувствовал кожей, начинал при мне медленно переваривать информацию так, что я был абсолютно убежден — его мозговые нейроны меняли режим работы. Умение изменять работу клеток в своем организме, может быть, даже частично артериальное давление и химический состав крови — есть высший актерский пилотаж, возможно, принадлежащий уже психологическому театру XXI века.

Со всеми студентами трех наборов моей режиссерской мастерской РАТИ я всегда обязательно проводил беседы о роли Мюллера в «Семнадцати мгновениях весны». Леонид

Сергеевич служил мне своеобразным учебным пособием в сегодняшних режиссерских раздумьях о том, что такое актерская оценка, действие, формирование или поиск мысли. К открытиям Станиславского его Мюллер имел самое прямое отношение, разумеется, на высшем витке их актерской реализации.

Мое режиссерское требование — если захватил сегодня внимание зрителя, смелее и чаще сажай его на «голодный информационный паек», — имело в мастерстве Броневого свою блистательную реализацию. Современный зритель, как говорят в детективах, «слишком много знает». Пусть не знает, пусть только чувствует, что человек по-настоящему, всерьез думает, ничего при этом не иллюстрируя. Пусть видит (точнее, чувствует), что человек готовится принять решение. Но какое именно? И когда конкретно? Пусть не всегда понимает. Актера очень часто тянет к позированию, Броневой-Мюллер чужд какой-либо позы, он занимается своим непростым делом, как, между прочим, все мы очень часто работаем, не отражая лицевыми мускулами всех трудностей нашей работы. В принципе, теоретически ничего нового здесь нет. Немирович-Данченко говорил: «Лицо должно быть нейтрально». К сожалению, в нашей театральной и кинематографической практике это получается крайне редко. То актеру хочется быть красивым, то многозначительно задумчивым, то на редкость умным — причем до такой степени, что приходится прищуриваться.

Броневой-Мюллер нигде не щурится и не радуется, что к нему приходит, наконец, умная мысль. Она просто к нему приходит. Какая и когда — это действительно вопрос. Причем интересный. Настолько интересный, что спустя десятилетия этот фильм люди продолжают смотреть — хорошо понимая, что, несмотря на отменный актерский состав, явный лидер здесь один — Л.С. Броневой.

Зачем он время от времени подергивает головой? Что, это логично, закономерно? Можно однажды подергаться, если узок воротничок, но зачем же так часто? Какая цель? Что зритель должен в связи с этим понять? Это ведь нормальные режиссерские вопросы, никак не противоречащие практике и заветам великого Станиславского. Только режиссура в лучших своих проявлениях не стоит на месте, летит вместе с сумасшедшим временем. И мышление лучших актеров тоже претерпевает изменения.

Так вот, о мотивации. Человек посылает в окружающее пространство сигналов во много раз больше, чем предполагает. Не все сигналы заметны сразу, а из числа заметных — не все однозначны. Многие биологические мини-акции сразу свидетельствуют о тех или иных изменениях в организме, другие — не сразу. Их можно расшифровывать мгновенно, как в мыльных операх, но можно, как в серьезном психологическом актерском процессе, расшифровывать не сразу — с трудом, потом, после долгих размышлений, а могут остаться и такие живые сигналы, которые вообще не расшифруешь. Подергивание головой Мюллера — это работа для психоаналитика, психиатра, врача, очень опытного следователя. Не всякий зритель может им оказаться и, более того, заинтересоваться дерготней, чтобы найти первопричину своеобразного нервного тика. По моему режиссерскому разумению — всегда рационального (логичного) объяснения тому, что видишь, находить не надо. И на все вопросы о конкретном человеке отвечать не нужно, потому что в реальной жизни это практически невозможно.

— Зачем головой дергали? — задал я, может быть, самый важный для меня вопрос Броневому.

— Воротничок сшили узкий, я однажды от неудобства и повел головой. Потом перестал — режиссер Лиознова недовольно спросила: почему больше головой не трясете? Говорю: трясти? Она говорит: обязательно.

Почему так сказала Лиознова? Потому что талантливый режиссер. А почему Броневой превратил это в такую органически необходимую ему привычку? Потому что суперодаренный профессионал. Живые, не вызывающие сомнения в своей обязательности, на первый взгляд не мотивированные нюансы в человеческой пластике подсознательно повышают зрительский интерес к тем персонажам, которые уже сумели захватить внимание.

Короче, у интересного человека всегда есть своя загадка. У Броневого подергивание головой — одна из притягательных тайн Мюллера, которая незаметно оседает в нашем сознании.

* * *

Леонид Сергеевич очень укрепил труппу Ленкома, может быть, в какой-то степени спас ее «звездную плеяду», когда из жизни ушли почти сразу Евгений Павлович Леонов и Татьяна Ивановна Пельтцер. Он сыграл в «Мудреце», в «Варваре и еретике», о его Дорне в «Чайке» боюсь говорить. Это долгий, обстоятельный разговор, на который еще надо набраться сил.

Посмотрев у нас «Чайку», Петер Штайн сказал мне: «Вот о таком актере мечтал всю жизнь. Очень хотел бы с ним поработать».

Жалко, не поработал — получил бы таких... затрещин, так бы закалился и возмужал, что мы бы его потом не узнали. Характер у Леонида Сергеевича, как бы сказать совсем помягче, «у-у-у...». С режиссерами работает — как Иван Грозный с сыном на известной картине Репина. (Шучу, конечно, потому что очень люблю и слегка побаиваюсь.)

Поток политического сознания и народное депутатство

В 1989 году я, неожиданно для нашего народа и для себя самого, стал народным депутатом СССР. Это был «горбачевский призыв», когда, кроме нормальных депутатов, которых выбирали на избирательных участках, появились еще и не совсем нормальные, которых избирали в творческих союзах и общественных организациях.

М.С. Горбачеву так надоело видеть одни только партийные физиономии и постоянно слушать одни и те же номенклатурные речи, что он вместе со своими сподвижниками решился на смелую, я бы сказал, отважную, акцию. Страна жаждала обновления, и он, ощущая потребность нового времени, попытался привлечь к процессам перестройки интеллектуальную элиту.

Я тоже оказался в элите, точнее сказать, среди элиты. Союз театральных деятелей тайным голосованием в числе некоторых других известных в театральном мире людей избрал и меня. Я получил депутатский значок, красивое удостоверение, где было сказано, что я могу пользоваться бесплатно всеми видами транспорта, кроме такси. Еще, оказывается, я имел право вызывать дежурный депутатский автомобиль в любое время и из любого места. Этого я не знал, узнать не успел, потому что народных депутатов СССР скоро разогнали.

В Кремле мне очень понравилось. Особенно запомнился буфет, где цены были несоразмерны тем ценам, которые были тогда за пределами Кремля. Правда, такое было только на Первом съезде народных депутатов СССР, на Втором — цены уже были много хуже, как во всем остальном государстве.

Несмотря на то, что присутствовать на всех заседаниях съездов, от начала до конца, было делом тяжелым, я все равно вспоминаю эти дни со светлым ностальгическим настроением. Я увидел и услышал многих интереснейших людей. Мое место было расположено рядом с известным социологом и публицистом Т.И. Заславской и замечательным ученым-филологом В.В. Ивановым. Прямо передо мной сидел академик А.М. Емельянов вместе с Б.Н.Ельциным. Борис Николаевич часто оборачивался, и мы, хотя и мимоходом, обсуждали проблемы мироздания, а также номенклатурных привилегий.

Я познакомился с личностями самобытными и непохожими на моих театральных сотоварищей: с академиком В.И. Гольданским, с очень остроумным академиком Н.В. Карловым, с главным буревестником перестройки Н.П. Шмелевым, Г.В. Старовойтовой, Ю.Ю. Болдыревым, А.А. Собчаком, А.В. Яблоковым и многими-многими другими.

Очень запомнился Юрий Николаевич Афанасьев, автор блистательных историко-публицистических очерков и бессмертного обращения к депутатам. Проанализировав первые дни работы съезда, он вышел к трибуне и объяснил собравшимся народным избранникам, что они представляют из себя «агрессивно послушное большинство».

Познакомился я и с легендарной фигурой современности С.С. Аверинцевым — личностью загадочной и непредсказуемой. После одной очень нервозной и бурной схватки в районе президиума я, помню, бросился к нему за разъяснением лично его позиции, но он сказал так:

— Кошки очень интересные существа, много думаю о них. У кошек очень любопытные повадки, существует целый ряд особых кошачьих интересов. Например...

Далее я услышал краткое, но захватывающее по своей сути философское эссе о кошках вообще и перестал думать о президиуме съезда.

Г.Х. Попов объяснил мне (правда, несколько позже), что романтики перестройки, победившие демократы, ни на что серьезное не способны. Они хороши у микрофонов, в вихрях митинговых страстей, а конкретным делом по строительству новой государственной структуры заняться не сумеют. И вообще ничего хорошего у нас, победивших демократов, не получится, работать-то мы не умеем.

Вот такой был провидец. Но — оптимист, потому что по каждому случаю всегда хитро улыбался. Впрочем, он-то как раз и сделал полезное для новой России дело — смело двинул вместо себя на московские просторы Юрия Михайловича Лужкова, обладателя уникальных деловых качеств, человека редких кондиций, воли, ума, интуиции. Несмотря на его простонародный облик, Ю.М. Лужков, по моим наблюдениям, человек с философским складом ума, широчайшими познаниями в самых разнообразных сферах созидания. С Лужковым у всех москвичей связано так много позитивных эмоций делового, научного, строительного, общекультурного свойства, что рассказ о нем не хочется комкать. Это предмет многотомного исследования, где я готов написать одно из предисловий: «Лужков и московские театры».

* * *

Что касается Б.Н. Ельцина, то мы познакомились с ним в 1989 году еще при выдвижении кандидатов в депутаты в избирательном округе, где он выступал перед собравшимися как кандидат, а я — как доверенное лицо одного известного кинорежиссера. Я, помнится, был преисполнен публицистического неистовства, и во время ответов на вопросы Ельцин пару раз сослался на меня. У нас после встречи даже состоялся короткий исторический разговор. Вот только о чем мы тогда говорили — вспомнить не могу. Наверное, разговор был не историческим, а просто поговорили, и все. Историческим был визит Бориса Николаевича в Ленком, когда его с большим шумом выдворили со всех высших партийных постов. Я тогда позвонил Ельцину и пригласил его на один из премьерных спектаклей — «Диктатуру совести» М. Шатрова. Олег Янковский, который ходил в этом спектакле по залу с микрофоном, предлагая зрителям высказываться на самые больные внутриполитические темы, вскоре услышал возгласы: «У Ельцина чего-нибудь спросите! Пусть скажет Ельцин!» А одна дама не выдержала и даже громко закричала:

— На сцену его!

Янковский, перепуганный, бросился к Ельцину и объяснил, что на сцену ему выходить совсем необязательно — раз он пришел как зритель, пусть лучше скажет что-нибудь с места.

Ельцин сказал как-то очень коротко и толково. Зрители ему дружно зааплодировали, хотя Янковский микрофон ему в руки не дал, а держал перед носом. Потому что я категорически запретил выпускать микрофон из рук.

Однажды один скромный зритель попросил:

— Можно сказать в стихах?

Янковский обрадовался, передал зрителю микрофон. Зритель стал читать, но оказалось, что это у него не стихи, а поэма. Очень длинная. В нескольких частях.

После спектакля Борис Николаевич зашел ко мне в кабинет, где встретился с писателем-эмигрантом Юзом

Алешковским. Тем самым, что сочинил любимую народом песню «Товарищ Сталин, вы большой ученый...».

Несмотря на разгар антиалкогольной кампании, бледный администратор театра передал мне дрожащей рукой бутылку коньяка.

Когда мы разлили коньяк по рюмкам и у Б.Н. Ельцина зажурчала с Юзом Алешковским оживленная беседа — мне как в голову ударило: «Вот оно, новое время, здравствуй!» Потому что вообразить такое еще месяца два-три назад было невозможно. «Теперь в моем кабинете все возможно» — это вторая мысль, которая тоже ударила и тоже в голову.

Третья мысль была хуже двух первых, потому что Ельцин отправился из театра пешком. Автомобиля его лишили, а в театре в то перестроечное время с автомобилями было плохо, к вечеру они подлым образом кончались.

Я, как гостеприимный хозяин, ударился в панику и бросился к нашему электрику, который, по слухам, владел непристойного вида старым «Запорожцем».

Мы догнали одиноко шагающего Ельцина в переулке, и я аристократическим жестом распахнул с неприличным скрипом дверцу поданного автомобиля.

Ельцин оценил благородный поступок коллектива и, поблагодарив, полез в «Запорожец», полагая в нем уместиться. Это был явный просчет будущего Президента России. Без посторонней помощи и смекалки нашего электрика Ельцин в «Запорожце» ни за что бы не поместился. Иной раз его туловище уходило в крошечный салон почти целиком, но будущие президентские ноги втиснуться никак не хотели. Исчерпав свойственный мне аристократизм, я в конце концов в отношении ног применил грубую силу. И мне повезло, Борису Николаевичу тоже, потому что «Запорожец» хотя и завелся не сразу, но все-таки, вздрогнув от напряжения, вскоре уехал.

Довольно скоро я стал членом Президентского совета и иногда вспоминал на его заседаниях не только о своих общественных, но и личных заслугах. Даже мысленно проводил параллель с Гриневым из «Капитанской дочки», который вовремя не пожалел заячьего тулупчика.

Наверное, Ельцин не будет причислен к лику святых, но моя симпатия к нему, несмотря на все зигзаги его президентства, осталась по существу неизменной. Я сразу же, еще на собрании в избирательном округе, оценил его человеческую незаурядность, своеобразное, смелое мышление, личное мужество. Как режиссер очень зауважал его в момент его выхода из КПСС.

Пока Ельцин говорил в лицо недоброжелательно настроенному залу о своем решении расстаться с коммунизмом, воцарилась мертвая зловещая тишина. Его готовы были разорвать на части, но он смотрел им в глаза, и ненавидящие его люди испытывали страх перед человеком со столь мощной убежденностью, со столь явным энергетическим превосходством. Он, как гипнотизер, подавлял их номенклатурную психику, и они, сидя на своих местах, словно бы вбирая головы в плечи, пятились. И только потом, когда Ельцин пошел к выходу, в спину ему понеслись улюлюканье, свист и разного рода зловонные возгласы.

Пока он смотрел им в глаза и говорил, его доводы не казались залу убедительными. С точки зрения логики он ни в чем никого не убедил, просто его манера, пластика, воля, внутренняя нервная концентрация — все это было источником коллективного, неосознанного животного страха.

Эти выразительные мгновения из сферы человеческих взаимоотношений щедро пополнили мою режиссерскую коллекцию.

Режиссер обязан всю жизнь коллекционировать такого рода человеческие проявления, что не укладываются в среднестатистическую логику бытового мышления, выходят за ее пределы.

Когда Ельцину позволяло здоровье, он был всегда непредсказуемо остроумен, дружелюбен, нес в себе заряд какой-то веселой удали.

Он сохранил поразительную для бывшего секретаря обкома верность идеям гласности и свободы слова. Сейчас, когда пишу эти строки, многие весьма искушенные аналитики укоряют его во многих ошибках, пороках, заблуждениях. Я не хочу участвовать в этих разговорах не потому, что считаю его безгрешным, а потому, что убежден: личная, человеческая свобода, которая воцарилась наконец в стране после сплошного бесправия и цензурного гнета, — заслуга прежде всего Ельцина. После космических свершений Горбачева еще возможен был антидемократический, тоталитарный реванш, после Ельцина вернуть Россию к идеологии брежневского застоя почти невозможно.

Об идеологии, кстати, у нас возникла с ним хотя и непродолжительная, но полемика — в период активной работы Президентского совета, когда «довольно интересная» компания людей высказывала Президенту весьма откровенные, порой достаточно резкие суждения. Я сказал однажды, что большую часть своей жизни боролся с ненавистным мне идеологическим аппаратом, но теперь, когда этот аппарат уничтожен полностью, у меня вместе с радостью возникла определенная тревога: в жизни появилось слишком много нового, непривычного, очень многие люди растеряны и ждут от высшего руководства конкретных тщательных разъяснений в связи с совершенно новой ситуацией в стране; нельзя оставлять людей без плотного идеологического контакта, без диалога с властью — очень скоро образуется вакуум, и туда ринутся такие идеи и настроения, с которыми общество потом не справится, и построение новой демократической державы может затормозиться, в том числе по чисто идейным соображениям...

— Что же, нам теперь создавать министерство пропаганды? — удивился Ельцин. — Как у Геббельса?

— Нет, Геббельса нам не надо!.. — Я попытался еще раз сказать о всякого рода тоталитарных и сепаратистских идеях, но сделал это, видно, путано и неубедительно.

Вспоминаю об этом, потому что через несколько лет стало ясно, что информационные контакты новой власти с народом оказались проблемой серьезной, болезненно-острой. Огромное количество людей вдруг сразу осталось без надежных правительственных или президентских разъяснений. Например, по поводу разного рода финансовых пирамид. Правительственные органы обязаны были дать квалифицированную правовую информацию. Рефлексы, выработанные за долгие годы советской власти, были слишком быстро разрушены. Многие резкие шаги привели к непредсказуемым цепным реакциям.

Если бы я писал отчет о своем участии в работе Президентского совета, обязательно упомянул бы об очень глубоких и по-своему остроумных выступлениях Н.П. Шмелева, А.А. Собчака, Г.Х. Попова и многих других.

Мне тоже кое в чем удалось убедить Президента. Так мне, по крайней мере, казалось. Но вот уговорить его действовать решительно в тех случаях, когда ему наносятся личные оскорбления, не удалось.

Мне всегда казалось, что в стране, где люди очень часто не видят разницы между вольницей и свободой, надо думать о демонстративном ужесточении некоторых законов. Г.Х. Попов предлагал, например, в том числе в печати, рассматривать угон автомобиля как преступление, идентичное квартирной краже. Но Ельцин всякий раз уклонялся от проявления какой-либо узаконенной жестокости. Разговоры о том, что некоторые, скажем так, полемические суждения сегодня в России не должны звучать, всегда им решительно отклонялись. Здесь он проявлял себя как неисправимый демократ. Будучи человеком исключительной воли, властолюбия, энергии, он лично, по моим наблюдениям, боялся обижать людей и кому-то затыкать рот.

Мои утверждения, разумеется, относятся ко временам нашего довольно плотного общения, в том числе в утвержденном им Президентском клубе, где я однажды познакомился с семьей президента. Сейчас, когда я это пишу, слово «семья» считается почти неприличным. Но мне семья понравилась.

Последний раз я обстоятельно общался с Б.Н. Ельциным в день семидесятилетия Ленкома. По-моему, этот праздник, торжественный выход на сцену Президента России, запомнился не столько счастливому залу, сколько некоторым нашим коллегам, особенно когда Ельцин стал весело награждать орденами ведущих мастеров театра и зачитал список подаренных автомобилей. Здесь некоторые театроведы содрогнулись и усмотрели мое предательство передовых идеалов российской интеллигенции. Если ты подлинный художник, будь добр — либо зови к топору, как любимый писатель Ленина батька Чернышевский, либо демонстративно конфликтуй с ненавистной властью. Власть в России для истинного интеллигента всегда должна быть ненавистной. Если он честный человек.

Разговор об этом заблуждении, об этой химере, свойственной многим, в том числе неглупым деятелям культуры, традиционный и очень российский.

Я даже хотел бы привести сейчас весь список «предателей», то есть тех театров, где Президент побывал лично, где заглядывал за кулисы и где иудины дети ему радовались.

Еще меня укоряли: как не стыдно во время чеченских событий отмечать в театре юбилеи, когда вся лучшая интеллигенция и СМИ духовно присоединились к народно-освободительной войне под руководством Дудаева, Басаева, Яндарбиева и других борцов за свободу и народное счастье. (Речь идет о первой чеченской войне.)

Скажу прямо, я никогда не сочувствовал воинствующему чеченскому сепаратизму, грозящему окончательно развалить российскую державу. Я этого не скрывал ни в начале войны, ни после и выступал по этому поводу на страницах «Известий». При всем моем радикальном демократизме, очевидно, многонациональная российская держава — для меня понятие святое.

Что удалось домыслить усилиями лучших умов России? Нынешняя власть вполне соответствует тому обществу, которое возглавляет. Добавлю: если я раньше усмехался и острил по поводу Государственной думы, сейчас отношусь к ней с предельным вниманием, если не уважением: она — точный индикатор, зеркальное отражение того, что мы из себя представляем. Отмахиваться от нее, потешаться над перипетиями думских заседаний, по меньшей мере, неразумно.

Надо ли обязательно при всех случаях презирать власть и от нее шарахаться? Не знаю. Дело личное, интимное. Но хочу напомнить, что в нашей истории были не только последователи Чернышевского, были еще и продолжают существовать традиции Жуковского, Карамзина, Сперанского, Тютчева, Островского, наконец, Пушкина. Ведь написал же он восторженную оду царю Александру I! Конечно, любил и позволял себе злые эпиграммы. Но кто просил его так долго и обстоятельно общаться с Николаем I, с которым завязал практически дружбу? Известно и худшее — как щедро оплатил душитель декабристов долги погибшего поэта! Чего стоит одно только письмо царя к поэту после злополучной дуэли: «О жене и детях не беспокойся. Они будут моими детьми, и я беру их на свое попечение». Какие отношения надо было поддерживать с царской властью, чтобы получить такое письмо?! Андрей Дмитриевич Сахаров, например, по собственной инициативе шел на контакт с советским правительством и ЦК КПСС, направляя высшему партийному руководству проекты переустройства страны. Великий русский интеллигент Дмитрий Сергеевич Лихачев никогда не избегал общения с властью — я сам присутствовал на его оживленной беседе с Президентом. Он даже не побоялся принять из его рук орден Андрея Первозванного. Принимал, кстати, достойно, не морщился.

Наверное, до поры до времени на политическую власть можно вообще не обращать внимания — если она ведет себя безукоризненно, а если нет — у аполитичного писателя Ивана Бунина появляются «Окаянные дни»...

Великий Чехов тоже мечтал от политики держаться подальше. Его счастье, что не дожил до 1917 года или, хуже того, до 1919-го!..

Я, кстати, продолжаю думать, что общение Ельцина с Сахаровым оказало в определенный момент серьезное влияние на будущего президента. Не прошло оно бесследно и для Горбачева, хотя в отношении Сахарова он был на Первом съезде депутатов СССР, как бы теперь сказать помягче, некорректен.

Раиса Максимовна Горбачева, по некоторым сведениям, сделала очень многое для привлечения к идейному руководству перестройки наиболее интересных и заметных деятелей российской культуры, которые этому не воспротивились. По-моему, именно она сосредоточила общественный интерес на Д.С. Лихачеве. Да и сам Михаил Сергеевич очень внимательно следил за настроениями творческой интеллигенции и отдельными ее наиболее яркими представителями. Он не стеснялся проявлять инициативу и идти на идейное и человеческое сближение.

Я тоже попался ему однажды под горячую руку — и с Тенгизом Абуладзе, Василем Быковым, Игорем Дедковым ездил вместе с ним в Нью-Йорк, где он, кстати замечательно, выступал на сессии ООН. Очевидно, я угодил в его свиту опять-таки по рекомендации Раисы Максимовны. Она инкогнито побывала в Ленкоме без Михаила Сергеевича и потом делилась со мной своими впечатлениями. В Нью-Йорке мы даже втроем беседовали о моем фильме «Убить дракона», и Горбачев признался, что посмотрел его дважды, что меня несколько озадачило.

Но особенно удивил первый наш контакт. После какого-то многолюдного перестроечного заседания в коридоре здания ЦК КПСС на Старой площади я услышал в толпе шагающих рядом людей его насмешливый голос:

— Да, задал ты нам задачки!..

Михаил Сергеевич имел в виду, скорее всего, только что появившуюся в «Огоньке» мою песню перестроечного вдохновения. Впрочем, может быть, последний Генеральный секретарь ЦК КПСС подразумевал под «задачками» и мое выступление в прямом эфире программы «Взгляд». Оно имело шумный продолжительный резонанс.

Ведущий телепрограммы Владимир Мукусев пригласил меня однажды в студию и показал репортаж о длинной очереди в Мавзолей. Репортер записал у стоящих в очереди отдельные короткие реплики, и все они почему-то удивляли своей дурашливостью и отсутствием какого-либо пусть не скорбного, но осмысленного настроения. Я должен был, по мысли Мукусева, выступить со своим личным комментарием. Когда я поведал, что именно хочу сказать, Мукусев ответил, что запись наша будет происходить дважды: один раз — для районов Сибири и Дальнего Востока, второй раз — для европейской части, но то, что я хочу сказать, удастся сделать только единожды, второй раз мои предложения в эфир не выйдут. Я выбрал европейскую часть Отечества и в первой записи был неопределенно-уклончив. Естественно, потом я порвал с уклончивостью, и в прямой эфир на Европу пошел мой монолог о сталинском кощунстве, который, вопреки христианским традициям, превратил могилу в праздничную трибуну, явно используя труп в своих политических целях. И о том, что нельзя выставлять покойника на многие десятилетия с открытым лицом для всеобщего обозрения. И о том, что необходимо, с моей точки зрения, деликатно ликвидировать языческое кладбище на центральной площади столицы православного государства и похоронить Ленина по-человечески, в соответствии с культурными традициями той страны, где он родился.

Разумеется, это не дословная запись моего телемонолога, потому что с протокольной точностью я его уже воспроизвести не могу. Это было так давно, что еще собирался на свои заседания Пленум ЦК КПСС. Кстати, мое выступление прозвучало незадолго перед его последним в нашей большевистской истории заседанием.

Просматривая свежие газеты с материалами Пленума, я сразу же обнаружил яростную партийную критику в адрес Центрального телевидения и лично моего выступления. В театр пришло два письма от заводских коллективов без точного обратного адреса, где извещалось о всенародном возмущении и вынесении мне от имени рабочего класса смертного приговора. Жена было встревожилась, но я довольно скоро сообразил, что выступления на Пленуме уже не несут в себе, как в прежние годы, серьезной опасности. В газете «Правда» вместо Марка Анатольевича я в выступлении одного из возмущенных партийных вождей был назван Марком Александровичем, народным артистом СССР, в то время как я числился тогда только народным РСФСР. Это был добрый знак. Я знал, что при редакции «Правды» существует мощный институт проверки. Ошибок в этой газете изначально вообще быть не может, а если они вдруг появились, значит, кто-то их заметил, но умышленно не стал редактировать маразмирующих ораторов. Похоже, кто-то перестал заботиться об их авторитете и, возможно, с пониманием отнесся к моим словам.

Точно утверждать не берусь, но, услышав смешливый голос М.С. Горбачева и оценив его веселый глаз, я понял, что Пленум ЦК больше не представляет для людей смертельной опасности.

* * *

В период съездов народных депутатов у Б.Н. Ельцина состоялись, по-моему, очень важные для его демократических намерений и плодотворные контакты с Андреем Дмитриевичем Сахаровым.

Они вдвоем стали центром образовавшейся на съезде Межрегиональной депутатской группы. Благое намерение создать первую цивилизованную оппозицию, по-моему, очень встревожило Горбачева. Поэтому участвовать в работе группы сначала изъявило желание свыше четырехсот депутатов, но после указания Горбачева напечатать поименный список межрегионалов нас почему-то осталось вполовину меньше.

Помню, как мы собирались сначала в Кремле, потом в гостинице «Москва», где А.Д. Сахаров на потертой портативной машинке почему-то сам печатал программное воззвание Межрегиональной группы.

Здесь я приближаюсь к центральному месту всех моих повествований — личному знакомству с великим Сахаровым и нашему первому разговору с глазу на глаз.

Воспоминание об этом историческом мгновении в моей жизни осталось навсегда. На некоторых творческих вечерах мне писали не только записки, но иногда выкрикивали из зала:

— А теперь расскажите о ваших встречах с Сахаровым!

Здесь я всегда испытывал некоторый дискомфорт, но... Дело было так.

В разгар перестроечной эйфории М.С. Горбачев пригласил в свой кабинет на Старой площади группу творческих и научных работников. Не слишком большую, но и не такую уж маленькую. Поэтому во время перерыва в мужском туалете, имевшем почему-то единственную кабину, выстроилась очередь из лучших представителей научной и творческой интеллигенции. Я несколько раз заглядывал, но все не решался присоединиться — не из гордости, а по природной скромности. Наконец, когда очередь сократилась до двух человек, я принял окончательное решение, тем более что перерыв заканчивался.

Когда последний стоящий передо мной сторонник перестройки захлопнул дверцу, я услышал за спиной шаги и почувствовал, что уже не я замыкаю очередь, а кто-то другой. Действительно, случилось. Рядом со мной стоял великий физик и правозащитник. Когда кабина освободилась, я, движимый лучшими побуждениями души, сказал Андрею Дмитриевичу, что ввиду его появления своей законной очередью воспользоваться не сумею.

— Ни в коем случае! — возразил Андрей Дмитриевич с нарочитой строгостью. — Здесь у нас должна царить полнейшая демократия!

Я захлопнул задвижку и, как назло, задумался о демократии. Не потому, что в ней усомнился, и не потому, что забыл, зачем сюда вошел. Просто занервничал, по-человечески. Когда понял, что нервничаю слишком долго, а главное, безрезультатно, решительно открыл кабину и честно признался, что ничего хорошего у меня не получается.

Андрей Дмитриевич понимающе развел руками и согласился занять мое место.

Когда он вышел из кабины, я решил с ним откровенно посоветоваться:

— Андрей Дмитриевич, не разрешите ли это обстоятельство зафиксировать в мемуарах?

— Разумеется, — улыбнулся Андрей Дмитриевич. — Абсолютно никаких возражений!

На всякий случай эту публикацию я согласовал потом с Е.Г. Боннэр, вдовой А.Д. Сахарова, которую мне удалось развеселить.

* * *

С каждым заседанием съезда народных депутатов я все явственнее начинал понимать, что период перестроечной эйфории сменяется каким-то иным историческим этапом.

Зашла речь о формировании нового Верховного Совета. Начинали возникать тяжелейшие ситуации — в связи с событиями в Тбилиси, с протестами депутатов Прибалтики.

После выборов М.С. Горбачева Президентом СССР на одной его встрече с некоторыми деятелями культуры я попросил слова и честно признался, что пришел к выводу: профессиональным парламентарием должен быть не просто хороший режиссер, талантливый шахматист, добрый врач или умный академик. Конечно, могут быть единичные исключения, но парламентарий — это человек специфического таланта, имеющий незаурядные правовые и политологические познания, человек особого характера и особых человеческих кондиций.

Последний раз я участвовал в заседании Межрегиональной группы, когда один из докладов, о предполагаемом статусе депутата, делал А.М. Оболенский. Именно тогда меня посетила нехитрая мысль, что разного рода громкие политические акции притягивают к себе не совсем здоровых людей. Аналогичная ситуация в театре. Ко мне — и вообще в театр — ломится столько, скажем так, неуравновешенных людей, что иногда становится и страшно, и грустно.

Между прочим, первым человеком, попросившим меня как народного депутата о встрече, был мой коллега, режиссер из небольшого города, которого уволили без достаточных на то оснований. Я смог принять его только поздно вечером, после спектакля. Он пришел ко мне с огромной кипой бумаг. Это были разного рода документы, мы принялись их вместе читать до тех пор, пока театр окончательно не опустел. Вскоре я понял, что в этом гигантском потоке заявлений, судебных заключений и просто частных записок разобраться без специальных познаний просто невозможно. Поскольку снова обращаться в суд коллега категорически отказался, я признался, что помочь ему не в силах и, может быть, ему стоит обратиться в Управление театров республиканского министерства.

— Да был я там вчера, — грустно сообщил коллега. — У этого... — Он назвал известное мне имя. — Тоже читал, читал, потом говорит: помочь не могу.

— Вы что же, не поверили?

— Конечно! Приставил ему нож к горлу. Он сразу извинился, говорит, помогу.

Поскольку дело происходило уже фактически ночью, я пообещал примерно то же самое.

Хотя думал потом о другом — как похудшало психическое здоровье у электората. Но и депутаты тоже хороши!..

Оболенский, делая доклад о статусе депутата, выдвинул революционную идею: у депутатов должна быть специальная, заметная всем форма одежды. Чтобы люди, даже идущие по противоположной стороне улицы, видели — вон идет депутат. Поскольку наиболее выразительная одежда была, по моим представлениям, у мушкетеров во Франции, то я живо представил себе широкополые шляпы с перьями и нарядные плащи. Поэтому, доклада до конца не дослушав, понял, что хочу свое народное депутатство спустить на тормозах. История помогла. Ликвидация СССР сама, без моего участия, решила этот вопрос.

* * *

Чтобы закончить с памятными для меня лично политическими страстями, выберу из них то, о чем чаще всего вспоминают журналисты. О моем сгоревшем партбилете. Признаюсь сразу, что я сожалею о том, что это произошло перед телекамерой и в порыве глупой театральной экзальтации. Выходить из КПСС надо было если и демонстративно, то спокойнее и по-другому.

В течение нескольких лет я вел телепрограмму «Киносерпантин», моя физиономия излишне часто появлялась на телеэкране, и на улице меня стали многие узнавать. Во время памятных событий военного путча 1991 года я вместе с другими москвичами рванул к танкам, где некоторые люди приветствовали меня как самого смелого борца с коммунистическим реваншем. Кстати, в день путча из депрессивного состояния меня вывел Егор Яковлев, смело возглавлявший тогда газету «Московские новости». Я входил в редакционный совет при редколлегии, и, собрав его, всегда неунывающий и отважный Егор Владимирович, возглавляя уже запрещенную газету, предложил немедленно выступить с воззванием к демократическим силам России, не желающим возврата к тоталитаризму. После этого Яковлев пообещал немедленно напечатать этот призыв к борьбе в виде листовки. Все собравшиеся его поддержали. Все подписались под листовкой, но прежде чем поставить свою подпись, я все-таки мысленно стал прикидывать, в какой очередности будут арестовывать. Подумав, я отнес себя к третьей группе, тем более что в Кремле уже составлялись арестантские списки. Умные люди потом поправили: в случае арестов пойдешь не в третьей группе, а во второй.

Любопытно было видеть на следующий день эту самую листовку с моей подписью, расклеенную на стенах домов, заборах и даже на бэтээрах и танках.

Москвичи проявили тогда редкое единодушие, и перепуганные алкоголики с трясущимися руками и танцами маленьких лебедей, попятившись, вывели войска с московских улиц, где сразу наступило законное ликование. Когда меня приветствовали незнакомые мне люди, я почему-то думал: вероятно, не знают, что я коммунист.

Очень скоро по телевидению выступил Нурсултан Назарбаев и сообщил, что группу коммунистических путчистов поддержали все региональные и республиканские руководители КПСС.

Состоялась прерванная танками запись очередного «Киносерпантина», где я еще раз процитировал сообщение Назарбаева, а потом как-то спонтанно, к радости оператора, чиркнул спичкой возле этого уникального документа, где утверждалось, что его владелец изначально принадлежит к «уму, чести и совести нашей эпохи».

Да, надо было расставаться с этим позорным документом как-то по-другому, но очень хочу спросить у тех, кто давно оставил КПСС, но никак не может по поводу меня успокоиться:

— Вы-то уничтожили свои партбилеты или где-то храните? Если не уничтожили, а спрятали, то зачем? На всякий случай? Как в годы оккупации? До поры до времени?..

Некоторые, наверное, ответят: храню как память. А память чего?

Отдельный вопрос о некоторых свойствах исторической памяти. Мы, конечно, намного умнее немцев. Они, дураки, хотят ничего в своей истории не забывать, очень умело и умно напоминают о фашистских ужасах по телевидению и в печати, причем регулярно. Я часто бывал в Германии и знаю, что в ратушах многих городов существуют постоянно действующие фотовыставки, где запечатлены концлагеря с грудами трупов, дымящиеся печи. Туда в обязательном порядке приводят школьников, чтобы те на всю жизнь запомнили страшные годы нацизма. Однако зримо-торжественную память о позорной странице победившего в Германии тоталитаризма немцы сохранять не желают. В отличие от нас — недалекие люди. Не оставили на улицах ни скульптур, ни даже бюстов фашистских вождей. Сочли, что те, кто в XX столетии подвергал свой и чужие народы массовому плановому истреблению, те, кто умерщвлял детей и превращал их в скелеты, кто строил хорошо оборудованные лагеря с душегубками, не достойны скульптурных изваяний. Удивительно, как не дрогнули руки тех, кто переименовывал улицы с историческими названиями — именами Гитлера, Геринга, Гиммлера.

Здесь мы, конечно, ощущая широту нашего интеллектуального и идеологического превосходства, не стесняясь, спрашиваем: «Гитлер был что, по-вашему, идиотом? Был только идеологом арийского антропологического превосходства? Только организатором уничтожения семи миллионов евреев? Он создал программный документ по превращению славян во второсортное, ограниченное по численности племя, — и это, по-вашему, все? А его действительно выдающийся ораторский талант? Кстати, всеми признанный. А выдающиеся, особенно в первые годы власти, стратегическое мышление и организаторский дар? А подъем экономики, строительство дорог? Он что, не достоин ни одного памятника? А как можно не удивляться Герингу, по существу отцу современной космонавтики? Ракета «Фау-2» — это же без пяти минут искусственный спутник Земли...»

Нехорошо поступают немцы. Нельзя ничего из того, что принадлежит истории, сносить или сжигать. Закономерно, что многие у нас искренне сожалеют о сносе изваяния на Лубянской площади. Осиротела площадь. Какой был чекист! Как упорно и изобретательно уничтожал врагов большевистской диктатуры! Немцы-то скульптуру такого организатора геноцида снести бы не пожалели. А мы жалеем — потому что умнее.

Это у меня спонтанный политический наезд на Германию. Врагов надо искать с большей смелостью и геополитическим размахом. Без врагов мы многого не объясним в своем нынешнем созидании.

Думаю, что все-таки старые партийные билеты надо беречь и перепрятывать. Наверное, я умный, раз потом все правильно понимаю, хотя и задним числом.

Недаром во время митинга демократических сил примерно году в 1989-м В.И. Новодворская на Пушкинской площади объявила в мегафон народу, что лучшим президентом сегодня был бы режиссер Марк Захаров.

Я на митинги ходить не люблю, поэтому живьем такого полезного для народа совета не слышал, но многие знакомые подтвердили:

— Твое имя выкрикнули в президенты.

Как на новгородском вече. Ведь была у нас такая попытка приблизиться к демократии. Почему-то не прижилась. При Анне Иоанновне в XVIII веке мы тоже были близки к созданию «дворянской республики». Вспоминаю это для того, чтобы подчеркнуть, что в XX веке Россия предпринимала три попытки перебраться в новую цивилизацию, войти в мировое содружество демократических государств с развитой экономикой. Первая попытка — постепенное созидание конституционной монархии после 1907 года и мощный промышленный рывок. Вторая попытка — формирование большевистской империи с сильной системой государственного распределения. Третья попытка тоже случилась, но уже закончилась 17 августа 1998 года. Хватит ли сил в XXI столетии совершить четвертую? Можно ли, уничтожив крестьянство как класс, ликвидировав элитный генофонд, стать народом, не глупее поляков или китайцев?

Этого я не знаю, но зато знаю, почему пока не получается с нормализацией экономики. Как говорит в нашем спектакле «Мистификация» Собакевич:

— Немцы мешают.

В попсовом потоке

Режиссером разного рода торжеств, юбилеев и презентаций может стать далеко не каждая личность, обученная на режиссера, даже если она обладает ярко выраженной организаторской хваткой. Человек, занимающийся постановкой концертно-радостных мероприятий, по своему культурному и интеллектуальному развитию ни в коем случае не должен приближаться к среднестатистическому режиссерскому уровню, он должен от него держаться подальше, не стесняясь отставать в своем человеческом и профессиональном развитии. Такое лицо должно быть по-своему дремучим и обладать заниженным представлением как о визуальных, так и звуковых критериях современной эстрады.

Главная цель такого рода специалиста-постановщика — обрушить на собравшихся дежурный шквал достаточно однородной, как теперь принято говорить, «попсы», среди которой может даже промелькнуть два-три имени, представляющих известный профессиональный интерес.

Для того чтобы затруднить какую бы ни было зрительскую оценку случившегося грохота с однородными голосистыми пританцовками, организатор такого рода зрелищ ни в коем случае не должен как-то эстетически или постановочно развиваться. От добра добра не ищут. Конечно, следует следить за модой, новой электроаппаратурой, но успех в этом деле всегда зиждется на продолжительности во времени, на количестве мелькающих лиц, открывающих рот под фонограмму, бодрых хоров, тощих топ-моделей в прозрачных платьях, вымуштрованных детей с ужимками взрослых поп-звезд и несвежих народных умельцев с балалайками.

Особо следует выделить два обязательных качества. Первое: необыкновенную протяженность мероприятия. За несоразмерную трех-, четырех-, пятичасовую длительность торжества никто никогда не обидится. Мы изначально, генетически не обладаем чувством формы, и фактор времени для нас всегда второстепенен. Единственное, в чем нам удалось преуспеть, — в радости темпо-ритмического ускорения, своеобразного звукового озверения и введения при каждом случае музыкальных отбивок, призванных взбадривать и без того вздрагивающих зрителей.

Второе обязательное качество: не дать зрителю обмолвиться друг с другом не то чтобы репликой — словом. Для этого нужно нарастить такое количество децибелов, такую звуковую зубодробящую мощность, чтобы на всякий случай полностью исключить общение зрителей между собой. В том случае, если приглашенные на торжество сидят за столиками, здесь ликвидация всякого нормального общения особенно важна. Один умный человек объяснил мне, почему так громко: «Чтобы не сказали лишнего».

Почему постановщик такого рода оглушительных акций должен быть неумным человеком? Сегодня развитие интеллекта пойдет ему во вред. Он не должен различать жанры, не говоря уже о стилистических или протокольных нюансах. Ему вредно отличать особенность одного торжества от другого, так же как и исследовать интеллектуальный состав зрительской аудитории и цели, что движут людьми, желающими собираться вместе.

Может быть, когда-нибудь у нас появятся режиссеры, отличающие ночную дискотеку от правительственного приема или просто юбилейного торжества, на котором собрались люди, жаждущие чисто человеческого общения. Сегодня это не нужно и преждевременно.

Да, есть жанр стадионного концерта некой рок-группы, собирающей мощную толпу своих поклонников. Здесь могут быть и закономерный экстаз, и повышенная звуковая мощность. Люди за этим пришли. Но существуют и другие формы коллективного веселого времяпрепровождения, которые, очевидно, в ближайшие пять-десять лет будут полностью игнорироваться. Это — реальность, от которой не следует отмахиваться. Преуспевает сегодня тот, кто действует по строго очерченным правилам: максимум звука, минимум пауз и обязательные постоянные оглушительные выкрики: «Ваши аплодисменты!»

Это правильно, потому что зрители, задавленные количеством оглушительных, но малоизвестных Эльвир, Бжезик, Наташ и Алексов, не испытывают, как правило, желания встречать подозрительные физиономии с обязательной радостью.

Почему я все-таки убежден, что такого рода инструктор массовых торжеств и юбилеев ни в коем случае не должен умнеть? Вредно. Допустим, он догадается, что мы уже давно живем в сверхплотной и совершенно новой информационной среде, что пространство, окружающее нас, до предела забито музыкой или тем, что ее заменяет. Постепенное и достаточно ощутимое заполнение звуковоспроизводящей аппаратурой нашего домашнего быта дает возможность устроить у себя на дому сокрушительную квадрофонию пополам с «долби»-системой. Появились даже отдельные лица, пользующиеся при этом наушниками, что в целом пока не характерно, но уже случается. В этом случае грохот среднестатистической малоизвестной и даже якобы популярной группы воспринимается как принудительно вводимое лекарство. Как искусственное кормление. Я дома могу услышать то же самое, тем более что вся наша ведущая «попса» поет под фонограммы. От того, что у меня есть дома именно эти записи, ничем не отличающиеся от того, что в меня принудительно вбивают, мое зрительское подсознание начинает сперва испытывать незаметный дискомфорт, а потом, наконец, и сознание, если оно не деформируется и остается при мне.

Дело непростое. Описываемый мною полурежиссер-полуинструктор может в конце концов при всей его ущербности догадаться, что такого рода сокрушительный звуковой фон пригоден лишь для дискотеки или ночного бара. Но если он, не дай ему бог, задумается о зрительском настроении, о предполагаемом настрое людей, собирающихся для других целей, — он запутается в многообразии развлекательных жанров, он деградирует — сначала профессионально, а потом, от отчаяния, и человечески. Опасно.

Когда-то, в старину, считалось, что актер не должен быть умным. Ум ему помешает на сцене. Наблюдения давно ушедших лет не всегда были глупыми, хотя время постепенно внесло свои коррективы в актерскую профессию. Современный талантливый актер серьезного психологического театра просто не имеет права быть дураком, в противном случае его актерская карьера не состоится. Поэтому тем ценнее профессия режиссера праздничных концертов и массовых торжеств — она по-своему уникальна именно при непременной интеллектуальной заниженности.

Индустрия досуга, которая имеет устойчивую тенденцию к развитию, так же, как шоу и ресторанный бизнес, вскоре потребует своих профессионалов. Время недоумков будет постепенно заканчиваться, хотя и нескоро. В XXI столетии придет день, когда вновь открывающемуся ресторану или центру досуга, теряющему своих клиентов, потребуется человек с режиссерскими наклонностями, ибо одной сменой шеф-повара дела не наладишь. Появятся профессионалы с тонкой интуицией, могущие просчитать, из каких составных элементов может сложиться престиж развлекательного заведения, более того, их интеллект приблизится к пониманию такой сложной и чисто режиссерской категории, как «атмосфера» дома, куда людей потянут сознательные и подсознательные рефлексы. Это случится не скоро, но случится. Поэтому тем, кто сегодня организует монтаж сокрушительных по звуку фонограмм с оглушительными выкриками «Встречайте!», «Ваши аплодисменты!», с бесконечным «принудительным» кормлением винегретом из мелькающих стертых лиц, однообразных приплясываний и требований к залу учинять в честь исполнителя «скандеж», — время этих одуряющих празднеств вне дискотек и специальных ночных баров может вскоре катастрофически закончиться. И мой чисто профессиональный совет: пока существует потребность в такого рода «постановщиках» — не жалеть времени, работать на износ, не покладая рук, зарабатывать, не щадя усилий, пользоваться ситуацией, пока не пришли умные люди, пока не утвердила себя на этом поприще генерация иной культуры.

* * *

Сегодня звуковой уровень и качество музыки на торжестве, где люди жаждут веселого и непринужденного общения, — мощный и чрезвычайно точный индикатор культурного статуса тех стен, где они собрались.

Есть несколько весьма надежных тестов, по которым нетрудно определить культуру заведения, где вы оказались. Зайдите, прошу прощения, в общественный санузел. Внимательно оглядите это пространство, и вам совершенно необязательно ревизовать остальные помещения — абсолютно точно станет ясен культурный уровень заведения и отчасти заполняющий его контингент сотрудников.

Музыкальная звуковая среда — не менее точный индикатор. Если в лифте отеля еле слышно звучит классическая музыка — вы в пятизвездочном отеле. Если в этом же отеле раздельно существуют бар, рестораны и дискотека — это только подтвердит его пятизвездочность. Если при этом еще существуют небольшие залы для разных целей и без всякого принудительного музыкального давления на мозги — оцените это пространство с закономерной благосклонностью, — оно наше будущее.

Комплекс Хлестакова

Я уже не раз твердил, что уважающий себя режиссер должен быть до некоторой степени, как говорят в народе, «с тараканами». Если тараканов у тебя нет, их надо придумать и развести, желательно в ограниченном количестве, иначе в наш век поголовного роста всевозможных психических аномалий у художника может действительно «поехать крыша» и он, попросту говоря, от навалившихся на него эмоций сойдет с ума.

Режиссера, и это, наверное, закономерно, так и тянет натянуть на себя личину фигуры такой творчески самобытной, от которой другим нормальным людям желательно вздрагивать. В крайнем случае, озадачиваться. Тут важен, конечно, и внешний облик, вернее, столь желанный для нашего времени имидж. Если ты останешься без имиджа — ничего хорошего не жди.

Знаменитый режиссер середины XX века Борис Иванович Равенских, человек очень неглупый и талантливый, иногда прилюдно начинал «гонять с себя чертей». Черти у него всегда были небольшими, сродни насекомым, и он их быстро-быстро гонял с пиджака в течение одной-двух минут эдакими короткими, очень целеустремленными встряхивающими движениями. Конечно, над этим подсмеивались, но где-то тайно и подсознательно после чертей начинали уважать чуть больше.

Главный патриарх нашей режиссуры Андрей Александрович Гончаров время от времени, правда, только в рабочее время, начинал до ужаса громко кричать, причем не всегда испуганные люди догадывались, по какой причине. Безадресный крик иногда хорош тем, что относится как бы сразу ко всем без исключения и как бы повышает общий тонус творческого поиска. Конечно, такой целенаправленный звуковой вал иногда сбивал новичка с ног или погружал в состояние прострации. Но если новичок выходил из него психически полноценным, выдерживал, — то постепенно с годами начинал привыкать к громкому ужасу гончаровских претензий, и когда патриарх смолкал, чтобы отдохнуть, отдельные артисты испытывали даже некоторый дискомфорт. Чего-то им недоставало.

Валентин Николаевич Плучек любил «отключать» репетирующих с ним артистов стихами. Он, как правило, без видимой причины вдруг начинал, закрыв глаза, заполнять репетиционную комнату поэтическими сочинениями Мандельштама, Блока, Маяковского. (Такое количество стихов запомнил еще из наших современников один только Михаил Козаков, тоже личность с отклонениями, — но я его в репетициях не видел, хотя подозреваю: есть на что посмотреть.) Плучек, подняв голову к потолку, часто впадал в своеобразный транс, как бы оставаясь с артистами и одновременно улетая от них как можно дальше, особенно от некоторых, вроде Александра Ширвиндта, которого никакой транс никогда не брал. Пространные поэтические потоки, что приятно, были продолжительными, и артисты постепенно понимали свою не то чтобы ущербность, но их посещало своего рода смятение по поводу невозможности самим запомнить сразу столько поэтических шедевров. Коллектив как бы необязательно содрогался, как во время оглушительных криков Гончарова, но погружался в дебри экзистенциализма, грустно затихал, подавленный таким количеством неизвестно по какому случаю взявшейся поэзии.

Первое время после назначения главным режиссером я тоже пытался подражать Плучеку, но, кроме как «У лукоморья дуб зеленый...», мне ничего в голову не приходило. Поэтому я, очень скоро покончив с котом, стал начинать репетиции с веселых глупостей, литературная ценность которых всегда оставляла желать лучшего. Я потом даже приносил свои извинения. Не потому, что такой хороший, а потому, что тоже странный. Впрочем, я рано заговорил о себе — в нашей режиссуре есть люди с более любопытным имиджем, я уж не говорю про талант.

Из суперодаренных людей, конечно, очень интересен Анатолий Васильев. Что до бьющих по глазам странностей — то здесь он явный лидер. Поначалу мастер добивался стойкого ощущения у присутствующих, что он только что выпущен по амнистии и пока перебивается кое-как с хлеба на квас — поэтому и чемодан украден, есть только котомка. При таком положении казенный бушлат и косынка, конечно, были всегда закономерны и органичны. Но поскольку мастер уже долго на свободе, некоторые едва заметные изменения в свой облик он, по-моему, внес. Естественно, не порывая с общим выстраданным образом измученного художника.

Можно и дальше перечислять странности других режиссеров, но полезнее докопаться здесь до первоосновы, первопричины, возможно, на подсознательном уровне.

Во-первых, если режиссер хочет добиться успеха, он должен пусть очень незаметно и деликатно, но все же соблюдать известную дистанцию между собой и актерским коллективом. Во-вторых, не хочется забираться в очень далекие воспоминания, но во времена частых актерских собраний даже уверенный в себе режиссер подчас чувствовал себя лосем, окруженным волчьей стаей. Каждый волк в отдельности, может быть, даже и симпатизировал лосю, тем более если лось старался выглядеть добрым оленем и даже не хотел его грызть в одиночочестве, но товарищеское окружение с поднятыми загривками подвигало даже самую миролюбивую особь в гущу корпоративно-клановых интересов. Здесь неожиданные упреждающие удары вместе с коллективным рыком носили бессознательно-оправданный характер. А потом, если честно, режиссер, даже если он семи пядей во лбу, не может в чем-то не оступиться, где-то не напортачить и, главное, никогда не умеет, гад, разделить все роли поровну, признать талант всех собравшихся артистов одинаковым. Почему одним дают хорошие роли—другим нет? Вот он, вечный вопрос, который, как «быть или не быть», мучит поколения артистов.

Как его ни люби, как ни лелей, артист все равно, иной раз подсознательно, подозревает режиссера в скрытой зловредности. Режиссер тоже подозревает своего любимца не в самых добрых намерениях. Потом, конечно, может наступать общее отрезвление и четкое понимание, что мы уже друг без друга не можем, что, несмотря на травмированную нервную систему актера и такую же издерганную психику режиссера, мы искренне любим друг друга. Примерно как в том анекдоте про жену: «Ты не хотел с ней развестись?» — «Развестись — нет. Убить — да».

Помимо демонстративных странностей, у режиссеров еще сплошь и рядом встречаются сугубо внутренние аномалии. Самому их определить легче, потому что со стороны на себя посмотреть сложно, а заглянуть внутрь иногда удается.

Я, когда стал заглядывать, обнаружил, что мое стойкое влечение к самоиронии привело в конце концов к шизоидному комплексу, который я стал именовать «комплексом Хлестакова». То есть время от времени я стал упорно попадать в ситуации, когда начинал ощущать себя гоголевским Хлестаковым из «Ревизора», и меня, естественно, начинал душить смех. Поскольку смех возникал чаще всего в одиночестве и я его стеснялся — он подлым образом усиливался. Если я смеялся долго и один — проклятый смех переходил в затяжной хохот, и тут же становилось не до смеха.

Первые такие приступы стали проявляться, когда вместо ВТО образовался СТД СССР (Союз театральных деятелей). Я был избран секретарем и как бы участвовал в руководстве театральной деятельностью огромного государства. Конечно, государство отлично справлялось без меня, точнее, мое присутствие в секретариате никак не сказывалось на качестве выпускаемых спектаклей, будь то Узбекистан или Молдавия. Но вот здесь-то работники СТД СССР и начали одолевать меня разного рода государственными проблемами, с которыми я не знал, что делать. Например:

— Марк Анатольевич, — говорила милая дама, заглянувшая ко мне с кипой бумаг. — Как вы думаете, стоит нам пойти навстречу Туркмении и временно перечислить часть фондов, предназначенных Азербайджану, через средства, выделенные Армении?

— Хорошо бы... как следует подумать,— предлагал я, уже чувствуя себя отчасти Хлестаковым.

— Мы уже подумали. Валерий Иванович согласен.

Я начинал ерзать на стуле и клевать носом, поскольку смех грозил прорваться наружу, что для секретаря СТД в этой ситуации было нежелательным.

— Так-с, — говорил я со всей доступной мне важностью и делал паузу, чтобы уважали. — Давайте пойдем навстречу Туркмении. Все-таки — Туркмения, — добавлял я уже из последних сил.

Набрав определенный авторитет на своих перестроечных публикациях и выступлениях, я иногда приглашался в Белый дом, где проходили разного рода дискуссии и заседания.

Однажды в дыму небольшой прокуренной комнаты, куда меня неожиданно пригласили, Григорий Явлинский весело пожаловался:

— Сколько же здесь хронофагов!

— А кто это?

— Разве вы не знаете? Это фантастические существа, пожирающие время.

— А вот и Марк Анатольевич подошел!— сказал Геннадий Бурбулис. — Очень вовремя.

Он взял меня под руку и увлек в дальний, самый прокуренный угол, понизил голос:

— Как вы думаете, нам стоит отделяться?

— От кого?— спросил я дрожащим шепотом, потому что «Хлестаков» уже начал во мне вздрагивать.

— От остального Союза. Хорошо ли России отделиться?

— Хорошее дело, — согласился я скрипучим голосом, чтобы Бурбулис не заметил моей непроизвольно поехавшей в сторону физиономии. — Но надо бы еще подумать, может быть...

— Так мы уже тут несколько часов думаем.

— Тогда отделяйтесь, — разрешил я, потупясь и упорно отворачиваясь, чтобы Бурбулис не заметил моего глупого смеха по такому важному вопросу.

Однако мой общественно-политический апогей наступил в беседе по междугороднему телефону. Выше этого разговора, мне думается, я не поднимался никогда прежде и уже не поднимусь. Это была вершина и главная удача «Хлестакова».

— Марк Анатольевич,— прокричала мне телефонная трубка, — это из новосибирского Академгородка. Помните, вы у нас выступали с творческой встречей?

— Как же этого не запомнить! — удивился я радостным голосом.

— Марк Анатольевич, у нас в Каспии сухогруз увели! Азербайджанцы!

— Что же делать?

— Надо вернуть. Он сейчас в Баку. Но захвачен был в нейтральных водах.

— Кто его теперь вернет?

— Вы, Марк Анатольевич! Не имеют же права азербайджанцы захватывать сухогрузы в нейтральных водах!

— В нейтральных водах захватывать сухогрузы нельзя, — сказал я строго.

Конечно, я потом попытался объяснить, что, несмотря на отдельные удачи в режиссуре и даже в публицистике, новосибирский сухогруз из Баку я вряд ли выведу обратно в нейтральные воды. Но меня продолжали уговаривать, что это мое прямое дело.

Что для режиссера в каждый данный момент является делом прямым, а что сомнительным — пожалуй, один из самых непростых вопросов в нашей профессии.

«Мистификация»

Пьесу сочинила очень странная, непредсказуемая и талантливая писательница Нина Садур. Ее «Чудная баба» вместе с «Панночкой» обошли, по-моему, все российские театры. Это какая-то российская разновидность абсурдистского театра с особой, очень терпкой словесностью и тайной.

Наш режиссер Юрий Аркадьевич Махаев, который очень неравнодушен к новой драматургии, увлек Нину Николаевну на подвиг. Она написала под его персональным нажимом вольную версию гоголевских «Мертвых душ» и назвала ее «Брат Чичиков». Мне название не понравилось. Сказать, что сам умею их хорошо придумывать, — не могу. Всегда раньше проверял названия на покойном Экимяне, спрашивал:

— Рафик Гарегинович, пойдете смотреть, если я где-нибудь поставлю «Ревизора»?

— Нет, похвалю, но смотреть не пойду.

— А если поставлю «Птицы» Аристофана?

— На «Птиц» пойду.

Название, конечно, для афиши замечательное. Но «Птиц» я никогда не поставлю. Не могу прочесть. Несколько раз пробовал, начинал ожесточенно зачитывать, но силы кончались. Сдавался.

Чтение пьес с годами становится мукой. Если после десятой страницы не захватывает — дальше пытка или формальный просмотр текста для очистки совести. Стыдно в этом признаваться, но выглядеть лучше, чем есть на самом деле, не хочется. Когда захочется, скажу, что «Красное колесо» Солженицына прочитал от корки до корки, все тома, не пропуская ни строчки, с самым пристальным вниманием и интересом.

Но «Орестею» Еврипида читал с нескрываемой мукой и только из уважения к В.И. Шадрину. Появился такой театральный проект, связанный с Петером Штайном, и робкое предположение, что известный немецкий режиссер, возможно, будет готов поставить этот спектакль на сцене Ленкома.

Очень хотелось заполучить в афишу имя Петера Штайна, вели с ним долгие разговоры, много выпили водки, но дела не получилось. Рассказывать, почему и как, — неинтересно. Важнее сказать не о Еврипиде, а о Валерии Ивановиче Шадрине, который в последние годы уходящего тысячелетия стал в нашем и даже общепланетарном театральном деле весьма примечательной фигурой.

На развалинах бывшего СТД СССР он вместе с Кириллом Лавровым создал Конфедерацию Театральных союзов СНГ, на базе которой как оргсекретарь стал проявлять неправдоподобную изобретательность. На пустом месте. Как директор — возглавил организацию первых международных Чеховских фестивалей, и как продюсер — самостоятельные театральные проекты. Несмотря на частое употребление ненормативной лексики, вошел в плотные контакты с ведущими деятелями зарубежного театра и международной театральной Олимпиады. По-моему, с помощью этой же лексики убедил Ю.М. Лужкова провести третью Олимпиаду в Москве. Соорудил при Конфедерации ресторан с чудовищным дизайном и выучил английский язык. Не доктор словесности — но завинчивает длинные фразы.

Строго и объективно рассуждая, Шадрин — ошибка системы, грубый просчет советской власти и Ленинского комсомола. Его долго готовили в руководящих комсомольских сферах к будущему государственному служению. Обмануло социальное обаяние. На вид вроде бы из народа и с огоньком. Но подробно о его огоньках рассказывать не буду — близкий мне и любимый человек.

Он был последним начальником Главного управления культуры исполкома Моссовета, с суровыми цензурными полномочиями, назначенный туда где-то году в восемьдесят третьем, чтобы навести наконец порядок в культуре, в театре, в музыке, в живописи и прибрать всех потенциальных диссидентов к ногтю. Вместо ожидаемых идеологических зверств Валерий Иванович решил вернуть лишенного гражданства Ю.П. Любимова к работе в Театре на Таганке и помочь ему ставить спектакли, которые он пожелает, и так, как он сам того захочет. Высокое начальство не просто изумилось, оно растерялось и некоторое время пребывало в шоке. За это время Шадрин успел выпустить на публику наш многострадальный спектакль «Три девушки в голубом» Л. Петрушевской, который предыдущее начальство мурыжило четыре года. Пользуясь возникшей растерянностью, разрешил не только «Трех девушек», но и все остальное, что ему попалось под руку. Меня определил как хорошего режиссера и сразу же велел ехать с ним в Болгарию ставить заключительный концерт, посвященный дням Москвы в Софии. Интересно, что в это время такие артисты, как Семен Фарада и Геннадий Хазанов, были «невыездными», и Валерий Иванович с комсомольским огоньком выбивал из КГБ загранпаспорта с разрешением на их выезд. Художником концерта был назначен, естественно, Олег Шейнцис. Он-то как раз только что стал «выездным», а до этого его за границу тоже не выпускали. В райкоме партии на комиссии старых большевиков будущий народный художник России, опозорив Ленком, не смог ответить на вопрос, когда родился Фидель Кастро. А оттого, что он сказал большевикам: зато я знаю, когда родился Тутанхамон, — райком справедливо и надолго обиделся.

Помню потрясение, которое испытал еще очень скромный Геннадий Викторович Хазанов, когда его нога ступила на заграничную землю. Он в это никогда не верил. Помню также изумление — перед концертом, на торжественном заседании — болгарского партийного руководства, когда из-под «братского руководства» пошел дым. Мы с Олегом Шейнцисом не представляли, как это можно поставить что-нибудь без дыма, и под сценой преждевременно сработала дымовая установка.

Концерт в Софии — малоизвестная страница в моем творчестве. Совершенно неизученная. Я так и не увлекся жанром торжественных заключительных концертов, меня больше увлек Шадрин. В нем проснулась купеческая удаль с комсомольским размахом. Во мне он нашел тогда своего верного товарища и единомышленника. Ему очень захотелось показать всю силу и международный масштаб своих комсомольских связей. Хорошо помню, как в фешенебельном, по тому времени, загородном ресторане он одобрительно похлопывал по плечам руководство братского комсомола и вел себя как знаток болгарского молодежного движения. С именами могу напутать, но разговор за столом помню хорошо:

— А где теперь Данко? — спрашивал Валерий Иванович.

— Только что арестован, — отвечали болгарские товарищи.

— Почему не вижу Петро?

— Как раз под следствием.

— А как дела у Василя?

— Сейчас в тюрьме, но скоро освободится.

— А этот...

— Этот нескоро.

Мистификация!

* * *

Назвать спектакль «Мистификацией» предложил я, естественно — оставив в афише «Брата Чичикова», но изначальный творческий импульс пришел, повторяю, от Ю.А. Махаева.

Он вообще подарил театру несколько первоклассных идей. Привел в театр из ГИТИСа в 1974 году студента четвертого курса Сашу Абдулова, который сразу и блистательно сыграл лейтенанта Плужникова в сценической версии повести Б. Васильева «В списках не значился» и после этого сразу стал Александром Гавриловичем. Применяя физическую силу, Махаев заставил меня полюбить Л. Петрушевскую и ее пьесу «Три девушки в голубом». Предварительно, на студенческой сцене, опробовал жанровый принцип нашего будущего спектакля «Безумный день, или Женитьба Фигаро». Своевременно привлек к работе над «Королевскими играми» неизвестного Ленкому композитора Шандора Каллоша.

Махаев долго носился с пьесой «Брат Чичиков», уговаривая меня не бояться Гоголя. Но Н. Садур не выдержала и передала право первой постановки в Саратовский театр. Психологически мне стало сразу легче, и я попросил Махаева начать предварительную работу со студентами режиссерской мастерской (где мы вместе преподаем), используя репетиционный зал Ленкома и детали старых декораций.

Когда вместе с Татьяной Витольдовной Ахрамковой, моей сподвижницей по РАТИ и талантливым режиссером Московского театра имени Маяковского, мы посмотрели отдельные сцены, поставленные со студентами и некоторыми молодыми артистами Ленкома в небольшом репетиционном зале, мы испытали гамму сложных чувств. Мелькали остроумные детали, забавные мизансцены, вообще присутствовала некоторая молодежная милота. Но в душу вползал и осязаемый страх — как, не имея в составе хорошо известных мастеров, перенести эту, мягко говоря, экспериментальную пьесу на большую сцену и удержать внимание зрителей?

При обсуждении показанных эскизных набросков в узком педагогическом кругу, вероятно, от некоторого внутреннего отчаяния я высказал не очень внятную идею. Высказал ее спонтанно и легкомысленно. Представить себе все увиденное на большой сцене Ленкома очень трудно, интерес к молодежному спектаклю, изъятому из комнаты, может рухнуть со страшной силой. Вот если бы, например, молодые актеры в статусе бесправных изгоев использовали сценическую площадку в то время, когда там наши монтировщики занимались бы осмысленным делом — ставили, скажем, оформление спектакля «Юнона и Авось», — может быть, и получилось бы зрелище.

В конечном счете, когда мы взялись за серьезную разработку легкомысленной идеи, дело в конце концов получилось. Но строительство этого спектакля казалось временами мучительным и бесперспективным. Я что-то выстраивал и тут же останавливался в кисло-сладких раздумьях. Хотя вскоре стал понимать, что в моих усталых мозгах родилось все же несколько новых и весьма ценных идей.

Во-первых, изначально удалось убедить Садур, что в «Мертвых душах» должна присутствовать женщина. Почему творение великого Гоголя не имеет мировой сценической истории? Нет женщины. Одно кувшинное рыло — Чичиков — постоянно общается с другими кувшинными рылами. Это уже во-вторых. Чичиков должен иметь иной энергетический и человеческий потенциал, чем Ноздрев, Собакевич, Коробочка и прочие монстры. Реальная работа по установке декораций другого спектакля также обрела вскоре закономерное и выразительное качество.

Мы живем в мире, где вокруг нас постоянно разворачивается какая-то, то ли созидательная, то ли разрушительная, то ли благая, то ли опасная деятельность. Деятельность многообразная, не имеющая ни конца, ни начала, глобальная, превращающая каждого из нас — и очень часто — в маленькую, никому не нужную букашку, некую частицу сумасшедшего преобразования, не имеющую представления ни о самом преобразовании, ни о его целях.

Чичиков должен быть вполне нормальным, узнаваемым человеком. На его месте могут оказаться многие. В конце концов, все мы мечтаем заработать. Провести точную границу, как *хорошо* зарабатывать деньги для семьи, а как зарабатывать *плохо*, в реальной жизни совсем не просто. Да, наш герой выбрал путь, который опустошит его душу, изуродует сознание, приведет к гибели, но все это должно происходить непосредственно на наших глазах, все это должно иметь прямое касательство к нам, если и не к нам — то к хорошо знакомым людям. Заинтересовать зрителя сегодня могут на сцене вовсе не причинно-следственные связи некоторых событий, а только причинно-следственные изменения в мозгах действующих героев. В том числе, кстати, и изменения беспричинные. Точнее — такие, механизм которых сразу не опознаешь. Оставим сюжетные перипетии для последователей Агаты Кристи. Информацией о даже самых интересных историях мы сегодня сыты по горло. Лучше, полезнее предположить, что все драматургические сюжеты как таковые зрители знают изначально целиком и полностью.

Вот примерно так мы договорились с Дмитрием Певцовым, сменившим в этой роли Романа Самгина, у которого вскоре появилась интересная режиссерская работа.

Итак, Певцов-Чичиков становился центром сценического мироздания. Весь остальной осмысленный и бессмысленный хаос атаковывал его естество и страждущую душу.

О бессмысленности я говорю еще и потому, что монтаж декораций в театре — это технологически сложный процесс, где логика чисто инженерного свойства не может быть сразу понятна и прогнозируема. Потом, после долгой сценографически осмысленной работы, мы рискнули перейти и к сценографическим акциям, достаточно бессмысленным, но эмоционально выразительным, опять-таки атакующим дрогнувшие мозги Чичикова. Процессы в окружающей нас Вселенной вовсе не всегда радуют нас своей логикой и гармонией. Человеческая психика далеко не всегда «держит удар», который получает от природной или очеловеченной стихии.

Я никогда не видел прежде в театре, чтобы монтировщики декораций играли столь важную роль в спектакле. Понимаю, что все уже открыто и опробовано. Может быть, кто-то где-то когда-то уже пробовал нечто подобное, но для нас это было очень интересное и очень новое взаимодействие технических работников с актерами. Два взаимопроникающих, одновременно существующих и редко замечающих друг друга мира. Если угодно, материализация некоторых научных и философских гипотез.

И все-таки самым интересным и новым было для меня другое: неожиданные результаты, полученные нами в репетиционном зале, когда спектакль был уже вчерне выстроен.

Не скрою, мы очень многое досочинили, додумали из того, что в пьесе было только заявлено пунктиром. Не остановились и перед сочинением совершенно новых диалогов. Спектакль шел в Саратове по пьесе Н. Садур, а мы сочиняли свою самостоятельную версию этой же пьесы. Мы сочиняли мистификацию. И совесть наша была чиста. Мистификаторы, как правило, не раскаиваются.

Репетиционный период в репзале я затянул не случайно. Именно там появились потом актерские открытия, которые не удалось полностью перенести на большую сцену. Не потому, что это невозможно в принципе, а просто еще не научились. Думаю, в XXI веке научимся.

Часто в своей репетиционной практике в рабочем порядке я временно подменяю предлагаемые обстоятельства, то есть прошу смоделировать процесс, который потом будет изменен на более верный и осмысленный. Но предварительно такая подмена помогает артистам нащупать новые возможности своей биологии, а режиссеру стимулировать постановочную фантазию.

Выстраивая серию комедийных ситуаций, мы постепенно все вместе обнаружили, что в некоторых случаях откровенно дилетантское, непрофессиональное актерское существование может оборачиваться гомерически смешным эффектом. (Напоминаю, что речь пока о работе в репетиционном зале.)

Косясь в сторону некоторых гостей, посещавших наши репетиции, я очень часто предлагал:

— Сыграйте, пожалуйста, так, чтобы все подумали: зачем же еще и этого-то артиста держат? Почему не увольняют? Это же не артист.

Наташу Щукину просил примерно так:

— Попробуйте, чтобы все поняли, что театральную школу девочка не закончила — выгнали. Девочка совсем никудышная. Общаться с артистами боится, все слова выговорить не может, сколько ни старается, но выступать на сцене ей очень хочется.

Или так:

— Скажите, мол, спасибо, что вышел. Организм изношенный, психика с аномалиями, сам процесс мышления увлекает, но пока не получается. Да и вряд ли получится. Если очень хотите — ждите.

В подобных режимах актерского (точнее — биологического) существования лидерство сразу же захватил Виктор Викторович Раков в роли Манилова. На некоторых репетициях он придавал своему естеству редкую ущербную разбалансированность. Нервная система была не просто испорчена, но подлым образом пошаливала вместе с ней и психика, пластика страдала такими аномалиями, что было всегда неизвестно, куда его поведет, куда закинет. Понятно, что нужно лечиться, а не выступать не сцене.

Борис Николаевич Чунаев на репетициях в репзале буквально укладывал людей на пол, вызывая такой хохот, который сам по себе — уже аномалия. Ему удавалось моделировать окончательное угасание интеллекта. Разум его на глазах сворачивался и приходил в упадок. Пошаливало зрение и голосовые связки. Говорил очень громко от общей и окончательной бездарности.

Я просил, чтобы у всех присутствующих возникал один главный вопрос:

— За какие такие заслуги этот человек мог получить звание заслуженного артиста?

На этих странных и очень веселых репетициях я понял, что высокопрофессиональный актер с хорошо тренированной психикой может привести себя в явно непрофессиональное состояние: ничего не наигрывая, не притворяясь, с предельной искренностью сыграть плохо, потом — очень плохо, потом — еще хуже, а потом — уже так безнадежно, что это супердурное актерское качество превращалось на глазах в эстетическую категорию. Как в живописи.

Есть картины, которые как бы плохо нарисованы, а являют собой явную художественную ценность. Особенно это качество просматривается в нарочито примитивных, наивных изображениях.

В актерском деле подобное качество пока по большому счету еще недостижимо. Мы его, как я уже обещал, окончательно освоим в следующем тысячелетии. В «Мистификации» нам удалось воспользоваться этой новой комедийной эстетикой частично. Небольшими дозами. Скажем, то, как показывает С.Ю. Степанченко в роли Собакевича своего отца, глядящего на медведя, — смешная глупость. Но изящная. Кстати, смешная, потому что, по-моему, формальная. Мы привыкли, что слово «формально» в нашей профессии дурное. На самом деле — не всегда так. В жизни мы далеко не все делаем глубоко и серьезно. И далеко не всегда подключаем к делу весь организм. На некоторые слова и действия иногда не хватает ни сил, ни желания.

Иногда специально воздействуем на партнера с нарочитым «формализмом». Вообще, нехватка сил и общая измученность от нездорового образа жизни — при настойчивом желании, чтобы зрители за это дорого платили — по-моему, не слишком складно сформулированная, но действенная предпосылка для создания новой комедийной ситуации. Когда-нибудь получится. Создадим.

* * *

Анализируя работу над спектаклем «Мистификация», ловлю себя на мыслях о весьма банальной, но весьма существенной закономерности: когда в театре созидается талантливый или, скажем скромнее, культурно выстроенный спектакль — параллельно с этим процессом происходит рост и становление актерских имен. Разумеется — если режиссеру отпущено богом умение создавать сочный, зигзагообразный действенный пунктир для развития сценического образа. Иногда, чтобы превратиться в мастера, вовсе необязательно играть центральную роль и постоянно маячить на сцене — иногда достаточно появиться в добротно выстроенном эпизоде, выразительно и разнообразно просуществовать в спектакле недолгое время и обрести солидный запас мастерства, усилить свою биологическую заразительность, артистизм и прочие актерские достоинства.

В «Мистификации» временами очень интересно, а временами великолепно существует человек замечательной актерской одаренности — Дмитрий Певцов. Здесь же очень выразительно дебютировала Анна Большова в роли Панночки — это, по существу, центральная женская роль. Помимо Большовой и Певцова, весьма яркий вклад в общее дело внесли исполнители фактически эпизодических ролей: Сергей Чонишвили, Татьяна Кравченко, Сергей Степанченко, Людмила Артемьева, Иван Агапов, Александр Сирин, Игорь Фокин, Павел Капитонов.

Наверное, особую радость у зрителей и артистов Ленкома вызвала все-таки удача Чонишвили в роли Ноздрева. Подозреваю, что, помимо чисто актерских достоинств — необыкновенного юмора и азарта, — имела значение и другая трудно формулируемая особенность актера Чонишвили — его любит зритель и любит коллектив театра. Не стоит подозревать меня в сползании к субъективизму пополам с режиссерским дилетантизмом. На самом деле я касаюсь весьма непростой категории нашего театрального бытия. Чтобы исследовать эту особенность актера и основные ее составляющие, требуются зоркий глаз и незаурядные аналитические способности. Не отрицая в своем режиссерском арсенале и того и другого, я все-таки постараюсь не углубляться в эту очень сложную, но бесконечно важную для театра проблему: за что любят актера. Разумеется, не только на сцене. Речь, вероятно, пойдет прежде всего о некоторых чисто человеческих кондициях, и здесь не хочется вползти в менторский тон. Ограничусь констатацией факта: любовь или подчеркнуто доброжелательное расположение театрального коллектива к какому-либо актеру или работнику художественно-постановочной части — величина существенная для прочного, надежного, уверенного существования репертуарного театра.

Понимаю, что у больших мастеров и гениев характер может быть не сахарным. Знаю примеры. И все-таки, если гений переходит некую «красную черту», границу, за которой от него стараются держаться подальше или, в крайнем случае, демонстрировать подчеркнутый нейтралитет, — начинается медленное, иногда незаметное на первый взгляд разрушение и самого гения, и, что самое печальное, хрупкого театрального организма. Он и так в основном стремится к распаду: в театре слишком много скрытых профессиональных заболеваний, и когда они становятся очевидными — движение к творческому краху неизбежно.

Парижский поток сознания

Когда-то в ленинградском ТЮЗе я видел замечательную сценическую версию «Трех мушкетеров». Году эдак в 1960-м или около того д'Артаньян, ринувшись из Парижа за подвесками французской королевы, отважно пересекал Ла-Манш и, ступив на английскую землю, блаженно улыбался. Он набирал воздух полной грудью, разводил руками и, закрыв глаза от счастья, произносил, покачиваясь в экстазе: «За-гра-а-ни-ца-а-а!..»

Первые поездки советских туристов в Париж, как правило, напоминали мне этот протяжный бессмысленно-счастливый вопль. Однако исключительно вопль внутренний и неслышный. В отличие от д'Артаньяна, советский человек внешне придавал своим чертам меланхолический серьез и полнейшее равнодушие. Наши люди были разбиты на пятерки. В каждой пятерке был старший. А над всей туристической группой находился бдительный соглядатай из грозного заведения.

Когда я стал «выездным», а стал я им далеко не сразу... более того, однажды с Александром Ширвиндтом, уже сдавши по пяти рублей на сувениры, предназначавшиеся французским товарищам, я вместе с моим коллегой по Театру сатиры был «завернут» перед самым выездом на аэродром. Так вот, «выездным» в капстраны (государства, не входящие в Варшавский блок) я стал только после моего назначения главным режиссером нынешнего Ленкома и обстоятельной беседы в здании ЦК КПСС на Старой площади.

* * *

Первое впечатление сумасшедшего праздника: автобус со спецтургруппой театральных работников, медленно плывущий по Елисейским Полям среди ослепительных, вихреобразных, танцующих ночных огней, и голос Ив Монтана, доносящийся из автобусного динамика.

Сейчас, придирчиво осматривая похожее освещение Тверской улицы в Москве — с многочисленными и весьма затейливыми подсветами, я очень часто вспоминаю те, самые первые огни великого города — недосягаемого мира, счастливого, красочного призрака, который потрясал душу, но при этом, элегантно улыбаясь, забивал в голову гвозди тоски, сомнения и вселенского пессимизма.

Первые контакты нормальных советских людей с заграницей в конце пятидесятых — начале шестидесятых очень часто оказывали неблагоприятное воздействие на психику представителей развитого социализма, вплоть до актов опасных и явно угрожающих психическому здоровью. Жестоким испытанием являлось как посещение супермаркетов с неправдоподобным выбором колбасных изделий, не говоря обо всех других, так и нежелательное для сердечно-сосудистой системы знакомство с универмагами. Учитывая сумму валюты, выдаваемой на карманные расходы, все вышеперечисленные ужасы по степени воздействия на организм неискушенного советского туриста могли бы быть приравнены лишь к изощренным средневековым пыткам. Умные люди из КГБ хорошо понимали это и в интересах сохранения психического здоровья и общей уравновешенности наших граждан старались, чтобы их первые зарубежные поездки приходились на соцстраны, где не было такого количества колбасы, плащей «болонья», нейлоновых шуб и джинсов.

Иногда, однако, случались ошибки, которые приводили к тяжелым гуманитарным катастрофам индивидуального характера. Так, в спецгруппу, сформированную на базе Ленкома, однажды угодила работница нашего театра, которая прежде не была ни в Монголии, ни в Болгарии. Вместе с группой она сразу, впервые в жизни, поехала в

Австрию. Я не принимал участия в поездке, но те, кто там был, рассказывали потом страшное. По прибытии в Вену молодая дама, работница художественно-постановочной части, засмотрела известный фильм «Эммануэль», произвела индивидуальный осмотр центральных венских магазинов и некоторых ресторанов. Говорят, выпила даже пива. Поздним вечером она обошла некоторые номера в гостинице, где наши товарищи стругали московскую колбасу и с помощью кипятильников готовили супы из кубиков для бульона. Говорят, своими ночными визитами она потревожила не всех, а только тех, кого по-настоящему любила. Предложение к товарищам по работе было доверительным и кратким: «Давайте застрелимся».

В первую ночь к этому предложению коллектив не отнесся с должным вниманием и глубоко ошибся. На следующий день в автобусе, индивидуально беседуя с близкими и уважаемыми людьми, опечаленная, но уверенная в своей правоте ленкомовка стала выдвигать ряд убедительных аргументов в пользу своего предложения. К концу дня коллектив потерял интерес к достопримечательностям Австрии. Отказ от коллективного ухода из жизни вынудил нашу подругу с огорчением и публично заявить о своем разочаровании в товарищах по театру, а также в некоторых коллегах из Театра сатиры, к которым наша бывшая коллега также подходила сначала с осторожным предложением «Давайте застрелимся», а потом — с убедительным требованием.

Правда, некоторые ленкомовцы сперва все-таки мучались в сомнениях: уж не притворяется ли подруга, не разыгрывает ли жестоко своих товарищей? Некоторые даже пытались ее урезонить. Но после того, как она в автобусе сказала моей жене: «А ты вообще молчи, говно!» — Зиновий Высоковский, работавший тогда в Театре сатиры, справедливо рассудил: «Если она так говорит жене главного режиссера — значит, точно сошла с ума».

На третий день руководитель группы, ведущий артист нашего театра, осознав безрезультатность контраргументов по поводу поступающих к нему предложений, был вынужден позвонить в советское консульство одного из австрийских городов. Его выслушали опытные и умные люди. Они не впервые сталкивались с подобными нестандартными ситуациями и хорошо знали все допустимые аномалии, возникающие у советских людей, от потери сознания в продуктовом магазине (кстати, случаи имели достаточное распространение) до попытки попросить в полиции политического убежища. Об этом было известно нашему ведущему артисту, часто выезжавшему за рубеж, но то, что на предложение «Давайте застрелимся» работники консульства отреагируют спокойно — этого наш артист никак не ожидал. Его успокоили, попросили описать приметы ленкомовки и сообщили, что завтра возле спецтургруппы появится работник консульства, специализирующийся именно на такого рода ситуациях.

Утром следующего дня коллектив спецтуристов заметил красивого, хорошо одетого молодого мужчину с рассеянным взглядом разочаровавшегося в жизни человека. Он как-то вяло приблизился к экскурсии и, не обращая внимания на увлеченного гида, повествующего об архитектурных особенностях постройки XVII века, остановился возле нашей подруги.

Стоящие рядом артисты не слышали всего разговора, но первые небрежные фразы были все-таки зафиксированы:

— Что ты делаешь здесь с этими жлобами?.. Поедем вдвоем... Я не буду показывать тебе этот хлам, я покажу другое...

Спецтургруппа почувствовала дискомфорт за обедом. Люди замолчали и, подавленные происходящим, опустили глаза. Все хорошо знали, что за человек приехал из консульства и зачем.

Подруга вышла к накрытым столикам счастливая, в своем самом нарядном платье, к еде не притронулась:

— Друзья! — сказала она голосом счастливой принцессы. — Я пришла проститься с вами, я уезжаю навсегда... Прощайте, друзья!..

«Принц» в сногсшибательном костюме стоял, прислонясь к косяку двери, и смотрел поверх голов куда-то вдаль.

Он сделал ей укол в самолете, потом в «Шереметьево-2» прислонил к стенке, дал понюхать нашатырю и, позвонив родителям, попросил забрать ее с территории аэропорта. Разумеется, он не стал дожидаться их приезда и растворился в вечности.

Потрясенный тем, что никто не подумал о ее лечении и, не скрою, особенно тем, что она вернулась в театр к исполнению своих служебных обязанностей, ошеломленный, что дирекция не нашла никаких правовых причин для каких-либо собственных действий в психиатрической сфере, я, на свою беду, заглянул еще и в зрительный зал, где как раз заканчивался спектакль «Иванов». После финальной мизансцены должен был медленно закрыться занавес, но в этот вечер закрылась только одна его половина.

Моей ярости не было предела, я ринулся за кулисы, чтобы высказать людям, отвечающим за исправность занавеса, самые грозные, жестокие слова, на какие только был способен. И сразу же встретил ее, закрывающую занавес, с приветливой печальной улыбкой. Она приблизилась ко мне нежно, понимая мои чувства. Она сказала мне с тихой надеждой:

— Марк Анатольевич, давайте застрелимся.

* * *

Поскольку наша подруга уже давно не работает в Ленкоме, я могу спокойно описать этот памятный фрагмент, выхваченный из потока сознания, хотя поток этот безграничен и вмещает в себя множество событий, связанных с первыми гастролями московских артистов за рубеж.

Это гремучая смесь, вызывающая попеременно смех и слезы. Так называемый «железный занавес» и полнейший произвол власти, конечно же, деформировали наш быт и сознание, изуродовали в пятидесятые — семидесятые годы психику даже самым уравновешенным людям.

Знаменитый импресарио Пол Юрок, вывозя Большой театр за границу, вскоре заметил, что, несмотря на приличные гонорары, многие балерины падают на сцене в голодные обмороки. Молодым женщинам хотелось купить для себя и своих близких модную одежду и парфюмерию, которых не было тогда в Москве, они отчаянно экономили на питании, ибо основную часть гонорара у них удерживали наши посольские работники, оставляя артистам гроши на карманные расходы. То же самое, кстати, проделывали они и с работниками Ленкома, когда Пьер Карден впервые пригласил наш театр в Париж.

Чтобы тратить за рубежом эту мизерную карманную валюту на покупку одежды или техники, все мы шли на чудовищные ухищрения. Отдельные умельцы варили супы в раковинах, чередуя счастливые дни с рыбными, когда в питание шел только частик в томате.

Однажды на итальянской границе Театр сатиры был на редкость приветливо встречен местной таможней, где всего лишь на выборку было предложено открыть один-единственный обыкновенный чемодан. Но, во-первых, никто из коллектива не признался, чей это чемодан, а во-вторых, когда удивленные этим обстоятельством таможенники все-таки открыли его — из чемодана, спружинив, вылетели плотно забитые туда батоны хлеба. Все итальянские таможенники испытали крайнее изумление и дружно обступили диковинный чемодан. Они видели практически все — как в Италию ввозили оружие, наркотики, взрывчатку, но чтобы в таком количестве завозили хлеб... этого не видели даже самые пожилые и многоопытные.

Конечно, соответствующие органы и руководство Министерства культуры делали все, чтобы отговорить творческую интеллигенцию завозить в развитые страны московские продукты. Помню, как перед выездом в Болгарию коллектив артистов Театра сатиры, в котором я имел честь находиться вместе с кипятильником, был приглашен к замминистра культуры В.Ф. Кухарскому. Пожилой человек, опасно волнуясь, рассказал, как переживают болгарские братья, когда по возвращении со спектакля во всех номерах гостиницы одновременно включаются кипятильники. Один из его помощников проинформировал даже, что софийская гостиница, готовая гостеприимно распахнуть перед нами двери, не рассчитана на столь мощное энергоснабжение. Уже были печальные случаи, когда после знакомства с советским искусством все здание целиком и прилегающие кварталы оставались без света. На что, помнится, Анатолий Дмитриевич Папанов тихо спросил:

«А какое же там напряжение?» Вопрос был актуальным, поскольку коллектив то попадал в отели с напряжением 220 вольт, то нарывался на 120.

Кухарский, помню, справедливо содрогаясь от возмущения, сообщил нам доверительно, как перед нами одну из братских стран посетила группа ведущих деятелей советской музыки и какой ущерб престижу государства нанесли наши замечательные композиторы. «Некоторые, — сообщил замминистра, борясь с волнением, — даже додумались до того, что жарили яичницу... между двумя утюгами».

Эта полезная информация была, помнится, встречена одобрительным гулом, и многие артисты даже взялись за блокнотики, чтобы не забыть об утюгах.

Конечно, с годами соприкосновения с зарубежным бытом постепенно лишались прежней остроты, но первые, самые давние контакты, например с Парижем, носили экстравагантный характер.

В числе послевоенных первопроходцев Париж в пятидесятые годы посетили Московский Академический театр имени Вахтангова и Московский театр сатиры.

Вахтанговцы рассказывали, что их настолько взнервили перед отъездом инструкциями о провокациях, подвохах и уговорах остаться в Париже, предав Родину, что коллектив уезжал даже в несколько подавленном состоянии. «Действовать будут изощренно, — предупреждали работники КГБ, — на русском языке».

В.Г. Шлезингер и В.А. Этуш рассказывали мне о своем первом посещении Лувра, где они с радостью заметили двух родных костюмерш, искренне любовавшихся искусством позднего Ренессанса.

— А вот и наши! — с гордостью сказал Шлезингер, приблизившись к людям, с которыми проработал не один десяток лет.

Однако, заслышав рядом с собой самое страшное — русскую речь, «наши» издали очень громкий вопль ужаса и бросились по музею с непривычным для этих мест визгом.

Особый случай, негласно вошедший в историю советского театра, случился с парторгом Московского театра сатиры Г. Ивановым. Театр приехал в Париж, когда я был еще студентом и не имел к театру никакого отношения. Но даже спустя годы старожилы наперебой рассказывали, как их поселили в очень скверной гостинице — в районе Пляс Пигаль — с очень низкими потолками, особенно в санузлах. Именно это обстоятельство, возможно, сыграло свою роковую роль в поведении парторга, когда он, вошедши в санузел, увидел впервые в жизни диковинную вещь — биде. Такое разнообразие в зарубежных возможностях взволновало парторга, и он решил... как бы это помягче выразиться... справить туда большую нужду. Последствия были непредсказуемыми. Резким движением парторг до упора открыл краник — ударил непривычно сильный напор воды — и содержимое биде прилипло к металлическому потолку. Испуг был настолько велик, что артист, оставив открытой дверь в коридор, встал на стул и сувенирной ложкой стал соскребать с потолка следы преступления. Именно в этот момент в его номер заглянул Анатолий Дмитриевич Папанов, который, подивившись случившемуся, спросил голосом мультяшного Волка: «Жора! Как тебе это удалось?»

* * *

Кроме моих усредненных представлений о знании иностранных языков нашими предками, я действительно, увы и к сожалению, не мог представить, что тридцатипятилетнее ожидание своего жениха Кончиттой могло произойти «всего лишь» после помолвки — без того, что мы теперь называем бесчисленным количеством понятных и близких нам терминов — от «романтического адюльтера» до «сексуального контакта». Когда я, уже после выпуска спектакля, узнал, что «этого» не было, я, признаться, очень огорчился прежде всего за самого себя. Очевидно, мои представления о великом разнообразии человеческих отношений были сформированы не без участия того пресса, который именуется ныне массовой культурой. Значит, гордиться, что я с высоты своих некоторых культурно-исторических и философских познаний не был задет пошлым молохом среднестатистического кино или чтива, не стоит. Нет оснований. Поэтому не горжусь. И не хочу скрывать, что история любви Кончитты и Резанова произвела на меня, кроме всех прочих оттенков в чувствах и оценках, еще и отрезвляющее впечатление. Пожалуй, после «Юноны и Авось» я завершил свое формирование личности, относящейся к себе с известной и нескрываемой иронией.

После этого нырка в дебри доступного мне экзистенциализма хочется еще чуть-чуть подышать соленым ветром, который несли с собой красавцы — парусные фрегаты, так жестоко исчезнувшие из нашей жизни, деромантизировав ее столь основательно, что слово «бригантина», например, воспринимается подчас как сгусток необходимых организму поливитаминов.

* * * *

И еще одно, возможно, крайне субъективное ощущение. Может быть, главное. Каждое явление в искусстве, как и в жизни, проходит разные стадии своего земного бытия: зарождение, формирование, воплощение в задуманной сочинителем материи, первый контакт с теми, кому адресовано творение, ряд последующих контактов с новыми поколениями читателей-зрителей, когда ценность творения и его восприятие потомками обязательно видоизменяются. Сочинение возрастает в своей значимости или, наоборот, занимает впоследствии скромное место, а то и угасает. Пушкин при жизни воспринимался даже умнейшими людьми своего времени вне той космической градации, которую поэт начал обретать в момент открытия его московского памятника.

Если резко понизить уровень подобных размышлений, то успех моей давнишней и весьма наивной телевизионной версии «Двенадцати стульев» И. Ильфа и Е. Петрова — это завершающая, то есть музыкальная стадия ее земного существования. Музыка — последняя и прощальная ипостась любой вселенской субстанции. Скрупулезно рассматривать сюжетно-смысловые аспекты «Двенадцати стульев» и заново подключаться к некогда гомерически смешным диалогам сегодня нет смысла. Значительно интереснее, как теперь принято говорить, «сухой остаток». Биографически, в чисто бытовом плане меня уже не интересует Остап Бендер — но! — меня может обрадовать и даже ностальгически очаровать зримый след этого творения в его музыкально-поэтической сути. Он часть нашей истории, что обрела право на свое музыкальное завершение.

Вот почему Остап Бендер Андрея Миронова, сотканный из музыкальной материи Геннадия Гладкова, нанизанный на печальный юмор поэта Юлия Кима, интереснее и живее кинематографической версии Леонида Гайдая. При том, разумеется, что выдающийся комедиограф и прославленный кинематографист Л. Гайдай много выше кинорежиссера М. Захарова.

Есть объекты Вселенной, что готовы обрести свою последнюю музыкальную формулу, а есть те, что еще не дозрели до чисто музыкального или поэтического естества.

В 1806 году, когда Резанов достиг берегов Америки, петь о нем самом или просто сочинять музыку о его путешествии было бы рано и даже легкомысленно. Важнее было тщательно описать и запротоколировать сделанное замечательным путешественником и дипломатом. Через сто семьдесят пять лет протокол интересен лишь специалистам — большинству людей важнее и дороже музыка им содеянного.

* * *

В Париже живет много русских людей. Мы знали об этом и психологически готовили себя к возможным встречам. Пугали нас этими встречами не так, как некогда запугивали вахтанговцев, но все-таки о том, что просьбы о продаже Родины будут поступать в изобилии, — предупреждали. Скажу сразу, что никто нам поменять свое местожительство с российского на французское не предлагал. Секретов о том, как устроено Управление культуры исполкома Моссовета, не выведывал. Хотя наш главный сопровождающий из Комитета известную нервозность проявлял и даже незадолго до отъезда показал мне список тех, кто наверняка останется в Париже. Я был абсолютно уверен, что никто своим присутствием Францию не отяготит.

Интересно, что разговор на столь деликатную тему мы вынуждены были провести на расстоянии трехсот метров от гостиницы, в которой жили. Почему? Чтобы враги не могли нас подслушать и запеленговать — примерно так объяснил мне сотрудник КГБ, сопровождавший нас в качестве работника Министерства культуры. Я был категорически не согласен со списком. То, что мы вернемся в том же составе, в каком выехали, — я угадал. Именно угадал, потому что, в конце концов, у людей в силу тех или иных причин могут возникать разные желания. Жизнь показала, что всегда могут найтись лица, которым хочется поработать в США или в Швейцарии, а не в Германии.

Известную нервозность перед нашим отъездом проявлял и посол СССР во Франции Ю.М. Воронцов. После одного из последних спектаклей он вдруг попросил, чтобы весь коллектив собрался отдельно от французов в изолированной комнате. Здесь посол, торжественно поздравив нас с успешным завершением гастролей, почему-то долго говорил о том, что теперь перед нами открыты все континенты и мы наверняка поедем с этим спектаклем по всей планете. Мы действительно кое-куда съездили, в том числе в Грецию, США, Германию, Нидерланды, но зачем он так долго об этом говорил? Как режиссер я догадался сразу. Послу очень не хотелось, чтобы кто-нибудь из ленкомовцев остался у него в Париже. Он знал, что среди плясунов и музыкантов такое случается. Поскольку пресса оценила нас как серьезных деятелей в области музыки, посол, по-моему, решил подстраховаться и переключить наше внимание на другие страны. Он как бы хотел сказать — мол, не торопитесь, ребята, еще успеете, приглядитесь лучше к другим городам Европы. Послу, как мне показалось, не захотелось лишних неприятностей. Нам тоже этого не хотелось. И, вероятно, из уважения ко всем нам никто из ленкомовцев в Париже не задержался.

Задержались ленкомовцы позднее, когда мы гастролировали в Америке — два человека из труппы оставили на мое имя вежливые заявления в день нашего отъезда из Нью-Йорка. К счастью для дирекции, времена изменились, страна начинала жить по цивилизованным законам, и к решению наших артистов все отнеслись спокойно. Скажу сразу, ни у кого из труппы это решение зависти не вызвало — наши бывшие коллеги вписались в чужую страну с очень большим трудом и, разумеется, не в качестве артистов.

* * *

Несмотря на героическое возвращение в 1983 году из Парижа в полном составе, у нас началась полоса неприятностей. Соглядатай из грозных органов написал ряд пространных и нелицеприятных отчетов о гражданском, общественном, моральном и другом неблагополучии целого ряда артистов Ленкома, включая его главного режиссера. Об этом мне с печалью поведал директор, и мы оба огорчились, так как театр был приглашен на гастроли в Грецию.

Заполучив список «невыездных» мастеров сцены, я сумел добиться аудиенции у Ф.Д. Бобкова, тогдашнего заместителя Председателя КГБ. Должен признаться и покаяться перед прогрессивной интеллигенцией, что Филипп Денисович Бобков мне понравился. Я встретил очень образованного, умного, незаурядного человека. (Надо сказать, что я встречался с ним дважды, и оба раза надолго оставался под впечатлением этих встреч.) Конечно, я понимаю, что речь может идти о весьма поверхностном ощущении. Готов даже согласиться, что Бобков просто играл со мной. Тем более как режиссер я обязан упомянуть о его бесспорной профессиональной и человеческой одаренности.

В беседе с ним я, естественно, старался казаться наивным и даже обаятельным, о чем свидетельствовал, по-моему, его чуть насмешливый глаз, который, впрочем, тут же становился серьезным и доброжелательным.

Я горько пожаловался на жизнь. Да, старый фронтовик, защитник Родины, засунул в штаны сочинения Ахматовой и Мандельштама! Да, в предисловии к стихам были нелестные отзывы о советской власти и коммунистической партии, но когда фронтовик их засовывал в штаны, он еще не читал предисловия!..

Я горько посетовал также и на другие, уже малоизвестные мне претензии к артистам Ленкома и даже трагическим тоном признался, что сам лично ни за что не поеду в Грецию, даже если будут уговаривать.

Бобков отреагировал на мои переживания спокойно и пообещал помочь. Он согласился со мной, что работники КГБ не должны изображать из себя за рубежом искусствоведов или работников Министерства культуры. Это вызывает насмешки у зарубежных коллег. Работники КГБ должны именоваться офицерами охраны и выезжать с театром лишь в том случае, если этого требует обстановка в той стране, где проводятся гастроли.

После этой беседы наши бывшие «невыездные» стали получать один за другим загранпаспорта с визами...

* * *

Поток сознания унес меня в сторону КГБ. К Парижу я еще вернусь, а о КГБ твердить слишком часто не хочется. Но раз уже начал — продолжу. Чуть-чуть.

В Грецию с нами поехал другой представитель Комитета, которому, по-моему, было страшно интересно узнать, почему на его коллегу я произвел столь негативное впечатление. Мы с ним много беседовали «за жизнь», я был с ним предельно откровенен во всех своих пристрастиях и антипатиях, и однажды за рюмкой он признался, что не ожидал встретить в моем лице человека достаточно откровенного, открытого и еще какого-то такого, который по праву возглавляет театр. Когда он сказал еще, что и артисты в театре хорошие, я тоже не остался в долгу — выразил удивление, что в КГБ, оказывается, работают иногда вполне приличные и умные люди, но вдобавок встречаются и на редкость обаятельные, такие, как он. Его фамилию я помню, но забыл имя другого, совсем молодого сотрудника КГБ, который где-то в конце 1984 года, при доверительном разговоре в каком-то уличном кафе, рассказал мне почти все, что произойдет с нашей страной в ближайшие годы.

Мы выпили совсем немного, но он сказал, что у нас скоро будет многопартийность, коммунисты утеряют безграничную власть и будет введена частная собственность. Этому я в 1984 году не поверил. Но очень скоро понял, что в КГБ работает мощный аналитический аппарат.

Сейчас я, возможно, склонен к некоторому преувеличению и сразу скажу, что это ведомство по существу является чудовищным порождением ленинского феодального тоталитаризма, запятнавшего себя кровавыми злодеяниями, но!.. Сегодня лично мое мнение о силовых государственных структурах претерпело серьезные изменения. Я стал с несравненно большим уважением относиться к профессиональным военным и тем ведомствам, что блюдут защиту государственных интересов внутри страны. Пишу об этом потому, что такое случилось не со мной одним. Возник стойкий общественный дискомфорт от победного шествия по стране криминала и отсутствия современной, оснащенной по последнему слову военной науки и техники мощной боеспособной армии. Я глубоко уважаю, преклоняюсь перед теми, кто во имя целостности государства, его чести и достоинства подвергает свою жизнь смертельному риску в так называемых горячих точках — но все равно отсутствие армии, достойной великого государства, действует угнетающе. Похожие чувства лично я испытываю к тем силовым ведомствам, которые теперь заменяют некогда всесильные КГБ и ГРУ. Конечно, эти две аббревиатуры ассоциируются с трагическими страницами нашей истории, но любое нормальное государство не может существовать без полиции, в том числе тайной. Пока психика человека разумного (Homo sapiens) не изменилась, существование отлаженных силовых ведомств не может быть под сомнением...

Поток сознания тут же подбрасывает в мою голову подлые мысли: не приблизились ли мы вплотную к необратимо разрушительному апогею нашей державной истории? Указанные выше ведомства вместе с мощной армией являлись в свое время весомыми гарантами относительно более высокой внутренней безопасности и внешнего государственного могущества. Конечно, я в достаточной степени упрощаю проблему, не касаясь новых правовых аспектов наших демократических преобразований, но все равно милицию с автоматами и в масках на улицах наших городов мы раньше не видели. Только одним правовым несовершенством отечественного законодательства этого не объяснишь. Профессионалы прежней генерации КГБ ни при каких обстоятельствах (кроме случайных перебежчиков) не купились бы на коррупционные подачки ублюдочных авторитетов и полуолигархов. Киллеры при них не сумели бы выжить и расплодиться.

Возможно, я упрощаю проблему терроризма. Посол во Франции Ю.А. Рыжов, с которым я близко познакомился в бытность свою народным депутатом СССР, позднее, при встрече в Париже уже после 1990 года, сказал мне вдруг неожиданно с печальной улыбкой:

— Вот был феодализм, социализм, капитализм... Знаешь, какая общественная формация грядет им на смену — и не только в России? Криминализм!..

Несмотря на отчасти шутливый характер нашего разговора и подчеркнуто ненаучный характер термина «криминализм», Юрий Алексеевич как человек умный, осведомленный, с веселым, но глубоко аналитическим складом ума, очевидно, был прав. Информационная цивилизация, в которую все мы угодили в конце столетия, принесла с собой не одни только радости. Но это отдельная большая тема, такая же необъятная, как мечта о мощной профессиональной армии и офицерском корпусе, являющем собой цвет державной элиты. Хочу сказать, что принадлежу к наивным мечтателям, которые хотели бы видеть современный офицерский корпус российской армии не уступающим по интеллигентности, образованию, аристократической привлекательности своим далеким предшественникам — белой гвардии.

Оказалось, что с падением ядерного противостояния двух сверхдержав потребность в людях, умеющих обращаться с оружием и, более того, потребность в самом оружии не приблизилась к нулевой отметке. Даже если бы планету не поразила сегодня оспа мелких, но вредоносных очагов экстремизма пополам с терроризмом — все равно необходимость сильной, вызывающей гордость армии XXI века для страны такого геополитического калибра, как Россия, бесспорна.

Мой вредоносный поток «заграничного» сознания отнес меня далеко от парижских встреч 1983 года с нашими земляками и их потомками.

* * *

Было страшно интересно разговаривать с людьми, говорящими на другом русском языке. Впервые я столкнулся с этим феноменом, общаясь в Париже с господином Домеником, владельцем русского ресторана на Монпарнасе. Он пригласил меня на ужин в свою ресторацию, а потом домой, где показал уникальную коллекцию российского антиквариата.

Наша беседа состояла из красиво выстроенных, сочных и напевных фраз господина Доменика с нестандартными прилагательными и обилием витиеватых деепричастных оборотов, где, независимо от протяженности фразы, падежные окончания изящно выстроенных суждений всегда сходились по законам русской грамматической гармонии и отличались парадоксальной свежестью с хорошо различимым — чисто фонетически — отличием от моих ответных чириканий. Я с ужасом обнаружил в своей речи нечто воробьиное, скоротечно-торопливое, выплевывание очень коротких предложений, тяготеющих к незавершенности и подлым многоточиям. Музыку бывшего белоэмигранта я в изобилии посыпал фразами-недомерками.

Те же самые чувства некоторой разговорной ущербности я позднее испытал в беседах с графиней М.В. Олсуфьевой. Ее семья владела когда-то особняком на Поварской улице, где располагался долгие годы могучий и единый Союз советских писателей. Графине однажды было разрешено посетить Москву, и она весьма остроумно и изящно рассказывала мне о тех чувствах, которые испытала, узнав, что в ее бывшей детской располагается партком советских писателей. (Сейчас там, по-моему, банкетный зал ресторана.)

Наша встреча произошла не в 1983 году, а чуть позднее, когда я с театральной спецтургруппой посетил Флоренцию. Несмотря на мое чириканье, я чем-то понравился графине, и она рассказала, что, кроме всего прочего, является старостой общины во флорентийской православной церкви, что церковь располагает прекрасной библиотекой и катастрофически уменьшающимся контингентом читателей. Далее, несмотря на поздний вечер, она предложила мне и моим коллегам, приглашенным на ее домашний ужин, посмотреть русский храм на итальянской земле. Моим коллегам предложение не показалось заманчивым, а мне вдруг очень этого захотелось. В результате графиня оказалась за баранкой своего автомобиля, а я — ее единственным пассажиром.

Помню печальную русскую церковь в окружении пальм. Это было такое странное и непривычное зрелище, что даже испортилось настроение. Возникло непроизвольное возмущение в связи с итальянскими пальмами и отсутствием берез. Есть у меня такой стойкий рефлекс, а может быть, комплекс: береза — дерево русское. Я, конечно, интернационалист, но если вижу березу за границей, усматриваю в этом непорядок. Не место ей в Европе — должна произрастать в России. В случае если православный храм расположен за российскими пределами — береза имеет право расти рядышком, пожалуйста, но никаких исключений душа не приемлет. Поэтому пальмы, обрамляющие позолоченные церковные маковки, породили тоску и изумление. Я поймал себя на ощущении, что отношусь к русской церкви во Флоренции как к живому существу, вызывающему сострадание.

Графиня отворила кованую дверь, показала иконостас и небольшую комнату, сплошь забитую книгами. Комната напомнила мне пещеру с сокровищами из «Тысячи и одной ночи», только вместо алмазов она сияла именами Бердяева, Флоренского, Соловьева, Ахматовой, Цветаевой, Авторханова, Тэффи, Мережковского... У меня разбежались глаза. Я не предполагал, что очень скоро все это будет издаваться в России и чтение книг великих русских философов, изданных зарубежными издательствами, перестанет считаться преступлением. Со многими произведениями российских эмигрантов я, конечно, был знаком, но дома таких сокровищ у меня не было. Не было в те годы в моей домашней библиотеке ни Ахматовой, ни Мандельштама, ни Цветаевой... Графиня осталась довольна произведенным эффектом и подарила мне неожиданно острое, просто-таки захватывающее дух предложение:

— У нас не осталось больше читателей, — сказала она. — Эти книги теперь никому не нужны из тех людей, кто приходит в наш храм. Вы можете взять с собой столько книг, сколько захотите, правда, с одним условием — вы их не выбросите перед границей и перевезете с собой в Россию. Они — ваши.

На дворе стоял примерно 1984 год, и я храбро воспользовался предложением графини Олсуфьевой. (Храбрость не покидала меня вплоть до пересечения границы в аэропорту Шереметьево-2.)

Пересекать границу с тяжелым чемоданом, набитым книгами не только Ахматовой и Гумилева, но Авторханова, Бердяева и ряда эмигрантов, в том числе философов, принудительно высланных Лениным за пределы советской России, было крайне небезопасно. Возможно, что это один из весьма смелых поступков в моей жизни, потому что в аэропорту перед получением багажа в душу стал вползать подлый страх. Я начал долгую борьбу за смелый поступок, и борьба шла с переменным успехом, потому что я дважды оборачивался в сторону туалета, расположенного на «нейтральной полосе». Потом понял, что если избавлюсь от книг — перестану себя уважать.

Стараясь не бледнеть перед таможенным досмотром, я приблизился к Олегу Николаевичу Ефремову, которого всегда все узнавали и которому улыбались. Он знал о содержимом моего второго чемодана, ободрил взглядом и старательно улыбнулся таможеннику. Ответная улыбка означала, что чемодан мне тоже открывать не надо.

Конечно, я не предполагал, что «заграничный» поток сознания заставит меня признаться пусть не в серьезном, но преступлении. Впрочем, время оправдало содержимое моего чемодана, и теперь оно не может входить в состав мнимого нарушения некоторых давно устаревших инструкций. Преступление я как автор усматриваю в другом — в окончательно разбалансированном сознании. Ведь я взялся было рассказывать о парижских контактах с русскими людьми во время гастролей Ленкома в 1983 году...

Предпоследний поток сознания

Для меня принципиально важно, затевая в Ленкоме очередной театральный проект, сформировать группу ведущих сочинителей таким образом, чтобы автором произносимого со сцены текста был человек, мало чем уступающий по своей одаренности Вильяму Шекспиру. Таких всего-то несколько человек. Григорий Горин с Андреем Вознесенским да Нина Садур с Людмилой Петрушевской, ну, может быть, еще Галин Александр с Дмитрием Липскеровым. Обязательно нужен композитор, никак не уступающий Геннадию Гладкову, Алексею Рыбникову, Михаилу Глузу и Сергею Рудницкому. Хотел бы назвать и другие имена, но рука не поднимается — лучших уже не найду. И хорошо бы художника с подобным же пространственным, режиссерским и архитектурным талантом, каким располагает Олег Шейнцис. Чтобы раздвигал несущие стены, менял этажные перекрытия и закладывал такие сметы расходов, что повергали бы в ужас всех театральных директоров, кроме Марка Варшавера.

Варшавер только прикидывается директором Ленкома, на самом деле он — его художественный и экономический продюсер, который слишком хорошо знает все сферы сценического созидания, прежде всего театральную экономику и все наши допустимые и недопустимые возможности. Поэтому, когда он знакомится с очередным замыслом Шейнциса, всегда слегка бледнеет, иногда зеленеет, но при этом обычно говорит: «Ай-яй-яй, как все-таки интересно!.. Лошадей настоящих в этот раз не будет? Странно. И стены сверлить не будем? Мило. А накладных кругов из бронестекла почему не вижу? И сколько всего оборонных заводов загрузим продукцией? Ни одного? Поразительно! Но пуговички на костюмчике, конечно, положим алмазные?.. Обыкновенные? Потрясающе!»

В серьезном проекте должны участвовать хореографы уровня Владимира Васильева и Алексея Молостова с обязательным подключением в дело педагога-балетмейстера Инны Лещинской, режиссера и моего сопостановщика Юрия Махаева, хормейстера Ирины Мусаэлян, фронтовика, универсального музыканта и организатора всего, что ни попадается под руку, Василия Шкиля, кураторов всех событий, акций, репетиций, собраний, совещаний, распределений, увольнений, зачислений и отчислений — Инны Бомко, Юлии Косаревой и Сергея Вольтера. Обязательно нужен человек со стальной волей, производственной хваткой, инженерным разумом и умением увернуться, когда Олег Шейнцис готовится его убивать, — речь о техническом директоре и заодно — о группе самородков, народных умельцев, которые самолично обрели уникальные театральные профессии — о Михаиле Гусаке, Елене Пиотровской, Анне Волк, Владимире Черепанове, Юрии Федоркове, Владимире Володине, Марине Жикиной, Владимире Грибкове, Дмитрии Кудряшове, Ренате Ульяновой, Александре Стаханове, Клавдии Строковой, Павле Иванове, Александре Каргине и многих других, включая непременно патологически одаренных музыкантов, которые создали эмоционально-поэтическую и музыкально-песенную основу Ленкома. Это Анатолий Абрамов, Александр Садо, Николай Парфенюк, Геннадий Трофимов, Павел Смеян, Сергей Березкин. Бестактно было бы с моей стороны не принять к сведению выдающуюся роль костюмеров-модельеров-кутюрье: Марии Даниловой и Тамары Мещаниновой.

Наконец, хочется признаться в главном. Мое достояние и гордость — звездная плеяда, о которой я уже не раз упоминал, и пока сознание с его потоками окончательно не покинуло меня, обязан еще раз сказать, что нынешние мои притязания на суперпрофессию ничего не стоят без Александра Абдулова, Леонида Броневого, Армена Джигарханяна, Александра Збруева, Юрия Колычева, Николая Караченцова, Олега Янковского, Александра Лазарева, Александры Захаровой, Сергея Степанченко, Татьяны Кравченко, Игоря Фокина, Ивана Агапова, Виктора Ракова, Александра Сирина, Наталии Щукиной, многих-многих других и главной актрисы театра — Инны Чуриковой. В русском репертуарном театре должны быть иерархия и субординация, поэтому я обязан запечатлеть в своем и читательском сознании имена совсем молодых, брызжущих талантом и надеждами. Не мыслю своего существования без совсем молодых — Марии Мироновой, Анны Вольтовой, Сергея Фролова, Константина Юшкевича, Дмитрия Марьянова, Антона Шагина, Олеси Железняк. Очень захотелось перечислить всех людей, без которых немыслим театр, созданный в 1973 году (хотя его история начинается с 1927 года), но хочется пощадить терпение читателей и не посвящать его во все без исключения тайные симпатии художественного руководителя.

«Город миллионеров» в трагикомическом потоке сознания

«Город миллионеров» появился на сцене московского Ленкома в 2000 году. Идею постановки спектакля по пьесе Эдуардо де Филиппо «Филумена Мартурано» принес в театр мой ученик по мастерской режиссерского факультета РАТИ Роман Самгин.

Если бы я не был суеверен и не боялся сглазить — наверняка пустился бы в пространные рассуждения о таланте этого человека, который формировался как режиссер на моих глазах и даже с некоторой моей помощью. Впрочем, весьма относительной. Я уже рассуждал в предыдущей главе о закономерностях в становлении творческой личности. Выучиться на сочинителя, как обучаются на бухгалтера или инженера, по моему глубокому убеждению, никак невозможно. Чтобы стать профессиональным поэтом, балетмейстером, художником, режиссером и вообще творцом новых идей, необходимо иметь ярко выраженную генетическую склонность, а потом дополнить ее прохождением хорошей школы при наличии обязательной и редкой работоспособности.

Так вот, Роман Самгин, может быть, и не сразу, но обнаружил ярко выраженную генетическую склонность или, проще говоря, режиссерский талант, а интенсивную работоспособность почувствовал или приобрел сразу. На мою педагогическую долю осталась режиссерская коррекция по линии мастерства, общетеатральной культуры и обязательные азы постановочного ремесла. По поводу ремесла можно потом скептически ухмыляться, но знать некоторые закономерности в нашей профессии, некоторые тактические и стратегические приемы — необходимо. Во всяком случае, до той поры, когда собственной успешной практикой не опровергнешь того, о чем тебе талдычил твой учитель.

Самгин, обучаясь на режиссера, поначалу ничем особенным меня не удивлял, пока в качестве режиссера-стажера при моей мастерской вдруг не поставил со студентами выпускного курса «Бешеные деньги» А.Н. Островского. Здесь я с изумлением обнаружил эстетически сбалансированную, волевую, остроумную режиссуру на пустом сценическом пространстве без мебели и почти без реквизита. Ставка была сделана на «драматургию биологических процессов». Герои его спектакля пребывали в сложной и постоянной динамике комедийных метаморфоз. И материалом для цепочки психологических, нервных, пластических процессов, носящих спонтанный, непредсказуемый характер, служили психические, эротические, нервные, неврастенические завихрения человеческого интеллекта и его подсознательных комплексов. Почти все исполнители «Бешеных денег» обрели у Самгина ярко выраженную комедийную заразительность. Через год в режиссерском сочинении Самгина, чеховском «Юбилее», эта самая заразительность была уже на порядок выше. Одноактную шутку Чехова играли только участники режиссерской труппы, и все они, вне зависимости от их актерских способностей, выглядели крайне убедительно. Я бы сказал, на редкость культурно, без примеси актерского дилетантизма, часто свойственного студентам-режиссерам, когда они выступают на студенческой сцене в качестве актеров.

Успехи Самгина совпали с периодом моих тревожных раздумий о судьбах московского Ленкома в сфере его режиссерского будущего. Не то чтобы я собрался назавтра умирать, но мысли о режиссерской профессии вообще стали носить у меня скептически-пессимистически-апокалиптический характер. По Бердяеву, это вообще наша российская склонность — постоянно находиться в ожидании апокалипсиса. В последние годы обнаружилось, что надежно работающих режиссеров и у нас, и за рубежом совсем немного. А уж людей, могущих возглавлять репертуарный театр и вести его стабильно в качестве художественного лидера, вообще можно пересчитать по пальцам.

Перешагнув шестидесятилетний порог, я, конечно, помнил о В.И. Немировиче-Данченко, который мог ставить замечательные спектакли и в восемьдесят лет, и тем не менее оптимизм, связанный с постановочной дееспособностью этой феноменальной личности, все чаще начинал восприниматься мною как радостное исключение из общих правил и закономерностей режиссерской профессии.

Навязчивая идея о долголетии московского Ленкома вне зависимости от моей личности стала с некоторым деликатным беспокойством свербеть в моих мозгах, а то и просто стучаться в темечко.

Я предложил Самгину принести в театр идеи для его режиссерской работы. Предложение это было сделано с некоторым внутренним содроганием не потому, что меня беспокоил комплекс режиссерской ревности или что-то на это похожее, без чего абсолютно обойтись в театре, думаю, невозможно. Меня беспокоила мысль, наиболее четко сформулированная однажды Александром Збруевым. Звучала она примерно так: «Это — ваш театр. Все мы хотим работать только с вами. Так исторически сложилось. С известным, имеющим имя режиссером мы репетировать еще, пожалуй, согласимся, но вот с молодым, начинающим — не хотелось бы». Это смягченный пересказ збруев-ского монолога и царящих в театре настроений. Попытки в прежние годы привлекать к работе молодых режиссеров заканчивались у нас печально, поэтому принесенные Самгиным названия будущих спектаклей изначально вызвали во мне подлую неуверенность, впрочем, хорошо замаскированную от молодого режиссера.

Наибольший, хотя и не бесспорный интерес вызвала у меня только «Филумена Мартурано». Желание немедленно и одобрительно кивнуть сдерживал знаменитый вахтанговский спектакль 1956 года с Рубеном Симоновым и Цецилией Мансуровой. Фильм, снятый по этой пьесе, меня не беспокоил, но вот само заграничное название пьесы вызывало привычную идиосинкразию. С послевоенных лет, когда киностудии страны, и в особенности киевская имени Довженко, дружно специализировались на разоблачении нравов современной, пагубной для человека зарубежной жизни, я непроизвольно вздрагивал, наблюдая, как наши артисты и режиссеры погружались в нюансы «ихних» бытовых ужасов. Понимаю, что здесь я очень субъективен, возможно, погряз в заблуждениях, но поставить пьесу, где прозвучат реплики типа: «Джонни, мальчик мой!» или «Мэри! Что ты будешь пить, моя крошка?» — я никогда не сумею. В этом смысле от самого названия пьесы, предложенной Самгиным, у меня началось поначалу неприятное внутреннее помутнение. Подвести, однако, под свои режиссерские комплексы научно-эстетическую базу я никак не хотел, и поэтому в процессе некоторой психологической адаптации мы с Самгиным договорились, что остроумно написанная итальянская пьеса должна называться иначе, и первые иностранные имена прозвучат со сцены как минимум через полчаса после начала спектакля. Кроме того, несколько успокаивало то обстоятельство, что «Филумена» уже не имела прямого отношения к итальянскому неореализму, который наше поколение досконально изучило на примере знаменитых послевоенных фильмов Р. Росселини, Л. Висконти, В. Де Сика. Пьеса замечательного драматурга, питаясь изнутри биотоками итальянской комедии «дель арте» (комедии масок), избежала погружения в натуралистические нюансы послевоенной итальянской разрухи, а являла собой пример несколько анекдотического, но вместе с тем пронзительного исследования вечных человеческих мук и радостей.

Желанию взяться за «Филумену» способствовали в наибольшей степени два главных обстоятельства: в пьесе были прекрасные роли для Инны Чуриковой и Армена Джигарханяна. Второе немаловажное обстоятельство — повод для создания «суперстаромодной» сценографии. Идея давно носилась в моем воспаленном воображении, и вот наконец представился эстетически обоснованный повод для декорации в стилистике 30–50-х годов. Долгие годы увлекаясь вместе с Олегом Шейнцисом разного рода фантасмагорическими конструкциями, мы в последнее время дружно мечтали о неожиданном сценографическом зигзаге, включая настоящую мебель, деревянные стены, стекло и такой допотопный, старомодный элемент театрального зрелища, как занавес. Мне показалось, что в последние годы зритель, и не только нашего театра, несколько утомился от общетеатрального сценографического авангардизма и что он наверняка обрадуется ностальгическим эмоциям. Все-таки первые театральные радости у шестидесятников, да и тех, кому сейчас от тридцати до пятидесяти, связаны с ныне ненавистным нам соцреализмом.

Конечно, по взаимной договоренности с Самгиным и Шейнцисом речь могла идти только о новом эстетическом витке «супернатурализма», или, как его обозвал Виталий Вульф, — «неоконформизма». Мы вознамерились ликвидировать в декорации любые проявления бутафории, и здесь надо отдать должное мужеству нашего директора М.Б. Варшавера, нервная система которого хотя и дрогнула, но все же устояла перед сметой предстоящих расходов.

Лишний раз я убедился в том, насколько тонкие сигналы окружающего мира способен воспринимать человеческий глаз. По большому счету, зрителя нельзя обмануть, подсунув ему на сцене стол из столярной мастерской театра вместо стола антикварного или просто пожившего на свете и послужившего людям не одно десятилетие. Зритель может не обратить на это внимания, но подсознание его всегда фиксирует происхождение и качество любого предмета, находящегося на сцене, включая одежду артистов.

В отношении ловко повешенного Шейнцисом занавеса мне показалось, что молодые артисты Ленкома в первое время даже испуганно от него шарахались. Вещь для них незнакомая — много лет не видели.

Мы договорились с Самгиным о новом переводе пьесы Эдуардо де Филиппо и даже раздобыли итальянский первоисточник. Хотя, если честно, мы просто заново пересказали сюжет знаменитой пьесы, что до нас уже не раз случалось в истории мирового театра. Кое-какие сюжетные мотивы мы убрали, что-то придумали заново, включая диалоги и некоторые драматургическое построения. Зная, что в финале зрители должны если и не заплакать, то, во всяком случае, почувствовать приближение слез, мы постарались сделать спектакль с множеством комедийных ситуаций, нам было важно, чтобы зрители много смеялись. Это нам удалось, причем не за счет откровенно придуманных шуток, так называемых «реприз». Репризы существуют у нас в весьма ограниченном количестве — обилие смеха, переходящего в радостные аплодисменты, родилось в этом спектакле на принципиально иной комедийной основе. Разумеется, я не хочу ничего упрощать и наукообразно раскладывать постановочные и актерские акции «по полочкам», но сказать о некоторых принципиальных способах создания комедийной ситуации на сцене как раз намереваюсь.

Не порывая с некоторыми элементами огрубления этой непростой театральной проблемы, хочу заметить, что смешным сценическое действие становится в том случае, когда группа одаренных комедийных артистов, не скрывая своего эксцентрически-комедийного настроя, обрушивает на зрителя веселый шквал гротесковых проделок и сдабривает его изрядной долей текстовых шуток. Это прекрасное и трудное ремесло, где основная сложность состоит в том, чтобы, находясь на пределе своих комедийных возможностей, не скатиться в низкопробное «комикование» или попросту в дешевую клоунаду.

Этот способ комедийного настроя иногда приносит особую радость и зрителям, и актерам. Примерно в этом ключе выстроен наш «Безумный день, или Женитьба Фигаро». Мы изначально не скрываем своих намерений — развеселить себя, а заодно и зрителей. Этот спектакль живет в репертуаре довольно долго и каждый раз обнаруживает свою устойчивую праздничную заразительность, сопровождаемую обязательным хохотом и взрывами аплодисментов.

Продолжая несколько упрощать проблему, скажу и об ином комедийном контакте со зрителем. Этот второй принцип требует изначально анекдотической ситуации, то есть того драматургического каркаса, который именуется «комедией положений». Скажу сразу, что этот принцип сегодня кажется мне более предпочтительным и интересным. Артисты на сцене не дают повода заподозрить их в желании во что бы то ни стало рассмешить зрителя, они всерьез занимаются своими проблемами, а то, что это приводит к комедийному восприятию ими содеянного — это, как говорится, не их проблемы, а зрителей. Конечно, такой способ требует изощренного комедийного мастерства, но смех в зале при этом возникает все равно в результате серьезных устремлений. Артист в таком спектакле ни в коем случае не должен быть уличен зрителем в желании его рассмешить... Да, получается смешно, иногда очень, но «не по вине артиста или режиссера». Именно с таким настроем Самгин приступил к работе, к которой довольно скоро подключился я, чтобы самортизировать многие сложности, возникающие при первом вхождении молодого режиссера в сложившийся коллектив репертуарного театра, да еще при обстоятельствах, когда на главные роли назначены такие фигуры, как Чурикова и Джигарханян.

Участие в работе над «Городом миллионеров», помимо обязательного крайнего серьеза всех исполнителей, подвигнуло меня к скрупулезной разработке еще одной психической особенности, свойственной даже уравновешенным людям. Впрочем, употреблять понятия «уравновешенный» или «хладнокровный» применительно к героям Эдуардо де

Филиппо не приходится. Персонажи пьесы оказались людьми до крайности импульсивными и вспыльчивыми. И вот эти самые механизмы спонтанной неуравновешенности и стали дополнительным комедийным механизмом спектакля. Причем дело вовсе не только в итальянском характере — скорее в том, что в экстремальных ситуациях наши эмоции часто опережают отпущенные нам богом интеллектуальные возможности. Короче, режиссуре спектакля, по-моему, удалось соединить крайний реализм и серьез актерского сценического существования с его психическим несовершенством. Сценические характеры постоянно попадали в экстремальные ситуации, превышающие запас их психической безопасности. На репетициях и позднее, на первых спектаклях, я очень часто говорил Армену Джигарханяну: «Да, твои интеллектуальные ресурсы отстают от нахлынувшего на тебя вихреобразного темпоритма, и это самое интересное»; «Да, сосуды головного мозга у твоего героя пошаливают. Скорость мозговых процессов предательским образом отстает от эмоциональных потребностей».

Думаю, что театр абсурда в своих комедийных аспектах опирается именно на эти особенности человеческого мышления: сказать что-то хочется, иной раз необходимо, а в голове, как назло, ни одной подходящей мысли. В отношении Чуриковой и Джигарханяна я стал применять такие режиссерские призывы: «После этих ваших слов движение спектакля катастрофически останавливается. Почему? В уставших мозгах закончилась «программа». Временный «столбняк». Волнение осталось, даже усилилось, а новых идей в голове не рождается».

К этим глубоко скрытым комедийным механизмам очень достоверно и смешно подкрадывался в свое время Гоголь. Интеллектуальных ресурсов Хлестакова хватило ведь только на вопрос к Пушкину: «Ну что, брат Пушкин?» А вот при ответе Пушкина извилины у Хлестакова дали сбой! Они вполне могли бы выбросить какой-нибудь уморительный вздор, но, израсходовав всю энергию на предшествующий монолог, выдали «перебой в программе». Гениальный Пушкин, по словам Хлестакова, сумел ответить лишь: «Да так как-то все, брат... так как-то все...» Это явный брак, временный провал при интенсивном мышлении. Вещь, характерная не для одного только Хлестакова.

Плохая, неадекватная работа мозга при крайней необходимости четкой работы — мощный комедийный импульс. Здесь режиссер, не прибегая к явной клоунаде, лишь использует живые узнаваемые механизмы человеческого мышления вместе с их все чаще встречающимися аномалиями.

* * *

Название «Город миллионеров» произошло от пьесы Эдуардо де Филиппо «Неаполь — миллионер», переведенной у нас в свое время как «Неаполь — город миллионеров». В слове «миллионер» проступает явно ощутимый иронический оттенок. Это слово в послевоенной Италии, вероятно, воспринималось примерно с таким же юмором, с каким оно всегда воспринималось в России. Правда, у нас еще к этому понятию примешивается сильная социальная неприязнь, плавно переходящая во всенародный гнев. Весьма сомнительный финансовый достаток главного героя в «Городе миллионеров» воспринимается нами как некие комедийные притязания на материальное всемогущество и перерастает в завышенные критерии по отношению к себе и к своим будущим усыновленным детям. В нашем спектакле исподволь возникает мысль о том, что миллионером может почувствовать себя всякий человек, обретший в жизни непреходящие ценности, — например, семью или любимую профессию. Главный герой нашего спектакля в традиционном смысле не миллионер, но, заполучивший в жены любимую женщину и трех усыновленных им ее сыновей, он может и даже должен мысленно подняться до привычных в обществе понятий богатого и преуспевающего человека. Каждый человек, прикоснувшийся к счастливым мгновениям собственной жизни, может обозвать себя миллионером.

Думаю, что это веселое, но по-человечески понятное заблуждение может также вполне коснуться и режиссера, достигшего определенного успеха в своей профессии. Человек, занимающийся в нашем многострадальном и достаточно нищем обществе любимым делом, добившийся известности и признания коллег и ускользнувший от нищеты, может при желании именовать себя миллионером, конечно, избегая широковещательных заявлений, ибо в обществе победившего криминала это попросту опасно.

Короче, каждый суперпрофессионал — миллионер. Естественно, по своему общественному (нематериальному) статусу. Вообще, россиянин вызывает у своих сограждан законную симпатию только в том случае, если он беден как церковная крыса и перебивается с хлеба на квас. Именно в этом случае в массовом сознании он считается хорошим человеком. Думаю, что это генетически устойчивое свойство нашей ментальности сыграет роль мощного экономического тормоза во все возрастающем желании жить не глупее других народов. Человек, добившийся благосостояния, в российском народном сознании подлежит уничтожению. Когда мы читаем в газете очередной «ужастик» о каком-нибудь страшном убийстве и в последних строках обнаруживаем, что покойник занимался бизнесом, — у читателей как гора с плеч. Почти всенародное облегчение. Общинно-иждивенческие комплексы так далеко и прочно проникли в наши души, что мы с ними, по-моему, никогда в обозримом будущем не сможем работать и развивать свою экономику — даже по сравнению с не слишком шустрыми прибалтами. Я уже не говорю о других народах, которые хорошо понимают в своей массе, что чем больше будет в их стране богатых людей, тем богаче будет страна. С огромным трудом мы, может быть, и сможем понять это когда-нибудь теоретически, но практически будем стремиться к перманентному отстрелу преуспевающих предпринимателей, их разорению, дележу принадлежащей им собственности, словом, к врожденным лагерным побуждениям, которые не позволяют человеку, долгие годы проживающему в рабстве, стать свободным человеком. Свобода — тяжкая ноша, и любой автор о ней задумывается, о чем бы он ни писал.

Возвращаясь к «Городу миллионеров», обязан еще раз сказать несколько слов об Армене Джигарханяне. У него, как и у Инны Чуриковой, родилась бенефисная роль. Но о Чуриковой я писал много и часто, она — один из признанных лидеров в современном театре и кинематографе, обладательница большого числа наград и премий, главная актриса московского Ленкома. Джигарханян же — явление в нашей труппе в некотором роде новое. «В некотором роде» — потому что он в прошлом несколько лет проработал в Театре имени Ленинского комсомола при А.В. Эфросе, потом еще некоторое время после его увольнения, и только в 1997 году вновь вернулся в театр, который его когда-то пригласил в Москву. Точнее, это сделал не театр, а Эфрос, а если еще точнее — актриса Ольга Яковлева. По рассказам, именно она заметила в Ереване талантливого молодого артиста и посоветовала Эфросу не проходить мимо этой многообещающей личности. Эфрос и не прошел и преподал недолгие уроки своему новому ученику, который переиграл в Ереване множество ролей.

По моим наблюдениям, вписаться в театральную жизнь Москвы артисту из другого региона возможно лишь в молодости. Потом наступает некоторый возрастной, может быть, психологический рубеж, после которого вновь испеченный москвич, как правило, чувствует себя в московском театральном мире чужеродным телом. Он может очень стараться, напрягать все силы для сценического штурма, но чем больше расходует сил, тем меньшего эффекта добивается. А Джигарханян приехал в Москву вовремя. Немного поработав без Эфроса, он принял предложение от А.А. Гончарова и перебрался в Московский Академический театр имени Вл. Маяковского, где и состоялось в 1970 году наше знакомство. Я ставил «Разгром» по Фадееву, а Джигарханян вскоре заменил на репетициях одного из назначенных ранее артистов в центральной роли Левинсона.

О многих перипетиях, связанных с этим спектаклем, уже подробно рассказывал, пытался поведать и об особом энергетическом излучении Джигарханяна, а вот о его весьма своеобразной трагикомической заразительности, о его откровенно комедийной органике скажу постараюсь именно сейчас.

Я заметил эту его актерскую особенность не сразу, хотя видел не раз Джигарханяна на экране в вихрях эдакого комедийного фейерверка, где он не скрывал своего дурашливого умонастроения пополам с шаржированной пластикой. Я не слишком серьезно относился к его прошлым комедийным опусам, но теперь понимаю, что с их помощью он интенсивно обогащал свой актерский организм, как иногда люблю выражаться, на клеточном уровне.

В период наших репетиций «Города миллионеров» я весьма скоро узрел в его повадках и актерском мышлении нечто чаплинское. Были отдельные репетиции, где мы много спорили, но все же чаще — работали, искали, изучали «неиспользованные ресурсы» его актерского организма. Мне казалось, что иногда он сам с некоторым удивлением обнаруживал в себе что-то, о чем не подозревал ранее. Я не уверен в своей стопроцентной правоте, но юмор Джигарханяна, как чисто внешний, основанный на своеобразной пластике, так и глубоко внутренний, запрятанный глубоко в недра подсознания, был уже внутренне сформирован. Мне оставалось только давать осторожные советы и иногда настаивать на некоторых мизансценах. Впрочем, очень многое придумал он сам, ибо, как и Чурикова, этот артист обладает поразительным импровизационным даром.

Я запомнил одну из репетиций и один из первых спектаклей, когда испытал своеобразное потрясение, то есть увидел на сцене то, чего никогда прежде не видел. Я имею в виду сцену с тремя усыновляемыми ребятами во втором акте. Дон Доминико в исполнении Джигарханяна так волновался, точнее, боролся с волнением, впервые близко общаясь с неизвестными ему подростками, так старался им понравиться и одновременно определить, кто из троих его сын, что актерский организм Армена совершал на моих глазах серию акций из разряда «высшего актерского пилотажа». Его волнение гипнотизировало, повергало в хохот и озадачивало. Вероятно, к сложным нервным процессам присоединялись еще какие-то очень тонкие, но вместе с тем все-таки ощутимые механизмы особого психологического воздействия. Я имею в виду излучаемую Арменом «психическую энергию». Беру это не слишком достоверное в академическом плане понятие в кавычки, ибо это из терминологии Н. Рериха. Что такое чисто нервная заразительность, мы в общих чертах понимаем, но что такое по Н. Рериху «психическая энергия» — четко сформулировать пока не умеем.

Как всегда, гуляют во мне некоторые утопические идеи. Размышляю о появлении в наступающем тысячелетии особого прибора, подобия детектора лжи, где можно было бы за счет датчиков установить сверхплотную обратную связь исключительно для совершенствования актерского мастерства, точнее, некоторых его составляющих. О каких-то похожих методологиях в современной медицине я уже где-то читал, но вот о приборе для тренировки плохо изученных и вообще проблематичных возможностей человека пока можно только мечтать. Находясь с таким прибором в плотном визуальном контакте, полагаю, любой человек может научиться видоизменять частоту сердцебиения или величину артериального давления. Но вот пойти дальше и глубже, в те сферы, куда заглядывают только некоторые виртуозы, занимающиеся аутотренингом в его самых высших проявлениях, — здесь необозримое и загадочное поле для самых смелых фантазий.

Джигарханян мои путаные размышления о подключении к делу «психической энергии» полностью разделил, привел интересные примеры из собственной сценической практики, согласился, что его подобного рода загадочные психические механизмы посещают нестабильно, от случая к случаю. Он признался, что надежно управлять такого рода процессами на каждом спектакле не в состоянии... Словом, подарил истинное творческое единомыслие и даже никак не расстроил, потому что я все-таки не однажды наблюдал это чудо. Я его зафиксировал в своей режиссерской памяти и отнес к самым ценным подаркам, полученным мною когда-либо от любимого артиста.

* * *

Еще одно важное обстоятельство сделало нашу работу над «Городом миллионеров» явлением неслучайным, очень повысило мою личную заинтересованность в этом театральном проекте, прибавило режиссерского упрямства и даже, возможно, вдохновения. Оно, вероятно, подтолкнуло нас к идее резкого уменьшения возраста сыновей Филумены. У Эдуардо Де Филиппо сыновья Филумены — взрослые люди, один даже имеет собственную семью и детей. Мне и Роману Самгину показалось, что важность усыновления, иными словами — обретения законной и полноценной семьи, имеет далеко не одинаковую значимость для двадцатилетнего и двенадцатилетнего человека. Отчий дом крайне необходим именно в детстве, поэтому на нашей сцене появились подростки, сверстники тех, кого мы так часто теперь встречаем на улицах Москвы: торгующих между автомобилями пачками газет, книгами, цветами, подозрительно мелькающих на вокзалах и в подземных переходах.

На первых порах московские школьники, которых мы пригласили в спектакль, чувствовали себя скованно и не всегда умели совладать с волнением — все-таки их партнерами оказались Чурикова и Джигарханян. Та естественность и органика, которых, как мне показалось, мы добились на последних репетициях, вдруг стали у наших молодых друзей ускользать, и замаячил дилетантский звуковой привкус. Но, надо отдать должное ребятам и, конечно, Самгину, который вложил в них изрядную порцию режиссерской и педагогической воли, — через два-три спектакля наши юные артисты обрели уверенность и столь дорогой для этого спектакля режим естественного, правдивого существования пополам с той наивной мальчишеской искренностью, которая при определенных обстоятельствах свойственна детям.

С появлением на сцене Ленкома подростков-непрофессионалов для меня связан еще один пласт режиссерского замысла. Во имя чего в конечном счете мы ставили этот спектакль?.. Я уже признавался, что решающим в данном случае, как, впрочем, и во многих других, являлось желание занять ведущих артистов в таких ролях, где они могли бы наиболее эффектно продемонстрировать свою уникальность и, главное, некоторые новые нюансы из числа не использованных прежде особенностей их актерского естества. Очень важное обстоятельство — жанр пьесы, где комедийные построения тесно переплетались с мелодраматическими мотивами высокого качества. У драматурга было то, что издавна так дорого ценилось в русском театре, — было где вдоволь посмеяться и поплакать. Не я один заметил, что зритель готов расплакаться лишь в том случае, если до этого он много смеялся. А стало быть, сознательно или бессознательно полюбил тех людей, что доставили ему эту радость. Был также повод для неожиданного погружения в новую для ленкомовского зрителя сценографическую стихию «неоконформизма». И было, конечно, еще то, что, хочу я того или нет, всегда присутствует в спектаклях нашего театра, — некая политическая подоплека. В отдельные подцензурные годы эта связь театрального сочинения и общественно-политической ситуации в стране доходила до степеней острой публицистической атаки, но часто режиссерская политизированность обретала и ненавязчивый, деликатный характер, почти исчезая, прячась в недрах актерского бытия, когда режиссерские акценты перемещались в самые потаенные сферы «жизни человеческого духа». В «Трех девушках в голубом» Л. Петрушевской, спектакле, который в течение четырех лет запрещался цензурой, отсутствовали какие-либо намеки на публицистический или сатирический пафос. И все-таки этот пафос существовал, разумеется, в ином эстетическом, психологическом ракурсе, и цензурный аппарат, который не всегда был глупым, справедливо чувствовал это. Мы рассказывали о нашей жизни нечто такое, что предписано было тщательно скрывать.

Существовала ли некая политическая подоплека в режиссерском замысле «Города миллионеров»? В моем, быть может, несколько наивном и субъективном восприятии — безусловно. Появление полубеспризорных сыновей Филумены в возрасте 12–15 лет для меня и Романа Самгина —

не простая прихоть людей, желающих во что бы то ни стало пересказать пьесу знаменитого драматурга своими словами. Лично мне показалось, что здесь мы прикоснулись весьма осторожно и ненавязчиво к проблеме, которая почти не имела в нашей театральной традиции ярких сценических воплощений. Посему придется сейчас употребить чужой заграничный термин — «семейные ценности». К моему стыду, долгие годы это словосочетание вызывало во мне плохо маскируемую скуку. То есть, заслышав или прочитав о значении для человечества так называемых семейных ценностей, я, конечно, понимающе кивал головой, однако всегда эти ценности ассоциировались у меня со скучной школьной нотацией. Все-таки вести себя в жизни так, как тебе вздумается, представлялось мне делом справедливым и естественным. Тут, как у Е. Шварца в «Обыкновенном чуде», можно многое свалить на дурную наследственность, на деформацию мозгов идеологией тоталитарного государства, где семейная «ячейка» не могла даже мечтать о сравнении — по своей общечеловеческой значимости — с государственным «ульем».

Однако за последние годы в стране и в отдельно взятых мозгах, в частности в моих собственных, произошли резкие и необратимые изменения. Мы получили возможность узнать многое из того, о чем прежде знать не могли и даже в массе своей не мечтали. Правильнее — не задумывались. Государство, подаренное нам политическими экстремистами криминально-большевистского розлива, оказалось не просто в своей основе ущербным, но оно прямо на наших глазах удручающим образом продолжило усиливать эту свойственную ему изначальную ущербность, медленно расползаясь и разваливаясь

Сравнительно недавно я узнал, что в нашей стране сейчас свыше четырех миллионов «выброшенных» детей. Как правило, в самом прямом смысле этого слова. Мы имеем несколько миллионов беспризорников при живых родителях. Самой страшной для меня новостью в последние годы была информация об отсутствии в развитых странах детских домов. Если, допустим, в Швеции ребенок остается без родителей, то всегда находится множество его соотечественников, готовых принять этого ребенка в семью. Отсутствие в цивилизованных странах детских домов, с моей точки зрения, — жесткий удар по чести и достоинству российского государства. К сожалению, эта страшная проблема, хотя и связанная в какой-то степени с экономикой, — отнюдь не экономическая. Похоже, она имеет прямое отношение к отрицательной динамике российского этноса. Л.Н. Гумилев, ученый, посвятивший жизнь изучению этногенеза, оставил для нас, современных россиян, малоприятные формулы: «...В процессе освоения ландшафта общность (этнос. — *М.З.*) формирует новый уникальный «стереотип поведения». Это понятие, включая в себя особый способ деятельности, отношения к миру, характеризует этнос как носителя определенного культурного типа».

Из всех сложнейших экономических ситуаций, включая, допустим, голод и полнейшую послевоенную разруху в Германии, существуют теоретические и практические, математически обоснованные схемы выхода и экономического выздоровления. Бесспорно, существуют такие схемы и для российской экономики. Но какие математические рецепты могут существовать для людей, выбрасывающих своих детей на улицу, иногда прямо из родильного дома, — сказать наша наука пока не в состоянии. В связи с чем и залетают в голову помимо воли подлые мысли о глубинном распаде нашего этноса.

О знаменательных явлениях нашей светлой действительности, омраченной «отдельными недостатками».

Весьма интересны массовые заседания в высших сферах, когда верховная власть говорит, что больше так работать нельзя и что теперь настала наконец долгожданная пора работать лучше и даже эффективнее. Интересно, как ближайшие сподвижники заметно омрачаются и думают: «Как же мы сами до этого не додумались?», записывают эту новость, кивая головами, — как это, дескать, амбициозно, своевременно, хотя и абсолютно неожиданно. Иные сподвижники от волнения даже записать эту мысль не в силах, и им остается только окаменеть и как бы задуматься. А у некоторых даже сил не хватает, как бы задуматься, и они с ужасом, потупя взор, ждут: не вступит ли с ними верховная власть в дискуссию с заранее известным персональным завершением?

Интересно, как происходит переоценка наших прежних генсеков. Несмотря на неожиданно возникшую любовь нашего народа к героическому брежневскому времени и к самому Брежневу с его ораторским своеобразием, — все-таки стоит воздержаться от показа документальных кадров с его историческими выступлениями. Об этом эффекте восприятия хорошо знали древние властители, больше всего опасаясь показаться смешными. Думаю, что поэтому высшие эшелоны власти опасаются сегодня награждать друг друга орденами и медалями. В этом смысле образ Брежнева дисциплинирует высшее руководство страны. О разного рода комедийных последствиях в поведении генсеков всегда задумывались и самые умные советские цензоры. Придя к власти, Хрущев, как известно, вскоре полетел с визитом через многие страны в Индию, и тотчас был запрещен к прокату анимационный фильм «Лягушка-путешественница». Более того, детская книжка того же названия была изъята из продажи. Что правильно.

Я старательно обхожу злободневные вопросы культурной сферы. Вопросы здесь до предела неоднозначны. О своей собственной режиссуре могу сказать просто: мечтается на досуге поставить оперу Чайковского «Евгений Онегин», причем я бы не ограничился появлением Татьяны и Ольги в купальниках, как это сделал мой давний знакомый режиссер Жолдак при постановке оперы в Финляндии. Я бы лично выпустил героинь Пушкина топлес, чтобы обострить оперу, тем более что сцена дуэли Онегина и Ленского мне видится как перестрелка на минометах. А престарелого Гремина играли бы два карлика, чтобы подчеркнуть неоднозначность образа.

Вообще, оперная режиссура переживает сейчас свое второе рождение, и я с интересом изучаю партитуры Верди, Моцарта, Чайковского, Бородина на предмет их решительного сокращения. Переизбыток нотных знаков огорчал еще советских людей и их руководителей. И я чувствую, как прежние коммунистические традиции стучатся в окна современности. В памяти интеллигенции еще сохранились отголоски постановлений ЦК КПСС и выступлений Жданова. Хотя он и был монстром, но умел играть на фортепьяно простенькие мелодии, понятные для гостей Ближней дачи. Радостно, что сейчас готовится новый вариант гимна, потому что прежняя хоровая запись для молодежи из дальних регионов была замысловата и далека от танцевальных ритмов. Молодежь должна наслаждаться искусством — поэтому пришлось раскрашивать и частично сокращать телесериал «Семнадцать мгновений весны». Сейчас главное в кинематографе — чтобы фильмы для молодежи были патриотическими. Причем отличить патриотическое высказывание в искусстве от непатриотического подчас весьма затруднительно. И еще очень важно, чтобы новые фильмы были для ветеранов не обидными.

Я общался и дружил с Борисом Васильевым, Василём Быковым, Виктором Астафьевым. Их объединяло то, что они были ветеранами и вместе с тем умными людьми. Вероятно, теперь остались в живых другие, которые якобы постоянно требуют обязательного следования сталинским историческим мифам. Что правильно. Но я в это не верю. Они тоже умные.

* * *

Хочется вернуться к самой интересной теме — новому, окончательному учебнику по истории. Логично будет написать такие же новые учебники по другим наукам, включая квантовую механику и ядерную физику. Элементарных частиц сегодня на учете состоит столько, что потребность в открытии новых мне представляется излишней; народу, в особенности нашему, это не кажется первоочередной, приоритетной задачей. Правильнее в связи с непростой обстановкой в стране остановиться на сегодняшнем количестве фотонов, протонов и разного рода гамма-излучений. Более того, специальным постановлением я бы закрепил достигнутое как окончательное и предложил бы добиться в фундаментальной физике инновационной оптимизации. То есть значительной экономии средств.

Если историю считать наукой (а на этом будут настаивать оставшиеся в стране историки), следует остановить авторов, которые постоянно открывают новые подробности в событиях Великой Отечественной войны. Нет такой надобности! Это дал понять всем маршалам и генералам сам «отец народов». Он категорически запретил им делиться воспоминаниями о войне и в особенности о первых ее месяцах. Он вообще не хотел вспоминать и анализировать Вторую мировую. И были на то серьезные основания. Не удалось полностью завоевать Европу. И сопоставление наших и германских потерь вносило смуту в незрелые умы. Но главное «искажение истории», конечно, связано с предвоенной политикой СССР. Находятся отдельные отчаянные авторы, которые требуют рассекретить спецархивы, связанные с событиями 1939–1941 годов. И даже без архивов они пытаются анализировать предвоенную ситуацию. Некоторые даже желают познакомиться с перепиской Сталина с Гитлером. Я бы тоже прочел ее с интересом.

Однако среди патриотически настроенных граждан, руководителей центрального телевидения и наших проверенных историков достигнуто долгожданное взаимопонимание, что было ошибочным в деятельности «отца народов», а что было менеджерски-просветленным, отцовским и благодатным. Когда столько света на фоне отдельных недостатков, некоторым артистам и режиссерам, в особенности на телевидении, хочется заново представить зрителям этот родной и противоречивый образ. Никому почему-то не хочется еще раз подробно и серьезно заниматься Гитлером: в современной Германии рассказали о нем исчерпывающе.

Наш знаменитый драматург Евгений Шварц тоже рассказал о Драконе очень справедливо: когда свирепствовала эпидемия чумы, Дракон, дыхнув на озеро, вскипятил его, и весь город пил кипяченую воду, спасаясь от болезни. Он вообще провозглашал заботу о простом человеке. Драматург знал или догадывался, что Дракон-Гитлер был выдающимся национал-социалистическим политиком, демагогом, дипломатом, талантливым оратором, строителем автобанов, взявшим верх над многими претендентами на верховную власть в Германии. Он, кстати, отличался личной храбростью, когда шел под полицейские пули в первых рядах антиправительственной демонстрации. Есть повод для размышлений. Что правильно и полезно.

К сожалению, архивариус Шарлемань испортил пьесу Шварца, предрекая напоследок: «Зима будет долгой». Но в каком смысле? Если это касается нас — в это не хочется верить, особенно в праздничные дни, которые мы постоянно переживаем.

Очень интересно сегодня было бы найти нормального человека, который в течение месяца-двух рассказал бы (разжевал бы для пенсионеров) в ежедневной телепрограмме преимущества новой пенсионной реформы. Население, как известно, стареет. Скоро численность людей пенсионного и особенно предпенсионного возраста будет доминировать. Стариков, которые поняли и подсчитали бы собственную пенсию, сверив ее с данными «Фейсбука» и «Твиттера», стоило бы записать в группу людей с особо просветленными мозгами. Их надо было бы беречь: они представляют национальное достояние, как тигры в забайкальской тайге.

Особенно впечатляет поручение военного министра — написать единую и окончательную историю российской армии. Мне кажется, что эта просьба невыполнима. Даже самые талантливые современные историки новой волны не смогут преодолеть идеологическое сопротивление по поводу «общепризнанных истин». «Общепризнанные истины» — наш крест, наше наказание.

Мы с первой Отечественной войной 1812 года только сегодня с огромным трудом более или менее разобрались. Правда, перипетии утонули в книжной лавине псевдоисторических поделок. О наших войнах как таковых первый маршал К.Е. Ворошилов говорил: «Мы не только умеем воевать, но еще и любим воевать». И Кутузов при тщательном и беспристрастном исследовании оказался неоднозначной фигурой, что не умаляет подвига русской армии и наступательной доктрины Александра I. И совсем непатриотическим событием кажется нам теперь сдача Москвы и преступное сожжение красивейшего города планеты. И главное — неисполнение приказа императора Александра Павловича уничтожить остатки великой армии Наполеона при Березине. Конфронтация императора и Кутузова стала восприниматься по-новому. (Может быть, в связи с взятием Берлина советскими войсками в 1945 году.) Император Александр I своим Священным союзом против революций заложил отдаленные основы Европейского сообщества. Более того, я предполагаю, что идеи Объединенных наций (ООН) в какой-то степени — развитие идей русского монарха.

Ирония, которая сама, без спроса влетает в мои абсурдистские мозги, кажется мне не всегда уместной, но что делать?! Даже новостные программы кажутся мне сочинением комедиографа. Они — хотелось бы того или нет — вызывают стойкий комедийный эффект. Иногда эффект черной комедии.

Интересен репортаж, рассказывающий, как двое полицейских вошли в вагон, чтобы разнять дерущихся, а дерущиеся сразу помирились, отобрали у стражей порядка табельное оружие и заперли их в туалете. Естественно, были наказаны работники железнодорожного ведомства, был вынесен укор в адрес представителей РЖД. Что логично (!).

Изумляют подробные репортажи из операционной: кровавые, пульсирующие внутренности и сосредоточенная работа хирурга во славу божью. Мы и так без кровавых подробностей верим лучшим хирургам страны, мы только не верим в надежность второго и третьего эшелонов медработников. И сомневаемся в самой системе теперешнего здравоохранения. Вспомните, как долго мы кувыркались с ценами на иностранную магнитно-резонансно-томографическую аппаратуру. Но это как раз неинтересно.

* * *

Самое интересное из устрашающих явлений — это, конечно, сериалы. Превозмогая корпоративную этику, скажу честно, что многие небезосновательно видят в них злой умысел. Якобы к демографическим проблемам добавляется еще и ставка на всеобщую дебилизацию населения. Правильно здесь только то, что финальные титры проносятся на сумасшедшей скорости, и кто причастен к безобразию, неизвестно.

Не буду скрывать, что сегодня по-настоящему интересным является только документальный кинематограф. Здесь я полностью согласен с Э. Лимоновым. Показ по телевидению нового документального фильма — всегда событие. Великолепны фильмы режиссера Алексея Денисова о героическом исходе Русской армии из России. Здесь необходимо поблагодарить Никиту Михалкова за его закадровый текст. Это, по-моему, и есть патриотическое искусство.

В документальном кинематографе запечатлена, например, историческая значимость русских воинов, сражавшихся в 1914–1916 годах на территории Франции, их неоценимый вклад в спасение Франции в годы Первой мировой войны. Это интереснейшая страница нашей истории, ранее малоизвестная, а точнее — выброшенная большевистскими историками из памяти народа.

Интересного в нашей жизни становится больше. Интересно наблюдать за тем, как разнообразна театральная жизнь. Каков диапазон современных сценических сочинений. Кто хочет сказать, что время коллективного творчества в русских психологических репертуарных театрах ушло и началась эпоха тотальных комнатных спектаклей? Кто бы ни сказал — я этому не поверю. Впрочем, теперь этот вопрос стал очень злободневным. И интересно стало само время, в котором мы живем.

Запросы нового времени

Так уж случилось, что я пережил многих своих актеров, которых сам когда-то за руку привел в Ленком. Никто никогда не заменит, по крайней мере, для меня, Великих и

Любимых Евгения Леонова, Татьяну Пельтцер, Александра Абдулова, Олега Янковского... Тяжелая болезнь выбила из строя замечательного артиста Николая Петровича Караченцова.

Всевышний отпустил мне лет намного больше, чем я и мечтал. Спасибо Ему. Я заглянул в Новое время (термин, конечно, относительный и далеко не научный). Мне пришлось думать о новых театральных проектах и вообще о будущем Ленкома.

Я смог начать давно желанную работу над «Вишневым садом» А.П. Чехова. И там появился новый молодой артист Антон Шагин, успевший, однако, за свою недолгую карьеру заслужить популярность и зрительскую любовь несколькими проектами, самым громким из которых стал фильм «Стиляги» Валерия Тодоровского. Его Лопахин был ярок, не похож на героя прежних знаменитых исполнителей. Молодой актер стал все больше и больше занимать мое внимание и вселять надежды. Но до этого случилась «Женитьба» Гоголя.

Николай Гоголь — та мистическая личность в нашей драматургии, который, как и Гофман в Европе, увидел метафизические грани нашего бытия, ранее не познанные. Может быть, просто эти аспекты не были исследованы другими великими литераторами... «Женитьба» (премьера этого спектакля состоялась в 2007 году) погрузила нас в парадоксально-психологический мир фантасмагорического свойства. Я доверил сценографию ученику незабвенного Олега Шейнциса молодому А.В. Кондратьеву и, похоже, не ошибся. У меня возникло стойкое желание и дальше работать только с ним. Дабы не нарушить связь времен, А.В. Кондратьеву удалось внести в сценографию «Женитьбы» еще и некоторые другие фантастические мотивы гоголевского мира. Очень хороши были женихи в первых спектаклях: Л.С. Броневой, О.И. Янковский, А.В. Збруев. Бенефисные роли получились у И.М. Чуриковой и Т.Э. Кравченко. Ну и что греха таить, я радовался успеху дочери — Александры Захаровой и игре тех артистов, которым доверено было право стать главными исполнителями — Виктору Ракову и Ивану Агапову.

О следующей своей работе — сценической версии «Пер Гюнта» — великой пьесе норвежца Г. Ибсена — мне хотелось бы сказать особо. Я заинтересовался этим произведением именно потому, что по прошествии определенного отрезка жизни осознал, что путь, который мы выбираем, не всегда оказывается верным. Как найти его, не растеряв собственную самоценность в этом суровом мире? На эти вопросы отвечает наш спектакль. Главную роль в постановке исполнил тот же Антон Шагин. Мать Пера играет Александра Захарова. Спектакль был поставлен с большим пластическим и хореографическим креном. Мне даже показалось, что эта постановка оказала некоторое воздействие на российские театральные процессы. В московских театрах появились постановки, которые стали целиком и полностью «протанцовываться». Вероятно, это естественный шаг в развитии режиссуры драматического театра.

Я наблюдал это явление с большим интересом, пока, честно говоря, не надоело. Когда-то я размышлял о том, что спектакль в драматическом театре должен не пренебрегать возможностью монтировать отдельные сцены по законам музыкальной драматургии. Следующий шаг, вероятно, по моим прогнозам, — превращение драматургии в музыкальное произведение. Конечно, это не тотальный процесс, это касается только некоторых режиссеров и некоторых московских театров.

Удивление и талант — вот два краеугольных камня, на которых зиждется любое театральное сочинение.

Новое время, по-моему, подарило нам еще большую авторскую свободу, расширило права режиссера на творчество. То есть появление смелых авторских спектаклей — это, наверное, требование времени, а не случайность. В обществе возник на них запрос. Режиссер берет любые приглянувшиеся ему тексты, самостоятельно составляет из них произвольную драматургическую композицию, о которой ему грезится. Источники для этой композиции, повторюсь, могут быть самые разные, самые необычные. На этой волне родился наш ленкомовский спектакль «Попрыгунья»: сценическая фантазия по Аристофану и Чехову. Сразу скажу, что очень важное значение для меня имело привлечение к работе над этой постановкой санкт-петербургского хореографа Сергея Грицая, которого мне порекомендовал наш театральный директор. Я прежде посмотрел видеозаписи его работ на дисках и понял, что это дальнейшее развитие идей и задумок Олега Глушкова, хореографа-постановщика «Пер Гюнта». Но Сергей Грицай это сделал, как мне показалось, гораздо интереснее, неожиданнее и, можно сказать, с каким-то болезненным хореографическим ощущением.

Идея спектакля пришла ко мне в голову неожиданно — почему-то мне привиделся Аристофан... Я не могу себя считать знатоком античного, точнее, древнегреческого театра — но знаю, что Аристофан был отцом комедии, а у нас мастерски владел жанром комедии другой великий человек — Чехов... «Возможно ли такое соединение?» — подумалось мне. Оно стало возможно только в таком произвольном сочинении режиссера, которое естественно будет исполнено теми артистами, которым он доверяет.

Спектакль имеет все ленкомовские родовые признаки: элементы шоу, выстрелы и взрывы, оригинальную музыку, танцы и, естественно, самобытный режиссерский взгляд на литературную основу. Я начинал работу с перевода на сценический язык нескольких трагикомических рассказов А.П. Чехова — «Попрыгунья», «Хористка», «Черный монах»... Впрочем, меня с самого начала привлекали собственные фантазии по поводу чеховских текстов и монологов царя птиц Удода.

На мой взгляд, мне удалось составить части трех разных произведений, стоящих друг от друга далеко и по времени, и по жанровой принадлежности, но при этом очень точно и доходчиво выразить актуальные злободневные мысли. За обманчивой легкостью повествования стоят серьезные жизненные вопросы, на которые рано или поздно каждый человек начинает искать ответы. И вот получилась удивительная гармония — для меня она была удивительна, во всяком случае, я так рассуждаю со своей режиссерской колокольни, получилась удивительная гармония между отцом комедии Аристофаном и

Антоном Павловичем Чеховым. Я уверен, великих реформаторов связывает единый процесс постижения человеческого разума и того мира, в котором он формируется. А.П. Чехов, сочиняя свои трагические комедии, наверняка слышал музыку далеких предков. Так мне хочется думать, и так мне легче узаконить мою неожиданно возникшую фантазию, связанную с пленительным названием «Птицы» древнегреческого комедиографа Аристофана, «отца комедии».

Если в двух словах немного упростить суть, герой доктор Дымов, которого Ольга Ивановна, его жена, перестала почитать, поскольку его полностью затмило ее новое, яркое, «звездное» окружение. А в отношении Дымова ей и говорили, и она вообще-то соглашалась, что это заурядный обыкновенный человек, ничего, в общем-то, из себя интересного не представляющий по сравнению с ее новыми друзьями. И вот к концу спектакля происходит постепенное отрезвление: главная героиня в исполнении Александры Захаровой вдруг начинает постепенно понимать, что это что-то поверхностное, ненастоящее, а настоящим для нее становится Дымов. Ольга совершенно случайно (ну, не случайно: она его зовет) наталкивается на человека из больницы, жующего булку (на мой взгляд, еще одна неплохая режиссерская находка, где за обыденным жестом скрывается огромный накал страсти и понимания происходящего), и он сообщает ей о смерти Дымова, объясняет, что это потеря огромная для науки, что это был мужественный и сильный, «небесный» человек, героически преданный делу, что он был озабочен болезнью одного из своих пациентов и вел такую рискованную терапию, которая была опасна для собственного здоровья целителя (заразился дифтеритом от мальчика, у которого высасывал через трубочку дифтеритную пленку).

Но вот он перешагнул через это, решив, что это его долг, что это его предназначение, и тем самым обрек себя на смерть... Но в русском театре нельзя заканчивать просто смертью. Недаром в дореволюционном российском театре после «Грозы» и последующего перерыва игрался водевиль. И поэтому Дымов появляется и после своего ухода, появляется как некая галлюцинация, которая вдруг оказывает целебное воздействие на главную героиню, и она заявляет своим бывшим кумирам, что у меня есть один друг, в моей жизни есть великий человек, Дымов, и она уже где-то в другом измерении и просит у него прощения. Ну и потом завершается спектакль неким пластическим таким актом некого осторожного трепетного познания друг друга. А потом снова идет кусочек начальный из Аристофана и все каким-то образом закольцовывается в таком едином и достаточно гармоничном сочинении.

Мы пытались выстроить спектакль как театральную игру с обязательной для Ленкома самоиронией. Великого русского писателя дразнил хоровод человеческих характеров — смешных, нелепых, злобных, прекрасных, великодушных… Они чем-то напоминали мне фантасмагорическую стаю разноперых птиц, летящих под облаками. Мне, как и английскому кинорежиссеру Хичкоку в его знаменитом фильме, птицы казались не только прекрасными созданиями — в нашу чеховскую фантазию влетело скопище человеческих слабостей, притягательных страхов и даже галлюционарных объектов. Вслед за мистическими образами мы прикоснулись даже к молодому Горькому, который дружил с Чеховым в Ялте на рубеже веков, когда «Буревестник» обрел сумасшедшую популярность в русском обществе.

Навязчивые идеи рефлексирующих героев побудили нас пристальнее вглядеться в божественные выси, познать радость вселенского бытия и позавидовать тем, кто вправе называться небесными странниками.

Для меня очень дорог этот спектакль: я надеюсь на его долгую жизнь. Впрочем, посмотрим!

Очень благодарен, конечно, Александру Николаевичу Балуеву, который отказался от некоторых съемок во имя того, чтобы сыграть настоящего героя — доктора Дымова. В его исполнении Дымов трогателен и обаятелен. Полное впечатление, что Балуев не играет, а именно проживает жизнь своего персонажа, и при всей внешней брутальности оказывается человеком нежным и утонченным. И теперь я думаю, конечно, о том, что в будущих театральных проектах сочетать жестокую правду времени с каким-то обязательным подходом, приближением к катарсису, то есть к такому явлению сценического мира пространства, который вселяет в души зрителей надежду и, боюсь сказать, радость, но какой-то просто глубинный оптимизм. Потому что просто пугать, ужасать, показывать жестокости нашей жизни — мне кажется, уже это не очень актуально для серьезного театра, поскольку мы живем в обстановке, когда нас окружает очень много негативной информации... А зрителя нужно беречь, беречь его нервную систему и заряжать ее энергией созидания.

Театральное дело ныне сопряжено с множеством рисков.

Вы знаете, в театре рискуют и режиссер, и актеры. Режиссер рискует впасть в такое состояние, когда ему требуется обязательный успех. То есть он становится рабом явного или призрачного успеха, и во имя этого успеха можно вообще разбить себе голову и сделать вообще никчемный провальный спектакль всего на несколько месяцев жизни на сцене. Велик риск и для артистов, особенно молодых, потому что пожилой артист в годах — это уже другая ипостась. А молодой, он должен понять в определенный момент своей жизни, где-то в районе 32–35 лет, что вообще это золотые годы — если ты не вышел на какую-то высокую орбиту, словом, не стал тем, кого называют у нас звездой, то надо бросить эту профессию и с удвоенной силой формировать какой-то другой путь, осваивать другую профессию, либо надо мужественно смириться с тем, что ты будешь всего лишь фундаментом, опорой других звезд и даже фоном, на котором они будут блистать. Вот эту категорию людей я очень уважаю и преклоняюсь перед ними. Они знают, что они не стали звездами...

Но рискованно еще то, что зрители иногда по много лет не ходят в театр и когда приходят, вспоминают, что было лет шестьдесят, пятьдесят, сорок тому назад, и расстраиваются, иногда даже покидают зрительный зал (но в Ленкоме, правда, не покидают, но все равно в антракте несколько человек исчезает, что естественно и справедливо: человек имеет право на выбор). Но предъявлять свои какие-то жесткие требования обязательного соответствия своих вкусов с тем, что видишь, — я думаю, это очень опасный путь. Но уже так однажды в своей истории напоролись на проклятие в адрес Пастернака — «Я, конечно, не читал Пастернака, но я присоединяюсь и полностью осуждаю его!» — как у нас писали. Вы знаете, конечно, искусство может шокировать, вы знаете, есть сейчас такая правильная позиция фирм, когда они финансируют показ какой-то одной определенной знаменитой картины — в каком-нибудь большом универмаге или торговом центре, — и вот я подумал, что у нас вот есть одна великая, этапная картина художественного течения супрематизма — «Черный квадрат» Казимира Малевича. Вот взять этот «Черный квадрат», сделать его точную копию и повезти его по регионам... И я думаю, что это будет очень небезопасное путешествие, потому что простые трудяги в глубинке скажут: «Ну что за мазня! Это, знаете ли, ни в какие ворота не лезет!»

Конечно, людей надо учить тому, чтобы они могли воспринимать искусство в неком историческом контексте — хотя сознаю, как это будет непросто — для этого нужны годы, годы и годы просвещения и знакомство со всеми зигзагами, которые преодолевает искусство, в том числе и искусство театра.

Недавно я завершил работу над спектаклем «Вальпургиева ночь» по произведениям Венедикта Ерофеева. Этот автор очень труден для постановки — тем более когда на сцене соединяются несколько произведений. Я очень долго — года два — этот спектакль делал. Репетировал-то быстро, а вот все это придумать и свести вместе... было тяжело.

Как рождался этот спектакль? Честно говоря, началось все с того, что в мое подсознание кто-то из молодой режиссуры забросил такую еретическую мысль, с которой я, в общем, не согласен: вообще в наше время в театре сюжет-то и не важен, и не в этом все дело. Это мне сказал Константин Райкин, что вот такие режиссеры у него есть, которые так говорят, но он эту точку зрения тоже не разделяет. Я вроде тоже не разделяю. Но тем не менее в общем такая цепочка причинно-следственных связей хороша, наверное, в жанре детектива. Можно угадывать что-то:

вот так сейчас будет. А поскольку штампов очень много всяких (даже не много, а они все известны), то можно многое угадать.

А вот такое произведение, которое непредсказуемо развивается, когда реализм событий соединяется с галлюционарным реализмом, с тем, что называется «фантастический реализм», и в какой-то момент уже не очень понятно: это происходило на самом деле, это будет происходить или это только его «глюки», как называет главное действующее лицо. Его, по-моему, замечательно играет Игорь Миркурбанов — свободный художник, который работает и в МХТ замечательно, и у нас сейчас играет с большим успехом, и в каждом спектакле он приобретает что-то новое. В общем, ему веришь, что это незаурядная личность, что это писатель, что у него есть своя тайна и мыслей у него больше, чем слов.

И вот это желание пойти по каким-то непредсказуемым путям, по каким-то лабиринтам, в которых я еще никогда не бывал, подтолкнуло меня каким-то образом к Венедикту Ерофееву, когда я прочел всего и понял, что сейчас... Ну, увлекались и до меня делали спектакль «Москва — Петушки». А мне захотелось сделать нечто большее, то есть вобрать в свой спектакль и «Записки психопата», и «Дневниковые записи», и пьесу «Фанни Каплан», и «Вальпургиеву ночь», и «Москва — Петушки», естественно (главное произведение Венедикта Ерофеева), и «Прозу для журнала «Вече», и некоторые другие его произведения, которые у меня сложились в такую некую пульсирующую массу, я бы так сказал немножко пафосно, но тем не менее это так.

То есть выбрасываются какие-то отдельные мысли, они обрастают какими-то реальными покровами, и эти покровы разыгрываются. Иногда он их останавливает, говорит: «Так не может быть, не бывает. Они не могли так сказать. Нет, это мне кажется». И вот эта фантасмагория, это колдовское время, о котором он именно говорит как о колдовском времени, — оно оказалось очень созвучно с нашими болями, с нашими некоторыми печалями, которые нам свойственно сейчас переживать. Поэтому это стал такой современный и достаточно злободневный спектакль.

Еще, безусловно, это такой памятник личности. Ведь не зря там в финале появляется портрет самого Венечки Ерофеева. Это такое поклонение, безусловно, это чувствуется. Меня поразило одно обстоятельство: что жители станции «Петушки» захотели памятник поставить на платформе той девушке, которая его встречала каждую пятницу, реальной существующей женщине. И это был какой-то первый допинг, после которого началась цепная реакция в моем сознании усталом.

И в результате вот родился такой дайджест, такое соединение несоединимых, казалось бы, вещей, где мне захотелось увидеть каких-то персонажей, о которых он говорит, их материализацию, обязательность. Просто литературный театр и рассказ об этом — это одно. А если оживают эти призраки его, добрые, веселые, глупые, умные, всякие — мне показалось это очень привлекательной идеей. И я постарался это сделать с группой замечательных артистов московского Ленкома, которых я очень люблю.

Миркурбанова как актёра узнали в Москве прежде всего благодаря режиссеру Косте Богомолову, поскольку он прозвучал по-настоящему сначала в спектакле «Идеальный муж», а потом и в «Карамазовых». И, конечно же, в богомоловской постановке на сцене Ленкома «Борис Годунов», где Игорь совершенно блестяще играл Гришку Отрепьева. Два таких уникальных центра получились в этом спектакле: с одной стороны, Александр Збруев — Годунов; и Миркурбанов — Отрепьев.

Самое интересное — Миркурбанов был моим учеником. Он учился в ГИТИСе как раз на курсе Гончарова — Захарова. И, как это ни странно, но так бывает: он мне не врезался в память. Он был просто очень вдумчивым, корректно ведущим себя студентом, который хорошо работал. Но чтобы я был занят его индивидуальностью — нет. Я больше думал о Дюжеве на предмет — выгнать его или не выгнать, или еще подождать. А сейчас это главное украшение нашего искусства (или почти главное).

Боюсь строить планы на Игоря в будущих постановках. Конечно, работать с ним — одно удовольствие. И дай бог, если как-то сложится, звезды благоприятно расположатся, мы еще что-нибудь достойное сотворим. Кстати, это уже не первый случай, когда в труппу Ленкома вдруг попадает новый артист. Казалось бы, в театре — сложившийся коллектив, труппа, атмосфера — и тут чужак! Всем так называем театралам сразу страшно становится от мысли: «Боже мой, насколько они могут друг друга ранить, что называется!» Но Ленком и тут уникален. Особенно хвалиться не хочется, но мне кажется, что у нас этически сбалансированная ситуация. Все равно какие-то закулисные веяния есть (наверное, без этого не может театр существовать), но они не приобретают каких-то угрожающих размеров. Люди понимают — и я об этом довольно часто талдычу, — что нужно относиться друг к другу по-товарищески, нужно быть внимательным, надо подавлять в себе всякого рода болезни театральные, которые могут возникнуть, закулисные слухи и прочее. И в этом отношении, мне кажется, у нас достаточно благополучный период. Собственно, он довольно долго длится, слава богу, и, я надеюсь, еще некоторое время продлится в театре: когда есть какое-то взаимное уважение, поддержка и желание помогать, даже когда это связано с какими-то трудностями.

Как я говорил, в «Вальпургиевой ночи» заняты ведущие актеры театра: Виктор Раков, Сергей Степанченко, Александра Захарова. Моя дочь воплощает на сцене невероятно интересный и сложный женский образ, слепленный из нескольких образов. Кроме того, от Александры потребовалось и музыкальное мастерство. С самого начала я решил, что она должна играть на аккордеоне, но это было сопряжено со многими трудностями. Потому что когда она дома работала... У меня две собаки, и они начинали выть безобразным образом, подстраиваясь в терцию, между прочим, большая и маленькая. И было сложно. Но тем не менее для правой руки она выучила партию.

И поет она неплохо, недаром в музыкальной школе занималась. Словом, если что — сможет подрабатывать с отдельным номером.

Но, помимо музыкальных и хореографических номеров, в спектакле еще присутствует ненормативная лексика. Более того, у нас даже ангелы нехорошими словами ругаются...

Журналюги все пытают меня: «Не боюсь ли, что в нынешние непростые времена спектакль просто-напросто закроют?»

Прекрасно знаю, как это бывает, ведь у меня не раз закрывали постановки в советские времена. «Три девушки в голубом» закрывали, «Доходное место», с «Тилем» — тоже была долгая история, когда все висело на волоске, вопрос стоял не только о закрытии спектакля, но и о моем увольнении из театра — и стоял вполне конкретно. Я тогда чудом удержался. Все было, и я очень хорошо это помню. Да, сегодня все возвращается, но, как водится, в виде фарса. Тогда закрывали сверху. А теперь — какие-то странные народные инициативы... Какие-то группы людей, которых что-то оскорбляет. И никогда не знаешь, что на этот раз их оскорбит. Весьма в этом контексте показательна история с закрытием оперы «Тангейзер» в Новосибирске.

Но тем не менее буду до последнего стоять на своем.. Звучащий в спектакле мат мы стыдливо называем «народными грубостями». Убежден, если совсем лишить произведения Венечки Ерофеева ненормативной лексики — это все-таки будет предательство в отношении автора. Тогда не надо за него и браться, если нет смелости, если нет желания каким-то образом соответствовать его духу, его стилистике. Поэтому у нас нет-нет да что-то проскальзывает. И я немножко напрягаюсь, когда приходит какое-то начальство или руководство в театр. Но, надо сказать, на муниципальном уровне все у нас благополучно. Когда уже немножко повыше — там возникает некоторое недоумение, но не более того. Поэтому я надеюсь, что ангел-хранитель мой мне поможет, и спектакль пройдет мимо всяких рифов и барьеров.

Мое лучшее творение

Моя жена Нина особенно стала дорожить мной после появления на свет произведения под названием Александра Захарова. Саша родилась в 1962 году, а брак с Ниной мы зарегистрировали в 1956-м. Нине пришлось преодолеть определенные трудности, связанные со здоровьем, чтобы ребенок мог наконец родиться. Сейчас уже не скажу с уверенностью, но, по-моему, я больше хотел мальчика. А когда появилась девочка, мне было все равно радостно, что кто-то у нас есть. Жена предложила назвать дочку Александрой. Так звали мою прабабушку. Я даже смутно помнил, как мы сидели с ней в свете коптилки — в Москве моего детства часто выключали электричество, и она что-то рассказывала, но не то, что сейчас было бы интересно выпутывать из лабиринтов памяти...

Зато не забуду, как в роддоме мне передали сверточек, я заглянул в него и понял — мое творение. Событие отпечаталось в мозгу, словно выбитое золотыми гвоздями. Первые два года я относился к дочери как к совершеннейшему несмышленышу. От двух до пяти, считал Чуковский, за детьми надо записывать, а я из-за работы очень мало уделял времени Саше и почти ничего не помню. Разве что какие-то трогательные моменты...

Несмышленыш подошел и впервые сказал: «Папа...» Комок подступил у меня к горлу, я часто-часто заморгал. Это был очень яркий и памятный момент сентиментального подавления.

Нина занималась с дочерью куда больше меня. Здоровье у Саши было слабое, Нина холила ее, лелеяла и однажды даже спасла, выходила, когда врачи уже ни на что не надеялись.

В подростковом возрасте в Александре удивительным образом сочетались серьезность и разгильдяйство. Как-то раз я притащил домой книгу Бердяева. Саша забрала ее к себе и стала переписывать в тетрадку. Она тогда была в четвертом классе. Я, конечно, удивился и спросил, зачем ей это надо. Но она не ответила. Александра была, мягко говоря, с некоторыми дисциплинарными заскоками и училась неважно. Когда по физике за четверть ей поставили «пять», у меня это вызвало приступ смеха.

— Что смешного? — поинтересовалась она.

— Этого просто не может быть, — ответил я. — В нашей семье «пятерка» по физике — нереально.

В классе девятом дочь сообщила, что может быть только актрисой. Еще маленькой девочкой она приходила в театр с дедушкой, моим отцом (мама умерла в пятьдесят четыре, и Саша ее не помнит). Смотрела премьерного «Тиля», вокруг которого был сумасшедший ажиотаж. Но ей не очень понравилось — наверное, лет было еще мало. Другое дело «Золотой ключик». Караченцов в роли Кота Базилио был так же дорог Александре, как Ихтиандр поклонницам Владимира Коренева. Я наблюдал у писчебумажного ларька толпу девчонок, жаждущих купить огромный дефицит и невероятную ценность — фотографии человека-рыбы. Вот и у Александры был кумир — человек-кот, Николай Караченцов.

Для меня Николай Петрович стал актером, определявшим лицо нового Ленкома. Хотя некоторые зрители поначалу лицо Караченцова принимать не хотели и писали: «Уберите со сцены эту страшную физиономию!» Но Николай Петрович, которого я впервые увидел неприлично юным, тощим и длинноносым «гадким утенком», невероятно быстро оперился, укротил зрителя и покорил миллионы женских сердец. Неудивительно, что и Александра захотела оказаться где-то поблизости от него. «Хорошо, поступай в театральный», — не возражал я.

— Что собираешься читать на экзамене? — спросили мы с матерью, когда пришло время.

— Сон Татьяны.

— Внимательно тебя слушаем.

Наш ребенок-тинейджер встал, уперся глазами в пол и почему-то шепеляво забубнил:

— «И шнится чудный шон Татьяне...»

Меня охватил ужас, это было за пределами допустимого. Мать тоже испугалась и стала регулярно заниматься с Александрой, постепенно приводя дочь в чувство. Саша многому научилась у мамы как актриса. Нина передала дочери искорку, которая в ней горела, но не реализовалась.

Александра замечательно играла, когда показывалась в Ленком. Ей дали отрывок из «Мамаши Кураж» Брехта. Она изображала немую, которая должна была повторять единственное слово: «Ма-а-ма, ма-а-ма!» Пробирало до слез. Мы стали обсуждать группу выпускников, пришедших на просмотр. Когда дошла очередь до Александры, Елена Алексеевна Фадеева — она играла мать Ленина, была депутатом Верховного Совета — стукнула ладонью по столу и сказала: «Что мы тут собираемся обсуждать?! Человек жену в театр не взял! А мы будем решать, быть ли здесь его дочери?!» Все согласились, что аргумент весомый и убедительный, и Александру приняли.

Жена Нина в свое время ведь тоже хотела играть в Ленкоме. Вскоре после смерти Владимира Полякова в театр «Эрмитаж» пришел директор, который стал Нину притеснять: не отпускал в зарубежную поездку, вытворял еще что-то обидное и несправедливое. Она переживала. У нас тогда было непростое время — ее выживали из театра, а я работал в студенческой труппе МГУ. Только когда меня пригласили в Ленком, Нина решилась уйти из «Эрмитажа». Она была не выдающейся, но способной актрисой, у которой при условии, что муж — режиссер, должна была состояться успешная актерская карьера. Но я, взяв на вооружение ее кошачье мышление, решил не брать жену в труппу. Нина оказывает на меня сильное влияние, с которым я не сумел бы справиться, находясь бок о бок в одном театре. У меня не было бы ощущения, что я — хозяин. Характер у жены весьма конфликтный. Это я понял еще в Перми: она, к моему ужасу, активно выступала на собраниях трудового коллектива с агрессивными нападками на дирекцию, руководство и профсоюзы...

Нина смирилась с «отставкой» быстро, навсегда распрощалась со сценой и переключилась на ведение домашнего хозяйства. Жизнь продолжалась. Возможно, первое время жена таила обиду, но я старался компенсировать ей эту потерю как мог. Когда появилась возможность поехать в туристическую поездку в Польшу, Чехословакию и ГДР, сделал все, чтобы мы отправились за границу вместе. Руководителем Управления культуры в ту пору был Валерий Иванович Шадрин, которого до сих пор числю в близких друзьях и симпатичных мне людях. В свое время его отозвали из комсомола и бросили на эту работу, чтобы он навел порядок. И он разрешил мне играть «Три девушки в голубом», запрещенный ранее спектакль. Вернул Любимова в Советский Союз. Он же помог в ситуации с заграницей: «Не издевайтесь над семьей, муж поедет, а жена нет?!»

Принятая в театр Александра долго играла в массовке. Помню, нам предстояли гастроли в Париже с «Юноной» и «Авось». Перед поездкой я вывел дочь из спектакля, и во Францию она с нами не поехала. Саша переживала, долго считала, что это были пропащие годы... Потом, правда, перестала так говорить. Постепенно она обрела мастерство, которое позволило ей хорошо сыграть в фильме режиссера Сергея Ашкенази «Криминальный талант». После успеха картины женщины, обладающие если не талантами, то способностями и торгующие из-под полы в подземных переходах, воспринимали Александру как свою и предлагали ей покупать со скидкой дефицитные в ту пору товары. Она, безусловно, получила признание как актриса.

Тогда я почувствовал себя свободным человеком в плане этических обязательств и дал Александре в театре много центральных ролей, играла она хорошо, ее хвалили в прессе.

Работается нам нормально. Александра очень мне верит. Только если я убираю из роли какие-то слова и выражения, переживает.

— Не говори здесь «ах», — настаиваю я. — Продолжай дальше.

— Как же так?! Это самое важное!

И долго объясняет мне: если вымараю ее «ах», пропадет смысл сцены и сыграть без «аха» совершенно невозможно. Я в спор не ударяюсь, но потом поступаю по-своему.

«Вот эта женщина, приятель, и есть все то, чего достиг ты в жизни», — говорит Пер Гюнт, герой Ибсена. Применительно ко мне — это Александра. Дочь стала ведущей артисткой, ей дали звание народной, а недавно и два ордена. У нее есть фанаты, которые аплодируют, когда она выходит на сцену. Раз в год в театре проходит тайное голосование, которое определяет лучшие женскую и мужскую роль, роль второго плана, лучший цех и так далее. Она несколько раз получала признание коллег.

Последнее время Саша настолько активно обо мне заботится, что меня это стало раздражать: «Застегнись!», «Почему не поел вовремя?!», «А это тебе нельзя!».

Я злюсь, а она понимает, что возраст у меня уже не самый детский...

Вместо эпилога.

Заключительный
поток сознания

Этот очередной поток сознания я бы хотел превратить в заключительный. Христианскому мышлению свойственна тяга к покаянию. Я не могу отнести себя к людям безупречного христианского мировосприятия; слишком поздно крестился, остро ощущаю личностные пробелы в духовной и ритуальной системе основополагающих православных ценностей. Но посмотреть на свои писания не с одной только иронией, но и с ядовитым сарказмом, невообразимо тянет. Откуда это из меня выскочило: «суперпрофессия»? То, что «супер» — эрзац и полусленг, стало ясно уже в середине написанного. Вероятно, эта лексическая химера вырвалась у меня от подмены красивого красивостью. Честно говоря, не очень этого от себя и ожидал, потому что ненавижу и вздрагиваю от многих сомнительных словесных новообразований. «Прикольная, крутая тусовка» — для моего языка вещь невозможная, хотя бы потому, что слово «тусовка» почерпнуто культурным слоем нашего общества из лексикона проституток. Это мне объяснил хорошо осведомленный ученый-филолог. Но очень хочется иногда прыгнуть выше головы. Нахлынувшие на тебя чувства легко перерастают не в гордость за профессию, но — гордыню. (Кстати, распространенное профессиональное заболевание.) Вероятно, где-то в недрах подсознания возникло желание подменить высокое профессиональное самоутверждение, к которому обязан тянуться любой режиссер, плакатным «слоганом».

А если копнуть глубже и больнее — может быть, это еретический суррогат некоторых подспудных религиозных поползновений? Впрочем, изображать из себя раскаявшегося грешника не хочу. Таковым себя не считаю. Не потому, что безгрешен, а потому, что серьезных грехов за собой не числю. Хотя еще надо подумать хорошенько, где она, та самая граница, что отделяет грехи несерьезные от серьезных.

Наверное, очень хотелось красиво определить подаренное мне судьбой земное предназначение. А оно все-таки, по трезвому размышлению, лежит за пределами театра, и режиссерские экзерсисы не есть мерило человеческой силы и глубины. Категории эти лежат ближе к той, пусть несколько анекдотической системе человеческих взаимоотношений, которых коснулся итальянский драматург Эдуардо Де Филиппо, затронув сквозь смех и слезы высшее предназначение человека, не отягощенного мессианскими комплексами всемирного или сугубо профессионального преобразования. «Дети есть дети», — говорит и снова повторяет в нашем спектакле Филумена Мартурано. А как можно сказать лучше, даже в том случае, если это не твои собственные дети, но дети нашей общей Земли — маленькой и хрупкой планеты? Вот такой финальный поток созна... принципиально не хочу заканчивать, потому что тешу себя надеждой на продолжение и мыслей, и профессиональных мечтаний. Тем, кто все-таки добрался до этой фразы, спасибо за долготерпение.

* * *

Меньше всего я хотел бы в заключение повторить уже хорошо известные всем постулаты о бережном отношении к культуре — как в ее материальном, так и в смысле тех ценностей, что лежат в сфере самого духа нации, ее ментальности. Здесь все без исключения всегда кивают головами, соглашаясь с важностью культурных институтов, хотя и не понимают до конца, что культура сама по себе не есть система украшений, эдаких инкрустаций на экономически прочном теле государства. Культура, увы, нечто большее, слишком плотно связанное с тенденциями исторического развития народа, в данном случае зримой его деградации, в том числе демографической. Остается молить Бога, чтобы толпы все умножающихся «лишних» людей в России, включая младенцев и подростков, оказались бы порождением ограниченного во времени исторического кризиса, чтобы пагубные тенденции в нашем культурном самосознании оказались бы трещинами, а не смертельными «тектоническими» сдвигами.

Оглавление

Издание для досуга

СВИДЕТЕЛЬ ЭПОХИ

Захаров Марк Анатольевич

ЛЕНКОМ — МОЙ ДОМ
ЛИЦЕДЕЙСТВО БЕЗ ФАРИСЕЙСТВА

МОЕ РЕЖИССЕРСКОЕ РЕЗЮМЕ

Ответственный редактор *А. Соловьев*
Редактор-составитель *В. Краснопольский*
Редактор *К. Винокуров*
Художественный редактор *Р. Фахрутдинов*
Технический редактор *Г. Романова*
Компьютерная верстка *Л. Панина*
Корректор *О. Супрун*

ООО «Издательство «Э»
123308, Москва, ул. Зорге, д. 1. Тел. 8 (495) 411-68-86.

Өндіруші: «Э» АҚБ Баспасы, 123308, Мәскеу, Ресей, Зорге көшесі, 1 үй.
Тел. 8 (495) 411-68-86.
Тауар белгісі: «Э»
Қазақстан Республикасында дистрибьютор және өнім бойынша арыз-талаптарды қабылдаушының
өкілі «РДЦ-Алматы» ЖШС, Алматы қ., Домбровский көш., 3 «а», литер Б, офис 1.
Тел.: 8 (727) 251-59-89/90/91/92, факс: 8 (727) 251 58 12 вн. 107.
Өнімнің жарамдылық мерзімі шектелмеген.
Сертификация туралы ақпарат сайтта Өндіруші «Э»

Сведения о подтверждении соответствия издания согласно законодательству РФ
о техническом регулировании можно получить на сайте Издательства «Э»

Өндірген мемлекет: Ресей
Сертификация қарастырылмаған

Подписано в печать 09.11.2015. Формат 84х108 $^1/_{32}$.
Гарнитура «Школьная». Печать офсетная. Усл. печ. л. 26,88 + вкл.
Тираж 3000 экз. Заказ №8525

Отпечатано с готовых файлов заказчика
в АО «Первая Образцовая типография»,
филиал «УЛЬЯНОВСКИЙ ДОМ ПЕЧАТИ»
432980, г. Ульяновск, ул. Гончарова, 14

Оптовая торговля книгами Издательства «Э»:
142700, Московская обл., Ленинский р-н, г. Видное,
Белокаменное ш., д. 1, многоканальный тел.: 411-50-74.

**По вопросам приобретения книг Издательства «Э» зарубежными
оптовыми покупателями обращаться в отдел зарубежных продаж**
*International Sales: International wholesale customers should contact
Foreign Sales Department for their orders.*

**По вопросам заказа книг корпоративным клиентам,
в том числе в специальном оформлении**, обращаться по тел.:
+7 (495) 411-68-59, доб. 2115/2117/2118; 411-68-99, доб. 2762/1234.

**Оптовая торговля бумажно-беловыми
и канцелярскими товарами для школы и офиса:**
142702, Московская обл., Ленинский р-н, г. Видное-2,
Белокаменное ш., д. 1, а/я 5. Тел./факс: +7 (495) 745-28-87 (многоканальный).

Полный ассортимент книг издательства для оптовых покупателей:
В Санкт-Петербурге: ООО СЗКО, пр-т Обуховской Обороны, д. 84Е.
Тел.: (812) 365-46-03/04.
В Нижнем Новгороде: 603094, г. Нижний Новгород, ул. Карпинского, д. 29,
бизнес-парк «Грин Плаза». Тел.: (831) 216-15-91 (92/93/94).
В Ростове-на-Дону: ООО «РДЦ-Ростов», пр. Стачки, 243А.
Тел.: (863) 220-19-34.
В Самаре: ООО «РДЦ-Самара», пр-т Кирова, д. 75/1, литера «Е».
Тел.: (846) 269-66-70.
В Екатеринбурге: ООО«РДЦ-Екатеринбург», ул. Прибалтийская, д. 24а.
Тел.: +7 (343) 272-72-01/02/03/04/05/06/07/08.
В Новосибирске: ООО «РДЦ-Новосибирск», Комбинатский пер., д. 3.
Тел.: +7 (383) 289-91-42.
В Киеве: ООО «Форс Украина», г. Киев,пр. Московский, 9 БЦ «Форум».
Тел.: +38-044-2909944.

**Полный ассортимент продукции Издательства «Э»
можно приобрести в магазинах «Новый книжный» и «Читай-город».**
Телефон единой справочной: 8 (800) 444-8-444.
Звонок по России бесплатный.

В Санкт-Петербурге: в магазине «Парк Культуры и Чтения БУКВОЕД»,
Невский пр-т, д.46. Тел.: +7(812)601-0-601, www.bookvoed.ru/

Розничная продажа книг с доставкой по всему миру.
Тел.: +7 (495) 745-89-14.

ИНТЕРНЕТ-МАГАЗИН

ISBN 978-5-699-84211-7

16+